BAŚNIE POLSKIE

BAŚNIE POLSKIE

WYBÓR I OPRACOWANIE

TOMASZ JODEŁKA-BURZECKI

LUDOWA SPÓŁDZIELNIA WYDAW-
-NICZA

Opracowanie graficzne
TERESA WILBIK
JANUSZ STANNY

ISBN 83-205-3585-9

WSTĘP

Kraina baśni zawsze znajdowała się gdzieś daleko – za górami, za lasami, ale obecnie wydaje się nam jeszcze bardziej nierzeczywista. Baśniowe postacie i zdarzenia stają się do pewnego stopnia znakami umownymi, symbolami, które pomagają autorowi przekazać czytelnikom jakieś ważkie myśli, nieraz pouczenia. Poeci wyczarowali w swej wyobraźni cudowne zjawiska i umieścili w tej dziwnej krainie piękna i tęczowych marzeń. I oto w baśni znajdujemy:

> Czar, którego myśl nie schwyci,
> Urok dziwu snem się przędzie:
> Coś, co nigdzie – a co wszędzie,
> Coś, co nigdy – a co zawsze,
> Najsmutniejsze, najłaskawsze,
> Znane, a nieodgadnione,
> Posiadane, a stracone,
> Coś z żałoby i pociechy,
> Coś przez łzy i półuśmiechy...
>
> To nie pląsy leśnych dziewic,
> Nie jadący w bój królewic,
> Nie darami hojna wróżka,
> Nie przecudny los Kopciuszka,
> Lecz lot uszczęśliwia zawdy
> Z bólu jawy w sen nieprawdy.
>
> . . .   .
>
> O tych baśni mów nam krasie,
> Nie masz nowych klechd w zapasie?
> Stare wznawiaj więc obrazy
> Po dwa razy i sto razy,
> Niech je nasze serca chłoną...
>
> Więc baśń tęczowymi słowy
> Płynie. Czasem dźwigną głowy
> Zadrzemane babki z kąta...
> Coś im się po myślach pląta...
> Przetrą oczy półprzytomne,
> Szepcą cicho: „Pomnę, pomnę..."
>
> Coś im się przez chwilę zdaje,
> Że dzieciństwa wskrzesły raje,

Że młodości i miłości
Wiosna znowu wkoło gości... [1]

„Raje dzieciństwa" jawią się wówczas jako czar rzeczy zwykłych:

Poezja starych studni, zepsutych zegarów,
Strychu i niemych skrzypiec, pękniętych bez grajka,
Zżółkła księga, gdzie uschła niezapominajka
Drzemie – były dzieciństwu memu lasem czarów...

Zbierałem zardzewiałe, stare klucze... Bajka
Szeptała mi, że klucz jest dziwnym darem darów,
Że otworzy mi zamki skryte w tajny parów,
Gdzie wejdę – blady książę z obrazu Van Dycka [2].

Motyle-m potem zbierał, magicznej latarki [3]
Cuda wywoływałem na ściennej tapecie
I gromadziłem długi czas pocztowe marki...

Bo było to jak podróż szalona po świecie,
Pełne przygód odjazdy w wszystkie świata części...
Sen słodki, niedorzeczny, jak szczęście... jak szczęście... [4]

Gdzie jednak szukać tego cudownego majaka, ludzkiego szczęścia? Ten sam poeta powiada:

Nie wie nikt, gdzie szczęście mieszka.
Żadna doń nie wiedzie ścieżka,
Lecz bezdroże, niebezdroże,
Wielkie morze czy nie morze.

Czasem o nim wieść dolata,
Że za krańcem bawi świata,
Za gwiazdami, mgławicami,
Lecz czym jest – nie wiemy sami.

Jak z tego widać, nie wiemy, gdzie się szczęście znajduje, nie można go dokładnie określić, a jeszcze trudniej osiągnąć, gdyż w świadomości ogółu istnieje ono jako nieuchwytny symbol – baśniowy kwiat paproci. Zakwita ten cudowny kwiat tylko raz w roku, w noc świętojańską. Kto go jednak widział, komu udało się uchwycić ten czarowny majak? Słynny pisarz, Józef Ignacy Kraszewski, pisze:

„Bardzo trudno dojść do tego kwiatuszka i ułapić go... mało kto go oglądał, a starzy ludzie wiedzą o nim tylko z posłuchów, więc każdy rozpowiada inaczej i swojego coś dorzuca".

Nie jest to przecież złuda: „Tak ludzie bają – pisze dalej Kraszewski – a w każdej jest ziarenko prawdy, choć obwijają ludzie w różne szmatki to jąderko, że często go trudno dopatrzeć, ale tak i ono jest".

[1] Leopold Staff: *Wieczornica*. Cyt. wg wydania: *Wiersze zebrane*, t.III, s.381–382, MCMLV, Państwowy Instytut Wydawniczy.

[2] V a n D y c k (czyt. Wan Dajk) Anthonis (1599–1641) – słynny malarz flamandzki, znakomity portrecista.

[3] M a g i c z n a l a t a r k a – przyrząd ao wywoływania ruchomych obrazów na ścianie.

[4] Leopold Staff: *Dzieciństwo*. Cyt. wg *Wiersze zebrane*, t. I, s. 252.

Baśń ludowa wyraża więc przede wszystkim naturalne dążenie do szczęścia i równie naturalne pragnienie sprawiedliwości. Dola ludu była ciężka, codzienność przygniatała nadmiernymi obciążeniami na rzecz samolubnych panów, stąd tyle tęsknot i marzeń ludowych o lepszym bytowaniu, o sprawiedliwości społecznej. Najbujniejszy żywot w ustnej tradycji miała baśń ludowa w okresie feudalnych stosunków społecznych, kiedy chłop pańszczyźniany był „przypisany do roli", a na szczycie drabiny społecznej błyszczała złotem korona królewska. Marzyli o niej nie tylko magnaci czy mężni wodzowie; również chłop polski patrzył pożądliwie na zwodniczy blask królewskiego diademu. Sposób zdobycia tronu jest na ogół w baśni prosty. Królowie są przeważnie nieudolni albo w poważnym niebezpieczeństwie, sprytny kmiotek zaś potrafi nie tylko zwyciężyć silniejszego zwykle wroga, ale równie łatwo daje sobie radę z wyszukanymi trudnościami życiowymi. W rezultacie takich wyczynów otrzymuje rękę królewny oraz tron. Jako władca wykazuje chłop wielką roztropność i jeszcze większą sprawiedliwość. Zwłaszcza na sprawiedliwość kładzie baśń ludowa szczególny nacisk. Upośledzone klasy społeczne przez wiele wieków wzdychały na próżno do sprawiedliwości, toteż potrafiły docenić jej ogromne znaczenie. Żeby tylko marzenie baśniowe zmieniło się w prawdę, żeby wreszcie sprawiedliwość zapanowała w stosunkach społecznych! Lud polski doświadczał na sobie aż nazbyt często złych skutków nieprawości i głupoty swych panów, ale nie poddawał się biernie ciężkiemu jarzmu, nie popadał w rezygnację. Wręcz przeciwnie. W trudnych warunkach doszedł chłop do słusznego przekonania, że tylko tężyzna fizyczna i bystrość umysłu może go uchronić od ciężkich ciosów i umożliwić wytrwałe dążenie do poprawy losu. Uosobieniem najgorszego zła jest oczywiście diabeł, więc i z diabłem musi sobie chłop poradzić. Przytomność umysłu, spryt i zdrowy humor charakteryzują chłopa w jego zmaganiach z diabłem, który przeważnie okazuje się niezbyt inteligentnym i mimo piekielnie chytrych zamiarów nie jest w stanie sprostać zdrowemu moralnie i bystrzejszemu wieśniakowi. Co więcej, diabeł lęka się nawet kobiety, chociaż w ocenie ludowej stoi ona znacznie niżej od mężczyzny. Chłop jest bardzo sprytny, ale kobieta okazuje przebiegłość, na jaką nawet piekło nie może się zdobyć – „Gdzie diabeł nie może, tam babę pośle".

Żadna zbrodnia nie uchodzi w baśni bezkarnie. Czy będzie to krzywda wyrządzona słabszemu, czy ucisk poddanego, bezwzględny stosunek bogacza do biednego (czasem są to nawet bracia), czy wreszcie niewłaściwe obchodzenie się ze zwierzętami – winowajcę zawsze dosięga karząca ręka sprawiedliwości. Ocena wszelkich zjawisk jest w baśni nie tylko surowa, ale i bardzo prosta: zło występuje tu zawsze jako zło i tak jest nazywane, choćby próbowało przystroić się w piękne piórka; dobro jest zawsze oceniane jako wielka wartość pozytywna, zarówno w stosunkach społecznych, jak i w życiu jednostki.

Dążenie do lepszego życia przewija się nie tylko w licznych baśniach o królach (a jeszcze częściej o królewnach), widać to także w bardziej uproszczonych sposobach odmiany losu. Będą to albo zaklęcia umożliwiające przemianę w zwierzęta czy ptaki lub zaczarowania innego rodzaju, albo cudowne moce, otrzymane w nagrodę za spełnienie jakiegoś dobregu uczynku, nieraz nawet zupełnie drobnego.

Surowa moralność naszych baśni, uznanie dla sprawiedliwości i piętnowanie wszelkich nieprawości umożliwiły im spełnianie wielkiej roli wychowawczej. To oddziaływanie dydaktyczne wzrosło jeszcze dzięki stosunkowi baśni do prawdy. Wiele baśni dzieje się w świecie nierzeczywistym, ale wszystkie przekazują jakieś prawdy – owe cenne ziarenka, jak to formułował Kraszewski, owinięte w różne formy opowiadania. Niejednokrotnie prawdę pisano przez duże P, bo też ceniono ją bardzo wysoko.

Ale czasy się zmieniły. Prawda zaczęła tracić znaczenie w normalnych stosunkach między ludźmi. Coraz bezczelniej rozpierał się wszędzie fałsz. I doszło do tego, że o wielu prawdach, nawet tych najważniejszych, nie można było mówić wprost, trzeba je było „obwijać w różne szmatki". Szczególnego znaczenia nabrała ta sprawa u nas, gdy w okresie niewoli zaborcy starali się wszelkimi sposobami wynarodowić Polaków, znikczemnić cały naród, uczynić go niegodnym wielkiej przeszłości i niezdolnym do normalnego życia wśród wolnych ludów Europy – w przyszłości.

W wieku XIX ogrom nieszczęść i poniżenia narodu polskiego przeszedł wszelką miarę. Ale właśnie ten niesłychany ucisk wyzwolił siły światłych działaczy, które okazały się wystarczające do przerzucenia mostu między przeszłością i przyszłością. Przedstawiciele ginącej klasy szlacheckiej obudzili poczucie narodowe ludu polskiego, samorodną kulturę ludową włączyli do skarbca ogólnonarodowego. Przekazywane ustnie z pokolenia w pokolenie baśnie ludowe otrzymały piękną oprawę literacką najświetniejszych piór polskich. Co więcej, w okresie największego ucisku narodowego wielcy pisarze posłużyli się formą baśniową, by przypomnieć zgnębionemu społeczeństwu najbardziej istotne wskazania patriotyczne. Baśń ludowa, która przedtem w swej tendencji dydaktycznej nie wykraczała poza zakres ogólnoludzkiej moralności, teraz dzięki światłym pisarzom stała się wcale ważkim czynnikiem w ciężkiej walce o zachowanie istotnych wartości narodowych, umożliwiających przetrwanie długiej nocy niewoli i bezprzykładnych prześladowań. I wreszcie – już na początku XX wieku – w baśniowej formie przekazywał wielki poeta ludowy wyraźne wezwanie do walki o wolność:

„Gdy ludzie staną się tak dobrzy jak ty [...], gdy nabiorą takiej wiary i mądrości, że już nie będą mogli znieść jarzma, co ich gniecie [...], wówczas zjawi się taki drugi chłopaczek [...], zapuka do bramy złocistej i wielkim zawoła głosem:

– Wstańcie, rycerze, ze snu wiekowego, wstańcie i spłyńcie w doliny pomiędzy ludzi, którzy stali się już dobrzy i mądrzy i wielką mają wiarę, a pod panowaniem złego żadnym sposobem żyć już nie chcą dłużej!

My to usłyszymy i uwierzymy [...]. Rumaki nasze zeprzemy ostrogami i z dobytym mieczem w dłoni popędzimy w świat jak wicher, jak burza. Zerwie się naokoło szum ogromny. [...] Całe niebo i ziemia zatrzęsie się od grzmotów; błyskawice krzyżować się będą, jak miecze ongi zastępów niebieskich, co walczyły z szatanami, pioruny walić będą bez ustanku, przestrach pójdzie po wszystkim, co żyje, lecz potem nastanie spokój [...], a ludzie, zbawieni z niedoli, pieśni radosne zaśpiewają..."

Tak mówił rycerz zaklęty, a poeta kończy baśń jakże wymownym stwierdzeniem:

„Myśmy dotąd jeszcze niegodni; nie wiemy na pewno, w której skale cud się ten mieści, lecz mamy nadzieję i ufność, że już niedługo mądrość i wiara w wyzwolenie po świecie się rozkrzewi i że wtedy natchnie Bóg takiego chłopaczka, jak tamten, że chłopaczek ten znajdzie ową jaskinię, do bramy złocistej zapuka i będzie mógł śpiącym rycerzom słowo powiedzieć niekłamliwe:

– Już czas!" [1]

*

Polskie baśnie ludowe sięgają swymi początkami czasów średniowiecznych. Przejęta z Zachodu baśń-legenda o Walterze z Akwitanii, zadomowionym w Polsce jako Walgierz Wdały, znalazła się we wstępie do pierwszego naszego zbioru baśni – *Klechd* Kazimierza Władysława

---

[1] Jan Kasprowicz: *O śpiących rycerzach w Tatrach*. Por. s. 274 i 275 niniejszego wyboru baśni.

Wójcickiego. Baśnie stworzone przez wielkich pisarzy naśladują wyobrażenia ludowe, jednak podnoszą rangę tego gatunku literackiego, stawiają go na równi z najwyższymi osiągnięciami artystycznymi naszej wielkiej poezji. Długą i piękną drogę rozwoju baśni polskiej przedstawił lapidarnie wielki znawca naszego folkloru, prof. Julian Krzyżanowski:

„Na przełomie stuleci XVIII i XIX, w okresie mnóstwa «odkryć» społecznych, jednym z najowocniejszych było odkrycie literatury ludowej. Niezwykłość jego polegała na tym, że literatura ta była od dawna znana, nawet bowiem osoby od ludu bardzo odległe niańkami miewały kobiety wiejskie, które wychowankom swym śpiewały pieśni po chatach i na polach śpiewane lub opowiadały bajki, zasłyszane w czasie długich wieczornic jesiennych i zimowych. Tak, ale «babskie bajki» lub «babskie baśnie», podobnie jak pieśni ludowe, przed końcem wieku XVIII wyjątkowo tylko cieszyły się uznaniem. W okresie natomiast przełomowym znalazły w całej Europie namiętnych miłośników. Zwłaszcza wydanie przez braci Grimmów bajek niemieckich stało się wielkim wydarzeniem literackim; obaj uczeni znaleźli naśladowców, zbierających i drukujących zbiorki opowiadań ludowych; co więcej, zbieracze ci zdołali zainteresowaniami swymi zarazić wielkich poetów romantycznych. Mickiewicz i Słowacki w Polsce, Puszkin zaś i Gogol w Rosji, by na tych czterech nazwiskach poprzestać, wprowadzili uroczyście do literatury pomiataną dotąd «chłopiankę», przy czym autor *Balladyny*, baśni-tragedii, wdział na jej skronie koronę w znaczeniu i dosłownym, i przenośnym. Dziewczynę więc wiejską zrobił królową nadgoplańską, baśń zaś o siostrze zazdrosnej podniósł na wyżyny wspaniałej tragedii [1].”

Ta uroczysta koronacja baśni ludowej, dokonana przez Słowackiego, była poprzedzona wprowadzeniem podań ludowych do wielkiej poezji romantycznej w *Balladach* Mickiewicza. Pierwiastki ludowe znajdziemy również w *Dziadach*. Ale zarówno w *Balladynie,* jak w wielu utworach Mickiewicza ludowe wątki baśniowe zostały przetworzone i wzbogacone fantazją poetycką. W tym samym czasie baśń ludowa ukazała prawdziwe swe oblicze, bez pięknych szat literackich, we wspomnianych już *Klechdach* K. Wł. Wójcickiego (1837).

Wójcicki nie był jednak pionierem w tej dziedzinie. Pierwszym zbieraczem baśni polskich był Zorian Dołęga Chodakowski (właściwe nazwisko: Adam Czarnocki, 1784–1825), który wiele lat strawił na penetrowaniu zapadłych wsi, gdzie z niemałym trudem wyciągał od nieufnych chłopów ludowe baśnie, skrzętnie je zapisywał i chował jak prawdziwe skarby do okutej skrzyni. Niestety, przedwczesna śmierć tego zapalonego miłośnika naszego folkloru uniemożliwiła wykorzystanie w kraju jego cennych zbiorów. Legendarna skrzynia Chodakowskiego z rękopisami baśni i pieśni ludowych dostała się w obce ręce. Jeden z rękopisów wykorzystał zbieracz pieśni ukraińskich, inne materiały przetworzyli pisarze rosyjscy. Wiadomo, że ze zbiorów Czarnockiego korzystał także największy poeta rosyjski, Aleksander Puszkin (1799–1837).

O wiele pomyślniejsze rezultaty przyniosła praca Kazimierza Władysława Wójcickiego (1807–1879). Był to urodzony zbieracz „starożytności" polskich. Swoim trudem ocalił od zapomnienia wiele zanikających obyczajów i zwyczajów ludowych i stał się pierwszym polskim baśniarzem. W roku 1837 wydał w rodzinnym mieście Warszawie *Klechdy, starożytne podania i powieści ludu polskiego i Rusi.* W kilkanaście lat później (1851) uzupełnił zbiór nowymi baśniami. *Klechdy* Wójcickiego, pomijając niezbyt fortunny tytuł, stanowią wydarzenie w dziejach baśni polskiej. Po raz pierwszy ukazały się w książeczce, żyjące dotąd tylko w ustach ludu, liczne baśnie polskie. Wójcicki opowiada je zwięźle, a choć czasem puszcza się na niezbyt szczęśliwe siekańce rytmiczne (por. baśń *Waligóra-Wyrwidąb),* nie upiększa wątków ludowych

---

[1] Julian Krzyżanowski: Wstęp do *Stu baśni ludowych,* Warszawa 1957, PIW, s. 5.

płodami własnej wyobraźni. Książka Wójcickiego była ceniona nie tylko przez czytelników i krytykę fachową. Na początku wieku XX poddał *Klechdy* przeróbce upiększającej i unowocześniającej poeta Jan Kasprowicz.

W kilka lat po wydaniu *Klechd* Wójcickiego w Królestwie Polskim zaczęły się ukazywać w Lesznie (zabór pruski) w wychodzącym tam popularnym piśmie *Klechdy ludu polskiego w Szląsku*. Zbieraczem tych baśni okazał się zasłużony budziciel polskości na niemczonym od stuleci Śląsku Józef Lompa (1797–1863). Jego zapisy mają tym większą wartość, że treść baśni podają w prostej formie ludowego opowiadania, bez pretensji do kunsztowności poetyckiej.

Publikacje Wójcickiego i Lompy zbiegły się w czasie, a nawet mogły podziałać inspirująco na baśniopisarstwo wybitnych poetów ówczesnych, którzy zajęli się gorliwie zbieraniem i ogłaszaniem baśni znanych sobie regionów naszego kraju. Ryszard Berwiński (1819–1879) ogłaszał w tym samym, co Lompa, leszczyńskm „Przyjacielu Ludu" baśnie wielkopolskie, zaś Roman Zmorski (1822–1867) wydał w dalekim wówczas Wrocławiu *Podania i baśnie ludu* (1852), obejmujące głównie baśnie mazowieckie. Obaj ci poeci szafowali czasem zbyt obficie ozdóbkami literackimi, to znów bez skrupułów przepisywali baśnie swoich poprzedników (np. w zbiorze Zmorskiego znajdujemy przepisaną dosłownie z „Przyjaciela Ludu" baśń *O dwóch dzieciątkach na wodę puszczonych*), ale niech to nas bardzo nie dziwi. W anormalnej ówczesnej sytuacji politycznej, kiedy naród polski był pozbawiony bytu państwowego, nawet takie zjawiska były pożyteczne, gdyż utrwalały i przekazywały szerszemu ogółowi treść oryginalnych baśni ludowych.

Również w zaborze pruskim ukazał się zbiór baśni opracowany przez znanego poetę, Lucjana Siemieńskiego (1809–1877). Wydał on w roku 1845 w Poznaniu *Podania i legendy polskie, ruskie i litewskie*. A na emigracji, w Paryżu – o czym już była mowa – baśń ludowa dostąpiła najwyższego zaszczytu, stając się treścią *Balladyny* Słowackiego.

Jednak nie Wójcicki ani Lompa, nie literackie obróbki Berwińskiego, Zmorskiego czy Siemieńskiego zadomowiły się pod strzechą chłopską. Trafił tam *Bajarz polski* Józefa Antoniego Glińskiego (1817–1866). Pierwsze wydanie *Bajarza* ukazało się w Wilnie w roku 1852. Gliński nie miał talentu literackiego, toteż gdy silił się na „upiększanie" baśni siekańcami rymowanymi albo wierszowanymi wstawkami, szpecił prostą treść baśni w sposób prawie doskonały. Trzeba jednak przyznać, że wśród czterdziestu pięciu baśni, wchodzących w skład *Bajarza*, znalazło się kilka wartościowych. Baśnie: o Icku Popycku, o czarowniku i jego uczniu, o diable i o babie oraz kilka innych – zachowały ludowy humor i jędrność i nie powinny ulec zapomnieniu. Ale kilka tych dobrych baśni nie usprawiedliwia dziesięciu przeszło wydań całego *Bajarza*. I nie to jest głównym grzechem tego zbioru, że przemyca wątki obce – białoruskie czy rosyjskie – bo wiele niepolskich motywów, sięgających nieraz bardzo odległych czasów, weszło w obieg naszych przekazów ustnych. Znacznie poważniejszym obciążeniem *Bajarza* są jego niedomogi artystyczne. Udziwnione, a często dziwaczne nazwy, owe konie-srebrnogrzywki, wilki-wiatroloty, żar--ptaki, wory-samochwyty, lulki-niewykurki, a także nieporadność stylistyczna, obarczona nieudolnym rymowaniem, nie mogły wyrabiać dobrego smaku wśród czytelników wiejskich, nie obeznanych z arcydziełami naszej literatury pięknej. Dlatego *Bajarz* Glińskiego, dobry w pomyśle, stał się w ostatecznym wyniku poważną zawadą w rozwoju baśni polskiej.

Całe szczęście, że po nie zawsze udanych próbach poetów i niezasłużenie spopularyzowanym partactwie kiepskiego literata zajęli się baśniami ludowymi czołowi pisarze polscy.

Najpracowitszy z polskich twórców, Józef Ignacy Kraszewski (1812–1887), skierował główny swój wysiłek na przedstawienie w cyklu powieści dawnych dziejów narodu, lecz doceniał także znaczenie baśni. I oto sam pisze urocze *Bajki i bajeczki,* dając dobry przykład i wzór swoim następcom. A ci nie pozostają w tyle. Wielki miłośnik ludu, Adolf Dygasiński (1839–1902), napisał *Cudowne bajki,* które doczekały się kilku wydań. Najsławniejszy z naszych powieściopisarzy, Henryk Sienkiewicz (1846–1916), nie wydał wprawdzie osobnego zbiorku, ale ogłosił kilka baśni, godnych uwagi nie tylko ze względów artystycznych. *Sabałowa bajka* stanowi przykład stosunku pisarza do autentycznej twórczości góralskiej, *Legenda żeglarska, Sąd Ozyrysa* czy *U bramy raju* świadczą o jego głębokiej trosce o los uciemiężonego narodu i wzbogacają baśnie polskie o nowe, bardzo ważne motywy patriotyczne.

Pierwiastek egzotyczny (w baśni *Przygoda tygrysa*) wprowadził do naszego baśniopisarstwa Wacław Sieroszewski (1858–1945). Cztery jego *Bajki* tworzą grubą książkę. Wydane po raz pierwszy w roku 1910, doczekały się kilku wznowień, w tym trzech w Polsce Ludowej. Jeszcze przed wydaniem *Bajek* Sieroszewskiego Jan Kasprowicz (1860–1926) opracował na nowo *Klechdy* Wójcickiego; pod tytułem *Bajki, klechdy i baśnie* wydał je w roku 1902. Przeróbka może nie najlepiej wypadła, ale samo zajęcie się *Klechdami* Wójcickiego wpłynęło na powstanie oryginalnych utworów Kasprowicza, takich jak *O śpiących rycerzach w Tatrach* czy baśń o Perłowicu. Te baśnie należą do wartościowego dorobku Kasprowicza i nie ma żadnej potrzeby przypisywać mu – co dotychczas uparcie pokutuje – również *Klechd* Wójcickiego. W pierwszym zdaniu przedmowy do *Bajek, klechd i baśni* pisał on przecież wyraźnie:

„Baśnie, które oddajemy w ręce publiczności, są opracowaniem dziś już wyczerpanych *Klechd, starożytnych podań i powieści ludu polskiego i Rusi* K. Wł. Wójcickiego. Nie naruszając treści, pragnęliśmy klechdy te zmienić w tonie, a przy tym wyrzucić z nich pierwiastki «nowelistyczne», które, o ile nam sądzić wolno, nie mogły być własnością ludu, lecz są literacką przyprawą ich zbieracza." [1]

Inny piewca życia ludu polskiego, Władysław Stanisław Reymont (1867–1925), wplótł kilka baśni i legend do swego największego dzieła, *Chłopów.* Oddzielnie ogłosił baśniową *Legendę wigilijną,* a pod koniec życia przygotował osobne wydanie swoich legend i baśni. Ten zamiar pisarza nie doczekał się jeszcze realizacji.

Odrębny rozdział w dziejach baśni polskiej stanowią baśnie i podania góralskie, głównie tatrzańskie z okolic Zakopanego. Już Lucjan Siemieński w swoich *Wieczornicach* zamieścił dosyć obszerny szkic pt. *Rysy górali tatrzańskich,* gdzie zapisał w formie bardzo zwięzłej istotną treść kilku baśni o dziwożonach, strzygach, ukrytych skarbach, zaklętych pieczarach oraz wybrane epizody z życia słynnego Janosika. Opowiadanie nieśmiertelnego Sabały spisał mistrzowskim piórem Sienkiewicz, góralskie gadki posłużyły Kasprowiczowi do napisania kilku baśni oryginalnych, ale prawdziwym piewcą dawnej góralszczyzny stał się Kazimierz Tetmajer (1865–1940). W zbiorze *Na skalnym Podhalu* (1903) nakreślił stylizowane obrazy z życia dawnych górali tatrzańskich. Malowidła te może nie odzwierciedlają zbyt wiernie prawdziwego życia w Tatrach, ale poeta umiał tu doskonale podchwycić piękno i rozmach góralskiej baśniowości, zaklętej w Tatrach bardziej prawdziwie niż rzekome skarby pod wieloma skałami. Większość podań i baśni zebranych w cyklu *Na skalnym Podhalu* jest wysnuta z wyobraźni Tetmajera, lecz harmonizuje z klimatem autentycznych gadek góralskich, toteż nic dziwnego, że obecnie te utwory poety górale uważają za swoje własne. Do podań góralskich wrócił jeszcze Tetmajer w niewielkiej książce *Bajeczny świat Tatr* (1906), gdzie przekazał kilka, autentycznych tym razem, dawnych opowiadań góralskich.

---

[1] Jan Kasprowicz: Przedmowa do *Bajek, klechd i baśni.* Cyt. wg *Dzieł* pod redakcją Stefana Kołaczkowskiego, Kraków 1930, tom XVII, s. 79.

Specjalny rodzaj baśni zademonstrował Kornel Makuszyński (1881–1953), który już samym tytułem zapowiadał specyficzne właściwości książki. Te *Bardzo dziwne bajki* ukazały się po raz pierwszy w czasie wielkiej zawieruchy światowej, w roku 1916.

Po odzyskaniu przez Polskę niepodległości w roku 1918 ukazało się sporo zbiorów bajek i baśni. Znów przypomniano Glińskiego, a niektórzy pisarze pokusili się o stworzenie oryginalnych wersji baśni polskich. Szczególnie cenne wartości dorzucił do skarbnicy naszego baśniopisarstwa Witold Bunikiewicz (1884–1946) swymi *Żywotami diabłów polskich* (1930). Należy również wymienić *Opowieści niezwykłe* Włodzimierza Perzyńskiego (1878–1930), który smutną rzeczywistość warszawskiej biedoty zabarwił baśniową fantastyką. W tym samym okresie pisał *Klechdy polskie* Bolesław Leśmian (1879–1937), jednak zbiór jego, wydany z papierów pośmiertnych za granicą po II wojnie światowej, dopiero w roku 1959 dotarł do czytelników w kraju.

Podczas straszliwej eksterminacji naszego narodu w latach drugiej wojny światowej ponieśliśmy także ogromne straty kulturalne. Ten fakt narzucił po wyzwoleniu konieczność szybkiego upowszechnienia najcenniejszego dorobku naszej literatury, w tym również baśni polskich. Z szeroko zakrojonym planem przystąpił do literackiego opracowania baśni polskich Stanisław Dzikowski (1886–1951), który już w roku 1948 wydał okazały zbiór pt. *Klechdy polskie*. Książka ta miała stanowić serię pierwszą, jednak następnej serii już autor nie zdołał przygotować. Zmarł przed ukończeniem ambitnego dzieła.

Dzikowski zamierzał opracować literacko wątki baśniowe, które w formie surowej, najczęściej w gwarowych przekazach, przetrwały w tradycji ustnej do naszych prawie czasów. Od połowy wieku XIX zbierali te baśnie zasłużeni badacze życia ludu polskiego, jak Oskar Kolberg (1814–1890), autor pomnikowego zbioru *Lud polski,* jak prezentowany w niniejszym wyborze baśni Józef Lompa czy wreszcie wybitny uczony Lucjan Malinowski (1839–1898) oraz wielu późniejszych zbieraczy. Piękny język i smak artystyczny Dzikowskiego stawiają jego *Klechdy* w rzędzie najlepszych opracowań ludowych wątków baśniowych.

Równie cenną publikację pozostawił po sobie świetny gawędziarz, Stanisław Wasylewski (1885–1953). Jeszcze przed ostatnią wojną światową wydał poważną pracę o Śląsku Opolskim, a zaraz po przyłączeniu całego Śląska do Polski opublikował *Legendy i baśnie śląskie* (1947).

Wasylewski i Dzikowski wydali swe zbiory baśni już po wojnie, ale cała ich twórczość należy do okresu poprzedniego, który został zamknięty przez tragiczny rok 1939, dlatego można chyba ich książki zaliczyć do tak zwanego dwudziestolecia międzywojennego. Kończąc w niniejszym zbiorze przegląd dziejów baśni polskiej *Klechdami* Dzikowskiego, otrzymujemy przeszło stuletnie ramy czasowe, w obrębie których baśń nasza przeszła znamienne fazy rozwojowe. Od prostych zapisów literackich Wójcickiego i Lompy, poprzez próby stylistycznego ozdabiania, i to zarówno ze strony uzdolnionych poetów, jak i niezbyt udolnych literatów (Gliński), aż do zupełnie samodzielnych utworów wybitnych pisarzy – baśń polska przekazywała czytającemu ogółowi treści ludowe.

Już Siemieński nie poprzestawał na literackim wygładzeniu przekazów ludowych. *Diabeł w Krakowie* jest w większym stopniu wytworem fantazji poety niż stylistyczną przeróbką dawnego podania. W latach późniejszych obserwujemy w dziejach baśni dwa charakterystyczne zjawiska. Z jednej strony coraz liczniejszy zastęp ludoznawców gromadzi zapisy gwarowe baśni ludowych w ich surowym kształcie, z drugiej natomiast wybitni pisarze wzbogacają baśń polską dodatkami, wysnutymi z własnej wyobraźni. Posługują się oni przy tym formą baśniową do upowszechniania treści patriotycznych, dzięki czemu baśń staje się ważkim czynnikiem w walce narodowowyzwoleńczej z zaborcami. Po odzyskaniu niepodległości w roku 1918 baśnie głośnych pisarzy nie nawiązują do dawnych przekazów ludowych, chociaż ich treścią są przeważnie losy biednych ludzi z wsi i miast. Natomiast wyraźny nawrót do dawnej tradycji naszego baśniopisarstwa stanowią wydane już po drugiej wojnie światowej nowoczesne opracowania Dzikowskiego i Wasylewskiego. Można je uznać za zamknięcie dziejów pierwszego stulecia polskiego baśniopisarstwa. Można również potraktować te zbiory baśni jako odpowiedniki prac Wójcickiego i Lompy.

*

Zebrane w niniejszej edycji baśnie nie reprezentują wszystkich bez wyjątku wątków baśniowych, występujących w przekazach ludowych. Gdy jednak porównamy ten wybór ze starannie dobranymi zapisami gwarowymi w opracowanych przez Helenę Kapełuś i Juliana Krzyżanowskiego *Stu baśniach ludowych* [1], okaże się, że w dotychczasowych opracowaniach literackich nie pominięto zbyt wielu wątków z tradycji ludowej. Zbiór niniejszy nie ogranicza się jednak tylko do baśni ludowych. Kryterium wartości literackiej umożliwiło włączenie do tego wydania wielu utworów oryginalnych, które poza naśladowaniem formy baśniowej mają niewiele wspólnego z treścią ludowych podań i baśni. Dzięki temu czytelnik otrzymuje najciekawsze baśnie polskie w opracowaniach literackich, od *Klechd* Wójcickiego do *Klechd polskich* Dzikowskiego.

W prezentacji poszczególnych autorów starano się uwzględnić najlepsze ich osiągnięcia. Selekcja była nieraz dosyć surowa. Na przykład z dwudziestu dziewięciu *Klechd* Wójcickiego wybrano tylko dziewięć, z dwudziestu baśni Zmorskiego – sześć, z *Bajarza* Glińskiego – tylko cztery, z dorobku późniejszych pisarzy dziewiętnastowiecznych zamieszczono najwyżej trzy, cztery baśnie. Również ze współczesnych zbiorów Dzikowskiego i Wasylewskiego podano po pięć tylko baśni. W zasadzie nie powtarzamy tych samych wątków w różnych opracowaniach. Dla przykładu jednak, jak niektóre wątki ulegały zmianom u różnych pisarzy, zamieszczono i *Argelusa,* i *O młodzieńcu w kłodę zaklętym.*

W niniejszym wyborze mogłoby się znaleźć wiele innych baśni, i to zarówno pisarzy tutaj uwzględnionych, jak i pominiętych. Nie było jednak celem tej książki zaprezentowanie wszystkich pisarzy, dawnych i współczesnych, którzy zajmowali się tematyką baśniową, lecz chodziło o przypomnienie czytelnikom najciekawszych baśni różnych autorów. Przyjęcie takich założeń przesądziło m.in. o uwzględnieniu *Bajarza polskiego* Glińskiego, mimo poważnych zastrzeżeń w stosunku do tego zbioru, oraz skłoniło do zrezygnowania z opracowań nawet nowszych, jeśli nie stanowią one wyraźnego kroku naprzód w sposobie przedstawienia treści baśniowej.

Nie bez znaczenia jest wreszcie i objętość tomu. Równie ciekawych baśni można by zebrać na drugi co najmniej tom, trudno więc było zmieścić w tej książce wszystkie zasługujące na szerokie rozpowszechnienie.

Ostatnie wydania w Ludowej Spółdzielni Wydawniczej różnią się nieco od pierwszych edycji. Już w wydaniu czwartym (1971 r.) wyłączono baśń Wójcickiego o Walgierzu Wdałym, chociaż sięga ona bardzo dawnej tradycji oraz góralskie opowiadanie Tetmajera *Jak baba diabła wyonacyła.* Natomiast dodano do niniejszego wyboru kilka *Opowieści niezwykłych* Włodzimierza Perzyńskiego (1877–1930), baśń Ignacego Matuszewskiego (1858–1919) *O leniwym parobku Legacie* oraz adresowaną wyraźnie do małych dzieci baśń *O chciwym Macieju* Artura Oppmana, znanego pod pseudonimem Or-Ot (1867–1931). Ten piewca dawnej Warszawy napisał sporo

---

[1] *Sto baśni ludowych.* Opracowali Helena Kapełuś i Julian Krzyżanowski. Wstępem, przypisami i słownikiem opatrzył Julian Krzyżanowski. Warszawa MCMLVII, PIW, stron 416.

baśni, jednakże obciążył je nie zawsze najlepszym rymowaniem. Na przełomie wieków XIX i XX taki sposób pisania ułatwiał zapamiętanie, a nawet nauczenie się na pamięć całego ulubionego utworu, dziś wszakże wolelibyśmy zwykłą prozę. Ale zaraz trzeba dodać, że nieraz i baśniowy temat przedstawiał Or-Ot w formie pięknego wiersza. Oto jego wprowadzenie do zbiorku *Za morzami, za górami* (1916), które z powodzeniem można by zastosować także do niniejszego wyboru baśni:

Pójdźcie no, dzieci! Wieczór zapada,
Już pierwsza gwiazdka błysnęła blada.
O takiej porze najmilej właśnie
Prawić cichutko cudowne baśnie.
Ja siądę sobie w fotelu dziadzi,
A wy mnie słuchać będziecie radzi
I nim Marysia lampę zapali,
Będziem w świat czarów podróżowali.

W tym dziwnym świecie, kędyś daleko,
Za siódmą górą, za siódmą rzeką,
Jaśniej się iskrzą słonka promienie,
Gadają ptaki, żyją kamienie,
W głos ludzką mową rozpucha skrzeczy,
Zwierzęta mają rozum człowieczy,
Boć też i nieraz w zwierzęcym ciele
Zaklęty książę lat żyje wiele.

Jadąc przez puszczę głuchą, milczącą,
Rycerz tam zbudzi księżniczkę śpiącą,
Tam Tomcio Paluch w borach sosnowych
Wędruje w butach siedmiomilowych,
Złocistowłosa Królewna Śnieżka
Pośród karzełków na puszczy mieszka,
Kopciuszek gubi trzewiczek złoty
I Bóg nagradza dobroć sieroty...

Tam pan Twardowski w hulaszczej bucie
Na kałakuckim jeździ kogucie,
Madej za grzechy czyni pokutę,
Boruta skarby gromadzi sute,
Dzielni Wyrwidąb i Waligóra
Zwalczają smoka, jak strzelec tura,
I chwacki krakus w wiosenne rano
Wdziera się mężnie na Górę Szklaną...

Cudna kraina! W niej wam, o dzieci,
Jak mgnienie oka wieczór przeleci,
Myśl poszybuje jakby skowronek,
Bić będzie serce jak srebrny dzwonek,
Czasem wam w oku łezka zabłyśnie,
Czasem na ustach smutek zawiśnie
I w małej główce zrobi się jaśniej
Po tej wędrówce w krainie baśni...

A więc wejdźmy w uroczą krainę naszej baśni, po której będą nas oprowadzać przedstawieni już w tym wstępie pisarze – wielcy miłośnicy polskiego ludu i jego dawnej tradycji.

Tomasz Jodełka-Burzecki

Kazimierz Władysław Wójcicki

MORSKIE OKO

W tych miejscach, gdzie takie góry a skały, były dawniej żyzne łany i lasy, i łąki. Na samej od Polski granicy mieszkał pan polski możny, a zwał się Morski. A tuż od węgierskich kopców [1] panował młody i urodny książę i byli z sobą sąsiedzi o miedzę tylko. Pan Morski miał cudnej urody córkę, książę ją ujrzał i zaraz się w niej srodze rozmiłował. Prosił ojca o jej rękę, ale ten poprzysiągł, że wyda ją, ale tylko za swojaka, nie cudzego rodu.

Stary Morski był to wojak, poszedł z królem na wyprawę daleko, a córkę zamknął w klasztorze i powiedział, że ją przeklnie, jeśli pójdzie za Węgrzyna, bo woli oddać diabłu jak do obcego rodu.

Za długo bawił na wyprawie; młoda dziewka nudziła się srodze, a tymczasem urodny książę dalej do niej w zalecanki. Posyłał jej to cudne korale, to wstążki, to klejnoty. Nasyłał stare wróżki, co jej z węgierska wróżyły, że będzie wielką panią, że będzie miała srebrne pałace i złociste komnaty. Oczarowały roztęsknioną dziewczynę i ta przyrzekła uciec z klasztoru. Wieczorem młody książę podszedł pod mury przebrany za mnicha, żegnał się i o jałmużnę prosił. Zakonnice wpuściły go za kratę. Czarownice rzuciły zioła i zamówiły, a wszystkie psy posnęły. Książę uciekł z dziewczyną; kazał jej wystawić pałac cały koralowy – od złota i kamieni drogich lśniący.

Teraz księżna rada cały dzień po łąkach kwiecistych tańcowała albo dzieci swe pieściła, a wieczorem wróżki ją kołysały i śpiewały, żeby miłe i piękne sny miewała. Wszystko tam szło, jak wianki wił – ani gradu, ani powodzi, ani zarazy na bydło. Siedmioro dziatek mieli, wszystkie ślicznie się chowały. Stary Morski jak nie wracał, tak nie wracał; ludzie gadali, że od Tatarów zabity już nie żyje. Córka wdziała czarną żałobę, zabrała dobytek po ojcu i śmiała się z przekleństwa. Aż tu powraca niedługo potem pan Morski, pyta o

---

[1] Od węgierskich kopców – przez kilkaset lat w średniowieczu Słowacja była pod panowaniem węgierskim, stąd graniczne kopce węgierskie w Tatrach.

córkę – pokazują mu koralowy pałac. Córka, dowiedziawszy się o ojcu, przybrana w klejnoty, poszła go pozdrowić. Stary przeżegnał się, plunął, tupnął nogą, aż się pałac koralowy w proch rozsypał, i tak zawołał:

– Bogdajby twój cudzoziemiec i całe jego mienie w kamień się obróciło!

A gdy księżna wywiodła dziatki swoje i z płaczem padła mu do nóg, jeszcze więcej rozgniewany wykrzyknął:

– Rozpłyń się we łzach twoich, a przeklęte dzieci twoje niech się w nich potopią, bo aniś ty córka, ani oni Morskiego wnuki!

I przekleństwo ojca spełniło się zaraz: pola, łąki, lasy, pałace, trzody i wszystko w jeden się zamieniło kamień. Przestraszony książę przebrał się za mnicha i uciekać począł. Ale i on zamienił się w skałę, co dotąd Mnichem się zowie. Księżna płakała, przywołała wróżki, ale te nic nie pomogły przeciw ojcowemu przekleństwu. Każda tylko porwała dziecię i uciekała. A tu kamienie rosnąć spod ziemi poczęły tak nagle, że dalej biec nie mogły. Każda zmęczona usiadła i widziała śmierć przed sobą. Dzieci płakały, nawoływały matki, matka przybiegła, płakała a płakała, że z łez jej stawy się robiły, i siedem się takich stawów zrobiło, a w każdym stawie jedno dziecię leży. Księżna oczy wypłakała. Jedno oko z wyższej stoczyło się skały i od panieńskiego jej nazwiska Morskim Okiem nazwano. Klejnoty wszystkie utopiła księżna w tym stawie, które później wyłowiono.

Kiedy już nic nie było, tylko stawy a puste skały, sama księżna się w jednym stawie roztopiła, a że czarno była ubrana, woda się od tego zabarwiła i dotąd jest czarna.

Mówią ludzie, że tam nieraz jeszcze słychać płacz i narzekanie, bo jej dusza jęczy, o ratunek prosi. Ale jak kto usłyszy to i zlituje się, to go zaraz śnieg ze skał zasypie.

TWARDOWSKI

Twardowski był dobry szlachcic, bo po mieczu i kądzieli [1]. Chciał mieć więcej rozumu, niż mają drudzy poczciwi ludzie, i znaleźć na śmierć lekarstwo, bo nie chciało mu się umrzeć.

W starej księdze raz wyczytał, jak diabła przywołać można; o północnej przeto dobie cicho wychodzi z Krakowa, kędy leczył w całym mieście, i

---

[1] T w a r d o w s k i... s z l a c h c i c   p o   m i e c z u   i   k ą d z i e l i – słynny czarnoksiężnik polski, Twardowski, który żył w wieku XVI, był szlachcicem zarówno w linii męskiej (po ojcu), jak i żeńskiej (po matce).

przybywszy na Podgórze, zaczął biesa głośno wzywać. Stanął prędko zawezwany; jak w one czasy bywało, zawarli z sobą umowę. Na kolanach zaraz diabeł napisał długi cyrograf, który własną krwią Twardowski, wyciśniętą z serdecznego palca, podpisał.

Między wielu warunkami był ten główny: że dopóty ni do ciała, ni do duszy czart żadnego prawa nie ma, dopóki Twardowskiego w Rzymie nie ułapi.

Na mocy tej to umowy diabłu, jako swemu słudze, rozkazał naprzód, by z całej Polski srebro zaniósł w jedno miejsce i piaskiem dobrze przysypał. Wskazał mu Olkusz; posłuszny służka dopełnił rozkaz wydany i z tego srebra powstała sławna kopalnia srebra w Olkuszu.

Drugą rzecz kazał: do Pieskowej Skały by przyniósł skałę, wysoką, przewrócił na dół najcieńszym końcem, ażeby tak wiecznie stała. Posłuszny giermek [1], jako pan kazał, postawił skałę, co dotąd stoi i zwie się Skałą Sokolą.

Wszystko, co jeno zażądał żywnie, miał na swoje zawołanie; jeździł na malowanym koniu, latał w powietrzu bez skrzydeł, w daleką drogę siadał na koguta i prędzej bieżał niż konno, pływał po Wiśle ze swoją kochanką wstecz wody bez wiosła i żagli, a jak szkło wziął do ręki, zapalał wioski na sto mil odległe.

Upodobawszy jedną pannę chciał się ożenić, ale panna chowała we flaszce robaka i pod tym warunkiem obiecywała oddać temu rękę, kto zgadnie, co to za robak.

Twardowski, w ciemię nie bity, przebrał się w dziada łachmany i przyszedł do ładnej panny. Pyta go zaraz, ukazując z dala flaszkę:

Co to za zwierzę, robak czy wąż?
Kto to odgadnie, będzie mój mąż.

A Twardowski odrzekł na to:
– To jest pszczółka, mościwa panno!
Zgadł w istocie i wnet się ożenił.

Pani Twardowska na rynku Krakowa ulepiła z gliny domek; w nim przedawała garnki i misy. Twardowski za bogatego przebrany pana, przejeżdżając z licznym dworem, tłuc je zawsze czeladzi kazał. A kiedy żona ze złości wyklinała w pień, co żyje, on, siedząc w pięknej kolasie, śmiał się szczerze i wesoło.

Złota miał zawsze by piasku, bo co chciał, to diabeł znosił. Kiedy długo

---

[1] G i e r m e k – tu: sługa, pachołek.

dokazuje, raz był zaszedł w bór ciemnisty bez narzędzi czarnoksięskich. Zaczął dumać zamyślony; nagle napada go diabeł i żąda, aby niezwłocznie udał się prosto do Rzymu.

Rozgniewany czarnoksiężnik mocą swojego zaklęcia zmusił biesa do ucieczki; zgrzytając kłami ze złości wyrywa sosnę z korzeniami i tak silnie Twardowskiego uderza po nogach obu, że jedną zgruchotał całą. Od onej doby był kulawy i zwany odtąd powszechnie kuternogą.

W ostatku sprzykrzywszy sobie zły duch, czekając dość długo na duszę czarnoksiężnika, przybiera postać dworzana i jak biegłego lekarza zaprasza niby do swojego pana, że potrzebuje pomocy. Twardowski za posłańcem śpieszy do pobliskiej wioski nie wiedząc, że w niej się gospoda nazywała Rzymem.

Skoro tylko próg przestąpił onego mieszkania, mnóstwo kruków, sów, puchaczy osiadło dach cały i wrzaskliwymi głosy napełniło powietrze. Twardowski od razu poznał, co go może tutaj spotkać, więc z kołyski dziecię małe, świeżo dopiero ochrzczone, porywa drżący na ręce, zaczyna piastować, gdy w własnej postaci wpada diabeł do izby.

Chociaż był pięknie ubrany – miał kapelusz trójgraniasty, frak niemiecki, z długą na brzuch kamizelką, spodnie krótkie i obcisłe, a trzewiki ze sprzączkami i wstążkami, wszyscy go poznali zaraz, bo wyglądały rogi spod kapelusza, pazury z trzewika i harcap [1] z tyłu.

Już chciał porwać Twardowskiego, gdy spostrzegł wielką przeszkodę, bo małe dziecię na ręku, do którego nie miał prawa. Ale bies wnet znalazł sposób; przystąpił do czarownika i rzecze:

– Jesteś dobry szlachcic: zatem *verbum nobile debet esse stabile* [2].

Twardowski widząc, że nie może złamać szlacheckiego słowa, złożył w kołyskę dziecię, a wraz ze swym towarzyszem wylecieli wprost kominem.

Zawrzało stado radośnie sów, wron, kruków i puchaczy. Lecą wyżej, coraz wyżej. Twardowski nie stracił ducha; spojrzy na dół – widzi ziemię, a tak wysoko poleciał, że wsie widzi takie małe jak komary, miasta duże jakby muchy, a sam Kraków by dwa pająki razem.

Żal mu szczery serce ścisnął: tam zostawił wszystko drogie, co polubił i ukochał; a więc podleciawszy wyżej, gdzie ni sęp, ni orzeł Karpat skrzydłem

---

[1] **Harcap** – warkocz przy peruce, noszony przez mężczyzn w późniejszym okresie (w wieku XVIII).

[2] **Verbum nobile debet esse stabile** (łac.) – słowo szlacheckie winno być dotrzymane.

wiatru nie poruszył, gdzie zaledwo okiem sięgnął, z mordowanej piersi silnie dobędzie ostatku głosu i zanuci pieśń pobożną.

Była to jedna z kantyczek [1], które dawniej w swej młodości, kiedy nie znał żadnych czarów, duszę jeszcze miał niewinną, ułożył na cześć Marii i śpiewał zawsze codziennie.

Głos jego niknie w powietrzu, choć śpiewa z serca serdecznie, ale pasterze górale, co pod nim na górach paśli, zdziwieni podnieśli głowy, chcąc wiedzieć, skąd pieśń nabożna słowa im z chmurą przynosi. Głos jego bowiem nie poszedł w górę, ale przylegał do tej ziemi, by zbudował ludzkie dusze.

Skończył pieśń całą, zdziwiony wielce patrzy, że w górę nie leci wyżej, że zawisł w miejscu. Spojrzy dokoła – już towarzysza nie widzi swojej podróży; głos jeno mocny nad sobą słyszy, co zagrzmiał w sinawej chmurze:

– Zostaniesz do dnia sądnego, zawieszony tak jak teraz!

Jak zawisł w miejscu, dotychczas buja, a choć mu słowa w ustach zamarły, choć głosu jego nikt nie dosłyszy, starcy, co dawne pamiętają czasy, gdy miesiąc w pełni zabłyśnie, przed niewielu jeszcze laty wskazywali czarną plamkę jako ciało Twardowskiego, zawieszone do dnia sądu.

BORUTA

Boruta jest to nazwa sławnego diabła, co dotąd siedzi pod gruzami łęczyckiego zamku. Żyje długo, bo już niemal cztery wieki przeżył; teraz przecie musiał się zestarzeć, gdyż wielce się ustatkował i mało o sobie daje wiadomości. Imię to było głośnym szeroko i długo, a niejeden piskorz szlachecki, chciawszy dogryźć sąsiadowi, przeklinał, żeby go Boruta zdusił albo łeb ukręcił! – a diabeł, chętny złorzeczeniu, dopełniał nieraz życzenia.

W pobliżu zamku łęczyckiego mieszkał szlachcic niewiadomego nazwiska i herbu, rosły i silny. Nikt z nim nie mógł się mierzyć na szable, bo za pierwszym złożeniem przeciwnikowi silnym zamachem wytrącał oręż z ręki. Jak się raz plecami o zrąb domu oparł, całe sąsiedztwo nie dało mu rady.

Stąd szlachcic dostał przydomek Boruty; bo mówiono powszechnie, że musiał mu diabeł Boruta pomagać, kiedy wszyscy nie podołali jego sile i mocy, a że nosił siwą kapotę, dla różnicy od prawdziwego diabła dostał przydomek Siwy; tak więc zwał się Siwy Boruta.

---

[1] K a n t y c z k a – pieśń nabożna .

Od onej chwili nikt go nie zaczepił, każdy pomijał lub ustępował z drogi, nawet w gospodzie pijana szlachta, kiedy porwała się do broni, na sam głos Siwego Boruty wychodziła do sieni albo na podwórze i tam karbowała sobie dymiące łysiny.

To uszanowanie, a raczej bojaźń sąsiadów, co znali moc żylastej prawicy, wbiła go w dumę. Uniesiony nią nieraz w zuchwałej przechwałce odgrażał, że jak złapie prawdziwego Borutę, to mu karku nakręci, a skarby, których pilnuje, zabierze. Uważano nieraz, że wtedy słyszeć się dawał w piecu lub za piecem śmiech szyderski.

Siwy Boruta, kiedy pił – a pił nie lada, bo najtężsi bracia piskorze nie mogli go przepić – zawsze pierwszą szklankę wypijał za zdrowie diabła Boruty, a słyszano odgłos zaraz gruby, przeciągły: – Dziękuję!

Siwy Boruta miał dużo pieniędzy, ale wkrótce w hulance roztrwonił; postanowił przeto dostać się do skarbów i wziąć z parę mieszków złota od swego miłego pana brata, jak nazywał diabła Borutę.

O samej północy, zapaliwszy latarnię, zuchwały szlachcic, ufając swojej sile i szabli, poszedł do lochów. Wyostrzoną demeszkę [1] trzymał wydobytą z pochew pod pachą, a latarnią rozświecał ciemnotę dokoła panującą. Ze dwie godziny chodził po zakrętach, nareszcie, wybiwszy drzwi jedne, ukryte w murze, ujrzał skarby, a w kącie na bryle złota siedział sam Boruta w postaci sowy z iskrzącymi oczyma.

Zbladł i zadrżał na ten widok zuchwały szlachcic; spocił się potężnie ze strachu; po chwili przyszedłszy do siebie, wyrzekł z cicha, z ukłonem i pokorą:

– Mnie wielce miłościwemu panu bratu kłaniam uniżenie!

Sowa kiwnęła głową, co rozweseliło nieco Siwego Borutę. Ukłoniwszy się raz jeszcze, zaczął wypełniać siwej kapoty kieszenie i mieszki, które przyniósł, złotem i srebrem. Tak je obładował, że zaledwie mógł się obrócić.

Już świtać zaczęło, a szlachcic nie przestawał garściami ściągać złota; w ostatku, nie mając gu gdzie włożyć, począł w gębę sypać, a że miał niemałą, nasypał dosyć i znowu ukłoniwszy się stróżowi, wyszedł z lochu. Zaledwie stanął na progu, kiedy drzwi się same zatrzasnęły i ucięły mu całą piętę.

Kulejąc, a krwią znacząc ślady kroków swoich, przeładowany skarbami, dobywając ostatki siły, tak dawniej głośnej, ledwo doszedł do domostwa.

Upuścił na podłogę złoto i srebro, wypluł z napchanej gęby, a sam padł wysilony i słaby. Odtąd miał dużo pieniędzy, ale siłę stracił i zdrowie. Prze-

---

[1] D e m e s z k a – szabla ze świetnej stali wyrabianej w Damaszku.

-20-

stękał całe życie i gdy w kłótni o miedzę wyzwał sąsiada, ten, którego dawniej jednym palcem obalał Siwy Boruta, pokonał bogacza i zabił.

Domostwo jego pustkami zostało, nikt zamieszkać nie chciał, bo sam diabeł Boruta często przesiadywał w starej wierzbie, co na podwórzu rosła; odwiedzał izbę i alkierz, pozostałe skarby przenosząc na powrót do zamku łęczyckiego.

WALIGÓRA – WYRWIDĄB

Żona jednego myśliwca, zbierając w lesie jagody, porodziła tam bliźnięta; a obydwa byli chłopcy; sama zaraz wnet umarła.

Zostawione niemowlęta nie karmiła żadna z niewiast; jednego karmiła wilczyca, a drugiego niedźwiedzica. Co wykarmiła wilczyca, ten się nazywał Waligóra; drugi Wyrwidąb się nazwał. Pierwszy siłą walił góry, drugi, jakby kłosy zboża, najtęższe wyrywał dęby.

Że się kochali wzajemnie, wychodzili na wędrówkę, by obchodzić świat szeroki. Idą przez puszczę ciemną dzień jeden i drugi; w dniu się trzecim zatrzymali, bo drogę zaparła góra i skalista, i wysoka.

– Co my zrobiem teraz, bracie?! – Wyrwidąb smutnie zawoła.

– Nie troskaj się, bracie miły, ja tę górę precz odrzucę, by nam droga wolną była.

I podpiera ją plecami, i przewraca górę z trzaskiem; odsunął ją na pół mili. Poszli sobie zatem dalej.

Idą prosto, aż dąb wielki stoi na środku drogi; zatrzymuje ich w pochodzie. Wyrwidąb więc naprzód idzie, obejmuje go rękoma, wyrywa z całym korzeniem i rzuca na bliską rzekę.

Ale chociaż tacy mocni, nogi przecież utrudzili; więc pod lasem odpoczęli. Jeszcze sen nie skleił powiek, patrzą, aż mały człowieczek leci ku nim, lecz tak prędko, że ptak żaden ni zwierz żaden nie potrafiłby go zgonić.

Zdziwieni, wstają na nogi, gdy on człeczek w ptasim locie zatrzymuje się przed nimi.

– Jak się macie, parobczaki! – rzekł wesoło i radośnie – widzę, żeście utrudzeni; jeśli wola wasza będzie, w jednej chwili was zaniosę tam, gdzie jeno zażądacie.

Rozwinął piękny kobierzec.

– No, siadajcie społy ze mną!

Wyrwidąb więc z Waligórą usiedli wygodnie na nim. Człeczek klasnął, a kobierzec niesie ich by ptak na skrzydłach.

– Zapewne was to dziwiło? – człeczek mały znowu rzeknie – żem tak prędko biegł po ziemi: widzicie, oto trzewiki, com dostał od czarownika; kiedy wdzieję, wtedy biegnę: co krok – to mila; co skoczę – to dwie.

Waligóra prosi tedy, Wyrwidąb łączy swe prośby, by dał po jednym trzewiku, bo chociaż są tacy mocni, jednak droga nogi trudzi. Poruszony więc prośbami, podarował im trzewiki. Gdy niemało ulecieli, zsadził ich pod wielkim miastem, a w tym mieście był smok wielki, co dzień wiele ludzi zjadał.

Król ogłosił:

„Kto się znajdzie, że tego smoka zabije, dwie mam córy do wyboru: jedną oddam mu za żonę i po śmierci tron swój oddam".

Stają więc bracia przed królem, oświadczają swą gotowość, że zabiją tego smoka. Pokazano im jaskinię, gdzie ten potwór zamieszkiwał. Idą śmiało; na pół drogi on się mały człeczek zjawia.

– Jak się macie, przyjaciele! Wiem, gdzie kres jest waszej drogi, lecz posłuchajcie mej rady: włóż każdy na nogę trzewik, bo smok jak wyskoczy nagle, nie da nawet machnąć ręką.

Posłuchali mądrej rady. Wyrwidąb stanął przed jamą, wzniósł z zamachem dąb ogromny, by jak tylko łeb ukaże, jednym ciosem smoka zgładził. Waligóra zaszedł z tyłu i jaskinią z szczerej skały trzęsie jakby snopem żyta.

Smok wypada z jamy nagle, a Wyrwidąb, przestraszony, zapomniawszy i o kłodzie, co ją trzymał w obu rękach, szczęściem, że wdział dany trzewik, bo uskoczył na dwie mile. Smok go nie mogąc dogonić, obrócił na Waligórę; ten w przestrachu skałę podniósł i z zamachem silnie rzucił, a głaz świszcząc padł na ziemię i przycisnął ogon smoka. Waligóra, choć tak mocny, w tył uskoczył na dwie mile i zobaczył brata swego.

– Idźmy teraz, bracie, razem; smok się z miejsca nie poruszy, ty go uderz kłodą dębu, a ja go przywalę górą.

Idą naprzód więcej śmiało; jeden w ręku niesie górę, a drugi dębem wywija. Zawył smok jak stado wilków, widząc obu przeciwników; chciał się rzucić, lecz daremnie, ogon ciężki głaz przyciska. Wyrwidąb uderza silnie i rozgniata łeb na miazgę, a brat jego rzuca górę i zakrywa całe ścierwo.

Król już czekał; przyjął obu i dał im po jednej córze; a kiedy niedługo umarł, królestwem się podzielili i szczęśliwie sobie żyli.

WICHREM PORWANY

Rozgniewawszy się czarownik na młodego parobczaka, wszedł do chaty, kędy mieszkał, i nóż nowy, wyostrzony utkwił pod progiem izby; zaklął przy tym, by lat siedem, uniesiony pędem wichru, latał po szerokim świecie.

Parobek poszedł na łąkę, by ułożyć siano w kopy, gdy się wicher nagle zrywa: porozrzucał kopy siana i porywa parobczaka. Daremnie chciał się opierać, próżno chwyta silną ręką to płotu, to drzew gałęzi, jakaś siła niewidoma pędzi go pomimo woli.

Na skrzydłach wiatru niesiony, nie tykając stopą ziemi, leci jakby gołąb dziki. Już i słońce na zachodzie, a parobczak wygłodniały patrzy na dymiące wiosek chaty; prawie nogą ich się tyka; lecz daremnie krzyczy, woła, próżno płacze i narzeka; nikt nie słyszy jego jęku ani łez gorzkich nie widzi.

Tak pędzony trzy miesiące, wygłodniały i spragniony, wysechł jak sosnowa szczapa; obleciał światu niemało, lecz najczęściej wiatr go nosił ponad wioską, kędy mieszkał.

Spojrzy z łzami na swą chatę, gdzie miał dziewę ulubioną. Patrzy – aż ona wychodzi niosąc obiad we dwojakach. I wyciągnął ku niej ręce, wychudzone i zsiniałe. Próżno woła po imieniu, głos mu w słabej piersi ginie; nie spojrzała nawet w górę.

Leci dalej; aż przed chatą stoi złośliwy czarownik; spojrzał w górę, krzyknął głośno:

– Będziesz latał siedem roków, krążąc zawsze nad tą wioską; będziesz cierpiał, a nie umrzesz.

– O mój ojcze! mój sokole! jeźlim cię kiedy rozgniewał, przebacz! spojrzyj na mnie; patrz! już usta mnie zdrewniały, spojrzyj na twarz i na ręce, same kości – nie masz ciała; ulituj się mojej męki.

Czarownik poszeptał z cicha, a parobczak już nie leci, stoi w miejscu, lecz się stopą nie dotyka wcale ziemi.

– Dobrze to, że mnie przepraszasz; ale co mi dać przyrzekasz, że cię zwolnię z takiej kary?

– Wszystko, co tylko zażądasz! – I złożył ku niemu ręce, i ukłęknął na powietrzu.

– Oddasz mi swoją dziewczynę, bo ja z nią się żenić muszę; jeśli przeto ją odstąpisz, będziesz chodził po tej ziemi.

Parobczak zaniemiał chwilę.

„Aby jeno na ziemię – pomyślał – to damy sobie rady".

I rzekł głośno:

– Zaprawdę, wielkiej żądacie ode mnie ofiary; lecz kiedy inaczej być nie może, niechże i tak będzie.

Wtedy nań dmuchnął czarownik, i stanął na ziemi; jakże był szczęśliwy, gdy uczuł, że po niej stąpa, że wiatr nad nim już żadnej mocy nie ma.

Biegł co żywo do chaty i w progu spotyka sobie zaręczoną dziewę. Krzyknęła z podziwu, widząc parobczaka zginionego, co miał być jej mężem, co go już długo opłakiwała. Lecz ten odepchnął ją silnie wyschłymi rękoma; wszedł do świetlicy, a ujrzawszy gospodarza, u którego służył, na pół z płaczem zawołał:

– Już u was służyć nie będę ani waszej nie pojmę córki, kocham ją jeszcze szczerze by własne oczy, ale moją nie będzie.

Sędziwy gospodarz spojrzał nań zdziwiony; a dostrzegłszy cierpienia z wychudłej i bladej twarzy, tak niegdyś rumianej, zapytał o powód, dlaczego odrzuca rękę jego córki.

Parobczak wyznał mu wszystko i swą podróż powietrzną, i przyrzeczenie dane czarownikowi. Wysłuchawszy cierpliwie gospodarz opowiadania całego kazał biednemu być dobrej myśli, a sam poszedł do wróżki na poradę, wziąwszy trzos pełny.

Nad wieczorem wrócił wesoły i rzekł do chłopaka:

– Jutro pójdzieta do wróżki, jeno rano, jak zaświta, a wszystko pójdzie dobrze.

Parobczak strudzony zasnął twardo; zbudził się przecież przed świtaniem i poszedł do wróżki. Zastał ją przy kominie, jak paliła zioła; kazała mu stać spokojnie; dzień był pogodny, gdy nagle wiatr zawył – zatrząsł się dom cały.

Wróżka wtedy wyszła z nim na podwórze i kazała spojrzeć w górę. Podnosi oczy i widzi z dziwem, jak zły czarownik w jednej koszuli w powietrzu kręci się w kółko.

– Otóż twój nieprzyjaciel, już ci szkodzić nie będzie; gdy zechcesz, by patrzał na twoje wesele, zrób, jak cię nauczyłam, a będzie tych cierpień doznawał, które dla ciebie niewinnego przygotował.

Uradowany parobczak pobiegł do domu; w miesiąc już się ożenił. Gdy drużbowie tańcowali, wyszedł z izby na podwórzec; spojrzy w górę, aż nad chatą kręci się w powietrzu on zły czarownik. Wonczas dobył nowego noża, wymierzył weń, rzucił silnie i trafił w nogę.

Zleciał z powietrza czarownik, przybity nożem do ziemi. Stał przez noc całą pod oknem, musiał patrzeć na radość parobczaka i weselnej drużyny. Nazajutrz znikł sprzed chaty; lecz ludzie widzieli, jak przelatał nad jeziorem o dwie stamtąd mile; a przed nim i za nim stado wron i kawek krakaniem swoim zwiastowały nieskończony polot złego czarownika.

PISZCZAŁKA

Były trzy siostry, wszystkie rosłe i gładkie, ale najmłodsza celowała urodą starsze. Przyjechał panicz z dalekiej krainy, spotkał siostry na łące, jak rwały kwiaty i zioła na wieniec. Ładna była najstarsza, lecz on upodobał najmłodszą sobie i chciał ją pojąć za żonę.

W dni kilka poszły siostry do boru zbierać jagody; najstarsza, rozmiłowana w paniczu, zabiła najmłodszą; próżno ją średnia obronić chciała. Wykopała dół głęboki; tam zwłoki martwe przysypała ziemią, przed rodzicami udając, że siostrę wilcy porwali. Nadjechał panicz, pyta o narzeczoną, wszyscy ze łzami opowiadają o zgonie okropnym. Gorzko i żałobliwie śmierć jej opłakał, ale czas ukoił jego żale, a zabójczyni, pocieszając panicza, tyle zjednała sobie serce jego, że prosił o jej rękę i dzień ślubu naznaczonym został.

A na mogile zabitej siostry wierzba wyrosła; szedł pasterz, wykręcił z gałązki tej wierzby piszczałkę i zadął. Lecz jakże się zdziwił, gdy nie dobył z niej zwykłego tonu – jeno zawsze śpiewała piosneczkę żałobliwym głosem:

> Graj, pasterzu, graj!
> Bóg ci pomagaj!
> Starsza siostra mnie zabiła,
> Młodsza siostra mnie broniła;
> Graj, pasterzu, graj!
> Bóg ci pomagaj!

Poszedł do matki i ojca zabitej, a piszczałka wciąż jednymi odzywała się słowy. Gdy matka zadęła, usłyszała piosenkę:

> Graj, matulu, graj!
> Bóg ci pomagaj!
> Starsza siostra mnie zabiła,
> Młodsza siostra mnie broniła!
> Graj, matulu, graj!
> Bóg ci pomagaj!

Bierze ojciec do ręki i toż samo słyszy:

Graj, tatulu, graj!
Bóg ci pomagaj!

Zapłakała średnia siostra, bierze piszczałkę od ojca – zawsze jedna piosnka:

Graj, siostrzyczko, graj!
Bóg ci pomagaj!
Starsza siostra mnie zabiła,
Tyś to, siostro, mnie broniła;
Graj, siostrzyczko, graj!
Bóg ci pomagaj!

Słysząc te pieśni, zbladła zbójczyni; wtedy ojciec i matka podali jej piszczałkę; zaledwie dotknęła usty, krew zamordowanej siostry oblała jej lica, a piszczałka ostatni raz zaśpiewała piosenkę:

Graj, siostrzyczko, graj!
Boże cię skaraj!
Tyś to, siostro, mnie zabiła,
Młodsza siostra mnie broniła;
Tyś to, siostro, mnie zabiła,
Boś mi szczęścia zazdrościła!
A w dołku-ś mnie pochowała,
Czarną ziemią przysypała.
Wyrosły ci tam wierzbeczki,
Co będą śpiewać piosneczki;
Graj, siostrzyczko, graj!
Boże cię skaraj!

Poznano wtedy zbrodniarkę, przywiązano za ręce i nogi do dzikich koni i rozszarpano żywcem; a panicz, nie żałując zbójczyni, pojął za żonę pozostałą siostrę.

KOSZAŁKI-OPAŁKI

Kmieć ubogi rąbał w lesie; słyszy głos o poratunek, patrzy, że człowiek jakiś z wozem i końmi ugrzązł na błotach; pomógł mu chętnie, dobył z topieli, a on człowiek rzekł do kmiecia:
– Czego zechcesz, dam ci wszystko! – bo był to wielki czarownik.
A gdy kmieć skrobał się w głowę, sam nie wiedział, co powiedzieć, czarownik dał mu barana i rzecze:

– Ile razy runem trząśniesz, zawsze będziesz miał czerwone [1].

Kmieć podziękował, zabrał barana i poniósł do nędznej chaty; trząsnął nim silnie, aż pełno złota wysypuje się spod runa.

W tejże samej wsi mieszkała stara baba, czarownica; dowiedziała się niedługo o baranie, spoiła kmiecia i innego podsunęła.

Potrzebując znowu złota, próżno potrząsał baranem – beczał tylko, lecz ni szeląg nie wyleciał z wełny. Poszedł smutny nad błota i spotkał znajomego czarownika; ten już wiedział o wszystkim, dał mu przeto taką kurę, na którą kiedy zawołać: ,,Kurko! kurko! znieś mi złote jajko!" – w istocie złote znosiła jajko. Lecz gdy powrócił do domu, baba głupiego kmiecia spoiła i podsunęła mu inną kurę. Na próżno wołał na nią, by mu złote jajko zniosła; niosła ona złote jajka, ale babie czarownicy.

Zasmucony, znowu poszedł i napotkał czarownika; ten mu dał obrus taki, co wymówiwszy te słowa: ,,Obrus! obrus! rozściel się!" – rozwijał się zaraz i co zażądał, wszystko było na nim do jedzenia i do picia.

Kmieć, ciekawy, zaraz w lesie kazał się rozesłać obrusowi, najadł się dobrze i podpił sobie. Czarownica czatowała, ukradła mu ten obrus, w zamian inny podsunąwszy. Poznał kmieć podejście baby, idzie więc do czarownika i prosi o co takiego, żeby babę wybił dobrze i odebrał skradzione rzeczy.

Dał mu przeto takową kobiałkę, z której, jak zawołał: ,,Koszałki, opałki, z mojej kobiałki!" – wylecą dwie dobre pałki i wskazaną pobiją osobę. Kmieć, uradowany, wziął na plecy kobiałkę, podziękował czarownikowi, że go już więcej trudzić nie będzie, i prosto do baby zaszedł. Wtedy, gdy ta go częstować zaczęła, rozgniewany krzyknął:

> Koszałki, opałki,
> Z mojej kobiałki!

I pokazał babę, a pałki zaczynają bić bez litości czarownicę. Na próżno prosi i płacze, i przyrzeka, że wszystko odda; wróciła barana, kurę i obrus; ale kmieć kazał, żeby zabiły babę, bo wiele ludziom szkodziła. Kiedy już czarownica wyzionęła ducha, zawołał wtedy:

> Koszałki, opałki,
> Do mojej kobiałki!

A pałki zaraz w nią się schowały. Wtedy, mając barana, co jak potrząsł, sypało się złoto; kurę, co złote znosiła jajka; obrus, co wiele chciał, tyle

---

[1] C z e r w o n e – złote monety, dukaty.

dostarczył jadła i napitku, na ostatek kobiałkę z pałkami – poszedł w świat, przystał do dworu jednego króla, a gdy ten miał wojnę, pobił nieprzyjacielskie wojsko, otrzymał rękę jego córki i sam po śmierci króla panował.

SZKLANA GÓRA

Na wysokiej szklanej górze stał zamek cały złoty, a przed zamkiem była jabłoń, na jabłoni złote jabłka. Kto by złote jabłko urwał, wszedłby do złotego zamku, a w srebrnej jednej komnacie ukryta była królewna zaklęta, dziwnej urody. A miała skarby niezrachowane, piwnice pełne drogich kamieni i w izbach zamku skrzynie ze złotem.

Wielu się zbiegało rycerzy od dawna, lecz na próżno siłowali, by się wedrzeć na tę górę. Na koniu ostro podkutym niejeden darł się daremnie i z połowy stromej góry z ciężkim szwankiem spadał nazad. Łamali ręce, nogi i karki.

Piękna królewna z jednego okna patrzyła z żalem, jak próżno tacy rycerze dorodni na dzielnych koniach darli się na górę! Widok królewny zagrzewał serca. Zbiegali się zewsząd ze czterech stron świata, a biedna dziewica już lat siedem daremnie wyglądała zbawcy!

Niemało leżało trupów rycerzy i koni wokoło szklanej góry; wielu konających, z połamanymi żebrami, boleśnie stękało. Był to cmentarz prawdziwy.

Już rok siódmy za trzy doby miał się skończyć, gdy we złotej zbroi rycerz nadjechał pod stromą górę. Rozpędził konia, wdarł się w pół góry z podziwem wszystkich, którzy patrzali, i nazad wrócił szczęśliwie. Nazajutrz równo ze świtem znowu, gdy mu się pierwsza udała próba, rozpędza swego rumaka, stąpa po górze, jako po ziemi, iskry z podkowy błyskają; patrzą zdziwieni wszyscy rycerze – już blisko wierzchołka góry. Niedługo spojrzą znowu, aż on stoi pod jabłonią. Wtem się wielki zrywa sokół, zaszumiał skrzydłem szerokim i uderzy konia w oczy. Rumak parska, nozdrza wzdyma i najeża gęstą grzywę; stanął dęba wystraszony, nogi mu się oślizgują, pada nazad i z rycerzem porysował szklaną górę; a z rumaka i rycerza nie zostały, jeno kości, co brzęczały w zbitej zbroi jak suchy groch w pęcherzu.

Siódmy rok się jutro kończył, aż nadchodzi żak urodny, młody, silny i wysoki. Patrzy, jak rycerzy wielu łamie karki nadaremnie; podchodzi pod śliską górę i bez konia się gramoli. Już od roku słyszał, będąc w domu jeszcze, o królewnie, co zaklęta w złotym zamku siedzi, na wierzchołku góry szklanej.

Poszedł przeto do lasu, zabił rysia i pazury ostre, długie przyprawił sobie na ręce i do dwóch nóg umocował.

Taką bronią opatrzony, darł się śmiało na garb szklany; słońce było na zachodzie, żak w połowie drogi ustał, zmęczony ledwie oddycha, pragnienie spiekło mu wargi! Czarna chmura nadpłynęła, próżno błaga i zaklina, by choć kroplę uroniła. Na próżno otwierał usta! chmura czarna przepłynęła, ani rosą nie zwilżyła warg spieczonych jak skorupy.

Pokaleczył krwawo nogi, rękoma się jeno trzyma. Słońce zaszło – patrzy w górę; aby dojrzał jej wierzchołka, musiał tak zadzierać głowy, że mu barania czapka spadła. Spojrzy na dół, jaka przepaść! tam śmierć pewna i niechybna! Z przegniłych trupów smrodliwe ścierwy zaduszały oddech czysty, były to szczątki zuchwałej młodzi, co się darli jak on tutaj.

Już mrok ciemny, gwiazdy blado oświecały szklaną górę, a żak młody, jak przykuty, na skrwawionych ręku wisi. Wyżej drzeć się już nie może, bo wyczerpał wszystkie siły; sam nie wiedząc, co począć, wyciągniony czeka śmierci. Nagle sen skleił oczy, zapomina, kędy leży, strudzony smacznie usypia; lecz choć we śnie, ostre szpony tak głęboko w szkło zapoił, że przespał się do północy, nie zleciawszy z onej góry.

Złotej jabłonki pilnował sokół, co rzucił z koniem rycerza; zawsze w nocy jak czujny strażnik oblatał górę wokoło. Zaledwie miesiąc wyszedł zza chmury, uniósł się z jabłoni i krążąc w powietrzu, zobaczył żaka.

Łakomy ścierwu, pewny, że trup świeży, spuszcza się nagle i siada. Lecz żak już nie spał, dojrzał sokoła i postanowił z jego pomocą uratować się z tej góry.

Sokół zapuścił szpony ostre w ciało, wytrzymał ból mężnie i uchwycił za nogi ptaka; ten przestraszony uniósł go wysoko nad zamek i począł krążyć wokoło wysokiej wieży. Żak krzepko się trzymał, patrzał na lśniący zamek, co przy bladych promieniach miesiąca świecił jak mdła lampa; patrzał na okna wysokie, migające różnobarwną ozdobą, a na ganku siedziała śliczna królewna, zatopiona w myślach, dumając nad swoją dolą. Widząc, że blisko leci jabłoni, dobył zza pasa kozika i obiedwie odciął nogi sokołowi. Ptak zerwał się z bólu wyżej i zniknął w obłokach, a młodzieniec spadł na szerokie gałęzie jabłonki.

Wtedy odrzucił nogi sokole, ugrzęzłe wraz z szponami w ciele, a skórkę złotego przyłożywszy jabłka do ran skaleczałych, wnet wygoił wszystkie. Narwawszy pełne kieszenie złotych jabłek, wchodzi śmiało do zamku. Przy bramie zatrzymuje go smok wielki, lecz zaledwie rzucił nań jabłko, smok skoczył w fosę i zniknął.

Zaraz się wielka otworzyła brama, zobaczył podwórzec pełen kwiatów i drzew ślicznych; a na wysokim ganku siedziała zaklęta piękna królewna wraz z dworem swoim.

Ujrzawszy dorodnego młodzieńca, zbiegła ku niemu, witając w nim rada pana i męża. Wszystkie mu skarby oddała, a żak młody został wielkim i bogatym panem; na ziemię wszakże już nie powrócił, bo wielki sokół, co był strażnikiem i zamku tego, i samej królewny, mógł tylko zamek i skarby na skrzydłach swoich na ziemię przenieść. Lecz kiedy nogi postradał, w pobliskim lesie na szklanej górze znaleziono jego zwłoki.

Gdy raz z królewną a żoną swoją chodził po ogrodzie zamku, spojrzy na dół i widzi z podziwem, że się mnóstwo ludzi zbiera. Świsnął więc w piszczałkę srebrną, a jaskółka, co służyła za posłańca w złotym zamku, nadleciała.

– Idź się dowiedz, co nowego! – rzekł do małej ptaszyny.

I jaskółka szybko leci, wkrótce wraca i powiada:

– Krew z sokoła ożywiła martwych zwłoki, wszyscy, co polegli pod tą górą, wdzierając się na nią zuchwale, wstali dziś jakoby ze snu, dosiadają rzeźwo konie, a lud cały, dziwem zdjęty, patrzy na cud niesłychany.

TRZEJ BRACIA

Czarownica w postaci wielkiego sokoła ustawnie wybijała w kościele okna. W tejże wsi samej, gdzie stał kościół, było trzech braci, którzy się uwzięli, by zabić szkodnego sokoła. Ale na próżno dwaj starsi ze strzelbami czatowali; ile razy ptak nadlatywał, sen kleił im powieki i budzili się dopiero brzękiem szyb potłuczonych z domu bożego.

Poszedł i najmłodszy na czaty; lecz żeby nie zasnął, pod brodą położył sobie cierni, by jak głowę pochyli, snem zmorzony, z ukłuciem się ocknął.

Już miesiąc zeszedł, rozwidnił wieczór, słyszy szum wielki. Czarownica go dojrzała i spuściła nań drzymotę. Skleiły się powieki, ale zaledwo głowa spadła mu na ramię, aż do krwi cierniem ukłuty rozbudził się zaraz. Widzi, że sokół już blisko kościoła, porywa strzelbę, mierzy, a z odgłosem wystrzału upada pod wielki kamień sokół ze zgruchotanym skrzydłem. Przybiega w to miejsce i dostrzega, że pod tym kamieniem roztwarła się niezmierzona przepaść. Daje znać braciom, ci przynieśli sznur długi i łuczywa dosyć; uwiązali go i z zapalonymi drzazgami spuścili na dno. Ciemno było z początku, a smolne łuczywo oświecało tylko ściany wilgotne i brudne. Aż nagle ukazała się piękna kraina; kwitły tam kwiaty ciągle bez zmiany i zawsze zielone drzewa.

Wśród tej krainy stał wielki zamek, cały z muru i kamieni; żelazna brama stała otworem. Śmiały młodzieniec na zamek wchodzi, a pierwsza izba miedziana. W niej siedzi panna, złoty włos czesze, co włos upadnie, zabrzęczy. Widzi, że gładka, białego ciała, oczu sokolich, złotego włosa; rozmiłowany klęka i prosi, czy go nie przyjmie za męża. Piękna dziewczyna oddaje rękę, ale zarazem ostrzega, że nie wpierw wyniść może na ziemię, dopóki matkę jej, czarownicę, nie zabije. Lecz niczym więcej zabić nie zdoła, jak tylko mieczem, co wisiał w zamku; a miecz tak ciężki, że go nie dźwignie! I poszedł dalej. W srebrnej komnacie siedziała siostra rodzona, srebrny włos czesze, co włos upadnie, to brzęczy jakoby struna. Ta miecz podała, ale nie dźwignął, na próżno wytężał siły, aż trzecia siostra dała mu kropli, co mocniejszym człeka robią. Wypił jedną, lecz nie dźwignął; wypił drugą, podniósł trochę; za trzecią dopiero kroplą zaczął ciężkim mieczem władać.

Wtedy, utajony w zamku, czekał matki-czarownicy; ciemnym żmrokiem nadlatuje, na jabłoni dużej siada, poskubała złotych jabłek i upadła pod jabłonią. Wnet przybrała postać człeka i z sokoła jest niewiasta. Czekał na to młody junak, machnął silnie ostrym mieczem, spadła głowa, krew trysnęła.

Wonczas wolny od obawy, skarby w skrzynię upakował, które bracia wyciągnęli. Za skarbami trzy dziewice wydostały się na ziemię. Wszystko wybrał, sam się został, braciom przecież nie ufając, do sznura kamień uwiązał, począł głośno wołać na nich, by i jego wydobyli. Z początku ciągnąć poczęli, zaledwie w połowie drogi puścili nagle, a kamień twardy w drobne rozleciał się kawałki.

– Tak by się moje kości skruszyły! – rzekł zasmucony młodzieniec, zapłakał rzewnie, ale nie skarbów, lecz płakał gładkiej dziewicy z łabędzim ciałem, ze złotym włosem.

I błądził długo, zasępiony, osowiały, po tej krainie wiosennej. A że spotkał czarownika, ten go pyta o łez powód. Gdy mu wszystko opowiedział:

– Bądź spokojny, młody człecze! jeśli dzieci mi obronisz, na złotej skryte jabłoni, wyniosę cię wnet na ziemię. Bo czarownik, co tu drugi tę krainę zamieszkuje, zawsze dzieci mi wyjada. Próżno kryłem je pod ziemię, próżno w zamku murowanym! Teraz trzymam je na drzewie; skryj się z mieczem w tej jabłoni, o północy przyjdzie zbrodzień.

Młodzieniec wdarł się na drzewo, złotych jabłek narwał sobie i miał sytą z nich wieczerzę.

O północy wiatr zaszumiał i pod drzewem szmer usłyszał; spojrzy na dół, aż tu robak, wielki, długi, sunie prosto, okręca się na pniu wokoło i podsuwa coraz wyżej. Ogromną głowę z gałęzi z iskrzącym okiem wychyla, aby dojrzeć gniazdo dzieci, co stulone, drżące z strachu, pochowały się pod liście. Wtedy ciężkim mieczem machnął i odciął głowę od razu, kadłub w drobny mak posiekał i rzucił na cztery wiatry.

Ojciec dzieci, ucieszony ze śmierci swojego wroga, wziął młodzieńca na swe barki, wyniósł z pieczary na ziemię.

Z jakąż leciał on radością do białego dworu braci; wbiegł do izby, nikt nie poznał, tylko jego ulubiona, za kucharkę u sióstr służąc, zaraz lubego poznała.

Bracia strwożeni przybyciem, co go zmarłym ogłosili, skarby wszystkie mu oddali, a sami uciekli w lasy. Lecz on kazał ich wyszukać, równo z nimi się podzielił, wielki zamek wybudował ze złotymi oknami, miedzianymi drzwiami i tam z żoną złotowłosą szczęśliwie do śmierci mieszkał.

UCIECZKA

Piękna królewna, zaklęta, siedziała w zamku na górze, pod władzą czarownicy. Strzegła ją jak oka w głowie, a młody królewic, który był z nią zaręczony, na próżno chodził wokoło góry i patrzał w zamkowe okna, kędy jego narzeczona w tęsknocie pędzi godziny. Płakał nieraz gorzkimi łzami; aż jedna wróżka, ulitowawszy się nad nim, obiecała wyzwolić królewnę zaklętą. W postaci gołębia siadła na kratkach okna komnaty królewny i rzekła:

– Oto masz grzebień, szczotkę, jabłko i prześcieradło. Uciekaj z zamku. Jeśli cię będzie gonić czarownica, rzuć najprzód grzebień, obejrzyj się i uciekaj. Gdy potem gonić cię będzie, rzuć szczotkę, a potem jabłko. Jeśli i wtedy nie przestanie pogoni, rzuć prześcieradło, a dostaniesz się do zamku ojca swego rodzonego.

Piękna królewna czule podziękowała gołąbkowi i gdy czarownica we czwartek po nowiu księżyca wsiadła na łopatę, a zawoławszy: „Wieś nie wieś – biesie, nieś!'' – poleciała na Łysą Górę [1], ucieka równo ze świtem. Biegnie co siły, zdyszana, aż się obejrzy za siebie: widzi z przestrachem, że czarownica, która ją strzegła tak pilnie, pędzi na wielkim kogucie i już ją niemal dogania.

---

[1] Na Łysą Górę – według starych podań Łysa Góra była jednym z głównych miejsc, gdzie odbywały się zjazdy czarownic.

Wtedy rzuca grzebień poza siebie, spojrzy – a grzebień rozwija się wężem długo na milę, szeroko na milę i wnet z grzebienia rozpłynęła się rzeka. Słońce wschodzące oświecało niebieską wodę, pluskały po niej stadami dzikie gęsi i kaczki, a jaskółki czarne skrzydła w chyżym polocie maczały. Czarownica, zatrzymana bystrym pędem wielkiej rzeki, patrzy pieniąc się ze złości, jako na przeciwnym brzegu piękna królewna chyżymi skoki uchodzi sobie swobodnie. Dosiada przeto koguta, rzuca się w wodę, przepływa rzekę i dogania swego zbiega.

Królewna z przestrachu zbladła, rzuca poza siebie szczotkę, obejrzy się, aż każda szczelina w drzewo wyrasta. I powstaje bór ogromny, ciemny, gęsty, nieprzejrzany. Zawyły w nim stadem wilki, a czarownica, zatrzymana w biegu, dzień cały przedzierać się musi pośród gęstwy i wąwozów.

Lecz królewna, zmęczona, nie mogła tak żwawo uciekać jako w początku. Czarownica, wydostawszy się przeto z lasu, prędko ją dopędzić mogła. Biedna królewna, zaledwo powłócząc nogami, rzuca jabłko; obejrzy się – aż to jabłko w górę wysoką i stromą wyrosło. Zapieniała z gniewu i ze złości czarownica drze się w górę i po całodziennym trudzie z samego wierzchołka dostrzega, jak omdlałym krokiem, zbiedzona strachem i trudem, uchodzi młoda królewna.

Dosiada żwawo koguta, leci z góry i już za kraj szaty nieszczęśliwą ma pochwycić, gdy ta rzuca prześcieradło, obejrzy się, a płachta szeroka w szersze morze się rozpływa. Wiatr ruszał wielkie bałwany. Płynąc na wielkim kogucie, już zmęczona, czarownica wydawała się z daleka jako jedna bryła śniegu, opryskana białą pianą szumiących bałwanów morza.

Uszczęśliwiona królewna doszła do zamku ojca swego. Już tam na nią oczekiwał i królewicz narzeczony. Król więc stary zaraz przeto ucztę sprawił i wesele. Cały zamek jaśniał ogniem, a czarownica zemdlona, siedząc na zdechłym kogucie, podrzucana bałwanami, patrzała na jasny zamek, słysząc wesołych grajków, okrzyki drużbów radosne. Miotała długo przekleństwa, aż skonała w wielkich bólach.

Morze wielkie zaraz znikło, zostawiając czarownicy trupa na polach zamkowych. Ale wrony, czarne kruki, uciekały od jej ścierwa. Na próżno chciano pogrzebać, ziemia na wierzch wyrzucała nieczystego trupa ciało. Aż jednej nocy wśród burzy sam wiatr zaniósł brzydkie zwłoki na podwórzec zamku tego, gdzie królewna lat niemało pod jej strażą zostawała.

P

O ARGELUSIE

ewny król miał dwóch synów; starszy z nich, imieniem Argelus, był tak przecudnej urody, że go ojciec w osobnym zamku trzymał i nigdzie mu wychodzić nie dał, aby na niego ani zły wiaterek nie wionął i jemu nie szkodził. Królewicz miał wszelkie wygody i usługi, lecz chociaż go król sam często nawiedzał i z nim się bawił, przecież mu się takie życie bardzo nudziło i do wolności ciągle wzdychał.

Jednego czasu wyrosła w królewskim ogrodzie piękna jabłoń, mająca z rana złote kwiecie, a ku wieczorowi złote owoce. Król, chodząc po ogrodzie, cieszył się wielce z tej jabłoni i umyślił sobie zwołać znakomitsze książęta państwa, by im pokazać te dziwne owoce; żeby zatem, jak zwykle w nocy, nie ginęły, postawił straż przy jabłoni. Stróżowie lubo [1] oka z drzewa nie spuścili, przecież, nie wiedzieć jak, jabłka złote w nocy znikły; rano zaś złote kwiecie, a ku wieczorowi złote jabłka znowu się pokazały. Król na drugą noc podwójną straż kazał przystawić, lecz jabłka znikły. Trzeciej nocy to samo.

Nie wiedząc tedy, co by to znaczyć miało, kazał przywołać sławnego czarnoksiężnika; ten rzekł:

– Powiedział ci bym ja, najjaśniejszy królu, ale się boję o moje życie.

Król naglił go koniecznie, aby powiedział; wtedy rzekł czarnoksiężnik:

– Argelus, syn twój, mógłby tylko owoców tych ustrzec, aby nie zginęły.

Król, rozgniewawszy się bardzo, rzekł:

– Hultaju! ty chcesz, aby syn mój zginął, lecz ty wprzód zginiesz!

I kazał go zabić.

Młodszy syn był błędnego rozumu, dlatego król go nie lubił. On chciał owoców pilnować i król pozwolił. Lecz gdy mu owoce znikły, oznajmił całą sprawę Argelusowi, bratu starszemu. Gdy król Argelusa nawiedził, wydał on

---

[1] L u b o – chociaż.

mu się być bardzo smutnym; pytał go tedy o przyczynę, syn zaś odpowiedział:

– Śniło mi się dziś o cudownej jabłoni, w ogrodzie naszym będącej, i o tym, że ja tylko jej owoców ustrzec potrafię.

Potem prosił ojca, aby mu tego dozwolił, ale ojciec z początku o tym ani słuchać nie chciał i dopiero, gdy Argelus odgrażać począł, że się przebije, ojciec, lubo niechętnie, na to zezwolił.

Argelus kazał sobie łóżko i stół z lampami pod cudowną jabłonią postawić i wziął jednego ze swoich służebnych ludzi. Położył się na łóżku, lecz aby nie zasnął, czytał sobie różne księgi. Około północy przyleciało siedem łabędzi i usiadły na jabłoni. Argelus widząc to sięgnął zaraz ręką, jak daleko mógł dosięgnąć, na jabłoń i uchwycił jednego łabędzia, z którego wnet się stała panna bardzo urodna; reszta sześć łabędzi zleciały na ziemię i w panny się też przemieniły. Pierwsza, którą uchwycił, była księżniczka zaklęta, drugie zaś jej dworskie panny. Argelus cieszył się z tego niewymownie, księżniczka mile z nim rozmawiała i prosiła go bardzo, aby tak jeszcze trzy noce przepędził, gdyż tym tylko sposobem z zaklęcia wyratować ją może, lecz ostrzegała go, aby nie zasnął. Ledwie pierwsze promienie słońca błysły, panny przemieniły się znowu w łabędzie i wnet odleciały; jabłka jednak złote zostały tej nocy na drzewie. Król ucieszył się z tego i nie dał ich zrywać. Ale Argelus nic ojcu nie powiedział o pannach i kazał też słudze swemu milczeć, gdyż go za najwierniejszego uważał. Ten sługa Argelusa zalecał się córce jednej niewiasty, która była wielką czarownicą; powiedział więc pod sekretem swojej kochance zdarzenie przeszłej nocy. Ta znowu pod sekretem matce. Matka kazała mu milczeć i dała mu woreczek skórzany mówiąc:

– Jak się pan twój położy, otwórz cokolwiek woreczka, a natychmiast uśnie. Jak zaś łabędzie odlecą, posmaruj mu maścią z tego słoiczka oczy, to się obudzi.

Argelus czuwał następnej nocy bardzo pilnie, ale skoro niewierny sługa z tyłu woreczek za nim otworzył, usnął biedak jak zabity. Przyleciały łabędzie i w panny się przemieniły: księżniczka ruszała śpiącego i słudze go budzić kazała, wszystko jednak było na próżno, bo sługa obudzić go nie chciał. Gdy świtać zaczęło, księżniczka w wielkim żalu poleciła słudze, aby przyszłej nocy pan jego był czujniejszy, potem wszystkie panny stały się łabędziami i uciekły. Wtenczas dopiero sługa potarł panu oczy maścią. Gdy się obudził, powiadał mu o pannach i co mu kazała jedna powiedzieć; królewicz gniewał się wielce i zaś słudze jeszcze ostrzej milczeć o wszystkim przykazał. Sługa zwierzył się przecież znowu czarownicy, ta zaś radziła mu, aby tak jak w przeszłej nocy uczynił. Drugiej nocy silił się znowu Argelus, aby nie zasnąć, lecz sługa niewierny upuścił wiatru z woreczka, a pan zaraz bez zmysłów został. Wtedy łabędzie przyleciały, w panny' się przemieniły, królewicza burdały [1], nawet go, z łóżka wziąwszy, prowadziły, ale to nic nie pomogło. Księżniczka jeszcze raz zleciła słudze, aby pan przynajmniej następnej nocy nie spał, jeżeli ją chce wyswobodzić; sługa oznajmił to panu, gdy mu oczy posmarował, ale o czarownicy i woreczku zamilczał.

Argelus przymuszał się cały dzień do spania, żeby mu się w nocy spać nie chciało, ale i to było na próżno – usnął, a gdy go panny obudzić w żaden sposób nie mogły, powiedziały słudze, że ich pan jego już więcej nie obaczy, gdyż w bardzo dalekie strony na dalszą pokutę udać się muszą. A gdyby Argelus chciał wiedzieć o przyczynie, niech miecz nad łóżkiem jego w zamku wiszący z jednego kołka na drugi przewiesi, a ten mu ją wskaże.

– Jeżeliby zaś chciał nas jeszcze szukać, wtedy powiedz mu, że na wschód słońca w Czarnym Mieście pokutę naszą skończyć musimy.

Biedny Argelus udał się do zamku swego, a ponieważ mu sługa mowę panien oznajmił, przewiesił tedy miecz swój z kołka na kołek. Ten zaraz się dźwigać począł i ku niewiernemu słudze obrócił. Argelus, widząc to, miecz porwał i nim niepoczciwemu słudze uciął głowę. Wtenczas oznajmił ojcu zdradę i prosił, aby mu pozwolił szukać swej ukochanej. Ojciec nie chciał na to zezwolić, ale gdy widział, że syn zgryzotą trapiony coraz bardziej wiądł, wyprawił go tedy i dał mu sług, powozów i pieniędzy tyle, by mógł życzenia swego dopiąć.

Udał się więc Argelus w podróż. Przejechał już wiele dalekich krain, aż mu też na koniec pieniędzy brakło. Sprzedał tedy konie i powozy, a odprawiwszy sługi do domu, sam piechotą dalej wędrował. Głód mu mocno dokuczał, gdy przyszedł do lasu jednego i napotkał tam trzech młodzieńców, którzy się społem z sobą bili. Przystąpił tedy do nich i oznajmiwszy im swój ród królewski, pytał ich o przyczynę sporu. Młodzieńcy mu rzekli:

– Jesteśmy trzej bracia, ojciec nasz zostawił nam tylko tyle, ile tu przed nami widzisz, to jest: stolik, bicz, siodło i konia. Nie możemy się zgodzić o działy, bo wszystkie te rzeczy jednemu tylko przydatne być mogą. Kto bowiem na konia siodło włoży, siądzie na niego potem i biczem trzaśnie mówiąc: ,,Tam lub tam chcę być", w momencie tak mu się stanie. Kto zaś w stolik uderzy, natychmiast koń z siodłem i biczem do niego wracać musi – wiesz ty co, rozsądź nas w tej sprawie.

---

[1] B u r d a ć – przewracać z boku na bok, budzić.

Królewicz szedł z nimi czas jakiś i wreszcie rzekł:

– I to być może – a potem mówił do nich znowu: – Widzicie z dala owe trzy góry, które są w równej odległości? Puśćcie się tedy razem do nich; a który pierwszy, wszedłszy na wierzchołek góry, na powrót z niej do mnie powróci, ten odziedziczy wszystką spuściznę.

Przystali bracia na to i ku górom pognali. Argelus ich nie czekał, ale wsiadłszy na konia rzekł:

– Chcę być w Czarnym Mieście!

I zniknął.

Już go był koń na kilkaset mil ku Czarnemu Miastu uniósł, gdy bracia powróciwszy postrzegli podstęp; jeden więc z nich uderzył w stolik i rzekł:

– Niechaj koń natychmiast tu stanie!

Wtedy koń spuścił Argelusa na wielkie bagna, z których ledwo się wydobył i zgłodniały do jednego domu dostał. Gospodarz przyjął go ludzko i pokarmem posilił. Argelus pytał się:

– Daleko by jeszcze było do Czarnego Miasta?

Gospodarz odpowiedział:

– Słyszałem ci ja już o takim mieście, ale jak daleko jest do niego, o tym nie umiem powiedzieć; zatrzymaj się jednak u mnie dni parę, będą tu przechodzić karawany kupieckie i kompanie na odpust, to się od nich będziesz mógł dowiedzieć.

Przeszła jedna, druga i trzecia kompania, ale nikt w nich o Czarnym Mieście nie wiedział; na ostatku trafił się człowiek, który mu powiedział, że stamtąd Czarne Miasto o sto pięćdziesiąt mil leży. Argelus miał jeszcze drogi pierścień, który mu ofiarował, jeżeliby go do Czarnego Miasta doprowadził. Człowiek ten ale wyznał, że z Czarnego Miasta jako winowajca uciekł i dlatego tylko do granicy obwodu odwieźć go przyrzekł. Potem Argelus doszedł już do swego celu szczęśliwie; chodził więc po mieście i dumał sobie, co by czynić wypadało i jakby się o swej ulubionej dopytać.

Księżniczka i jej panny już wtenczas były wyzwolone i miała mieć za kilka dni wesele z jednym zacnym księciem. Posłała tedy na miasto jedną ze swoich panien, aby jej kupiła stroje. Lecz ta, gdy tylko Argelusa ujrzała, wróciła czym prędzej powiedzieć o tym księżniczce. Ta nie chciała temu wierzyć i mówiła:

– To jest rzecz niepodobna.

Posłała tedy drugą i trzecią pannę, a gdy obie z tą samą nowiną powracały i zaręczały, że jest ten sam, że go dobrze znają, bo mu się pod ową jabłonią dobrze przypatrzyły, księżniczka nareszcie poszła sama na miasto, by go obaczyć. Przypatrzywszy mu się tedy dobrze, poznała go od razu, przywitała się z nim serdecznie i w kilka dni potem odprawiała z nim wielkie wesele na zamku, na którym i ja też byłem. A gdy potem wybrali się w daleką podróż do króla, i ja się też z nimi zabrałem, i tak tu się dostałem.

GĘSI

W dawnych czasach tak być miało, że gdy rodzice na dzieci lub na powinowatych swoich jakie zaklęcie wyrzekli, zaraz się to spełniło.

Dziewczynka jedna, zacnego stanu, miała kochanka, którego jej matka wziąć za męża gwałtem broniła. Ale że córka coraz więcej kochankowi sprzyjała i słowa jemu danego nie chciała zmienić, więc rzekła jej matka rozgniewana:

– Niech się cała rodzina nasza w dzikie gęsi zamieni, nimbyś ty gacha twego za męża mieć miała!

Ledwo to macierz wymówiła, a już się tak stało. Ojciec, matka, siostry i bracia odlecieli między stado dzikich gęsi. Kochanek z kochanką usiedli na jednym stawie i tam letnią i zimową porą bawili.

Myśliwiec poblisko mieszkający widywał często tę parę gęsi; aż jednego razu przyszło mu na myśl zastrzelić jedną na pieczeń. Strzelił i trafił gęś, która w locie owisła i na krzaku się uwiesiła. Popłynął do niej myśliwiec na czółnie i widział, że ją tylko ogłuszył, ale nie zabił. Wziąwszy ją z sobą, wsadził ją pod kominek i myślał ją dobrze wykarmić, a ponieważ nie był żonaty i dochód miał mizerny, sam sobie gospodarstwo domowe utrzymywał. Wyszedłszy następnego dnia w czas rano, zadziwił się niemało, kto by podczas jego niebytności, zwłaszcza że był dom zamknął, izbę uprzątnął; bo zastał łóżko usłane, izbę zamiecioną, ściany z kurzu i pajęczyn omiecione, naczynia pomyte i jadło stało na stole uwarzone.

Drugiego dnia wlazł na poddasze i zrobiwszy wprzód dziurę w posowie [1], chciał się przekonać, co się w izbie dziać będzie. Patrzy, a oto gęś spod kominka wychodzi, otrząsa się z pierza i zrobiła się z niej panna prześlicznej urody, która się krząta, zamiata i warzy. Inną razą czynił, jakoby szedł do lasu, ale został tylko za drzwiami, a ledwo co się gęś z pierza otrząsła i łóżko słać zaczęła, wskoczył prędko do izby, ujął dziewczynę w ramiona i lubo mu

---
[1] Posowa – sufit.

się mocno wydzierała, on ją trzymał i nie puścił, a pozbierał pierze i zamknął do szafy w komorze.

Po niejakim czasie pojął sobie tę pannę za żonę. Jednego razu, prawie [1] gdy gęsi do cieplic [2] leciały, siedziała ona na progu domowym, a myśliwiec, głowę na jej łono skłoniwszy, zasnął. Wtem leciały dwie gęsi; były to dwie siostry i gęgały:

– Nasza siostrzyczka tuli mężyczka; leć ty z nami, siostrzyczko!

A ona im odpowiedziała:

– Lećcie z Bogiem, lećcie z Bogiem! nie polecę ja z wami!

Za nimi leciały znowu dwie gęsi; byli to dwaj bracia, którzy gęgali:

– Nasza siostrzyczka tuli mężyczka; leć ty z nami, siostrzyczko!

A ona im znowu odpowiedziała:

– Lećcie z Bogiem, lećcie z Bogiem! Nie polecę ja z wami!

Za nimi leciały zaś dwie gęsi; był to ojciec i matka i znów na nią gęgali:

– Nasza córzyczka tuli mężyczka, leć ty z nami, córzyczko!

A ona im znowu odpowiedziała:

– Lećcie z Bogiem, lećcie z Bogiem! Nie polecę ja z wami!

Na ostatku leciała jedna gęś; był to najmilejszy kochanek ze stawu i tak ku niej żałośliwie gęgał:

– Moja kochaneczka tuli myśliweczka; lećże ze mną, kochanko ty moja!

Wtedy ona lekko głowę śpiącego myśliwca z łona swojego złożyła, po pierze skokiem pobiegła, na nim usiadła i wnet w gęś się przemieniwszy, z kochankiem swoim precz poleciała; co by się nie było stało, gdyby myśliwiec przezorniejszy pierze był spalił.

O DWÓCH DZIECIĄTKACH
NA WODĘ PUSZCZONYCH

Za dawnych czasów mieszkały w ubogiej chałupie trzy młode i urodziwe siostry, które jednego wieczora tak sobie gwarzyły.

Starsza mówiła:

– Ja bym sobie tylko piekarza za męża życzyła, bo bardzo ciepłe podpłomyki lubię.

---

[1] P r a w i e – tu: akurat, właśnie.
[2] C i e p l i c e – ciepłe kraje.

Średnia rzekła:
– A ja kucharza, bo rada smaczne poleweczki jadam.

Najmłodsza odezwała się wreszcie:
– Ja bym tylko samego naszego królewicza pragnęła, bo miałam takie widzenie, że gdybym mu syna powiła, to po każdym jego skąpaniu zamiast wody musiałoby się samo złoto wylewać; a gdybym mu córkę porodziła, to by na jej licach przy każdym uśmiechu prawe [1] róże zakwitały, a przy każdym jej płaczu nie łzy, ale prawe perły jak groch z jej oczu musiałyby padać.

Królewicz, który miał w zwyczaju często wieczorem do ubogich chatek zaglądać i podsłuchiwać, na co się skarżą, a czego pragną jego poddani, stał był właśnie tego wieczora pod okienkiem tej chatki, kiedy owe trzy siostry taką rozmowę między sobą wiodły, nazajutrz więc kazał je do siebie przywołać i zapytał najstarszej:
– Powiedz mi, czegoś ty sobie wczoraj życzyła?

Ona rzekła:
– Życzyłam sobie za męża piekarza z królewskiego zamku.

A królewicz jej odpowiedział, że zadosyć się stanie jej życzeniu.

Kazał i drugiej siostrze wyznać, czego pragnęła, a skoro ta powiedziała, że chciałaby za męża królewskiego kuchmistrza, przyzwolił i na to królewicz.

Potem zapytał najmłodszej; ta bała się powiedzieć i długo się ociągała, aż ośmielona łaskawością i usilną namową królewicza, uklękła i szczerze wyznała swoje życzenie, a królewicz podniósł ją i rzekł:
– Więc będziesz mnie miała!

I odprawiły się trzy uroczyste wesela. Ale siostry starsze zazdrościły młodej królewiczowej szczęścia, którego tak niespodzianie dostąpiła, i potajemnie spiknęły się na jej zgubę.

Zdarzyło się potem, że kiedy królewicz w dalekie strony był wyjechał, królewiczowa podczas niebytności jego porodziła syna. Siostry odebrały dziecię i puściły je w pudełku na wodę, która pod zamkowymi oknami płynęła, a matce podłożywszy szczenię, dały królewiczowi wiadomość, jakoby małżonka jego zamiast dziecięcia psa porodziła. Gdy powrócił, nie okazywał przed żoną żadnego zmartwienia, tylko rzekł do niej:
– Otóż widzisz, jakoś się przerzekła [2], zamiast syna i złota z kąpieli, powiłaś mi psa.

---

[1] P r a w e – tu: prawdziwe.
[2] P r z e r z e c s i ę – nieściśle przepowiedzieć, omylić się.

Stało się potem, że królewiczowa znowu w czasie niebytności męża, który był z wojskiem wyciągnął na wojnę, powiła córeczkę. Siostry odebrały dziecię i podłożyły jej kociątko, a dziecię, tak jak pierwsze, puściły w pudełku na wodę i dały znowu znać królewiczowi. Ten, do żywego już zmartwiony, w pierwszym gniewie posyła natychmiast rozkaz do domu, żeby żonę żywo zamurowano. Rade temu rozkazowi siostry-zbrodniarki zaraz też spełnienia rozkazu dopilnowały. Ale nieszczęsnej królewiczowej do zamurowanej ciemnicy donosił anioł pokarmy i napój. Tak też i nad jej puszczonymi na wodę dziatkami wejrzała opatrzność, że je pewien biedny rybak ułowił i sam nie mając dzieci, za swoje przyjął. A ile razy po skąpaniu synka wodę z wanienki wylewał, to zamiast wody samo szczere złoto się sypało; a kiedy znowu córeczka płakała, to same perełki z jej oczek padały; przez co ów rybak do bardzo wielkiego przyszedł majątku i wychowańcom swoim złoty domek wystawił.

Tam śniło się jednego razu tym dzieciom, że jest gdzieś niedaleko zdrój taki, co na sto łokci w górę wybija; także drzewo, co śpiewa, i ptaszek, co gada. Nazajutrz więc odważył się chłopczyk iść do puszczy i szukać tych trojga rzeczy. Ale na drodze spotkał go siwy dziadek i pytał, gdzie idzie; a gdy mu chłopczyna powiedział swój zamysł, dziadek go przestrzegł, żeby się miał na baczeniu, bo skoro wody z owego zdroju nabierze, pocznie za nim grzmieć i huczeć okrutnie; a gdyby się wtenczas obejrzał, to by się zaraz w kamień obrócił. Chłopczyk poszedł i nabrał wody, ale gdy łoskot za sobą usłyszy, zlękł się i obejrzawszy się mimowolnie, zaraz się w kamień przemienił.

Siostrzyczka, tęskniąc za bratem, poszła go szukać i wzięła z sobą dzbanuszek do wody. Dziadek siwy, z którym się także spotkała, dał jej tę samą co braciszkowi naukę i radził jeszcze, ażeby sobie uszy zatkała, gdy będzie od zdroju odchodzić; i żeby potem tą wodą z dzbanuszka na tę i ową stronę kropiła. Dziewczynka też wszystko tak uczyniwszy, jak jej był dziadek powiedział, zobaczyła wnet obok siebie drzewo śpiewające i ptaszek gadający nadleciał, i z przydrożnego kamienia zdrowy braciszek do niej przystąpił. A tak przyszli społem do domu i z nimi ptaszek przyleciał, i drzewo przywędrowało, i woda z dzbanuszka ustawicznie w górę wytryskała.

Tymczasem król, po utracie żony będąc wielce smutnym i nie mogąc nigdzie znaleźć pokoju, wyjechał do onej puszczy na łowy, gdzie jego dziatki mieszkały. Chłopczyk ciekawy, usłyszawszy grające trąbki i psów szczekania po lesie, przyłączył się do myśliwców królewskich i z prostego łuku w oczach samego króla ubił szczęśliwie zająca, którego król mu darował i powiedział, żeby go sobie zaniósł do domu i że on sam tam na posiłek wstąpi. Skoro więc młodzieniaszek z zającem do siostry powrócił, frasowali się oboje, czym króla uraczą; aż ptaszek odezwał się do dziewczynki:

– Oto upiecz zająca przy gałązkach z owego drzewa, które przyszło za tobą, i uwarz klusek, a te przesyp twymi perłami i daj królowi napić się wody z dzbanuszka, to i dosyć będzie.

Po chwili też zajeżdża król przed ów złoty domek i gdy się dziwi jego kosztownej budowie, a miski obsypane perłami obaczy, wtedy ów ptaszek przemówił do niego:

– Czemu się dziwisz, królu? Wszak ci to są perły z łez córki twojej, o których ci żona twoja naprzód przepowiadała; a wszak ci ten domek ulany ze złota, które po każdym skąpaniu syna twego zamiast wody się lało.

I król, wtedy ucałowawszy dopiero dzieci swoje, pytał ptaszka, azali jeszcze i matka ich żyje, na co gdy mu ptaszek powiedział, że ją dotąd anioł żywi i napawa, pospieszył król z dziećmi, czym prędzej i kazał ów mur rozwalać, z którego też zdrowa i czerstwa wyszła królowa.

Od tego czasu wszyscy w długie i szczęśliwe lata żyli, oprócz owych dwóch sióstr-zbrodniarek, które król kazał żelaznymi bronami na polu roztargać.

MŁYNARZ I TRZEJ SYNOWIE

Jeden młynarz miał trzech synów, najmłodszy był głupi; dwaj starsi mieli go sobie za błazna i różne z niego żarty stroili. Jednego razu rzekli do niego:

– Pójdziemy księdzu ukraść wieprza, a ty tymczasem będziesz z kostnicy wyrzucał kości.

Głupi robił przez całą noc, co mu kazano. Do dnia idzie organista dzwonić i słyszy, że w kostnicy coś bawi, a ujrzawszy, że z niej kości wyrzuca, bieży do księdza, by mu o tym donieść. Ksiądz już od dawna miał jakiś ból w nogach, nie mógł więc chodzić i musiało go czterech parobków w krześle na drążkach do kościoła nosić. Zaopatrzywszy się więc w świętości, kazał się im teraz na cmentarz zanieść. Organista szedł przy nim, niosąc kropidło i kociołek z święconą wodą.

Gdy księdza na smętarz wnieśli, wyjrzał głupi z kostnicy i zawołał głośno:

– Nieście go tu, dajcie go sam!

Parobcy przelękli się, postawili krzesło z księdzem i uciekli; organista za nimi. Ksiądz widząc, że nie przelewki, zebrał się na nogi i uciekł do plebanii; a od tego czasu nie potrzebował już, aby go do kościoła noszono.

Gdy głupi wrócił do domu, bracia pytali go się, czy się nie bał stracha w kostnicy, on im na to:

– A co to jest strach? Pójdę ja go szukać po świecie.

Poszedł i gdziekolwiek przybył, pytał się o stracha. Przyszedłszy do jednego dworu, dowiedział się, że dziedzic tej wsi w bocznym tylko przy zamku mieszka dworcu, bo przed strachami nikt w zamku wytrwać nie może.

– Oj, to ja spróbuję, czy tam nie wytrwam – rzekł głupi i prosił bardzo, aby o tym panu donieśli.

Pan odradzał mu, lecz on prosił koniecznie, by w zamku mógł nocować. Dano mu więc światła tyle, by mu przez noc nie brakło, i zaprowadzono do zamku. Około godziny jedenastej stał się w całym zamku wielki hałas i wkrótce potem wpadła kominem ćwierć ciała ludzkiego, wpadła i druga, a na ostatku i tułów. Potem przyszli diabli, znieśli te części ciała na kupę, które się zaraz zrosło i poczęło się ruszać. Oprawcy zaczęli ostrzyć noże, brzytwy i inne narzędzia, gdy głupi wstawszy, dźwignął umarłego z ziemi i posadził przy piecu; a po chwili mówiąc do niego: ,,Ale pfe, ty śmierdzisz", dał mu od lewej ku prawej stronie tęgi policzek. Diabli, zobaczywszy to, natychmiast uciekli, a umarły powstał i rzekł do niego:

– Tyś mnie wybawił, pokutowałem w tym zamku za niesprawiedliwie nabyte skarby i miałem pokutować aż dotąd, pokąd mnie ręka ludzka za to nie ukarze.

To powiedziawszy, wziął głupiego i prowadził do piwnicy; stąd niżej do drugiej i tak aż do trzeciej; tam pokazał mu skarby schowane; polecił, co z nich miał dać ubogim, co kościołom; a resztę kazał mu dla siebie zatrzymać. Głupi tak zrobił, jak mu umarły kazał, i został mądrym; a w zamku odtąd więcej nie pokutowało.

BRAT UBOGI
I BRAT CHCIWY

W jednej wsi mieszkało dwóch braci rodzonych, jeden był bogaty, drugi ubogi. Bogaty byłby może czasem ugęszczał [1] do ubogiego, gdyby mu żona złośliwa nie była przeszkadzała. I dlatego siedem lat mijało, jak pierwszy u

---

[1] U g ę s z c z a ć – często przebywać, uczęszczać.

drugiego nogą nie postał. Jednego razu pojechał ubogi łączką po drzewo do lasu; żona dała mu pół bochenka chleba i pół gomółki sera na drogę; dla biednych dzieci ledwo garść mąki zostało. Gdy już drewka na taczkę nałożył i przywiązał, usiadł sobie, chcąc się posilić owym chlebem i serem. Ledwie jeść zaczął, a tu nadszedł ku niemu niewielki chłopek w czarnej sukmanie i rzekł do niego:

– Niech Bóg błogosławi na spół!

Ubogi odpowiedział:

– Proszę z sobą.

I natychmiast rozdzieliwszy chleb i ser na poły, dał jedną połowę nieznajomemu; ten jadł z apetytem i zjadłszy rzekł:

– Za to, coś mnie posilił, możesz sobie trzy rzeczy u mnie wyprosić, co chcesz, to ci się stanie; tylko najlepszego nie zapomnij.

Ubogi odpowiedział:

– Kiedyć tak ma być, to powiem życzenia moje. Oto mam sąsiadę zwadliwą; ta, co może, na złość mi robi; ledwo się dzieci moje na dwór pokażą, zaraz je klnie, goni i bije; rad bym tedy najprzód, żeby ze mną w zgodzie żyła.

– Będzie to – rzekł mały chłopek – sąsiada twoja dziś jeszcze do ciebie przyjdzie w gościnę.

– Po drugie – rzekł ubogi – mam brata, który już siedem lat u mnie nie był; rad bym, żeby się ze mną pogodził.

– Stanie się tak, jak sobie życzysz – rzekł znów chłopek mały – brat twój dziś wieczór u ciebie będzie. Cóż chcesz mieć na trzecie?

– Ha! przed kilku laty miałem, ile mi było potrzeba, teraz na górze mam skrzynię srogą [1], ale pustą; przedtem w niej pełno bywało zboża, dziś, gdyby można, rad bym, żeby było w niej pełno dukatów.

– I to mieć będziesz wprzód, niźli do domu wrócisz.

To rzekłszy chłopek w czarnej sukni zniknął.

Ubogi przyjechał przed swój domek. Żona wyszła do niego, chcąc mu pomóc drzewo z taczki znosić. Mąż mówi do niej:

– Pewnie się chce dzieciom i tobie jeść, a i ja zjadłbym co, wleź no na górę, weź ze skrzyni garść dukatów, zmień w karczmie, nakup chleba, bułek, mięsa i dobrego trunku, a przygotuj wieczerzę.

Żona stoi jak wryta i nie wie, co na to odpowiedzieć; mąż mówi:

_____

[1] S r o g a – tu: ogromna.

– Uczyń, jako powiadam.

Ona zaś na to:

– Ale czyś głupi, i skądże by się tam dukaty wzięły? A dyć tam ani złamanego grosza nie masz!

Mąż koniecznie obstawał, aby poszła: poszła więc i z wielkim zdumieniem wzięła jedną, drugą i trzecią garść złota, radując się niezmiernie z takich dostatków. Wzięła potem z tego trzy dukaty, starsze dziecko i taczkę i pojechała kupować. Dzieci zwadliwej sąsiady widziały, jak uboga Walkowa wiozła na taczce kilka bochenków chleba, parę butelek piwa, wódkę, ćwierć mięsa wołowego, ćwierć cielęcego itd., pobiegły więc czym prędzej powiedzieć matce o tym. Ta zadziwiła się wielce i gdy się zmierzchło, kazała dzieciom, aby poszły z tyłu pod okna sąsiada podsłuchiwać. Gdy Walkowa mięso nastawiła do ognia, rzekł mąż do niej:

– Idź jeno też do brata, a pożycz od niego wiertelika [1], będziemy mierzyć te dukaty.

Żona poszła, bratowa dziwiła się wielce, co by takiego mierzyć chcieli. Oni mierzyli i liczyli.

– No! toż będziemy mieli czternaście wierteli dukatów – rzekł do niej mąż – a teraz odeślij przez które dziecko ten wiertelik bratu.

Gdy brat wiertelik odebrał, ciekawy był, co też nim było mierzone: ogląda, a tu w szparach na składaniu ujrzał, że mu się coś błysło; dobywa nożem, widzi, że dukat; puka, aż tu czternaście dukatów wyleciało. Jeszcze go większa wzięła ciekawość, pobiegł do brata i mówi:

– Jakieście mierzyli? Zostało czternaście dukatów w miarze i niosę je na powrót.

Walek rzekł:

– Zatrzymaj je, mój bracie! Mnie Pan Bóg opatrzył!

– Jak to? – pyta brat.

A Walek mu całą przygodę opowiada.

Zła sąsiada nie chciała dzieciom wierzyć, co jej gadały, i sama pobiegła do Walków. Walek częstował hojnie brata i sąsiadę. Brat, powróciwszy do domu, opowiada żonie, co widział i słyszał; złośliwa żona mówi:

– Ej, to się może diabłu zapisał?

– Ale gdzie zaś – mówi mąż.

---

[1] W i e r t e l i k – drewniane naczynie do mierzenia zboża o pojemności czwartej części korca, stąd nazywane również ćwiercią.

A ona znowu:

– Za kawałek chleba i sera diabeł tyle nie daje.

– Wiesz co? – rzecze mąż – pojadę ja też jutro na to miejsce, gdzie brat był.

Żona dała mu wielki bochenek chleba i dwie gomółki. Gdy już drewek na taczkę nałożył, ukazał się znowu ów chłopek w takim stroju, jak go brat opisał, i mówi:

– Niech Bóg błogosławi na spół!

Bogacz rzecze:

– Proszę do siebie – i dał mu połowę chleba i jedną gomółkę.

Chłopek zjadł i rzekł:

– Za to, żeś mnie pożywił, możesz sobie u mnie wyprosić trzy rzeczy i pewien bądź, że ci się spełnią; pamiętaj tylko, byś co najlepszego nie zapomniał.

Bogacz nie mógł się zaraz namyślić, czego ma żądać, i rzekł:

– Rad bym się z moją kobietą o tym rozmówić.

– To ci wolno – odpowiedział chłopek – nie trzeba ci tu jednak z odpowiedzią wracać, gdyż, co sobie z trzech rzeczy aż do zachodu słońca dziś zapragniesz, to ci się stanie.

Gdy bogacz do domu wrócił, opowiedział żonie, jaką miał rozmowę w lesie.

– Ej, kto tam wie, czy też to prawda? spróbujmy: chciej, żeby nasza młoda siwa krowa, która sobie rogi strąciła, nowych nabyła.

Ledwo co sobie tego życzyli, przychodzi dziewka z obory i powiada im, że siwuli piękne białe rogi urosły. Pobiegli do obory, a tu w samej rzeczy tak było. Żona mówi znowu:

– Ale czy też to te rogi mocno siedzą? – chwyci jeden, zaczyna kręcić, aż jej zaraz w ręku został.

Mąż rozgniewany rzecze:

– Ledwo urósł, a jużeś go ukręciła; żeby ci ten róg do głowy przyrósł.

I zaraz się tak stało; wyciągają, odrywają, ale na próżno; cała wieś zbiegła się na to dziwo, jednak nikt rady ani sposobu nie wiedział. Słońce się już zniżało ku zachodowi, mąż mówi smutnie:

– Dwie rzeczy się już spełniły, ja tylko jeszcze jeden sposób wiem na to, nim słońce zajdzie.

Nalegają na niego krewni żony, aby tego sposobu użył, aż on z gniewem rzekł:

– Niech ten róg odpadnie.

I zaraz się tak stało; lecz mąż z wielkiego żalu, że z przyczyny ciekawości żony stracił skarb duży, którego za jedno słowo mógł zostać panem, poszedł i obwiesił się. Żona, zobaczywszy to, poszła i z rozpaczy utopiła się w najgłębszej studni w podwórzu.

ZŁY BRAT

W jednej małej mieścinie żyli dwaj bracia; starszy był majętny, młodszy bardzo ubogi. Biedak chodził do bogatego prosić często o to lub owo. Gdy razu jednego, będąc w potrzebie, przyszedł do niego, bogacz rzekł do żony:

– Już mi też zmierzło zawsze coś dawać; ja bym go nie zbogacił, a siebie bym zniszczył; ale wiem, co zrobię: wyżgam mu oczy, może sobie po żebrze chodzić.

Żona nie rzekła nic na to, a on, zawoławszy brata do komory, kazał mu usiąść i oznajmił mu swoją wolę. Brat prosił go się bardzo, aby tego nie czynił, ale bogacz, nie dbając na prośby, żgnął go szydłem w jedno i drugie oko i tak ubogiego oślepił. Nieszczęśliwy brat prosił okrutnika, by go przynajmniej pod krzyż na rozstajne drogi zaprowadził, skąd by mógł przechodzących o jałmużnę prosić. Bogacz zaprowadził go pod szubienicę, gdzie cztery słupy z wierzchu belkami związane stały. Ociemniały wołał, prosił, ale nikt nie nadszedł w tę stronę, nikt go nie usłyszał. Noc nadeszła, a on nie wiedział, gdzie się znajduje. W miasteczku, z którego go brat wyprowadził, zegar jedenastą godzinę wybił; wtem przyleciało trzech czartów przemienionych w kruki i usiadłszy sobie na szubienicy, taką rozmowę z sobą mieli. Jeden mówi:

– W pobliskiej wiosce żona wieśniaka dziś zległa; moglibyśmy tam co dokazać; jej dziewka ma zwyczaj, że gdy wieczerzę na stół zastawi, zamiast zawołać familii, to porzuciwszy łyżki na stole, odchodzi, wtenczas kichnie położnica i żaden jej słyszeć nie będzie, żeby rzekł: ,,Boże ci daj zdrowie!'' Wtedy my przyciesi[1] dźwigniemy i porwiemy chorą.

Drugi rzecze:

– Wiecie, że o trzy mile stąd, w mieście, gdzie daleko po wodę jeździć

---
[1] Przycieś – najniższa belka drewnianej ściany, podwalina.

muszą, wykopali górnicy na rynku głęboką studnię, a jednak wody nie mogąc się dokopać, przestali roboty; gdyby jednak jeszcze ćwierć łokcia kamień przebili, wytrysłoby tyle wody, że się wierzchem studni wylewać będzie i całe miasto zaleje, ale jeśli kto do pierwszego lepszego domu wbiegnie, porwie stamtąd pierzynę i studnię nakryje, to woda utęchnie i tyle jej tylko w studni będzie, ile potrzeba.

Trzeci znów prawi:

– Pani w Paprocinach, od siedmiu lat chorująca, już wkrótce naszą będzie; mąż jej cały prawie majątek na lekarzy stracił, ale jej nikt nie pomoże, bo tego żaden nie wie, że ona hostię wypluła i że żaba, która ją połknęła, siedzi w jej izbie pod wielką szafą; chcąc tedy chorą do zdrowia przyprowadzić, trzeba żabę rozciąć, hostię z niej wydobyć, obmyć i chorej dać pożyć.

– Wiem ci ja więcej – rzekł pierwszy. – Oto niedawno spostrzegłem, że tu pod szubienicą rośnie takie ziele, że gdyby ślepy, choć z urodzenia, oczy sobie nim potarł, to by sobie zaraz wzrok przywrócił. ·

Wtem zegar godzinę dwunastą uderzył i owe trzy kruki wnet odleciały. Ślepy począł macać po słupach i przekonał się, że leżał pod szubienicą; dalej zaczął znowu macać po trawie, urwał jedno ziółko, drugie i trzecie, aż wreszcie trafiwszy na to, co wzrok przywraca, gdy nim potarł oczy, poczęło mu w nich błyszczeć, aż dalej coraz bardziej robiło mu się jaśniej, na koniec przejrzał zupełnie. Wtedy, gdy już świtać zaczęło, szedł na Bóg zdarz i dopytywał się do wioski i do domu owej położnicy, o której krucy sobie radzili. Już się zmierzchało, gdy tam przyszedł i o nocleg gospodarza prosił.

– Tu byście bardzo zły nocleg mieli – odpowiada mu gospodarz – żona moja w połogu, dziecko całą noc niespokojne, lepiej, żebyście poszli do sąsiada, on nie ma małych dzieci.

– Wolę ja u was choćby pod ławą leżeć – rzekł biedny i usiadł blisko łóżka, czuwał ciągle, a gdy dziewka wedle zwyczaju łyżki na stół rzuciwszy odeszła i położnica kichnęła, rzekł do niej: ,,Boże wam daj zdrowie!" Wtedy zaszumiało, jakby wicher wielki powstał, i obrazki wszystkie ze ścian spadły, bo już diabli wtenczas przyciesie domu byli podnieśli. Gospodarz i wszyscy domownicy przelękli się bardzo i dopiero biedny ślepy całą rzecz opowiedział, a gospodarz nie tylko sowicie go obdarzył, ale i do miasta, gdzie studnię robiono, odwieźć kazał. Ogłosił on tam zaraz, że by się podjął wody w tym mieście dostać. Mówiono mu, że tam już nie tacy majstrowie pracowali, a dokonać tego nie mogli; on jednak nie dał się odstraszyć i żądał potrzebnych narzędzi. Nim go w głębię puszczono, zastrzegł sobie, aby gdy zawoła lub da znak zaraz go na wierzch wyciągniono. Ledwo tam przez godzinę kopał, a już otwarły się poniki [1], wołał więc, by go wyciągniono; i gdy go do góry wydobyto, woda wierzchem studni poczęła się dobywać; on poskoczył po pierzynę do pierwszego domu, nakrył studnię i woda utęchła. Rząd miasta zapłacił mu dobrze za tę usługę. Kupił on sobie zaraz bryczkę i parę koni i prędko jechał do Paprocin. Przybywszy tam zgłosił się, że by chciał panią ozdrowić. Mąż mówi:

– Zapłacę, ile będę w stanie, czyń tylko, co możesz.

Przychodzień kazał szafę ogromną na bok usunąć, rozciął szkaradną żabę mieczem, dobył z niej hostię i opłukawszy dał ją pożyć wyschłej i ledwie już dychającej jejmości. Za kilka godzin już cokolwiek posiłku przyjęła i siedzieć mogła; drugiego dnia już się w pokoju przechodziła; trzeciego już na dwór wyszła. Mąż zapłacił sowicie cudownemu lekarzowi, który też spiesznie do swoich wrócił. Gdy go zobaczył brat i żona, wielce się mu dziwowali, a on rzekł:

– Chciałeś mi, bracie, złe wyrządzić, a mnie to na dobre wyszło; tak i tak mi się powodziło.

Brat zazdrościł mu bardzo tego szczęścia i raz mówi do niego:

– Wiesz ty co, braciszku! zrób mi ty też tak, jak ja tobie zrobiłem, i zaprowadź mnie pod szubienicę.

Brat nie chciał tego żadnym sposobem zrobić, ale bogacz koniecznie prosił i spoczynku mu nie dał. Nie mogąc się tedy wymówić, zrobił, tak jak on chciał, i zaprowadził go pod szubienicę. Siedział tam, aż godzina jedenasta wybiła. Przyleciały znów trzy kruki i nuż rozprawiać, co słychać? Pierwszy mówi:

– Źle, położnicę nam wydarli; w mieście wody dostali, a pani w Paprocinach wyzdrowiała; trzeba patrzeć, azali nas też tu kto nie podsłuchuje.

Zleciał na dół i wnet woła:

– Przybywajcie! mamy tu tego szpaka.

Kruki zleciawszy, żywo bogacza rozszarpały. Taką odebrał zapłatę za nieczułość i chciwość swoją brat wyrodny i chciwy.

---

[1] P o n i k – źródło.

SYN WĘDROWIEC

Jeden ojciec miał syna; gdy ten wyrósł na młodzieńca, rzekł mu ojciec:
– Już by też czas, żebyś się udał zwietrzyć świat.

Syn rzekł mu na to:
– Juści ja nie jestem od tego, ale proszę was, abyście mi kazali zrobić laskę, która by pięć cetnarów ważyła.

Ojciec kazał mu zrobić laskę półtrzecia cetnara ważącą; syn poznał, że nie trzyma wagi i zaraz ją złamał; wtedy ojciec podług jego woli dał mu pięciocetnarową laskę. Z tą poszedł na wędrówkę. Przyszedłszy do jednego lasu, widzi, że tam człowiek jedne drzewa wyciąga do góry, drugie wciska w ziemię; wędrowiec zapytał go:
– Co ty robisz?

Ten odpowiedział mu, że równa las, żeby był od wierzchołków jednako wysoki.

Wędrowiec rzekł mu:
– To i ty, jako widzę, mocny jesteś.

Ten zaś rzekł mu:
– Nie tak przecie mocny jestem jak Górny Janek.

Wędrowiec z pięciocetnarową laską rzekł mu znowu:
– Wiesz ty co? pójdź ze mną!

Szli tedy oba i ujrzeli męża, który się plecami oparł o jedną górę, a nogami zepchnął z miejsca drugą. Wędrowiec zawołał:
– Oho! to i ten, widzę, mocny jest.

Towarzysz jego rzekł:
– Górny Janek daleko jeszcze od niego jest mocniejszy.

Wędrowiec wezwał Waligórę, aby z nimi szedł, i tak się też stało. Gdy przychodzili do miasta, ujrzeli piwowara stojącego przed browarem, który na lewej ręce trzymał półbeczek piwa, a to mu cewkiem przez gardło do brzucha płynęło. Wędrowiec odezwał się do niego:
– Ej, coś ty, widać, mocny i dobre gardło masz, gdy tak prędko łykać potrafisz.

Piwowar odrzekł:
– Jeszcze jest jeden mocniejszy ode mnie i nazywa się Górny Janek.

Wędrowiec rzekł mu:
– Pójdź i ty z nami, będzie nas więcej.

Piwowar poszedł. Przyszedłszy społem do jednego pustego zamku, tam sobie w nim zamieszkali. Razu jednego zachciało im się iść na łowy; zostawili więc Wyrwisosnę, aby dla nich jeść w kuchni gotował. Gdy już wszystko na stół zastawił, przyszedł do niego mały dziadek; Wyrwisosna zapytał go:

– A ty co tu chcesz?

Dziadek mu też tymi słowy odpowiedział.Wyrwisosna, niewiele myśląc, rzucił się na niego, ale dziadek mocniejszym się okazał, dobrze mu skórę wyłupił i pod ławę wrzucił. Gdy towarzysze Wyrwisosny wrócili i jego na ziemi ujrzeli, rzekli:

– A tości się też upił.

On ani nie dychnął, że go dziadek nawiedził. Na drugi dzień był Waligóra kucharzem; tak się z nim stało jako i wczora. Trzeciego dnia został piwowar mówiąc:

– Ja poradzę beczkę piwa wypić, a trzeźwym będę, to się i dziś nie upiję – aleć się i jemu dobrze po skórze dostało.

Wędrowiec z pięciocetnarową laską, który był Górnym Jankiem, o czym towarzysze jego nie wiedzieli, rzekł czwartego dnia:

– Idźcież wy dziś na łowy, a ja gotować będę i pokażę wam, że się nie upiję tak, jako wyście się upili.

Gdy odeszli, Górny Janek począł się koło kuchni krzątać, a wtem wchodzi dziadek; Górny Janek porwał na niego swą laskę i przybił go nią do ściany, ale dziadek się wywinął i tylko brodę zostawił. Gdy towarzysze Janka wrócili, rzekł on im:

– Teraz ci wiem, jakoście się upijali; ja też miałem potyczkę, zwalczyłem dziadka, uciekł i brodę mi tylko swoją zostawił; wiem jednak, gdzie go szukać, i pójdę za nim.

Zaprowadził ich nad wielką jedną dziurę i kazał się w nią na powrozach spuścić. Były tam bardzo piękne pokoje, w jednym z nich siedziała panna przecudnej urody. Zapytał się jej, czyli tu sama bawi. Ona odpowiedziała, że mieszka z nią dziadek, który ją z wierzchniego świata porwał, ale teraz na brodę chory jest. Poszedł do niego; dziadek, zobaczywszy go, chciał uciekać, lecz go Górny Janek laską swoją na ziemię powalił i jednym zamachem zabił. Potem oznajmił pannie, że ją do góry wyprowadzi; i gdy chętnie na to przystała, wsadził ją do kosza i dał znak, aby w górę ciągnęli. Gdy panna na wierzchu była, zakochali się w niej wszyscy towarzysze Górnego Janka i nie myśleli wcale w górę go wyciągnąć. On to sobie naprzód pomyślał, skoro więc kosz znowu spuścili, z przezorności włożył do niego swoją laskę z kilkoma kamieniami i dał znak, aby ciągnęli. Gdy do połowy wyciągnęli, ucięli powrozy i upuścili go na dół chcąc, aby się tam zabił. Górny Janek przekonał się o zdradzie, ale też i o tym, że się na wierzch nie dostanie. Chodząc w podziemnej krainie wielce zasmucony, ujrzał gniazdo ptaków, właśnie gdy deszcz padał; ulitował się nad pisklętami i okrył je swoim płaszczem. Przyleciał wkrótce ojciec tych ptasząt i rzekł do niego:

– Iżeś się ulitował nad dziećmi mymi, za to cię też stąd wyprowadzę.

Kazał mu tedy, aby wziął cztery ćwierci mięsa i beczkę wody, i żeby mu, gdy się obejrzy w prawo, podał jedną ćwierć mięsa, a gdy w lewo, aby mu się dał napić. Ptak niósł go z mięsem, wodą i laską; a gdy się oglądał, podawał mu Górny Janek posiłek; lecz wkrótce wszystkiego mu zabrakło: ptak się jeszcze oglądał i słabnął coraz bardziej, bo się nie miał już czym pożywić. Aby ptak na dół nie upadł, Górny Janek oderznął sobie jedno i drugie ikro [1], i wreszcie kawałki z pośladka: ptak wzmocniał i wyniósł go na wierzch; i gdy już sobie na ziemi odpoczęli, ptak zapytał go się:

– Cóżeś mi to za mięso na ostatku dawał?

– No, ratowałem cię, jak było można – rzekł Górny Janek i pokazał mu oderznięte części swego ciała.

Ptak natychmiast te sztuki wyrzygnął i wskazał ziele, którym nasmarowane, zaraz się do ciała przyrosły. Ptak potem odleciał, a Górny Janek poszedł do zamku. Tam towarzysze jego właśnie z panną przy obiedzie siedzieli, zobaczywszy go więc, przelękli się wielce, a on im rzekł:

– A zaś to tak, bracia, ze mną wam się obejść należało? – to powiedziawszy, uderzył każdego laską i na miejscu zabił, a pannę sobie za żonę poślubił.

PAPRZYCA

Pewien król był tak nieszczęśliwy, że żadnego dziecka dochować się nie mógł, bo mu każde umarło. Na ostatku miał dwóch synów, którzy już po kilka lat liczyli i ochmistrzów [2] swoich mieli; młodszy uczył się daleko lepiej i pilniej jak starszy. Razu jednego przyszedł czarnoksiężnik w postaci dziadka proszącego o jałmużnę; król posłał mu pieniędzy, lecz dziadek nie chciał; wyszedł tedy sam król do niego i pytał, czego by żądał. Dziadek rzekł:

– Masz dwóch królewiczów, daj mi jednego, jeżeli nie chcesz, aby ci obu śmierć zabrała.

Król oznajmił to żonie swojej, a ona rzekła:

---

[1] I k r o – łydka.
[2] O c h m i s t r z – nauczyciel, wychowawca.

– Jużeśmy tyle dzieci pogrzebli, mieliżbyśmy i tych obu utracić? lepiej dajmy już jednego.

Król kazał dziadkowi, aby sobie jednego z nich wybrał; on zaś pozwolił królowi, aby sobie zostawił tego, który mu jest milszy; król dał mu młodszego. Gdy wyszli za miasto i usiedli, dziadek pytał królewicza:

– Cóż myślisz, jak dalekośmy też już od domu ojca twego uszli?

Młodzieniaszek rzekł:

– Zda mi się jakie pół mili.

A dziadek powiada:

– Oho! Już to półczwartasta mil.

Czarnoksiężnik zaprowadził królewicza w gęstym lesie do zamku, w którym nikt nie mieszkał. Tu rzekł:

– Skoro się za róg tego stołu uchwycisz, co sobie zapomyślisz do jedzenia lub do picia, zaraz będziesz miał; ja pójdę teraz na rok w świat, ty musisz tu co dzień izbę zamieść: masz oto klucze od zamku, ale do tych dwóch izb nie otwieraj.

Chłopiec bawił się przez ten rok w księgach i piśmie, czytał, pisał, izbę też każdy dzień zamiatał. Za rok powrócił dziadek, właśnie gdy chłopiec jadł obiad.

– Jak się masz, podoba ci się tu? – rzekł dziadek.

Chłopiec odpowiedział:

– Dobrze i nic mi nie brakuje.

– No, to ja jeszcze pójdę na rok, ale jeno nie zapomnij izby co dzień zamiatać, a do tych dwóch izb nie otwierać.

I znowu poszedł. Chłopiec bawił się cały rok. Za rok wrócił dziadek i pytał go się jak wprzódy, azali jeszcze na rok odejść może? Chłopiec mu zaręczył, iż mu nic nie brakło, bo co chciał, to miał na stole, jak go za róg ujął. Czarnoksiężnik odszedł więc znowu.

Chłopiec był już mądrzejszy i myślał sobie: „Czemu też to dziadek nie da tych dwóch izb odmykać?" Odważył się i odemknął jedną izbę: tam znalazł wiele ksiąg, wszystkie przeczytał, ale izby zamiatać zaniedbał. Otworzył potem drugą izbę, tam jeszcze więcej ksiąg znalazł; ale też były między nimi i czarnoksięskie. Chłopak czytał je wszystkie i na spodku jednej doczytał się, że w tym zamku jest piwnica, w której są trzy konie zamknięte. Przeczytawszy to szukał tak długo, aż natrafił na drzwi żelazne, które zaraz odemknął. W stajni podziemnej stały trzy konie, którym z gnoju tylko łby i grzbiety było widać. Królewicz poszukał wideł i łopaty, a odgarnąwszy gnój od koni, wyrzucił go precz! znalazł i wiadro, doniósł im także wody. Gdy to uczynił, odezwał się do niego jeden z koni:

– Dziękujemy ci za posługę, którąś nam wyświadczył, dobrześ uczyniłeś, ale z tobą źle będzie, gdy nas nie usłuchasz; gdyż jak tylko dziad powróci, zaraz o tym wszystkim będzie wiedział i ze złości zabije cię. Ledwo do zamku wnijdzie, będzieć się pytał: „Jak się masz?" – odpowiedz wtedy: „Dobrze, staruszku"; ale zaraz co tchu na dwór uciekaj i stań się kobuskiem [1], a wtedy leć w świat.

Tak się też stało, ale dziadek przemienił się zaraz w dużego jastrzębia i gonić go począł. Kobusek, gdy już był blisko zamku, w którym młoda królewna przy oknie otwartym się bawiła, przemienił się w pięknego gołębia i wleciał do jej pokoju. Tam znów zaraz przemienił się w pięknego młodziana i opowiedział jej swoje niebezpieczeństwo mówiąc, że w krótkim czasie dziadek przybędzie do niej prosić o jałmużnę i wtedy mógłby go zdradzić.

– Ale stanę się ja ziarnkiem kaszy, ziarnko to proszę wrzucić do miski i wysypać z inną kaszą na pastwę. Dziadek się wtedy przemieni w koguta i zjadać będzie prędko kaszę, ja zaś skoczę na palec waszej królewskiej mości i stawszy się pierścieniem, uratowany będę.

Dziadek wnet idzie po jałmużnę; królewna wystawia przed niego kaszę, on przemienia się w koguta i zaczyna jeść chciwie. Królewna nachyliła się, ziarnko skoczyło jej na palec i miała pierścień. Kogut zjadłszy co do ziarnka wszystką kaszę odezwał się i zapiał te słowa:

– Nie masz go sam!

Na co królewna rzekła:

– Obrzydły potworze, bodajże cię psy na kawałki potargały.

A zaraz po tych słowach ów pierścień w psa się przemienił i czarnoksiężnika poszarpał. Z psa stał się znowu cudny młodzieniec; królewna chciała go u siebie zatrzymać, ale on udawał, że ma wielką podróż przed sobą, i podziękowawszy jej, wrócił się do zamku w lesie, w którym owe trzy konie stały znowu w stajni podziemnej gnojem zawalone. Gdy gnój wyrzucił i gdy je wychędożył i napoił, stały się jeszcze daleko piękniejsze jak przedtem; środkowy odezwał się wtedy do niego:

– W ogrodzie stoją dwie kadzie przykryte, idź, umyj sobie włosy swoje w większej; staną ci się złote; w mniejszej zaś zmaczaj mały palec lewej ręki, a będzie się świecić jak złoty.

---

[1] K o b u s e k – kobuz – ptak drapieżny wielkości gołębia, dawniej ceniony w sokolnictwie.

TWARDOWSKI BYŁ DOBRY SZLACHCIC, BO PO MIECZU I KĄDZIELI. CHCIAŁ MIEĆ WIĘCEJ RO ZUMU, NIŻ MAJĄ DRUDZY POCZCIWI LUDZIE.

Gdy tak uczynił i ujrzał skutek, wrócił do koni, a trzeci z nich odezwał się znowu do niego:

– Teraz zaś każdemu z nas osobno wyrwij jeden włos z ogona; skoro byś był w jakiej ciężkiej potrzebie, skrzesz ogień, zapal jeden włos, a z nas pomoc pewną mieć będziesz.

Królewicz uczynił, co mu konie radziły, i puścił się w świat, lecz ani nikt palca i głowy nie widział, obwinął go płatami. Przyszedł do zamku pewnego króla i prosił, czyby u niego nie mógł znaleźć jakiej służby. Król, kazawszy go przed siebie przywołać, pytał go, dlaczego by miał głowę i rękę obwiniętą. Młodzieniec odpowiedział, że jest na głowę i rękę kaleka. Król przyjął go zatem na pomocnika do swej kuchni i kazał, aby go doktor nadworny leczył, aleć o tym przykazie wnet wszyscy zapomnieli.

Gdy jednego razu ten król, mając trzy córki, do kościoła pojechał, wziął ze sobą dwie, a najmłodszą zostawił w domu. Ponieważ to było podczas lata, oddany był więc ten młodzieniec ogrodnikowi, aby mu za stróża służył w ogrodzie, a że był ciągle z zawiązaną głową i ręką, dlatego nazywano go tutaj Paprzycą. Ogrodnik przeto, jadąc z królem do kościoła, przykazał Paprzycy, aby prosa w ogrodzie przed ptastwem pilnie strzegł.

Paprzyca, leżąc pod murem w ogrodzie, skrzesał sobie ognia i jeden z owych włosów, co mu konie dały, zatlił; a tu zaraz stawił się koń dzielny i przyniósł na sobie drogie odzienie i kulbaki [1]. Paprzyca ustroił się, wsiadł na konia i po prosie wkoło jeździł, tak że je wniwecz zdeptał. Królewna przyglądała się temu w oknie i widziała, jak zaś koń zniknął; lecz choć jej to było bardzo dziwno, nic jednak rodzicom o tym nie powiedziała. Ogrodnik zaś skarżył się przed królem, że przez niedbalstwo Paprzycy proso zniszczone. Król odpowiedział:

– I cóż z nim zrobić, może spał, trzeba mu przebaczyć.

Na drugi dzień proso jeszcze piękniejsze było. W tydzień potem król znowu do kościoła wyjeżdżał i najmłodszą córkę chciał wziąć z sobą, ale ona wymawiała się, że jest niemocną i w domu zostać musi; ogrodnikowi jeszcze wypadło za lokaja do kościoła z królem jechać; przykazał więc Paprzycy wprzód ostro, aby był na proso baczniejszy. Paprzyca znowu użył drugiego włosa, wedle przepisu, i proso jak wprzód stratował. Królewna tę jazdę całą i młodzieńca cudnego widziała, ale tego nie mogła dostrzec, aby to był Paprzyca. Ogrodnik wróciwszy znowu znalazł proso z ziemią zrównane; zaniósł przeto skargę przed króla, ale go król jak wprzód odprawił; a gdy proso na

---

[1] K u l b a k a – wysokie siodło z szerokimi, drewnianymi łękami.

drugi dzień piękniejsze obaczył, surowo go zgromił. Znowu zaś na trzecią niedzielę, gdy się król do kościoła wybierał, najmłodsza córka chorą się uczyniła. Jeździec jako rycerz cudnej urody i najpiękniej wystrojony, proso przed jej oczyma wdeptał do ziemi tak, że ani znaku nie było; ogrodnik skarżył to królowi, ale król powolny kary nie wyznaczył i jeszcze na ogrodnika bardzo się obruszył, gdy dnia następnego proso do żniwa zdatne i najpiękniejsze obaczył.

Po niejakim czasie kazał król ogłosić, że ma wolę wszystkie trzy córki swoje za mąż wydać i że wolno będzie ubiegać się o każdej z nich rękę, w dniu naznaczonym, wszystkim walecznym książętom i rycerzom. Dał też król zrobić trzy złote jabłka i dał każdej córce jedno z tymi słowy:

– Któremu je oddasz, ten ma być mężem twoim.

Ze wszystkich stron świata zjechało się rycerstwo, bo panny były cudnej urody; w dniu przeznaczonym stanęli wszyscy szeregami. Najstarsza córka szła naprzód; obejrzała sobie wszystkich i dała złote jabłko jednemu. Druga szła za nią i to samo uczyniła. Najmłodsza szła po kilka razy między szeregami, ale żadnemu złotego jabłka nie dała; było to znakiem, że jej się żaden z rycerzy nie podobał. Król zdziwił się nad tym wielce, gdyż sobie życzył, aby wszystkie trzy wesela razem odprawowane były. Ogłosił tedy zjazd nowy, na któren i rzemieślnikom stawić się dozwolił. Stanęło tedy powtórnie kilkuset młodzieńców, ale królewna znowu żadnemu złotego jabłka nie dała. Król wtedy nie wiedział, co by czynić, i radził się ministrów; ci rzekli mu:

– Jeżelić tedy królewna gardzi tylu zacnymi młodziany, trzebać jej na ukaranie zwołać teraz wszystkich sług dworskich.

Tak się też stało. Gdy stanęli w szeregach, król pytał, czy żadnego nie brakuje. Przypomniało się wtedy wszystkim, że Paprzycy jeszcze nie było. Dalej po niego i stawiano go do rzędu. Kiedy królewna przeszła szeregi tam i na powrót, ujrzała między nimi Paprzycę i wnet, nie namyślając się długo, oddała mu złote jabłko. Powstał stąd śmiech wielki, ale król naznaczył im dzień ślubu. Mężów dwóch starszych córek wziął do swego pałacu. Paprzycy zaś i żonie jego wyznaczył mieszkanie w psiarni. Paprzycowa znosiła wszystkie te obelgi cierpliwie, bo męża szczerze kochała. Niedługo potem wypowiedział król sąsiedniemu królowi wojnę; warunek był taki, że się wojska ich przez trzy dni tylko spotykać mają; a które by wojsko dnia trzeciego zwyciężyło, ten wojnę wygra.

Król zgromadził wojska swoje, dwaj zięciowie także się z nim wybierali. Paprzyca prosił króla bardzo, aby mu też konia dano; dwaj szwagrowie jego śmiali się bardzo z takiej prośby i król sam mówił:

– Zostań ty lepiej w domu i miej dozór nad psami mymi.

Lecz gdy Paprzyca prosić nie przestawał, radzili tedy jego szwagrowie królowi, aby mu dał onego kulawego konia, co się pasł na łące, mówiąc:

– Wszak nim on na nim przyjedzie, to się i wojna już skończy, a tak nam sromoty nie zrobi.

Dano tedy Paprzycy tego konia i wyjechał za wojskiem. Gdy już był za miastem, skrzesał sobie ognia, zatlił włos i zaraz stanął przed nim koń piękny, niosący na sobie pancerze i zbroje wszelakie z bronią. Uwiązał tedy kulawego u drzewa, a sam przybrawszy się jak rycerz, wsiadł na owego tęgiego rumaka i ruszył za wojskiem. Widzi z daleka przemoc nieprzyjaciół, wielkie zamieszanie w wojsku ojca swej żony, a jego samego w niebezpieczeństwie zabicia lub pojmania. Paprzyca przybiegłszy jako rycerz odważny, uszykował wojsko i króla z niebezpieczeństwa wybawił; ale w tej potrzebie ranił się cokolwiek w palec. Król widząc, że mu cokolwiek krew ciekła, rozdarł na poły swoją chustkę z kieszeni i dawszy rycerzowi nieznajomemu jedną połowę, aby sobie nią rękę obwiązał, dziękował mu za dzielną pomoc i pytał o jego imię; ale Paprzyca się z tym zataił i zginął nieznacznie w tłumie wojska. Rycerze potem wrócili na zamek do króla, który ich hojnie częstował. Nierychło za nimi przywlekł się i Paprzyca na swoim kulawym koniu; dopieroż to wtedy jęli się szwagrowie z niego naśmiewać i o rycerskie czyny pytać. Paprzyca spokojnie znosił drwinki i kontentował się z żoną tym, co mu ze stołu przysłali; ale potem namówił żonę, żeby tę połowę chustki królewskiej, którą miał palec obwinięty, przy ręczniku królewskim przypięła. Król zastanowił się nad tym, ale nie miał czasu i pytać się o to, jak się tam ta połówka do niego dostała, gdyż się gotował do boju. Drugiego dnia zaś trzeba było na wojnę ruszać. Paprzyca prosił znowu, aby i on mógł jechać; król nie bronił. Paprzyca, postąpiwszy tak jako wczoraj, wnet na plac przybył i tak jak wczoraj mężnie się popisywał. Lecz znowu skaleczył się w palec tak, że mu krew ciec poczęła; król sam zawinął mu palec i prosił wielce do siebie na zamek; ale Paprzyca w tłumie zginął. A gdy jak wczoraj rycerze na zamku bankietowali, on żonie swojej znowu połowę owej chustki kazał przypiąć przy ręczniku królewskim.

Dzień trzeci miał całą sprawę wojenną rozstrzygnąć; Paprzyca w tym dniu jeszcze więcej dokazywał, króla tak dobrze już jak pojmanego odbił i jako dowódca rozumny, wojsko nieprzyjacielskie do ucieczki zmusił, za co mu znowu król wielce dziękował i na znak swej łaski pierścień z palca swego zdjąwszy, na jego palec włożył; lecz nieznajomy rycerz jeszcze się zataił i prosił tylko swojej żony, ażeby ten pierścień nieznacznie w umywalni królewskiej położyła. Nie wątpiła ona już teraz wcale o męstwie swojego męża, przecież – czego by tysiąc innych nie potrafiło, umiała milczeć i wypadku spokojnie czekać. Król, zobaczywszy pierścień na umywalni, zdziwił się mocno i zawołał zacnych dwóch zięciów pytając, czyby nie wiedzieli, co to znaczy. Oni powiedzieli, że nie inaczej być musi, tylko że anioł do zwycięstwa tego się przyczynił, ale szydersko dołożyli:

– Trzeba by zawołać Paprzycy, to się na pewno do tych czynów przyzna.

Król tak zrobił i pytał go:

– Czyliś ty w umywalni mojej zawiesił przy ręczniku połówkę chustki mojej?

Paprzyca odpowiedział:

– Nie ja, ale żona moja.

Król pytał o drugie zawieszenie chustki i o pierścień, a Paprzyca to samo odpowiedział. Wtedy to dopiero zaczęli szwagrowie z niego drwić i naigrawać się; on zaś im rzekł:

– Jeśli wątpicie o moim męstwie, chodźcież obaj na plac zamkowy do walki, a przyrzekam, że obydwóch was na raz położę.

Zrazu im się to nie zdało i żartami chcieli go zbyć, ale gdy król tego żądał, musieli się skłonić. Paprzyca zatlił włos i wnet stanął przed nim koń dzielny, przynosząc na sobie zbroję i broń wszelaką. Paprzyca przybrał się jak rycerz, zrzuciwszy z głowy i ręki obwinięcia, a zaraz wszyscy przyglądacze poczęli się dziwować jego złotym włosom. Wyjechali też wnet na koniach i w zbrojach jego dwaj szwagrowie i zaraz na niego z kopyta zacięcie uderzyli; on zaś ledwie machnął parę razy swoim mieczem, a już głowy jednego i drugiego szwagra na ziemi leżały.

Po czym oznajmiwszy swój ród królewski, był zaraz koroną ozdobiony i od króla z wielkim respektem przyjęty. Koń ów, który mu dotąd służył, podziękował mu teraz i oznajmił, że on i bracia jego odtąd służyć mu już nie mogą, gdyż jako wyzwoleni z zaklęcia do dóbr swoich wracają.

Ryszard Berwiński

W

MĄDRY MACIUŚ

pewnej wsi mieszkał owczarz, który miał trzech synów; dwaj starsi byli mądrzy, a trzeci był głupi i nazywał się Maciuś.

Trafiło się raz, że owczarz poszedł na jarmark, więc dwaj starsi synowie mieli paść gromadę. Maciuś nie chciał iść w pole, bo zawsze siadywał w piecu i piekł perki w popiele i spał. Tego jednak dnia zbudzili go matusia w samo południe i kazali mu zanieść braciom obiad, i dali mu dwojaczki; w jednym garnuszku było kwaśne, a w drugim kluski. W torbę włożyła matka pół bochenka chleba i rzekła:

– Idź, Maciuś, do owczaryszków, a bądź mądry po drodze!

Usłuchał Maciuś matki i poszedł w pole. Ale zaraz na zapłociu miał przechodzić po moście, w którym była dziura. Bał się tedy Maciuś, ażeoy w nią nie wpadł i nogi nie złamał; bo nogę złamać jest to wielkie głupstwo, a matula kazała mu być mądrym! Poszedł więc do głowy po rozum, dobył z torby pół bochenka chleba i zatkał ową dziurę; potem ją przeskoczył i obejrzał się, czy nie wpadł. A gdy się obejrzał, postrzegł cień swój za sobą. Wyląkł się okropnie, bo mu się zdało, że coś za nim stoi i chce go zjeść. Więc w nogi, mój drogi, jak zacznie zmykać przez rowy, przez zagony, aż się za nim kurzyło. Ale co się obejrzy, to cień bliżej niego – co Maciuś prędzej, to cień też prędzej. Więc się też już wreszcie zmęczył i stanął, otarł pot z czoła i rzekł do cienia:

– Jeżeli mnie nie zjesz, to ci dam klusek z okrasą!

I rzucił jedną kluskę za siebie, potem jeszcze jedną, potem trzecią, czwartą: i tak rzucał, póki mu nie zabrakło.

A gdy brakło klusek, strach nowy, bo matusia kazali mu być m ą d r y m, a to jednak wielkie głupstwo dać się zjeść! Rzekł tedy Maciuś do cienia:

– Jak mnie nie zjesz, to ci dam kwaśnego z flaczkami – i wylał jedną łyżkę za siebie, potem drugą, trzecią, póki nie zabrakło. A gdy i kwaśnego brakło, więc na nowo uciekać zaczął i przybiegł do braci swoich, i dał im dwojaczki, które były próżne.

– Gdzież strawa, niegodziwcze? – zapytali owczarkowie.

A Maciuś pokazał cień swój i rzekł:

– Oto ten czarny diabeł gonił mnie i chciał mnie zjeść, więc dałem mu klusek i kwaśnego, żeby mnie nie zjadł.

Owczarkowie gniewali się bardzo i mówili:

– Przecież to cień, nie diabeł, głupcze!

– A toście mi mogli powiedzieć – rzekł mądry Maciuś – teraz już nie będę tak głupi.

Cóż po tym, kiedy owczarkowie byli głodni. Postanowili zatem iść na obiad do domu, a Maciusiowi kazali paść przez ten czas gromadę i uczyli go, żeby strącał owce do kupy, jak mu się zaczną rozchodzić, i mówili:

– Paś owce, Maciusiu, a bądź mądry!

Maciuś uważał sobie dobrze, co starsi bracia mówili, więc wziął maczugę i zaczął potrącać owce, które szły w szkodę, a potrącone znosił na kupę. Jeszcze niewiele było z południa, a już porządna kupka owiec leżała.

Gdy potem bracia wracali z obiadu, Maciuś wybiegł ku nim i wołał:

– Patrzcie, jak ładnie pasę wam owce, prawie wszystkie mam w kupie!

Ale oni poczęli wyrzekać i płakać, bo większa połowa gromady była zabita, i mówili:

– Cóżeś ty nieszczęśliwego zrobił, psie głupcze!

– A toście mi mogli wprzód powiedzieć – rzekł Maciuś – teraz już nie będę taki głupi.

Nie wiedzieli potem, co czynić; więc im Maciuś doradził, aby poodnosić zabite owce do owczarni, zamknąć i umykać do boru, póki tatuś nie wrócą. Zaczęli więc dźwigać owce do owczarni, zawsze po dwie na raz, a Maciusiowi kazali brać po trzy albo po cztery. Kiedy już wszystkie poznosili, zabrali się w drogę i uciekali do boru. Ubiegli też już spory kawał lasu, gdy im się przypomniało, że nie zamknęli owczarni; więc rzekli do Maciusia:

– Idź ty co tchu nazad i zamknij wrótnię, żeby jej nikt nie mógł otworzyć, bo jak zobaczą zabite owce, to nas będą gonić. Przynieś też co do jedzenia.

Maciuś wrócił tedy do wsi, nakradł matce uleżałek i porwał banię z octem. Potem poszedł do owczarni, zamknął wierzchnią połowę wrótni, a spodnią wystawił z zawias i wziął na plecy, i myślał sobie: „Kiedy wrótnię mam na plecach, to jej nikt nie otworzy". Nie uciekał też bardzo, bo się bał, żeby go kto nie gonił. A gdy przyszedł do braci, podał im wrótnię i rzekł:

– Możecie sami pilnować, żeby jej kto nie otworzył.

A oni mówili:

– Takiś ty mądry, psie głupcze? Ale poczekaj jeno, kiedyś wrótnię dotąd przyniósł, to ją poniesiesz i dalej!

– Wrótnię poniosę – odpowiedział Maciuś – uleżałki i bania ciężą mi bardzo, więc je powieszę na wrótni, niech ona też trochę dźwiga.

Jak powiedział, tak zrobił. Potem szli znowu wszyscy trzej głębiej w gąszcz, a szli, póki się nie ściemniło; dopiero w nocy wleźli na wysoką sosnę, aby tam przenocować. Ledwo co się na nią wdrapali, usłyszeli hałas jakiś pod drzewem. Nadeszli tam bowiem ludzie, którzy noszą to, co nie chce chodzić, a znajdują rzeczy, które jeszcze nie były zgubione. Po prostu nazywają ich złodziejami. Wszystkich razem było sześciu, a każdy chłop w chłopa jako dąb. Usiedli oni sobie pod sosną i zaczęli niecić ogień, a przy ogniu piekli pieczenie. Na sośnie ledwo dychali owczarkowie ze strachu i pocili się jak myszy. Ale Maciuś najbardziej się pocił, bo ciągle trzymał jeszcze na plecach ową wrótnię, która mu bardzo ciężyła. Jemu się zaś zdało, że to uleżałki tak ciężą, więc rzekł po cichu do starszego brata:

– Stachu! Stachu! bo rzucę uleżałki!

– Nie rzucaj, psie głupcze! – odpowiedział Stach.

Ale uleżałki już po gałęziach na dół leciały, więc złodzieje mówili:

– Niedaleko do rana, bo wiatr mocniejszy otrząsa szyszki.

Maciusiowi nie przestała ciężyć wrótnia, a on myślał, że to pewno bania z octem taka ciężka, i rzekł znowu:

– Stachu!! Stachu! bo puszczę banię!

Stach nie dał mu puszczać i mówił:

– To nas wyda!

Ale Maciuś puścił ją jednak. Na szczęście, zawiesiła się bania na gałęziach i tylko ocet się wylał, a rozbity o iglice, spadł kropelkami na ziemię; więc jeden złodziej rzekł:

– Niedaleko do rana, bo już rosa pada.

Wtenczas pomyślał sobie Maciuś: „Pewnie to ta wrótnia tak mi cięży!" – i puścił ją także, która z wielkim trzaskiem leciała po gałęziach; złodzieje zaś wołali:

– Diabeł zlatuje z drzewa! – i zaczęli zdzierać jak oparzeni.

Ale jeden między nimi był kulawy, nie mógł też tak prędko podnieść się z ziemi, więc drzwi spadły na niego właśnie wtedy, jak kładł kawał mięsa w gębę, i ucięły mu język. Gonił i on potem za drugimi i chciał wołać: „P o - c z e k a j", lecz mu się zawsze wymówiło: „P o k l e k a j", a tym na przodzie zdawało się, że on woła: „U c i e k a j!", więc jeszcze bardziej uciekali.

Wtenczas dopiero zleźli owczarkowie z drzewa i poczęli dojadać pieczystego, złodzieje bowiem odbiegli w strachu wszystkiego, nawet dwóch miechów pieniędzy, które owczarkowie zabrali do domu, aby nimi zapłacić szkodę za owce. I wrócili do domu, i zapłacili tę szkodę, i zostało im się jeszcze półtora miecha pieniędzy. Więc za nie kupili sobie dom i suknie z bławatnych materii, i jedwabne chusteczki. Maciusia też ubrali we frak paryski i w świecące trzewiki i pończochy, jakby babę. Ale on zawsze sobie był Maciusiem, i zawsze piekł perki w popiele, a może jeszcze piecze.

Roman Zmorski

SOBOTNIA GÓRA[1]

Ależ bo wówczas, ziemio staroświecka!
Dzisiejsze cuda cudami nie były:
Grały widomie niewidome siły...

Poczciwa jedna staruszka, wdowa, miała trzech synów, których niezmiernie kochała. A był każdy z tych synów innego rzemiosła. Najstarszy był organistą przy parafialnym kościele, wielce mądrym i uczonym, że czytał na każdej książce, nawet z pisanego, podobnoć, że sam by mógł kantyczki składać: był przeto w wielkiej powadze u wsi całej – ba! i u samego plebana. Drugi, średni, sługiwał wojskowo i był rycerz bardzo zacny; tułając się zaś po różnych krainach napatrzał się i nasłuchał niemało takowych rzeczy, o których nikt dotąd doma jako żyw nie słyszał: i przeto także miał szacunek ludzki, jako rozumny a wojenny mąż. Najmłodszy brat był sobie po staremu chłopem, orząc ziemię w pocie czoła, jako ojce jego przedtem, i wierząc w szczerości ducha we wszystko, w co oni wierzyli – ani dbając na mądrość brata organisty, ani na nowiny żołnierza: dla czego też u obojga w niewielkiej stał cenie i głupcem od nich zwan był. Wszyscy zaś trzej bracia, jako poczciwi synowie, płacili miłość matce wzajemną, serdeczną miłością, starając się dnia każdego, by radość i wszystko dobre było z nią w starości jej.

Aż oto dnia jednego stało się nieszczęście, że ubogą starowinę porwały w nocy boleści niezmierne, od których jęcząc pobudziła dzieci, że zbiegły się do jej łoża, wielce strapieni i trwożni, a co począć nie wiedzący.

---

[1] **S o b o t n i a   G ó r a** albo **S o b ó t k a** – masyw górski na Dolnym Śląsku (niedaleko Świdnicy), we wczesnym średniowieczu święta góra polskiego plemienia Ślęzan.

[2] **S e w e r y n   G o s z c z y ń s k i** (1801–1876) – wybitny poeta romantyczny, autor głośnego poematu *Zamek kaniowski* oraz powieści *Król zamczyska*. Napisał też poemat o Sobótce.

– Już no ja tutaj przy matce zostanę i czuwać będę nad nimi, a wy jeno bieżcie co żywo do mądrej w lesie u starej mogiły, by przyszła chorej z pomocą – rzekł do braci organista.

Oni tedy górą, dołem biegli do starej mogiły, do spustoszałej chaty, gdzie mądra mieszkała, i znalazłszy babę, wiedli w skok do wioski. Kiedy byli blisko domu, patrzą – aż ci organista stoi przed wrotyma.

– A co? jak matce? – spytali.

– O! już im lepiej być musi, bo przestali całkiem jęczyć; leżą cichutko w łóżku, pewnie śpią.

Baba weszła do chałupy, stanęła około łoża, dotknęła ręki staruszki i rzekła kiwając głową:

– Iścież, waszej matce lepiej, a nic nie boli jej już: bo oto cała skostniała; widać, chwila już, jak zmarła.

Na te słowa w chałupie powstał lament niesłychany. Wszyscy trzej synowie zawodzić jęli, tłukąc głowami o ścianę, rękoma rwąc do krwi ciało, tak okropnie, że aż baba, co jako żywo nigdy jeszcze żalu takiego w ludziach nie widziała, zlitowała się nad nimi.

– Ha! jeżelić tak straszny po matce wam żal, toć wiem jeden jeszcze sposób wrócić ją do życia, będzie-li tylko który chciał narazić własnego żywota. Pomóc jej może choćby jedna kropla z ż y w e j w o d y, co za trzema rzekami, za trzema puszczami, bije na S o b o t n i e j G ó r z e spod g a d a j ą - c e g o d r z e w a, na którym siedzi zaczarowany sokół. Zajść i nazad stamtąd powrócić, stanie na to siedem dni czasu; ale wielu już chodziło, żaden zaś dotąd nie wrócił z tej drogi. Kto chce wnijść na wierzchołek góry, musi iść prosto przed siebie, bądź co bądź spotkałby na drodze albo za sobą posłyszał; broń Boże jeden krok w prawo lub krok w lewo zboczyć albo spojrzeć poza siebie: w tej chwili wrośnie kamieniem do ziemi. A jest na owej górze pokus i strachów niemało, tak że nikt jeszcze, jako ona stoi, do wierzchu dojść nie potrafił. Chce-li z was który szczęścia popróbować? niechajże pójdzie przynieść stamtąd wody, a matka wasza żywa będzie znów. Droga do góry za południem słońca.

Ledwie baba za drzwi wyszła, bracia dalej z sobą w radę. Każdy zarówno rad był iść w drogę naprzeciwko wszystkim strachom, byle wskrzesić zmarłą matkę; lecz średni brat się odezwał:

– Słyszeliście, moi bracia mili, że w tej podróży trzeba nie lada odwagi: iścież tedy mnie ona przypada. Jać, com już nieraz zajrzał śmierci w oczy, pewno się czego nie zlęknę i choćby diabłu kroku dostoję. Dajcież mnie, że tam pójdę, a w tydzień oczekujcie powrotu mojego z żywą wodą naszej matce.

I pożegnawszy braci, przypasał wielki miecz do boku swego i puścił się w świat idąc za południem słońca...

*

Minął dzień jeden i drugi, i trzeci – wreszcie tydzień się ku końcowi miał: bracia w domu pozostali wyglądają niecierpliwie; żołnierza znikąd ni widu, ni słychu. Gdy tydzień z górą już minął, biegli do baby po radę, czemu tak długo brat ich nie powraca.

– Daremnie go nie czekajcie – odpowie im mądra baba – już on więcej nie powróci. Stoi on teraz na Sobotniej Górze, kamieniem w ziemię wrośnięty.

Zafrasowali się okrutnie bracia; a powracając do domu, sporzyć się ze sobą wzięli, któremu teraz iść w drogę po żywą wodę dla matki. Lecz organista rzecze z urąganiem:

– Co? ty? ty głupcze! ty byś miał tam wskórać, gdzie twój starszy brat nie wskórał?... Lepszej tam głowy potrzeba, żeby się nie dać zwieść szatańskiej mocy. Jać to wiem dobry sposób na diable pokusy: niech no tam tylko pójdę ze święconą wodą, a zaklnę biesa po łacinie, zobaczysz, czy mi podoła!

I wziąwszy na się kropielnicę z kościoła, w rękę kropidło, kantyczki za nadrę [1], ruszył za południem słońca...

Znów minął dzień, drugi, trzeci – tydzień cały: brat młodszy próżno wypatrywał z chałupy za swoim najstarszym – ni go widu, ni go słychu! Biegł tedy znowu do baby po radę, co znaczy, że brat nie wraca.

– Daremnie za nim nie czekaj – odpowiedziała mu baba – już on więcej nie powróci. Stoi on teraz na Sobotniej Górze, kamieniem w ziemię wrośnięty.

Zafrasował się syn wdowi bardzo nad brata wtórego utratą; ale niewiele myślący biegł co tchu do dom i wziąwszy bułkę chleba do opałki, kosę sobie nastaliwszy, przewiesił je przez ramię; i poszedł ku południowi słońca.

---

[1] Za nadrę – za pazuchę.

*

Szedł jeden dzień, drugi, trzeci dzień; przez trzy rzeki się przeprawił, przez trzy wielkie przeszedł bory – na trzeci dzień o zachodzie słońca stanął pod Sobotnią Górą. Stanąwszy pojrzy: a tu góra niezmierna, że wierzchu za chmurami nie widać, dźwiga się stromo ku niebu, za nią ze wszech stron las czarny. Ogromne dęby, sosny, buki, jodły – jakby jedno na drugim wyrastało – sterczy drzewo ponad drzewem coraz wyżej, coraz wyżej. Pomiędzy nimi na ziemi gąszcz cierni, głogów i ziel jadowitych, rumowiska skał ogromnych, zielone całe od wilgotnych mchów, pośród nich żmij, padalców, gadów całe gniazda wiją się i syczą okropnie... Strach spojrzeć, cóż dopiero iść tam! a znikąd ścieżki ni drogi.

Wdowi syn podumał chwilę, wspomniał na matkę swą martwą i wziąwszy Boga na pomoc, począł się drapać ku górze. I darł się coraz to dalej, nie dbając na ostre skały, co mu stopy kaleczyły, na gadziny jadowite co mu nogi obwijały, kąsając żądły boleśnymi, ani na zielska trujące, co mu szarpały ciało kolcami i do ust same się cisnęły obmierzłym, śliniącym swym owocem. Niedaleko jeszcze uszedł, aliści jedną rązą słyszy za sobą wołanie:

– Hej! hej! człowieku! a gdzie to idziecie?! Zbłądziliście, nie tędy droga.

Już, już co miał się obejrzeć: szczęściem, przypomniał sobie słowa mądrej baby i nie dbając na owo wołanie, szedł prosto przed siebie. Za chwilę, po lewej ręce, jawi się przy nim drugi podróżny, kuso z niemiecka ubrany [1].

– Dzień dobry – rzecze kusy, zdejmując grzecznie trzyrożny kapelusz – a dokąd to, przyjacielu?

– Juści, że nie gdzie, jeno na tę górę – odpowie syn wdowi.

– A czego to wam tam trzeba?

– Idę nabrać żywej wody.

– Ano! to nam jedna droga, bo i ja także idę za tą wodą. Idźmyż razem ze sobą, będzie nam weselej.

– Jak sobie chcesz.

– Ale nie tą przecie drogą! Po co tu drzeć się i krwawić, kiedy, spójrz tylko na lewo, wygodnie drogą iść można.

Wdowi syn spojrzał na lewo i w rzeczy samej zobaczył wygodny, gładki jak stół gościniec, lekko ślimakiem wijący się ku górze.

– No, chodźże na drogę! – nalegał Niemczyk.

---

[1] K u s o z n i e m i e c k a u b r a n y – w polskich baśniach i podaniach diabeł często występuje w ubraniu niemieckim (por. baśń *Twardowski*, s. 18).

– Idź sobie sam, kiedy chcesz; ja pójdę tak, jak zacząłem.

– Ależ pójdź bo!

– Mówię ci, że nie pójdę.

– To idźże sobie, głupcze, na złamanie karku!... – zazgrzytał z wściekłością Niemczyk, odskoczył w stronę i zniknął...

*

Wdowi syn piął się, jak począł, przed siebie, aż wtem posłyszy za sobą nagle trzask i hałas niesłychany, szczekanie, wycie, jakby tysiąca złaj[1] psów i wilków i szczwanie diabelskim głosem: „Huź go, ha! huź ha! huź ha!..." Coraz bliżej, coraz bliżej, dogania go, chwyta... Tylko co się miał obrócić, kosą się od nich odegnać, alić wspomniał sobie na rady mądrej i zamiast poza siebie dał przed się krok żywo. W tej chwili wrzask, trzask, szczwanie, szczekanie ucichło; tylko śmiech długi, rozgłośny z wichrem zaszumiał po lesie...

Jeszcze niecale[2] zdążył ochłonąć z przestrachu, a oto już idzie strach nowy. Razem wśród ciemności nocnej taki od wierzchu ziemi blask uderzy, jak gdyby słońce, co już dobrze zaszło, znów na jej szczycie wschodziło. Zdziwiony podniesie głowy i widzi, że las calutki, co na jego drodze stoi, płonie w jednym płomieniu, aż całe niebo goreje od łuny jakby od słonecznych zórz. Im bardziej zbliżał się ku niemu, tym bardziej płomień rósł i buchał; gorąco, jeszcze z daleka, poczęło go piec, a przed oczyma jego ogromne drzewa puszczy, jak rozpalone głownie w kominie, całe roziskrzone, padały z trzaskiem jedno na drugie, grodząc przed nim drogę.

Na ten widok okropny ogarnął go strach; lecz kiedy wspomniał na swą martwą matkę, zapomniał wszelkiej trwogi i rzucił się w bór ognisty. I choć w zarzewiu nogi do kolan mu grzęzły, dech gorąco zatykało, dym czarny oczy mu wyżerał, szedł na oślep poprzed siebie; aż cały zziajany, poparzony, bez tchu prawie, przedarł się wreszcie za to piekło ogniste.

Wyszedłszy spojrzy przed siebie: aliści i wierzch już blisko! Ucieszył się tedy w sercu, że już celu niedaleko. Lecz gdy raz wtóry spojrzy znów ku górze, radość się rychła w kłopot i smutek zmieniła, kiedy zobaczył skałę, jako ściana prostą, sterczącą na wśród drogi swojej. Dopiero gdy wejrzy raz trzeci, widzi, tuż u spodu skały czerni się ogromna jama, a na wnijściu jej śpi chrapiąc straszny, siedmiogłowy smok... Wdowi syn z cicha podkradać się począł, chcąc we śnie groźny potwór zabić; ale smok, skoro ludzkie kroki

---

[1] Złaj – gromada.

[2] Niecale – niezupełnie.

posłyszał, zerwał się ze snu na nogi, zaryczał wszystkimi siedmioma paszczami, aż się wstrzęsła góra cała, i kłapiąc strasznie zębami, ziejąc siarczyste płomienie szedł przeciw niemu. On też, nie czekając, poskoczył naprzeciw bestii: siedem razy kosą świsnął – co ciął, to padnie łeb smoczy i krwią pluszcząc w dół się toczy... Kiedy ostatni łeb odpadł, wdowi syn wszedł w jamę smoczą.

Smocza jama była straszna, ciemna, aż czarno, siarczystego dymu pełna; a ciągnęła się tak długo, jakby końca nie miała. Biednemu wędrowcowi język w ustach kołem stanął przysechły do podniebienia, od pragnienia i duszącego paru; wtem, kiedy się na poły żywy ledwie wlecze, z boku, z rozpadliny skały, ujrzy jasność wpadającą i zaleci go woń cudna. Pojrzał ciekawie: oto widzi ogromną jaskinię jak gdyby kościół największy, a w niej ogród przecudowny, majową trawą pokryty, pełny róż i lilii wonnych. Na murawie drzewa różne z rumianymi owocami chylą się ku srebrnej strudze... Zgłodniałemu, spragnionemu ślina do ust płynęła; więc co żywo odwróciwszy oczy, szedł dalej, co sił starczyło.

Aleć dalej znów z ściany skały jasność go uderzy i przez wąską rozpadlinę widać niezmierną pieczarę; złota lampa na złotym łańcuchu paliła się u sklepienia, wokoło ścian stoją ćwierci, korce, kadzie całe, pełne po wierzch srebrem, złotem, klejnotami najdroższymi. Lecz wdowi syn nie był chciwy; ani się kusząc skarbami tymi, przeszedł pomimo nich dalej.

I znów, ledwie wyszła chwila, posłyszy cudną muzykę i śpiew jakby stu słowików; a przez rozwarte na oścież w boku opoki podwoje świeci się sala złocista. Wśród niej po miękkich kobiercach dziesięć dziewic urodziwych, w przezroczystych jak mgła sukniach, pląsa po cudnej muzyce, przyśpiewując sobie. Gdy młodzieńca obaczyły, wstrzymały się w tańcu i jedna, co najcudniejsza, podbiegłszy ku podwojom, pocznie się doń wdzięczyć tak mile i ręką wabić i głosem do siebie, że by świętego skusić mogła. Ale młodzieniec pozostawił we wsi swą dziewczynę, lilię białą, ukochaną sercu; więc gdy sobie na nią wspomniał, zasłonił ręką oczy i po omacku szedł dalej – aż przyszedł do ogromnych drzwi stalowych, zamykających jaskinię. Zaledwie ich dotknął ręką, drzwi rozwarły się z łoskotem i on wyszedł na dzień biały – na sam szczyt Sobotniej Góry.

*

Stanąwszy pojrzy ciekawie po wierzchołku góry: i widzi wszystko, jako mu rzeczono było. Na nagiej by dłoń opoce rośnie jedno tylko wielkie drzewo ze srebrzystymi listkami, którymi szumi tak dźwięcznie, jakby sto lir razem grało; spod krzywych korzeni drzewa tryska źródło jasnej wody, a na najwyższej gałęzi sokół się chwieje złocisty.

Złoty sokół, zaledwie zobaczył młodzieńca, radośnie strzepnął dźwięczącymi piórami, roztoczył skrzydła i wzleciał do góry, aż gdzieś znikł między chmurami.

Wdowi syn, cały z sił spadły, ledwie że się podołał zawlec pode drzewo i upadłszy na opokę, począł pić chciwie z krynicy. Alić ledwie jej usty tylko dotknął, jakby na nowo na świat się narodził – poczuł w całym swym ciele wracające siły, a wszystkie rany, w drodze odebrane, tak się zagoiły, że po nich ani śladu najmniejszego nie zostało. Zerwał się tedy wesoły na nogi i stanąwszy pode drzewem, przy jasnym porannym słońcu, co się właśnie podnosić jęło na niebie, spojrzał z wysokości na świat boży. Wokoło góry, pola, lasy, wody, wioski, zamki, grody wielkie, takim mnóstwem, że nie zliczyć leżały jakby jeden obraz malowany, a tak cudny, że zda się, patrząc na niego sto lat całe, nie napatrzyłby się jeszcze dosyć...

Gdy upojony tym widokiem obwodzi oczyma, posłyszy nad sobą szum skrzydeł: i sokół złoty, ze złotym dzbanem w dziobie, z wysoka spadł mu na ramię. Drzewo o srebrnych liściach zaszumiało głośnie, a w śpiewie jego dały się słyszeć te słowa:

Weźmij dzban ten, chłopcze młody!
Naczerp z zdroju żywej wody,
Gałąź ze mnie sobie złom,
I powracaj zdrów do dom.
A gdy będziesz do dom iść,
W żywej wodzie maczaj liść;
Kędy krokiem stawisz nogę,
Świeć dokoła sobie drogę.

Posłuszny wezwaniu temu syn wdowi wziął więc dzban złoty, naczerpnął w niego przezroczystej wody, ułamał sobie z śpiewającego drzewa gałąź o srebrzystych liściach i począł spuszczać się z góry. Jako mu zaś było powiedziano, co krok stąpił, stawając maczał gałąź w żywej wodzie i kropił nią dokoła siebie.

I oto stał się przed nim dziw niesłychany! Gdzie tylko kropla wody upadła na kamień, z kamienia zaraz żywy stawał się człowiek i radując się, i błogosławiąc mu szedł za nim. Im niżej spuszczał się tak świecąc, tym bardziej za każdym krokiem rosła ćma ludzi z kamieni odklętych! a gdy stanąwszy u stóp góry obejrzał się poza siebie, ujrzał idący tłum wielki jako największe wojsko.

Byli to wszystko ludzie, którzy idąc różnymi czasy na Sobotnią Górę, nie doszedłszy wierzchu, w kamień obróceni zostali. Byli zaś tam mężowie i niewiasty, starce i dzieci, panowie i żebracy – i także obaj szczęśliwego chłopka bracia: rycerz z mieczem koło bioder i organista z kropielnicą a kropidłem... Cała gromada poczęła dziękować razem zbawcy swemu, że ich uwolnił z zaklęcia, co by zapewnie aż do sądnego dnia trwało – ślubując mu, iż go nigdy już nie odstąpią, ale wszędy za nim pójdą i póki życia służyć mu będą.

Szli zatem wielkim taborem za wiodącym ich młodzieńcem; aż na dzień trzeci zaszli do wsi, w której mieszkał. Stanąwszy pod chałupą swoją, otwarł drzwi i podszedłszy ku posłaniu matki, martwe od trzech niedziel zwłoki skropił gałązką mówiącego drzewa zmaczaną w żywej wodzie. A oto, nie czekając chwili, staruszka otwarła oczy – powstała rzeźwa i zdrowa, jak gdyby nigdy nie chorzała. Radością szczęśliwego syna rozradowali się wszyscy i nie było miary uniesieniom i uciesze zgromadzonego mnóstwa...

Były tam przecież dwie dusze, co nie dzieliły powszechnej radości. Byli to obaj synowie zmartwychwzbudzonej wdowy, którzy znieść tego nie mogli, że najgłupszy brat ich dokazał, czego oni, mądrzy, nie zdołali. Markocąc sobie stąd strasznie, a nie chcąc patrzeć na cześć braterską i szczęście, odeszli milczkiem ze swojej wioski i poszli służyć w obcej gdzieś sadybie. Tam organiście, że nie zbywało na mędrszych od niego, gnój w pole wozić kazano; rycerz zaś zginął w bójce o nie swoją sprawę.

Tymczasem na miejscu lichej owej wioszczyny stanęło rychło ludne i okazałe miasto, a wpośród niego zamek pyszny, w którym syn wdowi, pojąwszy swoją dziewczynę w małżeństwo, żył szczęśliwie, panując mnogiemu i wdzięcznemu ludowi.

STRASZNY POTWÓR

Wieśniaczka się chyli, całunek mu daje –
Aż z karła brzydkiego, o dziwy!
Spod złego zaklęcia wybawiony, staje
Rycerz-młodzieniec urodziwy.

Ballada skandynawska

Bogaty jeden kupiec wybierał się za morze zawieźć polską pszenicę do dalekich krajów, gdzie się ona nie rodzi. Żegnając się na wsiadaniu z dwiema córkami swymi, żeby je pocieszyć we łzach, pytał, jakiego by gościńca zza morza pragnęły.

– Ach! ojcze drogi! – wykrzyknęła starsza, kraśna i pyszna jak róża w pełni rozkwitła – przywież mi piękny sznur pereł, żebym nim warkocz sobie pleść mogła.

– Dobrze, będziesz je miała – rzekł ojciec. – A tyż, biała moja lilio, czego zapragniesz zza morza?

– Ja? mój ojcze! – odpowie młodsza – nie mam nic takiego na myśli, czego bym osobliwie pożądała. Ale jeśli koniecznie mam cię o coś prosić, oto słyszałam nieraz od ludzi, że za morzem rosną niebieskie róże, które nigdy nie więdnieją – przywież mi, jeśli znajdziesz, taką jedną różyczkę, co ją we włosy pleść będę miała.

– Dobrze, kochany kwiateczku! jeśli gdzie tylko różę taką znajdę, zerwę ci ją własną ręką.

I ucałowawszy raz jeszcze czoła córek, ojciec wsiadł w łódź wielką na Wiśle, która go wnet z wodą ku morzu poniosła... Córki długo stały na piaszczystym pagórku, to ocierając chusteczkami łzy z oczów, to wiewając nimi w powietrzu; aż gdy im łódź zupełnie za lasem znikła z widoku, odeszły zapłakane do domu, modląc się do Matki Boskiej o szczęśliwą podróż dla ojca.

*

Kupiec szczęśliwie przepłynął Wisłę i morze i na dalekim brzegu za drogie pieniądze sprzedał swoją pszenicę. Uradowany zarobkiem, mając się ku odjazdowi, począł myśleć o gościńcach przyrzeczonych córkom. O perły nie było mu trudno, rosną one na dnie morskim jak u nas groch na polu, tylko dać nurka i rwać je – za tani grosz kupił snur jak bicz długi, a takich wielkich jak gołębie jaja. Ale o niebieską różę na próżno się wszędzie dopytywał, nigdzie dostać jej nie mógł. Od ludzi dowiedział się, że róże takie rosną tylko na jednej pustej wyspie wśród morza, gdzie jednak, dla skał strasznych i mielizn pod wodą, żaden okręt nie pływa, chyba przypadkiem zapędzony.

Przykro to mu było, że prośbie ulubionego dziecka nie mógł zadośćuczynić; ale gdy nie było innej rady, kazał jej za to wysadzić różyczkę z samych niebieskich turkusików [1], o złotych listkach i gałęziach, żeby ją zamiast prawdziwej we włosy zatknąć miała.

Niebawem, wsiadłszy na łódź, odpłynął kupiec na powrót ku domowi. Już był szczęśliwie połowę prawie drogi upłynął, gdy nagle jednego wieczora zerwała się sroga burza i wicher. Całą noc morze rzucało wątłą łodzią jak

---

[1] T u r k u s i k i – turkus, minerał barwy niebieskiej, należy do ozdobnych kamieni pół-szlachetnych.

piłką, wznosząc ją w górę, to znów do dna grążąc. a wiatr, potargawszy żagle, pędził ją całkiem gdzieś z drogi, w zupełnie nieznaną stronę. O poranku dopiero ustatkowała się burza i uradowani podróżni ujrzeli się w cichym ustroniu, przy jakimś obcym brzegu, na którym wśród czarnego jodłowego boru wznosił się zamek ogromny.

Podczas kiedy służba okrętowa wzięła się do naprawiania żagli i masztów, nocną burzą uszkodzonych, kupiec sam w maleńkim czółenku popłynął do lądu, a uwiązawszy je do nadbrzeżnego drzewa, szedł sobie prosto ku zamkowi.

Dochodząc do niego, zdziwił się niemało, że do wjazdowego mostu nie wiodła żadna droga ani nawet ścieżka wpośród bujnie zewsząd zarastającego boru; tym dziwniej jeszcze mu było, gdy minąwszy most i wszedłszy do otwartej na oścież warownej bramy, nie znalazł około niej żadnej straży, żadnego żywego człowieka. W dziedzińcu rozległym, otoczonym ze wszystkich stron okazałymi gmachami, przeraziła go głucha pustka i śmiertelna cisza. Choć to już dobrze było na dzień, z żadnego komina nie było widać dymu, żadnego znikąd nie zasłyszeć głosu ani najlżejszego stuknięcia. Żeby też gdzie chociaż koń zarżał, pies zaszczekał albo kur zapiał!... nic! jakby wszystko wymarło. Bruk kamienny podwórca pokrywała wybujała trawa i dzikie krzewiny, a wysoko pnące się bluszcze i powoje zaplatały ściany budynków, drzwi i okna powiewnymi zasłonami. Co najdziwniejsza, mimo to wszystko nie było nigdzie widać ruiny ani najmniejszego uszkodzenia i cały zamek zdawał się stać tak silnie i zdrowo jakby wczoraj zmurowany.

Kupcowi wśród tego wspaniałego pustkowia i milczenia ciarki aż przeszły po ciele; sam nie wiedział, co począć: zostać czy uchodzić. Że jednak nie miał co czynić ze sobą przez dzień cały, przemógłszy uczucie zgrozy, postanowił obejrzeć zamek opuszczony.

Widząc drzwi potężne głównego gmachu nieco uchylone, do niego naprzód się zwrócił. Przestąpiwszy przez próg, ujrzał się w niezmiernej, niby kościół jaki, wysokiej i przestwornej sali, oświetlonej długim rzędem wysmukłych, różnobarwnych okien. Podłoga jej była z czerwonego kamienia, a ściany z siwego ciosu. Przy jednej ścianie wystawał komin, szeroki jak wrota wjezdne, otoczony ciężkimi, dębowymi ławami. W pośrodku wznosił się stół długi, kobiercem bogatym okryty, w którego jednym końcu stał tron złocisty pod czerwonym baldachimem, a wkoło krzesła rzeźbione misternie, różnowzorą skórą kryte. Ściany całe od dołu do góry świeciły się od hełmów, pancerzy i tarcz przezroczystych, między którymi gdzieniegdzie wisiały miecze staliste, oszczepy i maczugi, straszliwymi nabijane kośćmi; sklepienie znowu jeżyło się od mnóstwa jelenich rogów, dziczych, niedźwiedzich i wilczych łbów, od wielorybich szczęk i starych, w szmaty popadanych chorągwi...

Obejrzawszy to wszystko, kupiec szedł do dalszych komnat, wszędzie w nich napotykając królewski przepych i tysiące drogich a rzadkich rzeczy. Nieraz korciło go już wziąć to lub owo, tu bezużytecznie leżące; ale ile razy chciał rękę wyciągnąć, coś jakby do ucha mu szeptało, żeby dał pokój. Kilka godzin przepędziwszy na oglądaniu licznych pokojów, wrócił do wielkiej sali.

Z niemałym podziwieniem zobaczył, wstępując do niej, w kominie płonący jasny ogień, a stół zastawiony srebrnymi czarami z winem i półmiskami, z których dymiły się przepyszne ryby i raki morskie. Nie wiedząc, co to znaczy, obzierał się ciekawie, czyli kto nie wnijdzie, gdy wtem wzrok jego padł na wielki napis ponad stołem:

„Używaj, miły gościu, i nie trwóż się niczym".

. . Wygłodzony doskonale, słowy tymi ośmielony, pomimo całego zadziwienia zasiadł więc za stół korzystać z uprzejmego zaproszenia. Posilony podziękował głośnym „Bóg zapłać!" niewidzialnemu gospodarzowi i wyszedł z sali przywierając za sobą podwoje, jak je był zastał.

Wyszedłszy na podwórzec, ujrzał po jednej stronie żelazną kratą oddzielony śliczny ogród, a w nim... o radości!... tuż prawie przy kracie pyszny krzew róż niebieskich w pełni kwiecia. Wspomniawszy sobie obietnicę, córce uczynioną, pośpieszył do ogrodzenia, a nie znajdując w nim otwartego wnijścia, przelazł je snadnie i począł z krzewa pilnie zrzynać kwiaty, aż je wszystkie w jeden przecudny bukiet zgromadził.

Lecz jakież było jego przerażenie, gdy wtem poczuł na ramieniu ciężkie uderzenie, a odwróciwszy głowę, zobaczył za sobą straszną poczwarę, całą jak niedźwiedź kosmatą, z krzywymi rogami na łbie i dziczymi kłami w pysku, która patrząc nań straszliwie ognistymi oczami, łapę mu na karku trzymała.

– Ha! niegodziwcze! – zawołało straszydło – tak mi się za gościnne przyjęcie odpłacasz?! Wdzierasz mi się i niszczysz, co mam najmilszego!... Czekaj, nie ujdzie ci to bezkarnie!

Struchlały kupiec począł na uniewinnienie swoje opowiadać obietnicę ukochanej córce uczynioną i pokornie przepraszając błagał przebaczenia. Straszny potwór, wysłuchawszy go, odpowiedział:

– Dobrze! daruję ci szkodę i wypuszczę stąd żywo, ale przysięgnij na zbawienie duszy twojej, że powróciwszy do domu, przywieziesz mi tu zaraz tę córkę twoją i zostawisz ją samą w zamku przez rok cały. Nie bój się o nią – ja ci znów przysięgam, że jej najmniejsza nie stanie się krzywda, a jeżeli Bóg pozwoli, stać się i dla niej, i dla mnie może wielkie szczęście... Cóż? przysiężesz mi lub nie? Jak nie, zaraz cię tutaj na sztuki rozedrę.

Na takie zagrożenie biedny kupiec, choć niechętnie, przysiągł wypełnić żądanie potwora, a uwolniony nareszcie, spieszył, co miał tchu, do swej łodzi, klnąc zamkowi i nieszczęśliwej godzinie, która go tu przywiodła.

*

W kilka tygodni łódź kupca stanęła przy zielonym brzegu Wisły, popod sosnowym, wybielonym dworkiem, w którym dwie stęsknione córki powrotu ojca wyglądały.

Kiedy na zapytanie córek ojciec oddał im przyrzeczone gościńce, nie tyle ucieszyła się starsza perłom drogim, ile młodsza cudnemu bukietowi wonnych, świeżych, niewidzianej barwy róż, które zaraz we włosy sobie wplotła.

– Moje kochane dziecko – rzekł kupiec, widząc jej radość – nie ciesz się nimi tak bardzo! Bogdajbyś ich była nigdy nie zażądała albo ja nie znalazł!

I opowiedział jej wszystko, co go w pustym zamczysku spotkało, aż do żądania strasznego potwora i swojej przysięgi. Spostrzegłszy jednak bladość nagłą swej Jadwisi, dodał:

– Nie obawiaj się przecież, żebym ja cię namawiał do spełnienia mej nierozważnej przysięgi. Nie! wolę sam grzech mój ponieść, niż żebyś ty, aniołku, dostała się w takie straszne szpony i cały rok twego młodego życia na pustkowiu smutnie zmarnowała.

Ale dziewczyna, która już w sercu swym, co czynić, postanowiła, rzuciła się ojcu na szyję wołając:

– Nie mów tak! nie mów, drogi ojcze! Cóż bym to ja za córka była, żebym przysięgi twojej wypełnić nie miała?... Bóg sprawiedliwy, któremu cała się zdaję, nie dopuści niewinnej mej krzywdy; a że sobie rok przesiedzę w pięknym, chociaż pustym zamku, co mi za wielka pokuta? Nie będęż to mieć tyle prześlicznych rzeczy do oglądania, tyle miejsca do biegania? Będę sobie sadzić kwiatki, grać na lutni, piosnki śpiewać, a jak mi się to już znudzi, to straszny potwór przez kij mi skakać musi!...

Tak śmiejąc się i gwarząc – choć Bóg sam wie, co się w jej duszy działo – dla rozweselenia ojca, sama o rychły wyjazd nalegać poczęła i wzięła się czynić doń przybory. Za kilka dni było wszystko gotowe i lotna łódź poniosła znów kupca z córką ku opustoszałemu zamczysku...

*

Straszny potwór, jak tylko przybywających do brzegu gości zobaczył, wyszedł przeciw nim aż do samej bramy zamku. Córka kupca, ujrzawszy go, tak się niesłychanie wylękła, że drżała w sobie jak liść osiczyny; żeby jednak ojcu oszczędzić większego zmartwienia, jak mogła, zdobywała się na odwagę. Potwór dziękował kupcowi za dotrzymanie danego słowa, a pannie za łaskawe przybycie, zapewniając najświęciej, że jej nic złego nie spotka. To mówiąc, wiódł ich do wspaniałej sali, gdzie już gotowa czekała prawdziwie królewska wieczerza. Podczas gdy kupiec z córką posilali się po podróży, gospodarz, stojąc z daleka, prowadził z nimi tak rozumne i ciekawe rozmowy, że słuchając go, zapomnieli o strasznej jego postaci.

Tydzień cały gościł kupiec, odpoczywając, w zamku; przez cały ten czas straszny potwór zachowywał się tak grzecznie i łagodnie, że kiedy przyszło do odjazdu, niebogi ojciec, jeśli nie bez ściśnienia serca, przynajmniej bez obawy wielkiej rozstawał się z ukochaną córką, po którą za rok miał wrócić.

Dziewczyna, jak w obecności ojca panowała, ile mogła, nad sobą, tak po jego odjeździe, siedząc w oknie na morze otwartym, rozpłakała się rzewnie. Straszny potwór zbliżył się wtedy do niej pokornie i rzekł:

– Nie płacz tak, śliczna panienko! i nie bądź zła na mnie, że z mej przyczyny rok w tej pustyni przebędziesz; nie moja to wina, ale zrządzenie Boże!... Rok nie wieczność, prędko minie! Tymczasem cały ten zamek i ja na twoje rozkazy. Oto masz ten złoty dzwoneczek – jak skoro czego zażądasz, zadzwoń nim i powiedz głośno, a stanie się, co każesz. Tu zaś masz srebrną piszczałkę, w którą zagwiżdżesz, jak zechcesz, żebym ja sam przyszedł do ciebie. Bez woli twej nie będę cię nigdy przestraszał moim widokiem.

,,Bogu chwała! – pomyślało sobie za odchodzącym dziewczę, które bez zgrozy patrzeć nań nie mogło – nieprędko ty tę piszczałkę posłyszysz!"

Wypłakawszy się do woli po ojcu, Jadwisia zaczęła rozweselać się, jako mogła, w samotności swej. Wyszywała wzorzyste chusteczki, grała na lutni przyśpiewując sobie piosnki śliczne mazowieckie, zrywała kwiaty w ogrodzie i plotła z nich cudne wieńce, biegając sobie po boru, rozmawiała z świergotliwymi ptaszkami... Mimo to wszystko za kilkanaście dni tęskno jej się zrobiło za ludzką mową. Straszny potwór nie był, prawda, nic a nic do ludzi podobny, ale mówił jak człowiek istny. Znudzone dziewczę – wpół chętne, wpół niechętne – odważyło się nareszcie zagwizdać na niego w srebrną piszczałkę; wybrało jednak umyślnie do tego godzinę zmierzchu, kiedy nie widząc go, bez zgrozy słuchać mogła.

Potwór umiał tak doskonale zająć ją powieściami i rozmową swoją, że odtąd każdego wieczora wołała go do siebie – a mało pomału odważyła się wreszcie mówić z nim po dniu, odwracając tylko głowę od niego. W miesiąc mogła już patrzeć nań bez trwogi i nawet za stół przy sobie sadzała.

Przyszła smutna, słotna zima, trzeba było siedzieć zamkniętą w murach przez dnie i tygodnie całe – cóż sama począć sobie miała? Jak tylko więc rano ubrała się, wołała do siebie strasznego potworu Jadwisia, bawiąc z nim aż do nocy, kiedy spać iść miała. Kazała mu opowiadać powieści, których umiał bez liku, swarzyła się z nim i godziła, grała z nim w gry rozmaite; ale chociaż jej nieraz przyszła myśl pusta kazać mu przez kij skakać, nie śmiała tego wymówić, nie żeby się go bała, ale że mu nie chciała przykrości tym sprawić.

Minęła nareszcie zima i nadeszła ciepła wiosna, ale dziewczyna tak już nawykła dnie całe z potworem trawić, że gniewała się, jeśli którego poranku sam nie przychodził i wołać go musiała... Jak bądź jednakże w towarzystwie jego miło i prędko czas jej zbiegał, niemniej pilnie znaczyła nad swym łóżeczkiem każdy upłyniony dzień, licząc, ile ich jeszcze do końca roku zbywa.

Rok nie wieczność – prędko miał się ku końcowi. Im bardziej kres ten się zbliżał, tym smutniejszym z każdą chwilą stawał się straszny potwór, ale Jadwisia w radości swojej ani tego nie widziała.

Już tylko trzech dni do końca roku nie dostawało, kiedy wstawszy raniutko i do ogrodu za kwiatkami na głowę wybiegłszy znalazła tam strasznego potworu smutnie siedzącego pod krzewem niebieskiej róży i zalanego po kudłatym pysku bujnymi jak rosa łzami.

– Cóż ci to? mój straszny potworze! – zawołała litością zdjęta – cóż ci się stało, że płaczesz tak rzewnie?... Powiedz! może ci ja co pomogę.

On podniósł łeb ku niej milcząc, popatrzył jej smutno w oczy, wreszcie odpowiedział wzdychając:

– Bo mnie niedługo na zawsze porzucisz, a ja cię kocham, Jadwisiu!

Płocha dziewucha wybuchła na to tak hucznym śmiechem, że o mało na ziemię nie padła; potwór słysząc to jęknął boleśnie i uciekł skryć się gdzieś w gęstej zarośli. Próżno go potem wołała i gwizdała w srebrną piszczałkę, nie przyszedł ani tego, ani dni następnych wcale. Dopiero kiedy łódź kupca pojawiła się u brzegu, straszny potwór wyszedł ze swego ukrycia na powitanie i przyjęcie gościa.

W dzień sam Jadwisinego odjazdu straszny potwór zastawszy ją samą w pokoju tak do niej przemówił:

– Moja ty śliczna Jadwisiu! Jedziesz już daleko za morze, że cię biedny ja nigdy nie zobaczę! Przebacz mi, proszę zuchwalstwo moje, żem, potwór taki, śmiał pokochać ciebie, a wspomnij o mnie czasami. Jeżeli kiedy, wspomniawszy, zechcesz wiedzieć, co się tu ze mną dzieje, masz tu oto jabłko koralowe: jak będzie bladło, poznasz, żem chory – jak całkiem pobieleje, że umieram z tęsknoty za tobą. A gdybyś kiedyś odwiedzić mnie chciała, włóż ten żelazny pierścionek na palec i wnet znajdziesz się na tym brzegu. Tymczasem bywaj mi zdrowa! A chociaż po twoim odjeździe zostanę nieszczęśliwszy, niźli dotąd byłem, dzięki ci przecież i za ten rok czasu, który mi swoją dobrocią umiliłaś...

Dziewczyna, chociaż śmiała się z miłości potwora, ze łzami wszelako przyjęła jego dary i żegnając go serdecznie, odwiedzić jeszcze przyrzekła.

*

Po całym długim roku samotnego wygnania Jadwisia, wróciwszy do domu, nie posiadała się od radości. Każde znajome drzewo w polu musiała odwiedzić i powitać jak brata, z każdą skrzeczącą na płocie sroką, z każdą przelatującą ponad dziedzińcem wroną zaczynała zaraz gawędę; cóż dopiero z pokoikiem swoim, z ptaszkiem, z kotkiem, pieskiem!... a z siostrą! a z przyjaciółkami!... Zdało się jej, że się nigdy dosyć nie nawita i nie nacieszy. Warto było pokutować rok, żeby mieć potem tydzień takiego wesela!

Ale kiedy przeszły pierwsze chwile radosne uniesienia i wszystko znowu powszednim się jej stało, sama się sobie wydziwić nie mogła, że w domu ojca nie czuła się tak szczęśliwą, jak w pustym zamorskim zamku, że z nikim czas jej tak błogo, mile i prędko nie mijał, jak z tamtą straszną poczwarą. A kiedy sobie wspomniała na powolność jego dla siebie, na dobroć i łagodność; na jego powieści, to wesołe, to znów rzewne, a zawsze tak dziwnie piękne, na te łzy jego i miłość bez nadziei – westchnęła nieraz serdecznie nad biednym potworem, z nudy i miłości samotnie tam więdnącym, i często zaglądała do koralowego jabłuszka – zobaczyć, jak się też miewa.

Jabłuszko co dzień stawało się bledsze i Jadwisi coraz ciężej było na sercu. Nareszcie jednego ranka, kiedy do niego otwarła, znalazła je całkiem białe.

– Umiera! dla mnie umiera! – krzyknęła żałośnie – o ja nieszczęśliwa!

A wtem wzrok jej padł na żelazny pierścionek, na sznurku pysznych bursztynów u szyi wiszący. Zerwała z całej siły sznurek, że aż paciorki posypały się dokoła, a pierścień na palec włożyła.

W tej chwili zaćmiło się jej w oczach i w myśli – wpadła niby w mdłości, niby w sen, w którym czuła, że ją coś przez powietrze niesie... Sama nie wiedziała, jak długo to trwało, gdy się zbudziła nagle na zielonej murawie, tuż pod murami znanego sobie zamczyska. Zerwawszy się pobiegła do środka, wołając z całych piersi strasznego potwora; lecz nikt się jej nie odzywał, tylko echa pustki podawały sobie wkoło jej wyrazy.

Obiegłszy próżno wszystkie komnaty zamkowe, spieszyła szukać do ogrodu. I oto tutaj, pod tą samą różą niebieską, gdzie jej miłość swą wyznał, leżał biedny potwór, schudzony i wynędzniały, z zamkniętymi oczami, bez tchu, zimny wszystek. Jadwisia, łamiąc ręce, rzuciła się do niego z przeraźliwym okrzykiem:

– Zbudź się! zbudź! mój straszny potworze! ja tutaj jestem przy tobie!... Zbudź się, a będę cię kochać, będę twoją całe życie! – wołała i w żalu do kudłatego pyska przytuliwszy białe lica, złożyła na nim gorące pocałowanie.

I wtem – o dziwo! – potwór ożyły zerwał się z ziemi – lecz już to nie był potwór straszny, tylko piękny, choć troską znędzniały młodzieniec! Jadwisia, nagłą przemianą przerażona, aż odskoczyła od niego; ale on schwycił jej rękę i klękając przed nią, mówił:

– Nie bój się, śliczna Jadwisiu! oto ja jestem ten sam straszny potwór – teraz miłością twoją z zaklęcia strasznego wybawiony król. Kiedyś mnie mogła kochać w tamtej brzydkiej skórze, kochajże teraz, jakim w rzeczy jestem.

I objąwszy ją wpół ręką, przycisnął do ust jej usta, w upojeniu rozkosznym całując bez końca. Jadwisia nieboga, znosiła to cierpliwie, ze samej szczerej litości. „Biedny król – myślała sobie – nie całował już tak dawno, że grzech by mu bronić się było!”

A tymczasem w całym zamku roiło się od życia i gwaru. Kury piały po kurnikach, psy wyły radośnie w budach, konie po stajniach rżały, zbudzeni z niewidzialnego zaklęcia dworzanie krzątali się na wszystkie strony.

– Patrz, ileś dobrego uczyniła poświęceniem twoim! – rzekł król, wyprowadziwszy dziewczynę z ogrodu – ale to jeszcze nie wszystko.

Z tymi słowy wywiódł ją za bramę wjezdną, gdzie przed godziną jeszcze las dziki porastał: teraz na miejscu jego wznosiło się miasto wspaniałe, po którego ulicach weselące się przeciągały tłumy.

Zaniedługo cała ludność miasta z chorągwiami, wieńcami, bębnami, trąbami przyszła na zamkowy podwórzec dziękować Jadwisi za wybawienie swoje i rzuciła się jej pokotem do nóg, pieśni na cześć jej śpiewając. Jadwisi od niebiańskiej radości łzy całą twarz zalały i padłszy na kolana, dziękowała gorąco Bogu, że jej łaską swą tyle ludzi dozwolił wybawić spod władzy złej mocy.

Nazajutrz złocisty okręt królewski odpłynął śpiesznie za morze po kupca i starszą jego córkę, z zaprosinami na wesele. A kiedy szczęśliwie przybyli, co to było za wesele! Cztery tygodnie trwały gonitwy i łowy na ziemi i na morzu, na koniach i na łodziach dziwnych, do smoków podobnych. A co to były za uczty dzień w dzień!... wam, sytym, mówić nie warto, a mnie, głodnemu, byłby próżny żal.

Młody król i królowa żyli potem ze sobą szczęśliwie i długo – a jeżeli nie pomarli, to pewnie dotąd jeszcze żyją.

SKARB UKRYTY

Jan parobczak był to zuch,
Śmiał się z strachów i upiorów,
A topielców, czartów, zmorów
Bał się – gdyby pająk much.

Aleksander Niewiarowski [1]

Możny jeden, ale zły i łakomy, pan, choć bez pracy wziął dziedzictwem liczne a zyskowne włości i skarbiec w złoto, w srebro bogaty, nie przestając wszelakoż na tym, co posiadał, całe życie łożył tylko na pomnożenie zbiorów – nie dbając w swym zaślepieniu, czyli godziwie albo niegodziwie. Więc nie dość, że przez wiek wszystek nie wsparł biednego w potrzebie chociażby kawałkiem chleba, ale na podobieństwo upiora, co się człowieczą krwią tuczy, wyciskał z ludzi ostatnie mienie i krew ich.

Ludzie nieszczęśni we włościach jego, pracą i głodem wycieńczeni srodze, podobniejsi byli marom niżeli żywym stworzeniom; pomimo to przecie okrutny pan coraz ich srożej gnębił. Lud marzł w zimie w lichych chatach, przez pół z poszycia odartych, bez iskierki ognia w piecu, bo skąpy pan z niezmiernych kniei nie dał wziąć gałązki drwa; na przednówku marł z puchliny, żołędziowego najadłszy się chleba; w lecie ginął w niemocy od znoju i skwarów; w jesieni z pijaństwa, przepijając w arendzie całoroczną pracę, bo pan za wymuszoną gwałtem robociznę zawdy kartkami na gorzałkę płacił. A tymczasem skarby skąpca rosły z każdym dniem widomie. Darmo mu ludzie pobożni, darmo bogobojna żona – przypominali, by się upamiętał, grożąc za ludzką krzywdę sprawiedliwą karą bożą; on śmiał się z gróźb i przestróg, a żonie pogroził pięścią, by mu w sprawy nie wglądała.

---

[1] **Aleksander Niewiarowski** (1824–1897) – przyjaciel Zmorskiego; pisał głównie powieści i felietony.

Jako zaś łakomi ludzie nikomu wierzyć nieradzi, ale własnego cienia ustrzec by się chcieli, tak też i ten oto chciwiec, trwożliwy o swe pieniądze, wynalazłszy w zwaliskach starego lamusa opustoszałe piwnice, poprzenosił do nich jednej nocy wszystkie skarby tajemne. Nazajutrz – było-li to dopuszczenie boże czy że się okrutnik, dźwigając noc całą, oberwał – legł chory w łożu; a nie chcąc wołać ani lekarza, ani księdza, ażeby im zapłacić, skonał, klnąc w chwili śmierci niebu i ziemi. Że był szlachcic i bogaty, chociaż zmarł bez rozgrzeszenia, pochowano go jednak za wsią na smętarzu, w lochach pod starą kaplicą.

Alić w kilka dni po jego pogrzebie ukazał się znak widomy, jako o pomstę do Boga woła krzywda biednych i jako dusza, co się za żywota w ziemskich utopiła dobrach, po śmierci odjąć się od nich nie mogąc, cierpi męki potępienia. Każdego dnia o północy – widywali wszyscy ludzie – umarły dziedzic wychodził z smętarza, śmiertelnym okryty całunem; a obszedłszy wkoło gumna, znikał w sadzie poza dworem i aż nad samym dopiero świtaniem powracał nazad do grobu.

Zrazu trwoga niesłychana ogarnęła gminę całą przed tak okropnym zjawieniem: o zmroku już żadna żywa dusza nie śmiała zajrzeć do sadu, a z nadchodzącą północą wszystko kryło się po chatach i z drżeniem słuchało, ścisnąwszy się w kupę, ponurego owczarskich psów wycia, gdy mimo gumien szedł potępieniec.

Wszakże pomału, nawet dzieci i kobiety oswoiły się ze strachem; a co śmielszych chłopaków wzięła piec ciekawość wyśledzić w sadzie upiora, co robi. Uwziąwszy się więc, wypatrzyli rychło, że strach, wszedłszy do sadu, kroczył do starego lamusa i znikał w jego zwaliskach do świtu. To gdy nazajutrz w karczmie rozpowiadały chłopaki, starzy odgadnęli zaraz, że pewnie na miejscu owym zmarły przechował pieniądze; szli zatem na dwór do pani, którą serdecznie kochali, radząc, żeby szukać kazała. Wyprawieni ze dwora słudzy szukali pilnie dzień cały, napracowali się srodze, przerzucając stosy gruzów; a w wieczór, nic nie znalazłszy, wrócili znużeni do domów.

Był zaś tam we dworze naówczas parobek imieniem Jan – jedyny czy do roboty, do wypitki czy wybitki, a zuch i zawadiaka, co by diabłu nie zszedł z drogi. Ten za dni kilka po marnym szukaniu przyszedł do pokoju pani, a pokłoniwszy się do kolan jej, prosił, by mu pozwoliła na swą rękę szukać skarbu.

– Pan Bóg z tobą, miły Janku! – odpowiedziała mu wdowa – jeśli On ci dopomoże, ja dajęć wolność ku temu; a gdybyś za Jego wolą przenajświętszą co znalazł, podzielim się sprawiedliwie.

W tenże więc dzień, kiedy zmierzchło dobrze – a był wieczór dżdżysty i ciemny – Jan szedł z rodzonym na smętarz. Otwarli wrota kaplicy, odemknęli ciężkie, żelazne drzwi grobów i śmiały parobczak, skrzesawszy ognia, spuścił się do lochu, przykazawszy bratu, wchód za sobą zawalić, zamknąć za sobą kaplicę, a we wsi nie powiadać o niczym nikomu.

Przy jasnym blasku smolnego łuczywa znalazł wnet trumnę swego niegdyś pana, świecącą między innymi świeżym złocistym galonem. Tuż obok niej stała druga, z prostego dębowego drzewa, zdrowa jeszcze, jakby dziś spuszczona: Jan odćwiekował ją żywo, wyjął leżącego w niej trupa i zawlókłszy w kąt lochu, sam jego okrył się całunem, a potem legł cichutko w trumnie, wiekiem się przysłaniając. Niedługo leżał, a oto północ przyszła. Potępieniec z okropnym poruszył się jękiem, odrzucił wieko z łoskotem, powstał: a blada posępna łuna, bijąca od jego trupiej głowy, oświeciła cały loch.

Jan, patrząc nań przez szparę, czuł, jak mu zimne mrowie od wielkiego palca w nogach szło do głowy i włosy dębem stawały; lecz nie czas było namyślać się już: zebrał całą odwagę do serca i odrzuciwszy wierzch z trumny, stanął przed swoim nieboszczykiem panem.

– Kto tutaj? – podziemnym głosem odezwało się widmo.

– To i ja, Jan Zmora, parobek twój, panie.

– Po co tu przyszedłeś?

– Służyć ci, panie, po śmierci, jakom ci służył za żywota.

– Żywyś ty, czy umarły? – zapytał strach.

– Adyć umarły, mój panie. Nie mogłem żyć już dłużej ze strasznego żalu po moim drogim panisku, a konając uprosiłem, ażeby mnie chociaż przy was pogrzebali.

Upiór, nie dowierzając, obszedł go wkoło, wietrząc, czy żywej nie poczuje duszy; ale Jan tak się od stóp do głowy trupim owinął całunem, że cuchnął wszędzie niby trup.

– Kiedyżeś umarł?

– W niedzielę.

– A kiedyś chowany?

– Dzisiaj o południu.

– A na którą idziesz drogę?

– Na tę, co i ty, mój panie! bo cię na krok nie odstąpię.

– To chodź ze mną – rzecze nieboszczyk. – No, idźże przodem.

– Nie, mój panie! idź ty przodem, a ja za tobą jakom chodził za żywota.

Szedł tedy upiór milcząc po schodkach ku górze, a Jan za nim krok w krok tuż. Kiedy stanęli u wnijścia, umarły zawołał głośno:

– Otwórzcie się drzwi! – i ogromne drzwi żelazne odwaliły się z łoskotem.

Minęli ciemną kaplicę i znowu na rozkaz upiora otwarły się jej podwoje. Kiedy pośrodkiem smętarza wąską przechodzili ścieżką, Jan widział w lewo i w prawo gromady duchów powstające z mogił: jedne klękały przy krzyżach swoich, modląc się z cicha – drugie, siadłszy na mogiłach, jęczały i łkały smutnie – a upiory i strzygi biegły za smętarz z ludzi krew przez noc ssać.

Z smętarza zwyczajną drogą kroczył potępieniec ku dworowi i ominąwszy gumna, wszedł do sadu, a wreszcie między zwaliska lamusa.

– Otwórz się! – zawołał umarły i ogromny kamień leżący u wnijścia odwalił się na bok, odkrywając zbutwiałe schody piwnicy. Nieboszczyk przodem, parobek śmiały za nim, weszli do pustego sklepu, krwawym gorejącego światłem.

Naokrąg ścian w kotłach, w garncach mnogich stały złote i srebrne pieniądze, czyszcząc się z grzechów swojego pana we krwawym płomieniu; w pośrodku leżał wielki, płaski głaz.

– Licz pieniądze! – ponuro odezwało się straszydło.

–·Licz ty je sam, panie, jakoś je za życia liczył – odpowiedział Jan parobczak.

Umarły wtedy począł na płaskim kamieniu liczyć – garnek po garnku, kocieł biorąc po kotle – pieniądze, od ostatniego poczynając a na pierwszym kończąc groszu. Kiedy zaś wszystkie policzył, zawołał na parobczaka:

– No! czas nam już nazad w drogę – i wyszedł z lochu, Jan za nim.

– Zamknij się! – zawołał parobek, gdy wyszli na wierzch ziemi; ale na słowa żywego człowieka kamień został nieporuszony, zostawując wolny wchód do skarbów. I podwoje u kaplicy, i drzwi żelazne grobów również otworem zostały, choć Jan zamknąć im się rozkazywał.

Zaledwie podążyli znijść po schodach między trumny, kury ozwały się po raz trzeci i umarły bezwładnie upadł na swoje posłanie. Grobowa jasność zagasła na jego twarzy, a wieko samo zatrzasło się na trumnie. Śmiały parobczak natenczas, ażeby upiór nie mógł więcej wstawać, przebódł mu serce osikowym kołem, a trumnę dziewięćkroć lipowym opasał łykiem. Potem, wyszedłszy z lochu do kaplicy, klęknął przed ołtarzem i gorąco dziękował Bogu za okazaną sobie łaskę.

Kiedy już był dzień dobry, poszedłszy najpierw z dobrą wieścią do pani, kazał założyć do fury cztery konie i przewiózł z lamusa skarb wszystek. W kilka zaś dni, za zgodą pani, Jana i całej gminy, tak rozdzielono znalezione pieniądze: jedną ćwierć dano na kościół, drugą na wszystkich biednych ludzi, których nieboszczyk krzywdził przez życie swe całe, trzecią część wzięła pani wdowa, czwartą parobek Jan.

Tak Jan, z chudego pachołka zostawszy bogaczem, zakupił sobie tęgi kawał ziemi i w pracy, uczciwości a prostocie świętej żyje dotąd na Mazurach – opowiadając, gdy mu się gość zdarzy, jakową sztuką znalazł skarb ukryty. Jeśliby się więc miał znaleźć kto taki, co by wątpił o prawdzie tej powieści, może się iść spytać jego samego.

DRWAL I DIABEŁ

Nie taki diabeł czarny, jak go malują.

Przysłowie

Był sobie jeden poczciwy, pobożny i pracowity, ale bardzo, bardzo ubogi drwal. Z lichej chałupy, w której z żoną i dwojgiem drobniutkich dzieciszczek siedział, musiał cztery dni w tydzień dla dworu odrobić, a dla siebie zapracować wydążył ledwie tyle, że z głodu nie marł z rodziną. Alić na ostatnią niedolę nawiedził naraz Pan Bóg kobietę jego srogą i długą niemocą.

Biedny człowiek, ratując ją wszystkimi siłami, wyszypłał się do ostatka, posprzedawał suknie i sprzęty, aż wreszcie w całej izbie cztery kąty i piec piąty, liche łoże, dzieża do chleba i żarna zostały. Pókiż jeszcze było chociaż co umleć w tych żarnach na strawę... Ale na ciężkim przednówku wyszafowało się ze szczętem, co było zboża w domu, tak że jednego dnia biedny drwal, wytrząsłszy wszystkie miechy[1], ani garstki jednej ziarna nie mógł uzbierać. A tu żona osłabiona, na słomie leżąc, jęczy z głodu i dzieci piszczą chleba! Jęknął cicho nieszczęśliwy ojciec, a nie wiedząc już, co począć, przyciśniony ostatnią potrzebą, odważył się pójść do pana, którego kiedy indziej, jak ognia się bojąc, z daleka unikał.

Oj! bo był też to i pan!... Sztuczka, jakiej daleko, daleko, szeroko szukać by potrzeba drugiej!... Dorobiwszy się i tak, i siak trochę grosza, psim figlem jakimś wyrzucił ze wsi wdowę i dzieci dawnego dziedzica i nadęty nową godnością wziął się do rządów po swemu. Gospodarował, co prawda, porząd-

---

[1] M i e c h – worek.

nie i bardzo pilnie; ale na grosz nie było żadnego Żyda nadeń chciwszego. Byłby z dębu darł łyka, a z ludzi skórę, żeby tylko mógł je sprzedać. Wiary zaś to był iście pogańskiej. Jak kto, przychodząc do niego, pochwalił Pana Jezusa, przenigdy nie odpowiedział: „Na wieki". Jak mu nie w porę były słoty albo susze, to bluźnił tak okropnie na wszystkie świętości, że ludziom włosy, słuchając, wstawały. Kiedy dziad przyszedł po prośbie, nie dał mu nigdy grosika złamanego, jeno się naprzedrwiwał i naśmiał z biedaka. A że do tego wszystkiego miał obyczaj kląć: „Bodaj diabli wzięli!", szeptali sobie ludzie po cichu, że taki go kiedy i wezmą, pocieszając się tą nadzieją w swym ucisku.

Nie dziw, że do takiego kanaczka [1] z prośbą odważyć się trudno przyszło drwalowi; odważył się jednak, bo musiał, i pokłoniwszy się mu do nóg, żebrał o kęs jaki strawy dla zgłodniałej rodziny, klnąc się na zbawienie duszy odrobić albo oddać po żniwie. Ale twardy jak opoka pan ani wysłuchać do końca nie chciał żalów i próśb jego; pogroził jeszcze, że jeżeli żona drwala dłużej tak będzie w łóżku chorą udawać i do roboty nie wyjdzie, z chałupy ich wyrzucić każe.

Strapiony nieborak szedł ze dworu na wieś, od jednego do drugiego sąsiada, prosząc o wsparcie; że przecie rok był głodny i drogi, wszędy była koło ludzi bieda, zaledwie więc uprosił żyta na jedną bułeczkę chleba. I za to Bogu i dobrym ludziom podziękował drwal serdecznie, a przyszedłszy do domu umełł w żarnach zboże, upiekł z niego bułkę i podzielił nią żonę z dziećmi. Sam, ażeby więcej miały, nic nie jadł, tylko wymiótłszy z kamieni resztki mąki i otrąb zrobił z nich mały podpłomyk i wziąwszy go sobie w kieszeń, odszedł z siekierą do lasu na robotę.

Właśnie dnia tego wypadła mu robota niedaleko bagniska, gdzie, jak starzy powiadali ludzie, diabeł z dawna miał siedlisko; ale niebogi człowiek, biedą swą i pracą zajęty, ani wspomniał na te wszystkie powieści, jeno zdjąwszy z siebie wierzchnią suknię, wziął się żywo do siekiery.

Na łoskot siekiery nadleciał z bagniska ciekawy diabeł i zobaczył drwala pracującego w pocie czoła. Przejrzał wnet całą jego biedę, że od wczoraj nie miał kęsa chleba w ustach i że lichy podpłomyk w kieszeni był jego ostatnim posiłkiem, a jako diabeł zawsze na złe ludzkie chciwy, skradł się, gdzie leżała zdjęta sukmana drwalowa, porwał z niej placek i rzucił go w najgłębszą otchłań bagniska. Ciesząc się ze swej niecnoty, poleciał czym prędzej do piekła pochwalić się z niej przed najstarszym czartem.

---

[1] Kanaczek – gagatek.

Ale chociaż to i najstarszy czart, więcej miał w sobie sumienia i litości niżeli niejeden człowiek krwią Chrystusową odkupiony; skoro rzecz całą usłyszał, zatrząsł się wszystek ze złości.

– Jak to? – zawrzasnął – toś ty, hultaju, śmiał taki wstyd diabłom zrobić?!... poczciwemu człowiekowi, co przez całe życie, pomimo najcięższej nędzy, prawą zawsze chodził drogą, śmiałeś porwać ostatni kęs chleba, bez którego z głodu zemrzeć może?!... Leć mi natychmiast, łajdaku! za tę krzywdę, którąś mu wyrządził, służyć póty temu człeku, aż cię sam od siebie odprawi.

Psotny diabeł, sfukany i zawstydzony, wyleciał z piekła i przemieniwszy się w parobka, szedł ku miejscu, gdzie drwala zostawił.

Biedny człowiek, znużywszy się pracą, siedział właśnie pode drzewem, szukając na próżno po kieszeniach sukmany swego jedynego posiłku. Nie znajdując go, opuścił cicho głowę na piersi i dwie łzy okrągłe, wielkie jak dwa ziarna grochu, potoczyły się z ócz jego po twarzy; a tyle było okropności w tej cichej boleści poczciwego człowieka, że diabeł, patrząc na nią, aż zadrżał cały i pożałował w głębi serca swej psoty. Zbliżył się tedy do drwala i siadając obok niego na kłodzie, zapytał:

– Miły człowiecze! cóż to tak płaczecie?

– Bogać nie mam płakać! – odrzekł drwal. – Dobę już całą chlebam w uściech nie miał, aż cały z sił spadłem, a oto teraz ostatni kęs ktoś mi ukradł z kieszeni. Oj, niecnota bez sumienia!... chyba to tylko ten sam diabeł, co powiadają, że tu w bagnie siedzi; człek by się na taką psotę nie odważył.

– Ha! – mruknął spuszczając oczy diabeł – nie takić bo to i diabeł czarny, jak go malują... Ależ powiedzcie mi, mój człecze, skąd się was taka bieda, u licha, czepiła? Ej! czyście tylko nie za bardzo hulali, a teraz może pokutujecie?

– Tak!... i jak nie ma być bieda? Z lichego kawałka ogrodu i mizernej izby człek musi cztery dni do dwora odrabiać, a w resztę dni to za psi pieniądz, co ledwie na sól wystanie. Jeszcze teraz, w czas najcięższy, Bóg mi nawiedził kobietę chorobą, że już osiem niedziel w łóżku leży. Trzeba ją było ratować – i wszystko, co się w domu znalazło, poszło między ludzi; dzisiaj zostało nam tylko umrzeć z dzieciskami z głodu.

I znowu nieborak pochylił smutnie głowę, a oczy zaszły mu łzami nowymi.

– Posłuchajcie no tylko, gospodarzu! – rzekł diabeł, biorąc go za rękę – a będzie nam obu dobrze. Oto przyjmijcie mnie za parobka, a kiedy wy dla dworu robić musicie, ja tymczasem tyle zapracuję, że dla nas wszystkich wystarczy. Właśnie szukałem sobie gdzie służby, ale o tej porze trudno gdzie miejsce znaleźć; musiałbym się, ot, kołatać po świecie. Szczęśliwy będę, jak mi dacie u siebie przytulisko i co sił starczy, pracować wam się nie polenię.

– Wola twoja, mój przyjacielu! – odpowiedział drwal. – Dachu i kąta w chacie nikomu nie bronię; ale pamiętaj, że u mnie krwawa bieda i o głodzie pracę zaczynać musisz.

– No, o to nie miejcie kłopotu! mam ci ja ze sobą zapas, co na dziś – jutro dla nas wszystkich wystarczy. – To mówiąc bies zdjął z siebie podróżną torbę, wydobył wódki, chleba i słoniny i drwala ze sobą do obiadu zaprosił.

Po obiedzie zagadł znowu diabeł:

– Gospodarzu, zasłyszałem gdzieś po drodze, że wasz pan chciałby ten kawał lasu na pole wyrudować [1]. Idźcież do niego i ugódźcie się, a będzie kawałek grosza.

– Ba! pan się chce ogółem o całą robotę zgodzić, a ma do wyrudowania pięćdziesiąt włók lasu. Ile by to lat nam trzeba, żebyśmy w dwojgu tej robocie podołali?

– O to nie miejcie kłopotu, moja już w tym sprawa! Wierzajcie na moje słowo; mam ja już takie sposoby, że niedługo się wszystko skończy. Nie traćcie tylko czasu i chodźcie do dworu na zgodę!

Drwalowi się to okropnie dziwnym zdawało, o czym go diabeł zapewniał; ale pomyślał sobie, że uczciwe człowieczysko czemuż by go zwodzić miało? Uwierzył i poszedłszy z nim do pana, zgodził się wyrudować cały ów kawał boru za psi pieniądz – za tysiąc złotych i kilkanaście korcy zboża.

*

O zmroku parobek, poczęstowawszy z zapasu swego gospodarza i jego rodzinę, począł się wybierać na robotę do lasu, drwala, żeby został przy żonie, namawiając. Ale ten ani sobie mówić nie dał, żeby parobek sam miał za obu pracować; wziąwszy zatem siekierę, poszedł z nim do boru.

Kiedy na miejscu stanęli, drwal dopiero spostrzegł, że parobek jego zapomniał wziąć z sobą siekiery.

– A człowiecze! cóżeś ty zrobił? – zawołał. – Tożeś ty w domu siekierzysko zabaczył! Wracajże po nią czym prędzej.

Roześmiał się diabeł na te słowa.

– Oto! mój gospodarzu! siekierą i rydlem to byśmy przez rok cały niewiele zrobili. Poczekajcie tylko chwilkę, zaraz ja się tu wezmę inaczej do dzieła.

---

[1] W y r u d o w a ć – wykarczować.

To mówiąc odszedł w głąb lasu i począł wichrem się kręcić. Ogromne sosny, graby, dęby, powyrywane z korzeniem, połamane jak drobne słomki, z hukiem i piskiem prawdziwie piekielnym poczęły się walić na ziemię... Drwal, przestraszony i zgrozy pełen, uciekł co tchu w pole, przeczekał chwilę za parobkiem, a wreszcie odszedł, modląc, się do domu.

*

Diabeł o świcie dopiero powrócił do chaty, ku wielkiej radości drwala, który już sobie pomyślał, że go padające drzewa zabiły, i niejeden pacierz zmówił za jego duszę. Zdziwił się niemało poczciwe człeczysko słysząc, że parobek całą noc pracował; a ciekawy, co też mógł zrobić w taki czas przeklęty, poszedł z nim ku południowi znowu do lasu.

Przyszedłszy stanął niemy od dziwu, przecierając sobie oczy, bo mu się snem zdawało wszystko, na co patrzał. Cały ogromny kawał boru, o który ugoda z panem stanęła, leżał wszystek na ziemi, powalony z korzeniem, tak że ani jedno drzewko stojące nie pozostało.

– No, gospodarzu! wszakżem wam powiedział, że mam ja sposób wprędce wszystko skończyć – ozwał się diabeł do drwala, który dotąd jeszcze nie przemógł ust otworzyć ani oczu oderwać od zwalonych łomów. – Trzeba by teraz tylko sprowadzić pana, żeby zobaczył i zapłacił.

Ledwie to wymówił, posłyszeli za sobą tętent konia: był to dziedzic, który wybrawszy się w pole z charty, zboczył zobaczyć, czy robota już zaczęta.

Charty, skoro zobaczyły parobka, zawyły przeraźliwie i wyrwawszy się ze smyczą, uciekły skomląc w pole... Drwal, który już i tak domyślać się począł, z kim ma sprawę, widząc to struchlał i usunąwszy się ode diabła, modlił się w duchu do Najświętszej Panny. Lecz pan, co ani w Boga, ani w diabła nie wierzył, tyle tylko widział, że tanim pieniądzem i prędko wydostał kawał roli na folwark. Zdziwiony jednak nieco zawołał:

– Ho! tęgiś ty, widzę, chamie, i z parobkiem twoim, kiedyście przez noc jedną taki kawał pracy uśpieli[1]!

Drwal, co nigdy nie szukał chluby z cudzego dzieła, tym mniej chciał jej teraz z diabelskiego; pokłoniwszy się panu, odpowiedział, jako jego parobek to wszystko sam sprawił i jemu też cała należy nagroda.

– Nie tak! nie tak, gospodarzu! – zawołał parobek – jam się wam zgodził służyć za kąt w chacie i ognisko, a co zarobię, wasze wszystko.

---

[1] Uśpieli – poradzili, podołali.

– Dzielcie się sobie, jak się wam żywnie podoba; a chodź który zaraz po pieniądze; może się i zgodzim o nową robotę – rzekł dziedzic, zawróciwszy konia i odjeżdżając do dworu.

Drwal ani sobie dał mówić, żeby miał iść po zapłatę; a tak parobek sam się po nią wybrał.

*

Przemądry dziedzic, przyjechawszy do domu, wyliczył zaraz na stole sprawiedliwie tysiąc złotych rozmaitymi pieniędzmi, jakie miał pod ręką, i chodząc po pokoju, zacierał ręce z radości, że sobie kilka tysięcy oszczędził, ciesząc się przy tym na dalsze korzyści z głupich chamów. Ale kiedy po pieniądze dość długo nikt nie przychodził, pomyślał sobie, że można by jeszcze o s z c z ę d z i ć kilkadziesiąt złotych mieszając pięciozłotówki między talary, a półzłotki pomiędzý całe złotówki; chłop głupi ani się spostrzeże w takiej kupie pieniędzy!... I co pomyślał, wnet uczynił.

Za chwilę wszedł też parobek po zapłatę.

– No, chłopie! – rzekł pan – pójdźże sam! Oto masz tu okrągło cały tysiąc złotych. Kawał grosza zarobiliście, nie każdy by dał wam tyle, co ja!... Przeliczże sobie dobrze, żebyś potem nie myślał, żem cię skrzywdził.

Ale parobek, pokornie się kłaniając, zdał się na pańską cześć i sumienie: zgarnął nie liczone pieniądze do miecha i zawiązał, a dziękując za prędką zapłatę miał się ku odejściu. Pan rad by wszedł był zaraz w nową umowę o ubicie sążni i zwiezienie przed browar; gdy przecież parobek bez gospodarza nie chciał nic poczynać, musiał interes na potem odłożyć.

*

Diabeł, przyszedłszy do drwala, oddawał mu wór z pieniędzmi.

– Mój przyjacielu! – odpowiedział gospodarz – wiesz, że ja na ten grosz nie harowałem, wszystko to twoja sprawiedliwa własność! Weźże ją sobie i idź w świat zdrów.

– Ej! gospodarzu! godziż się to tak wyganiać człowieka z domu, przyjąwszy?... a czy ja wam to co złego zrobiłem? czy was do złego nawodzę?

– No, nie! – rzekł, drapiąc się w głowę, drwal uczciwy, wstydząc się trochę za swą niegościnność – ale bo widzisz, teraz masz tyle, że ci nie trzeba mojej mizernej gospody. A żeby ci już tak prawdę zupełną z serca wypowiedzieć, to mi się po twojej pracy widzi, że albo z diabłem trzymasz, alboś bez urazy sam diabeł.

–Ho-ha! – rozśmiał się parobek – tacyście to domyślni!... Ale cóż to wam, choćbym był i diabeł? Wszak od was nie chcę zapisu na duszę ani od wiary wyrzekać się każę!... Pomówmy ze sobą szczerze. Już to kiedy mnie nie chcecie, pójdę sobie precz; ale pieniądze wziąć musicie. Słusznie się wam one należą i nie darmo je wam daję; zapłata to za ową bułkę, co ją wam wczora ukradłem. Jeśli tych pieniędzy nie weźmiecie, muszę wam służyć dłużej, aż krzywdę odrobię. Zresztą, możecie spytać jutro księdza, czy grzech je mieć będzie.

Ostatnia uwaga przekonała zupełnie drwala; wziął pod tym warunkiem pieniądze i schował pod żoniną poduszkę.

– Ale, ale – rzekł diabeł zbierając się do odejścia – żebym i ja też coś zarobił, darujcie mi te dziesięć talarów, których pan nie dorachował; już ja się o nie upomnę.

– Z całego serca daruję ci je! – rzekł drwal, podając mu rękę – i rozstali się w najlepszej przyjaźni.

*

Wieczorem siedział sobie w dworze pan na kanapie, paląc fajkę na długim cybuchu i popijając herbatę; wtem otwarły się drzwi i parobek-diabeł wszedł z pokłonem do pokoju.

– A co tam? – zagadnął krótko, obyczajem swoim panek.

– A oto, z wielkim przeproszeniem, przyszedłem do wielmożnego pana jeszcze wedle tej zapłaty. Jakeśmy się obliczyli, brak okrągło dziesięć talarów. Wielmożny pan się omylił, widać, ale pan przecie nie będzie chciał mojej szkody.

– Co ty mi znów bajesz? ośle jeden! – odburknął pan gniewnie, buchając dymem. – Dwa razy wszystko liczyłem, ani grosza nie zbywało. Jeszcze wam to mało? co? że chcecie ze mnie wyłudzać... A jeśliś zgubił po drodze, nie moja wina, żebym ci płacił drugi raz.

– Ej! gdzie tam zaś, panie, zgubiłem!... Worek nowy, caluteńki, a jak go tu zawiązałem, tak prościutko związany do domu przyniosłem. Niechaj mnie diabli wezmą, jeśli słówko kłamię.

– A mnie niech diabli wezmą, jeślim cię o grosz skrzywdził! – wrzasnął pan i zerwał się za drzwi wyrzucić natręta...

Ale mniemany parobek na te słowa tylko czekał. W mgnieniu oka z pokornego chłopa przedzierzgnął się straszny diabeł: pochwycił chciwca za gardło, wycisnął z niego złą duszę, porwał ją w szpony jak jastrząb wróbla i przez komin wyleciawszy, poniósł ją prosto do piekła...
Służący, wszedłszy sprzątnąć od herbaty, zastał pana trupem. Sprowadzony z miasta doktor nic już wskórać nie mógł, powiedział tylko, że nieboszczyka apopleksja [1] zabiła.

*

Drwal uczciwy szedł zaraz nazajutrz do spowiedzi. Gdy mu ksiądz pieniądze zatrzymać bez grzechu pozwolił, wyratował za nie żonę z choroby i zapomógł się tak, że mu przy pracy i trzeźwości nigdy już więcej bieda we drzwi nie zajrzała.

STRACH

Na wierzchołku jednej góry
Stały zamku pyszne mury.
Dach czerwono malowany,
Duże okna, białe ściany...
. . . .
Nikt nie zgadnął, nikt nie wiedział,
Co też tam za kaduk siedział;
Ale że siedział, to pewna.

Antoni Edward Odyniec [2]

Gospodarz jeden miał dwu synów; jednemu imię było Walek, drugiemu Wojtek. Walek był jak wszyscy ludzie: rozumiał to, co i drudzy, ale prochu by nie wymyślił; zwano go jednakże m ą d r y m dlatego, że miał brata niezmiernie głupiego.
Głupi Wojtek na żaden raz nie mógł zrozumieć, co to znaczy s t r a c h. Ile razy słyszał mówiącego starszego brata, że tu i ówdzie był w strachu, wypytywał go natrętnie, ale wszystkich tłumaczeń ni raz pojąć nie umiał. Znu-

---

[1] A p o p l e k s j a – wylew krwi do mózgu, często powodujący śmierć.
[2] A n t o n i E d w a r d O d y n i e c (1809–1885) – poeta, przyjaciel Mickiewicza, któremu towarzyszył w podróży po Europie w latach 1829–1830.

dzony i gniewny, mądry Walek umyślił sobie, że go raz strach znać náuczy.

Jednego ciemnego, jesiennego wieczora ojciec posłał głuptasa do karczmy po gorzałkę. Walek wiedział, że dla skrócenia drogi chodził on zawżdy przez smętarz. Korzystając tedy z pory, wymknął się cichaczem z chaty, uczernił twarz całą sadzami, okrył się na głowę czerwoną spódnicą matczyną, a wziąwszy w gębę skrzący węgiel, stanął na samej ścieżce, środkiem smętarza wydeptanej. Niezadługo nadszedł Wojtek, w karczmie trochę zakropiony, a widząc postać na drodze swej stojącą, zawołał z daleka:
– Hejże no ty! z ogniem w pysku! usuń się z ścieżki na stronę, bo nie będę ci lazł w błoto.

Ale Walek, zamiast się usunąć, jęknął tylko, jak mógł, najokropniej.
– Głuchyś czy co?! – wrzasnął, zbliżając się, głupiec – zejdź mi z drogi, a jak nie chcesz, to cię tak zamaluję, że fajczysko ci wyleci!

Mądry brat pomyślał sobie przecież: ,,Taki ty w końcu ucieczesz" -- i jęknąwszy jeszcze straszniej, rozczapierzywszy obie ręce, szedł prosto, jakby go chciał schwycić. Ale się mimo rozumu piekielnie ten raz oszukał: Wojtek, co miał uciekać, podniósłszy w górę kij swój dębowy, rzucił się obces na stracha i począł grzmocić nielitośnie. Mądrali w tym niespodzianym popłochu węgiel wpadł z zębów do gęby, piekąc go w gardziel i dławiąc: ryczał więc, nie mogąc mówić, jak prawdziwy potępieniec. Uplątawszy się spódnicą, upadł, uciekając, w błoto, że zanim węgiel z gęby wydostał i dał się poznać Wojtkowi, wziął pewno swoje sto kijów.

Wojtek, skoro poznał brata, począł go serdecznie przepraszać, chociaż się nie mógł wydziwić, skąd i po co wzięły mu się takie głupstwa. Zgrzytając zębami z wściekłości i bólu, ledwie się dowlókł stłuczony Walek do domu. Skoro ojciec zobaczył, co się z jego mądrym synem stało, porwał za batog okrutnisty i byłby nim porządnie głupiego obłożył, gdyby ten nie uciekł wcześnie na wyżki i nie wciągnął drabiny za sobą.

Nazajutrz niebogi Walek rozchorował się na dobre, że mu krew puszczać i boki bańkami całe obstawiać musieli. Ojciec zaś zajął się stąd ku głupiemu Wojtkowi tak nieubłaganym gniewem, że nie chcąc, jak mówił, próżno batoga psuć na jego oślim grzbiecie, wygnał go z domu na cztery wiatry, żeby go bieda rozumu nauczyła. Na próżno matka – która, jako zwykle matki, najbardziej głupiego synala miłowała – płacząc przyczyniała się za ulubieńcem; musiał, zabrawszy manatki i mieszek spory z grosiwem, od matki dany, wędrować z chałupy w świat.

„Mój Boże! mój Boże jedyny! – medytował sobie po drodze – tatuś jak psa precz wygnali! Za co? żem nie mógł ni raz poznać stracha!... Oj! żeby też gdzie tego stracha spotkać!..."

*

Na drugi tydzień wędrówki swojej zaszedł głupi Wojtek na południe do jednej karczmy. Kiedy go zaczęli pytać, dokąd i po co wędruje, odpowiedział szczerym sercem, że sam nie wie, dokąd idzie, a szuka poznać gdzie stracha. Co żyło, buchło śmiechem na te słowa, nie wiedząc, czy to głupiec, czy frant; karczmarz zaś klepiąc go po ramieniu rzekł:

– No, przyjacielu! jeśli ci o to tylko idzie, nic łatwiejszego, jak tu poznać strach. Widzisz hen na górze ten ogromny zamek? Od Bóg wie jak już dawna stoi on pustkami, bo przed strachami żywa dusza mieszkać się w nim boi. Idź, jeżeliś tak stracha ciekaw, tam spać, a będziesz go miał dosyć.

– Jużci, że pójdę, kiedy tak – odpowiedział Wojtek – a jeżeli tam stracha naprawdę poznam, zapłacę wam uczciwie za dobrą radę. Musicie mi tylko zanieść co jeść i pić, bo na czczo znudziłoby mi się czuwać przez noc całą.

Ludzie i karczmarz sam widząc, że on naprawdę się wybiera, rzucili żarty i jęli przekładać, żeby nie narażał próżno młodego życia, bo już niejeden zuch taki za ich pamięci przepadł w zamku na wieki. Ale Wojtek ani sobie mówić nie dał; a im bardziej strachem przerazić go chcieli, tym więcej cieszył się, że go pozna. Nie mogąc odwieść głupiego od zuchwałego przedsięwzięcia, czyniąc mu k'woli, zanieśli przed wieczorem do zamku drew na noc całą, parę kiełbas, parę kiszek, potężną rynkę kartofli ze szperką, a wreszcie flaszkę jedną i drugą gorzałki. Wojtek pewny, że głodu mieć nie będzie, pożegnał z wieczorem odradzających w karczmie towarzyszy i poszedł wesół na samotny nocleg.

W przestwornym jednym pokoju na ogromnym kominie rozniecił sobie ognia, a przysunąwszy do niego krzesło szerokie i stół, postawił na nim wszystkie swoje zapasy. Potem, zapaliwszy fajkę i wyciągnąwszy się w wygodnym krześle, przysłuchiwał się, wpół drzemiąc, wichrowi gwiżdżącemu w czeluściach tak żałośnie i przeraźliwie, że każdemu innemu włosy na głowie by powstały. Raz po raz popił sobie kieliszek gorzałki, wreszcie i jeść mu się zachciało. Zabrał się tedy do gospodarstwa: postawił rynkę z kartoflami na ogień, a kiełbasy przywiązawszy do drewnianego rożenka, zaczął je z wolna przypiekać.

Kiedy w najlepsze kartofle skwierczeć, a z kiełbas tłuszcz wonny kapać poczynał – „Lecę!" – dał się w głębi komina słyszeć głos straszliwy.

– Tam do licha! czekaj chwilkę, niech wieczerzę z ognia zdejmę – odpowiedział głośno Wojtek, zestawiając rynkę pod stół i kładąc na niej swój rożenek. – No, teraz leć sobie, kiedy chcesz!

Zaszumiało coś wzdłuż komina – i na rozpalone ognisko upadło pół człowieczego ciała, od stóp aż do pasa, jakby tylko co przecięte, bo jeszcze krwią sączące. Wojtek nie zmieszany wcale widząc, że mu ogień przygasza, pochwycił je za obie nogi i poza siebie przerzucił. Ułatwiwszy się chciał już na nowo swoją wieczerzę nastawiać, aż wtem: „Lecę!" – ozwało się w kominie po raz drugi.

– Leć sobie, kiej chcesz, na złamanie karku! – odpowiedział głupiec, zły, że mu spokojnie zjeść nie dadzą.

Tą razą na ognisko zleciało drugie pół człeka ze straszną, brodatą głową, w której krwawe, ogromne ruszały się oczy. Wojtek i to za pierwszym przerzucił; gdy zaś chwilkę przeczekawszy, nic w kominie nie posłyszał, stawił znów rynkę i rożenek w ogień. Bez żadnej więcej przyszkody dosmażył swoich perek[1] i dopiekł kiełbasy, a wyłożywszy wszystko na misę, postawił na stole.

Wtem gdy się za czymś obejrzał, ujrzał, że z obu onych połów zrósł się cały, wysoki, barczysty, srogiego wejrzenia człowiek, który milcząc stał za jego krzesłem.

– Ho-ho! kolego! a cóż to tak stoisz niby trusia? Weź sobie drugie krzesło i siadaj zdrów za stół; nie lubię, kiedy sam jem, żeby mi kto głodny w gębę patrzył.

Straszny człowiek wziął krzesło i usiadł w nim milcząc, ale do jadła się nie brał. Wojtek co trochę ujadł, to obracał się do niego z prośbą; wreszcie widząc, że to próżno, obrażony, niechał go w pokoju i pałaszował, co Bóg dał. Alić kiedy ostatnią łyżkę z ostatnim kęsem kiełbasy miał już do ust kłaść, milczący gość ozwał się ponuro:

– Jadłeś sam, dajże teraz mnie.

– Nie chciałeś, kiedym ja cię prosił, zjedzże teraz psi gnój, kiedyś głodny – odrzekł rezolutnie Wojtek, połykając resztę strawy.

– Czekaj! zaraz ja tutaj z ciebie zrobię pieczeń! – zaryczało straszydło, zrywając się do niego.

– Pomału, bratku, pomału! Jesteś to ty może ten strach? hę?... To czemużeś

---

[1] Perki – kartofle.

taki głupi, że nie jesz, kiedy ci co dają? Ja już całe dwie niedziele włóczę się, żeby cię poznać, a nie było za czym, widzę, kiedyś taki kiep.

– Zaraz ty mnie tutaj poznasz! – wrzasnął strach i porwał Wojtka za gardło. Ale i Wojtek nie dał sobie bezkarnie pluć w kaszę; jak huknął raz i drugi pięścią po strasznym łbie, ogłuszony potępieniec padł na ziemię jako kłoda drzewa. Głupiec powalonemu siadł na piersiach i trzymając mu swój kozik na grdyce, pytał:

– Ano, bratuniu, kto z nas mocniejszy? Widzisz, na co ci twój sążeń cielska się zdał... Cóż mi dasz teraz, żebym cię żywo wypuścił?

– Dam ci skarb wielki, o jakim nie śniłeś, ale nie za to, żebyś mnie puścił, tylko żeś mnie zmógł, bo przez to zbawiłeś mnie od mąk, które od stu lat znosiłem. Byłem ja kiedyś tu panem, a przy tym okrutnym siłaczem; kogo zaś wyzwawszy, przemógłem, na wpół piłą go przerzynałem. Za to co noc mnie diabli teraz piłowali, aż póki nie znalazłby się ktoś, co by nade mną wziął górę. Nie byłbyś też tego dokazał, gdybyś mi oddał ostatni kęs twego jadła, bo bym pożarł z nim wszystką twoją siłę. No! a teraz pójdź za mną wziąć nagrodę, którąś zarobił.

Wojtek szedł tedy za strachem aż do ogromnej piwnicy, gdzie było pełno srebra, złota i drogich kamieni. Wybawiony potępieniec pozwolił mu brać stąd, co zechce, a Wojtek brał też, ile unieść tylko zdołał. Od blasku zaś tylu skarbów tak mu się naraz rozjaśniło w głowie, że wybierał samo złoto i najkosztowniejsze klejnoty, choć przedtem jako żywo nic z tego wszystkiego nie widział!

Obładowawszy się dobrze, chciał podziękować swemu dobrodziejowi, ale ten już gdzieścić zniknął.

„To i tak dobrze! nie będę mu się kłaniał!” – pomyślał zhardziały głupiec i wyszedł z zamku wlekąc się, jako mógł, pod ciężarem swej zdobyczy.

Kiedy powrócił do karczmy, gdzie go ciekawa gawiedź jak cudo jakie witała, nie był to już wczorajszy Wojtek! Na wypytywania ludzkie mało odpowiadał skarżąc się, że go strach zbił strasznie, tak że ledwie z życiem ujść zdołał. Karczmarzowi, choć obiecał, nic za wczorajszą radę nie dał; a nająwszy podwodę, kazał się wieźć – nie do chałupy, jeno do miasta, gdzie jako pan zaczął żyć sobie.

Zaniedługo kupił piękne dobra, wystawił w nich pyszny pałac, ożenił się ze śliczną hrabianką, dawał obiady najlepsze w całej okolicy i słynął aż do śmierci pod imieniem m ą d r e g o W o j c i e c h a.

JAŚ GRAJEK
I KRÓLOWA BONA[1]

Było to w jedną noc styczniową. Mróz, który od kilku tygodni się srożył i Narew grubym okrył lodem, sfolgował właśnie nad wieczorem, a leciutki śnieżek pokrył ziemię. Powietrze było zupełnie ciche i tak łagodne, iż po siarczystych mrozach zdawało się ciepło jak na wiosnę. Księżyc, chociaż niepełny, przyświecał jasno, a w jego blasku zlodowaciałe drzewa i suche badyle polnych chwastów iskrzyły się jak gdyby ze srebra i brylantów samych złożone.

Mogło być około północy, gdy Jaśko-Grajek wracał po lodzie zza Narwi do domu, bo jakoś tej niedzieli rychlej się skończyły niźli zwykle tany w karczmie, w której grał właśnie. Był to sobie rześki, dwudziestoletni parobczak, z rzemiosła swego pastuch bydła w Łomżycy, a z zamiłowania grajek. Chodząc za stadem swoim przez lata całe ze skrzypkami nieodstępnymi, tak się doskonale wygrywać na nich wyuczył, że aż rozkosz było słuchać. Toteż choć młody, poczynał już mieć sławę w okolicy, dziewki uśmiechały się do niego radziej niż do drugich parobków, a gdzie było wesele albo tany w pobliżu, trudno się obyło bez Jasia.

Otóż tedy powracał sobie po lodzie z karczmy do domu, a że mu jeszcze czmerało parę kieliszków w czuprynie, wygrywał sobie po drodze to wesołe, to rzewne piosneczki, jak mu która na myśl przychodziła. Właśnie, przeszedłszy szczęśliwie przez rzekę, mijał pagórek, na którym kiedyś stało zamczysko królowej Bony, gdy wtem stał się przed nim dziw, który go od stóp do głów przejął mrowiem. Tuż przed oczyma jego rozwarła się nagle jedna ściana pagórka i z ciemnego jej otworu ukazała się piękna pani, wystrojona jak na święto, cała od złota i klejnotów. Jaś, choć mu w głowie czmerało, widział, że to coś nie po ludzku się dzieje. Chciał się przeżegnać, ale mu smyczek przeszkodził, zawołał więc tylko na głos:

– Wszelki duch Pana Boga chwali!

– I ja Go chwalę – pokornie i rzewnie odpowiedziała strojna pani – choć nim oglądać Go stanę się godną, wieki, wieki jeszcze miną! – z cichym dodając westchnieniem.

---

[1] K r ó l o w a B o n a (1494–1557) – druga żona Zygmunta Starego; gorliwie krzewiła w Polsce kulturę Odrodzenia, które wówczas w jej ojczystym kraju, Włoszech, przechodziło okres wspaniałego rozkwitu. Społeczeństwo polskie nie darzyło Bony sympatią.

Jaśko, skoro tylko pierwsze słowa jej posłyszał, uspokojony, że nie z diabłem ma do czynienia, nie dając na resztę uwagi, zdjął czym prędzej z głowy baranią czapkę i kłaniając się nią do nóg, zaczął prawić:

– A toć mi wybaczcie, Imościulu! żem się was wyląkł gdyby czego złego... Ale dalibóg – bo i skąd się też Imość o tej porze tutaj wzięła?... Albo, pfu! czym ja pijany, czy co? Czyć mi się to jeno widzi,. że to my tutaj nad Narwią, w szczerym polu – a to, ot, że niby zamkowa góra – hę?

– Dobrze ci się widzi, mój człowieku. Toć to jest zamkowa góra, a ja nieszczęsna ta królowa Bona, com na niej kiedyś mieszkała!... Ach, ciężko się nagrzeszyło, ciężko też pokutuję teraz! W zapadłym zamczysku moim dręczą mnie i poniewierają złe duchy; tylko ta jedna godzinka przed północą, o której za życia, bywało, pacierz mawiałam, wolna mi od mąk zostaje... Ale co ci o tym prawić! Chociażbyś chciał, pomóc mi nie zdołasz... Oto uczyńże przynajmniej jedno, co możesz. Słyszałam, jakeś, idąc, śliczne wygrywał piosneczki, zagrajże i mnie z jedną, ze dwie jakie, to zapomnę choć na chwilkę o mojej srogiej niedoli.

To mówiąc zjawisko niewieście spojrzało Jankowi w oczy tak miłosiernie prosząc, że chociaż dowiedziawszy się o jej godności, rad był wziąć nogi za pas i drapnąć do domu, nie mógł się oprzeć milczącemu błaganiu i podstroiwszy skrzypce, zaczął grać jej k'woli śliczną piosenkę:

> Chociażbyś ty jeździł we dnie i w nocy,
> Chociażbyś wyjeździł koniowi oczy,
> Tak ja twoją nie będę!

Bona słuchała z zachwyceniem. Ach! bo i któż by słuchać mógł bez niego tej cudnej mazowieckiej pieśni? – cóż dopiero ona, nieboraczka, co od lat tyluset nie znała innej muzyki, tylko wycia i śmiechy diable? Jaś też grał, co się nazywa, doskonale. Nie umiał ci on wyprawiać smyczkiem po strunach takich dziwnych skoków, jak na przykład dzisiaj niejeden okrzyczany szarlatan[1], ale od pierwszego dotknięcia skrzypek tak się duszą całą wmyślił w piosnkę graną, że zapomniał o Bonie i strachu, o wszystkim wokoło siebie, wyśpiewując w głębi duszy słowa, których nutę wygrywał. Toteż jednostajna melodia piosenki z każdą zwrotką nabierała nowego wyrazu, ruchu i dźwięku; a kiedy przyszedł w myśli aż do tych słów dziewczyny:

---

[1] S z a r l a t a n – szalbierz, oszust.

A ja się stanę gwiazdką na niebie,
Będę świeciła ludziom w potrzebie.
Tak i ja twoją nie będę!

do nieporównanej odpowiedzi chłopca:

A ja mam litość nad ubogimi,
Ta sproszę gwiazdkę z nieba do ziemi –

skrzypki Jasiowe tak czarującym odezwały się głosem, że Bonie z czarnych
oczu trysnęły dwie jasne łez krynice i dwiema kroplistymi strumieniami z
twarzy na wznoszące się piersi spadały.

– Dzięki ci, dzięki! – zawołała, kiedy skończył – za te łzy, któreś mi
wycisnął. Ach, nie pojmujesz sam, ileś mi dobrego sprawił. Łzami tymi
wyciekło z duszy mojej więcej złego, niźliby ogień czyśccowy przez cały rok
mógł strawić... Ale słyszysz? oto północ bić zaczyna – muszę wracać na
pokutę! Bywaj zdrów, a pamiętaj, jeśli kiedy będziesz potrzebował pomocy,w
jakiej potrzebie, przyjdź, zagraj tylko pod tą górą, a ja wynijdę do ciebie. Nie
zapomnij tylko pory: w godzinę przed północą!

Wtem na wieży łomżyńskiej fary zegar uderzył dwunasty raz. Bona skoczyła w czarną czeluść pagórka, która się za nią zawarła, a Jaś posłyszał taki
ryk i jęk, i brzęk łańcuchów, że zatykając uszy, pobiegł wystraszony ku
domowi, odmawiając z cicha pacierz za zbawienie pokutującej królowej.

*

Słońce poczęło wyżej wzbijać się na ziemię i ciepławy południowy wiatr
powiewał po lesistych Polski płaszczyznach, niosąc na skrzydłach swych
młodą wiosnę, otoczoną śpiewnymi chórami skowronków i szczebiotliwych
jaskółek, ciągnącą za sobą długie wędrownego ptastwa sznury. A w miarę jak
ten zgiełkliwy orszak niewidzialnej boginki przebiegał ponad niwami, top-
niały lody w brylantowe krople i śnieg poczerniały rozpływał się w tysiące
drobnych strumyków, brzmiących po kamykach we wtór wiosennego ptastwa świegotowi. Bladozielone łąki stroiły się w pierwsze stokrotki; nagie
jeszcze rosochate drzewa radośniejszą już przybierały barwę, zdało się, że pod
ich grubą, szorstką korą widać krążenie soków, a długie ich ramiona, poruszane wiatrem przelotnym, nie przerażały już tym kościotrupim stężałych
członków chrzęstem, lecz uginając się lekko, miłym odzywały się szumem.
Nawet posępna, krzywokonarzysta sośnina, obwiana tchnieniem młodzień-

czym wiosny, zdawała się odmładzać żywszą barwą i balsamiczną rozlewała wonność.

Jaś po raz pierwszy wygonił swoje bydełko na świeżą pastwę, na łąki bujne, brzegiem lasu się ciągnące. Zachwycony pięknością bożego świata pochwycił nieodstępne skrzypki i zasiadłszy na próchniejącym pniaku starej jakiejś olchy, patrząc w jasnobłękitne niebo i słuchając tajemniczych głosów, z głębin jego brzmiących, wylewał serdeczną muzyką przepełniające duszę błogie uczucia. Biedny Jaś, biedny poeta grajek! Zapomniał na śmierć, że był pastuchem dworskiego bydła. Przez przezroczyste niebo widział Boga w całej chwale i wszechmocy, otoczonego chórami aniołów, i zdało mu się, że sam, stawszy się także aniołem, wygrywał na swych skrzypkach chwałę Przedwiecznemu...

Z marzenia tego zbudził go nagle okrutny, boćkowski kańczug spadających mu gradem ciosów na plecy i ramiona.

–. Ha! psia, chamska duszo niegodziwa! – wrzasnął z konia gruby pan ekonom – tak to pasiesz pańskie bydło? Dam ja ci muzykę, złodzieju!... – i grzmocił batogiem dalej.

Jaś, z bólu i strachu wypuściwszy skrzypki, zobaczył stado swoje rozpierzchnione po pastwisku i po bliskiej oziminie, po kępinach i zaroślach, uchodząc przed niemiłosiernym batogiem, pobiegł je zganiać w gromadę. Rozperzony ekonom tymczasem grzmiał jeszcze długo przekleństwami i groźbami, aż przypomniawszy sobie o czymś innym, pogalopował dalej.

Po kilku godzinach znojnego biegania udało się Jasiowi zegnać wreszcie do kupy wszystko bydło rozpierzchnione, lecz gdy je zebrawszy, wziął liczyć – o zgrozo! – przekonał się, że czerwonej Łysej nie dostawało. Próżno jej dowoływał, próżno szukał w pobliskich zaroślach, a dalej odchodzić nie śmiał, żeby się wszystko nie rozeszło znowu. Co było robić? Pognał przed czasem stado do dom, a zamknąwszy w oborze, sam odszedł choćby noc całą szukać straconej jałówki. Ale nie potrzebował trudzić się zbyt daleko, zaledwie przyszedł w pierwszy gęsty zagaj, znalazł poszarpaną świeżo skórę swojej zguby, rogi i kopyta. Czerwoną Łysą wilki zjadły!

Jęknął Jaś na ten widok jak przybity i zdrętwiał cały, myśląc o karze, jaka go czeka.

– Boże, mój Boże! – wołał łamiąc ręce – cóż ja nieszczęsny mam począć?... Albo mi się utopić, albo się powiesić!...

Wtem przypomniał sobie Bonę i obietnicę, którą mu uczyniła. „Tonący brzytwy się chwyta", a tak i Jaś, choć go mrowie przechodziło na samo wspomnienie zamkowej góry, odważył się i szedł szukać pomocy u pokutującej królowej.

Stanął u zamkowej góry właśnie w sam czas, bo tylko co była jedenasta wybiła; przeżegnawszy się więc pobożnie i poleciwszy Panu Bogu, począł wygrywać na skrzypkach. Niezadługo otworzyła się przed nim jak niegdyś ściana pagórka i Bona w królewskim wyszła stroju.

– No, jak się miewasz, przyjacielu – zapytała Janka. – Jakoś smutnie ci dziś z oczu patrzy; powiedzże, co ci się stało i jakiej chcesz pomocy.

– Ach, oświecona królowo! – rzekł grajek – stało mi się ciężkie dziś nieszczęście. Zagapił się człowiek, pasąc bydło, a czerwona Łysa tymczasem w las zalazła i wilcy ją pożarli! Poradź, pomóż, zlituj się, miłościwa pani! bo mi się chyba utopić przyjdzie.

– Nie rozpaczaj no tylko przed czasem, chętnie ci dopomogę. Jałówki wprawdzie zjedzonej do życia nie wrócę, ale dam ci tyle pieniędzy, żebyś albo inną kupił, albo panu ją zapłacił. Ileż, myślisz, będzie ci trzeba?

– Ano, Icek dawał panu za nią ośm talarów, ale pan nie chciał inaczej tylko dziesięć. Jeszcze sam zapowiedział: „Pamiętaj, Jasiek, możesz oddać Ickowi czerwoną, jak ci zapłaci dziesięć talarów". Ale Icek na moje nieszczęście nie przyszedł.

– Dobrze tedy – mówiła Bona – ja ci dam dziesięć talarów, a będziesz mógł powiedzieć, żeś bydlę sprzedał, ale po pieniądze sam sobie iść musisz do lochu. Stoi tam jedna kadź talarów, to sobie odlicz, co ich potrzeba. Pamiętaj tylko, żebyś ani na włos nie brał więcej, bobyś popadł w moc złego, a na to ja nic bym nie mogła już pomóc.

Jasiowi nie było miło, że sam musi leźć w głąb góry, ale że nie miał innego wyboru, zebrał całą odwagę do serca i poszedł. Czarnym, krętym korytarzem zaszedł do ogromnej piwnicy, w której od srebra, złota i drogich kamieni widno było gdyby w dzień. Pod jedną ścianą stała kadź szeroka, pełna pod wierzch bitych, błyszczących talarów. Jaś drżącą ręką odliczył ich sobie dziesięć – przeliczył jeszcze raz drugi, czy nie wziął przypadkiem za wiele, i schowawszy je dobrze za nadrą, pobiegł, nie oglądając się, na powrót. Wydostawszy się na wolne powietrze, odetchnął, jakby się na świat na nowo narodził, a podziękowawszy serdecznie Bonie, wrócił szczęśliwie do domu.

*

Bieda nigdy nie przychodzi sama. Jak się raz zacznie, to idzie jedna za drugą jak pacierz w różańcu. Wkrótce po stracie jałoszki zdarzyło się Jaśkowi nowe, gorsze sto razy nieszczęście: zakochał się biedaczysko. Jeszczeć, że się zakochał, może by to i nie było tak źle bardzo, boć powiadają, że to nawet czasem na dobre bywa; ale licho go skusiło zakochać się w Małgoli, córce młynarzowej z łomżyńskiego przedmieścia.

Taka panna młynarzówna dla ubogiego grajka wiejskiego jest tak w stosunku, jak na przykład jaka hrabianka albo bogata dziedziczka względem niemajętnego artysty albo literata. Schlebiało jej to, że Jaś, dorodny chłopak i lubiony od tylu dziewek, był jej uniżonym służką, nawet nie szczędziła mu czułych spojrzeń i uśmiechów; ale Jaś, nie w ciemię bity, widział dobrze, że to wszystko kobieca obłuda, że by go sto razy oddała za pierwszego lepszego wiercipiętę z miasta... Stary Grzegorz, gajowy, stryj jego, widząc, jak srodze się miłością swą martwił, mówił doń nieraz:

– Ej, Jasiu, Jasiu! niechaj ty młynarzówny! Co ci za licho w łeb wlazło? Czy to nie masz tylu ślicznych dziewek, co za tobą przepadają, żeby się tamtej wpraszać? A gdyby cię nawet i kochała, gdybyś się z nią nawet ożenił, choćby ci też i najlepszą żoną była, to wierz staremu – kością w gardle stanąłby ci tatuś i matusia, nadęci bracia i siostry, bo to wszystko ta takie głupie, że by się miało za coś lepszego od ciebie. Daj jej pokój, mówię tobie, ot, wiesz co, wyswatam ci Wojciechową Jagnę albo Kaśkę po Jędrzeju?...

Ale zakochanemu prawić, ażeby dał pokój, to tak, jakbyś choremu chciał odradzić, żeby nie miewał gorączki. Jaś wiedział tylko jedno: że bez Małgoli żyć nie może, a co dalej będzie, nie myślał. Od kłopotu i zmartwienia zaczął wreszcie chudnąć i blednąć.

„Oho – pomyślał sobie – źle! Jak wychudnę i zblednieję, będzie jeszcze trudniej z dziewczyną. Cóż ja, nieszczęsny, mam począć? Ha! dziej się wola boża! Pójdę na poradę do Bony, czy mi co nie pomoże".

I w rzeczy Bona znalazła mu radę (bo ponoć za życia swego nieraz tego sama próbowała).

– Chcesz, żeby cię twoja dziewka kochała? Sposób łatwy na to – rzekła – złap żywego nietoperza, włóż go w nowy garnek i obwiąż rzeszociskiem, a potem o północy zagrzeb w mrowisku. Tylko, pamiętaj, odchodząc nie oglądaj się, boby ci się złe zdarzyć mogło. Nazajutrz idź do mrowiska, a znajdziesz w garnku kościane widełki i grabki; którą dziewczynę zechcesz, żeby cię kochała, przyciągnij ją skrycie ku sobie grabkami, a nie będzie mogła żyć bez ciebie, która ci zaś niemiła, a wdzięczy się k'tobie, odepchnij ją jeno widełkami, to będziesz miał spokój od niej.

Uradowany Jaś złotą radą królowej odszedł, po tysiąc błogosławiąc jej razy. W kilka dni złapawszy nietoperza, uczynił wedle jej nauki, a w niedługi czas stało się, że wszystkie dziewki, co za nim kiedyś szalały, teraz ani spojrzały na Jasia; Małgorzata zaś młynarzówna na śmierć się w nim rozkochała.

Ale tu jeszcze nie był koniec jego kłopotów. Kiedy przyszło do oświadczyn, rodzice dziewczyny rozśmieli się mu w żywe oczy, że taki gołota chce posażnej ich córki, a choć kochająca Małgosia płakała i rozbijała się prosząc u nóg ich, stary młynarz, jak kamień twardy, zaklął się, że jeśliby ją wydał kiedy za chłopa, to chyba tylko za gospodarza albo gospodarskiego jedynaka. Cóż mógł biedny Jaś poradzić? Musiał znosić cierpliwie wymówki stryjowe, że go na próżno w swaty na hańbę wyprawił; urągowisko chłopaków i dziewek, że chciał leźć wyżej niż podrósł, a co najgorsza patrzeć na łzy i smutek swojej Małgoli. Gdy kilka tygodni tak przeszło, a nie było nadziei, żeby młynarz dał się zmiękczyć, Jasiek wspomniawszy sobie skarby niezmierne pod zamkową górą, postanowił raz jeszcze udać się o pomoc obiecaną do Bony.

*

Podług zwyczaju Bona przyjęła Jasia łaskawie, pytając, czego by potrzebował.

– O wielmożna królowo! – począł Jaś kłaniając się do ziemi – a dyć to jeszcze nie koniec utrapieniu memu!... Prawdać, Małgola mnie kocha, choćby w ogień za mną wlecieć, ale cóż, kiedy jej ojcowie wyśmieli się jeno ze zalotów moich, a młynarz zaklął się, że nie wyda jej inak, jak za gospodarza. Cóż ja, biedny sierota, mam począć? Użal się mnie ty, jasna pani! a do końca życia naszego będziem oboje co dzień prosić o pokój wieczny dla ciebie!...

– Z duszy serca, miły Janku, jakom przyrzekła, chętnie ci pomogę – odpowiedziała Bona. – Mów, jak wiele ci potrzeba, ale pamiętaj, mów prawdę, nie żądaj więcej nad słuszną potrzebę, bo łakomstwo ciężki grzech i nie zostaje bez kary.

– A niech mnie Bóg ciężko skarze, jeśli choć o półgroszek za wiele powiem! Oto właśnie o granicę jeno od nas jest na sprzedaży gospodarstwo po kołodzieju Jakubie, co w łońskie lato utonął, za okrągłe czterysta talarów. Gospodarstwo jak z płatka wywinął, wszystkie porządeczki i bydełko śliczne; żebym je tylko mógł kupić, młynarz sam by mi się prosił z Małgolą.

– Idźże, weź sobie z lochu te czterysta talarów, ale nie zapominaj, com cię ostrzegała: nie tykaj nic ani na włos więcej, bobyś to drogo przypłacił.

Tą razą już bez takiej trwogi wszedł Jaś do piwnicy, gdzie stały skarby zaklęte, i odliczył swoje czterysta bitych. Odchodząc z nimi obejrzał się ciekawie dokoła: mój Boże! co tu śliczności! nie na jedno wzięła go ochota, ale przecież przemógł siebie i już był u samych drzwi korytarzowych, gdy wtem potknął się o coś na drodze.

Przeklęte biesy, co skarbów tych pilnowały, uradziły się na Jasiową zgubę – i patrzcie, wiedziały, psie wiary, czym skusić Mazura...!

Schyliwszy się grajek zobaczył parę nowiusieńkich butów, z zawijanymi cholewami, wysmarowanych słoniną, że aż się świeciły, z calowymi u obcasów podkówkami. Czego nie mogło srebro i złoto, tego dokazały buty. Jaś ułakomiony, począł się namyślać, czy je wziąć, czy lepiej nie brać... Popatrzył troskliwie po wszystkich kątach, czy gdzie nie siedzi licho zaczajone, ale nic widać nie było.

„Ej – pomyślał sobie – tylko aby przymierzę, czyby mi też były wraz"... – położywszy miech z talarami na ziemi, zrzucił swoje zszarzałe chodaki, a nazuł nowe buty na nogi.

Wtem na kościele w mieście poczęła bić dwunasta godzina i Bona wbiegła do podziemia.

– Spiesz! uchodź – zawołała – za chwilę zamknie się góra!...

A wystraszony Jaś, o wszystkim zapomniawszy, pobiegł wydostać się na świat żywy.

– Szczęśliwej drogi w nowych butach – zahuczał za nim z głębi głos okropny, zmieszany z piekielnym śmiechem, od którego aż cała zatrzęsła się góra. Jasiowi włosy na głowie powstały, aż wtem poczuł nagle, że go w nogi pali, jakby je miał włożone w płonącym zarzewiu... Przerażony, chciał zrzucić diabelskie buty, ale rozpalona smoła tak do ciała przylgnęła, że ich oderwać nie było rady... Rycząc i jęcząc od bólu padł nieszczęśliwy grajek na ziemię, wijąc się jak wąż wśród piekielnych męczarni.

Z rankiem nazajutrz ludzie przechodzący w pole znaleźli Jasia-Grajka omdlałego przy zamkowej górze. Z przestrachem zobaczyli, że obie nogi jego po kolana na węgiel były spalone i rozsypały się całkiem, kiedy go z ziemi podnosili. Zanieśli biedaka do Łomży do szpitala, gdzie go doktorzy ocucili i pomału do zdrowia przyprowadzili. Ale na całe życie zostawszy kaleką, musiał potem, czołgając się na czworakach od wsi do wsi, żebrać kawałka chleba śpiewając przy swoich skrzypkach pode drzwiami u ludzi; nieszczęśliwa zaś Małgosia od żalu i zgryzoty wrychle Bogu ducha oddała.

Lucjan Siemieński

W

KRÓLOWA BAŁTYKU

głębinie wód Bałtyku wznosił się za dawnych czasów pałac królowej Juraty. Ściany tego pałacu były z czystego bursztynu, progi ze złota, dach z łuski rybiej, a okna z diamentów. Razu jednego rozesłała królowa wszystkich szczupaków z listami do najznakomitszych bogiń Jury, prosząc do siebie na gody i wspólną poradę. Nadszedł dzień naznaczony i zaproszone boginie przybyły: wtenczas królowa, otoczona przydwornym orszakiem, ukazała się w sali, uprzejmym ukłonem powitała gości i zasiadłszy na bursztynowym tronie, tak mówić zaczęła:

– Miłe przyjaciółki i towarzyszki moje! Wiecie dobrze, iż wszechwładny mój ojciec Praamžimas, pan nieba, ziemi i morza, mojej opiece i władzy poruczył te wody i wszystkich mieszkańców w nich będących; same byłyście świadkami moich łagodnych i szczęśliwych rządów. Żaden najmniejszy robaczek, żadna najdrobniejsza rybka nie miały przyczyny skarżyć się i narzekać, wszyscy żyli w pokoju i zgodzie; nikt się na życie drugiego targnąć nie odważył. Teraz zaś jeden nikczemny rybak, Castilis, znad brzegów moich posiadłości, tam gdzie rzeka Święta hołd memu królestwu płaci, jeden nikczemny śmiertelnik ośmiela się naruszyć spokojność niewinnych moich poddanych, imać w sieci i na śmierć skazywać, gdy ja, sama, do własnego stołu ani jednej nie śmiem ułowić rybki – fląderki nawet, które tak lubię, po jednej połowie zjadam, a drugą nazad do wody wpuszczam. Takiej śmiałości nie można puścić bezkarnie: oto gotowe czekają nas łodzie, płyńmy nad brzegi Święty, bo właśnie o tej porze zwykł on zarzucać sieci. Naszymi pląsy i śpiewy zwabimy go na dno morza, udusimy w uściskach i oczy żwirem zasypiem.

Rzekła i natychmiast sto łodzi bursztynowych pożeglowało dokonać okrutnej zemsty.

Płyną, słońce pogodnie świeci; morze ciche – a echo już roznosi po wybrzeżu słowa pieśni: *Bieda ci, rybaku młody!* Stanąwszy boginie blisko ujścia rzeki postrzegły rybaka, jak siedząc na brzegu, rozwijał sieci. Zajęty pracą, zrazu nic nie uważał, lecz gdy go urocze doszły śpiewy, zwrócił wzrok na wodę i ujrzał sto łodzi bursztynowych i sto przecudnych dziewic, a wszystkim przewodniczyła z koroną na głowie, z bursztynowym berłem w ręku królowa morza. Dźwięk coraz milszy się rozlega; otaczją go morskie panny i swymi wdziękami do siebie wabić poczną:

> O, rybaku piękny, młody,
>   Porzuć pracę, chodź do łodzi:
> U nas wieczne tany, gody,
>   Nasz śpiew troskę twą osłodzi.

> My obdarzym boskim stanem,
>   Skoro z nami mieszkać będziesz:
> Śród nas będziesz morza panem,
>   I naszym kochankiem będziesz.

Słyszy to rybak i ujęty zdradliwą ponętą już chce się rzucić w objęcia bogini, gdy królowa skinieniem berła każe się uciszyć towarzyszkom i tak do zadumanego rzecze:

– Stój, niebaczny! Zbrodnia twa wielka i godna kary, jednak ci przebaczę pod jednym warunkiem. Podobała mi się twoja uroda; kochaj mię, a będziesz szczęśliwy. Lecz jeślibyś wzgardził miłością Juraty, wtedy zaśpiewam ci taką piosenkę, iż wnet będziesz w mej mocy, a za dotknięciem mego berła zginiesz na wieki.

Młodzieniec wyznał i zaprzysiągł jej wieczną miłość.

Królowa na to:

– Teraz już jesteś moim; nie zbliżaj się do nas, bobyś zginął. Za to co wieczór będę przypływać do ciebie i na tej górze, którą odtąd od twego imienia zwać się będzie Castity, zawsze zobaczę się z tobą.

Po czym zniknęła królowa z całym orszakiem.

Rok już minął, jak co wieczora królowa Jurata przyjeżdżała na brzeg i na górze widywała się z kochankiem; lecz Perkun[1], dowiedziawszy się o tej schadzce, rozgniewał się mocno, że bogini poważyła się ukochać śmiertelnika. A gdy jednego roku wróciła królowa do swego pałacu, spuścił z nieba piorun, który rozprószywszy morskie bałwany, uderzył w mieszkanie królowej, samą zabił i bursztynowy pałac na drobne roztrzaskał cząstki. Rybaka

---

[1] P e r k u n – najwyższy bóg u dawnych Litwinów i Prusów, m.in. władca piorunów.

zaś Praamżimas przykuł na dnie morza do skały i położył przed nim trupa jego kochanki, na którego wiecznie patrząc, przymuszony jest opłakiwać swoje nieszczęście. Dlatego to teraz, gdy wicher morski zaburzy fale, słychać jęk z daleka – to jęk biednego rybaka; a woda wyrzuca kawałki bursztynu – to są szczątki pałacu królowej Bałtyku.

DIABEŁ W KRAKOWIE

Czytałem w żywocie jakiegoś świątobliwego pustelnika, wielce adorowanego nawet przez współczesnych, że tenże, zagłębiając się w gorących modłach, miewał niekiedy zachwycenia, w których widywał ni to na jawie, jako niezliczone duszyczki owych biednych grzeszników, co to ciężko obraziły Pana Boga, na nic więcej nie narzekały, smażąc się w ogniach piekielnych, tylko na ród niewieści, który ich w tę bezdeń katuszy wtrącił na wieki. Tego rodzaju narzekania wprawiły w wielkie podziwienie nie tylko samego starostę piekielnego, Lucypera, ale i całą jego dostojną radę, a to z powodu, że takiego spotwarzenia rodu niewieściego ani mogli dopuścić. Gdy jednakże skargi te, mnożące się z dniem każdym, urzędownie samemu Lucyperowi przełożone były na walnej radzie piekielnej, przeto stanęło na tym, aby *casus*[1] ten roztrząsnąć na pełnym zebraniu się książąt piekielnych i stosowne środki obmyślić ku docieczeniu prawdy lub wykryciu oszukaństwa.

Lucyper zwołał przeto koło radne i taką odezwę zagaił:

– Aczkolwiek, wierni moi i mili poddani, z woli wyższych i nieodzownych wyroków losu władam podziemnymi państwy, a tym samym nie czuję się podległym żadnej władzy na niebie i na ziemi, wszakże zważywszy, że to przystojniej jest, kiedy mocarz, jak ja potężny, poddaje się prawu i zdania drugich zasięga, postanowiłem waszej rady zaczerpnąć w pewnym przypadku, mogącym mieć bardzo niebezpieczne skutki i niezmazaną plamę na naszym panowaniu zostawić. Zapewne nie tajno wam, iż wszystkie duszyczki męskie, dostające się do państw piekielnych, całą winę zazwyczaj składają na swoje małżonki. Raz, zdaje nam się to niepodobne do prawdy, iżby człowiek grzeszył tylko przez niewiastę, po drugie, nieradzi byśmy wskutek tak nieugruntowanego zaskarżenia wydawać twardy wyrok na oślep, bo albo okrzyknięto by nas za nieubłaganych okrutników, albo – gdybyśmy to puścili pła-

---

[1] *Casus* (łac.) – przypadek, zdarzenie.

zem – za gnuśnych i niesprawiedliwych. Gdy zaś, jak wiemy, jedni ludzie grzeszą lekkomyślnością, drudzy z braku uczucia sprawiedliwości, my przeto pragnąc uniknąć jednej i drugiej toni, jesteśmy w kłopocie, jak się z tego wywikłać z honorem; nie pozostaje nam więc, jako zwołać was, zacne książęta i dostojni panowie, abyście radą swą w pomoc nam przyszli i mądrym postanowieniem utwierdzili od wieków ugruntowaną sławę sprawiedliwości piekielnej.

Po tej przemowie każdy z książąt i dostojników uznał ważność pomienionego przypadku i potrzebę zastanowienia się nad nim. Wszyscy jednogłośnie zgodzili się na to, aby o prawdzie przekonać się; zdania tylko różniły się co do sposobów dojścia prawdy. Jedni bowiem radzili wysłać jednego, drudzy wielu posłów na ziemię, ażeby przybrawszy powierzchowność człowieczą, osobiście przekonali się, czy tak jest lub nie. Byli † tacy, co odradzali tyle niepotrzebnego zachodu powiadając, że dość wziąć jedną lub dwie duszyczki na Madejowe łoże i wymóc na nich wyznanie prawdy. Gdy zaś większość obstawała za wysłaniem poselstwa, tedy zdanie większości przemogło; wszakże nowa zaszła trudność, albowiem nikogo nie było, co by dobrowolnie podjął poselskiego urzędu; postanowiono tedy wybór przeprowadzić przez kreski. Los wypadł na arcydiabła Asmodeusza, który aczkolwiek pod różnymi postaciami uwijał się na ziemi i nawet figurował w niejednym romansie, bardzo kwaśno przyjął ten zaszczyt, nawet wystąpił z mową dowodzącą nielegalności wyboru, którą w najwznioślejszym miejscu przerwał sam Lucyper i dał do zrozumienia, że tak chce, i tak być musi. Wprawdzie niektórzy formaliści protestowali cichaczem o naruszeniu form parlamentarnych, ale starosta piekielny puścił to mimo uszu i kazał przystąpić do roztrząśnienia warunków onego poselstwa, które mniej więcej tak brzmiały: Nadzwyczajny nasz poseł weźmie ze skarbu sto tysięcy dukatów; z nimi puści się na świat, a przybrawszy postać człowieczą, pojmie małżonkę, dziesięć lat mieszkać z nią będzie; a potem umierając pozorną śmiercią, wróci do państw piekielnych, gdzie zda sprawę z swoich czynności przełożonym, wyjaśniając szczególnie ten punkt, jakie właściwie są gorycze, a jakie rozkosze małżeńskiego stanu. Dołożono jeszcze w przypisku, że w ciągu pomienionego czasu winien się poddać wszystkim nieprzyjemnościom i cierpieniom, jakim zwykle podlega człowiek, bądź to będzie ubóstwo, bądź więzienie, choroba, chłosta i wszelkiego rodzaju procesy; wolno mu wszakże z tych przykrości wywinąć się, ale własnym tylko przemysłem i dowcipem.

Asmodeusz odebrał tedy swoją nominację z kancelarii państwa, pieniądze wyliczono mu w kasie głównej i tak zaopatrzony ruszył na świat.

SIWY BORUTA MIAŁ DU-
ŻO PIENIĘDZY, ALE W KRÓ-
TCE W HULANCE ROZTR-
WONIŁ; POSTANOWIŁ
PRZETO DOSTAĆ SIĘ DO
SKARBÓW I WZIĄĆ
Z PARĘ MIESZ-

ŻE DWIE GODZINY CHODZIŁ
PO ZAKRĘTACH, NARESZCIE WY-
BIWSZY DRZWI JEDNE, UKRYTE W
MURZE, UJRZAŁ SKARBY WIELKIE

KÓW PANA BRA-
TA, JAK NAZY-
WAŁ DIABŁA
BORUTĘ. O
SAMEJ PÓŁ-
NOCY, ZAPA-
LIWSZY LA-
TARNIĘ, ZU-
CHWAŁY SZ-
LACHCIC UFA-
JĄC SWOJEJ
SILE I SZABLI
POSZEDŁ
DO LO-
CHÓW,
WYOST-
RZONĄ
DEMESZKĘ
TRZY-
-MAŁ
WYDO-
BYTĄ Z PO-
-CHEW POD
PACHĄ.
A LATARNIĘ
ROZ'SWIE-
-CAŁ CIEM-
NOTĘ
DO OKO-
ŁA PANUJĄCĄ

Pomny na to, że mu wypada przyzwoicie pana swego reprezentować, jeszcze w piekle piękny dwór sobie sformował, posprawiał kolebki i konie, i tak huczno, buńczuczno prosto wjechał do Krakowa. Dlaczego miasto to obrał na pobyt swój, prawdziwie nie wiadomo; niektórzy jednakże domyślają się, że ponieważ tam dużo bawiących się lichwą, więc i on, zaopatrzony pięknym groszem, umyślił tym sposobem pomnażać swoją fortunę. Kronikarze milczą o roku przyjazdu jego do Krakowa; z różnych jednak szczegółów domyślić się można, że takowy przypadł jakoś około onych czasów, kiedy królowa Bona u nas gościła; albowiem moda była na rzeczy włoskie i Włochów; więc też i nasz poseł, chcąc się przyzwoicie nazywać, dał sobie tytuł: signor [1] Provano i zajął najpiękniejszą kamienicę na Stradomiu, gdzie cudzoziemcy z dawien dawna stawali. Ażeby ten i ów nie przypytywał się do niego i nie wybadywał; skąd, jak i po co, rozgłosił, że jeszcze w młodych latach opuścił był Włochy i ciągle podróżował po Oriencie [2], gdzie się wielkiego majątku dorobił; wszakże mając więcej, niż mu potrzeba, umyślił wrócić do swoich i resztę dni przepędzić w chrześcijańskim świecie bardziej odpowiednim jego skłonnościom, a wreszcie znaleźć dozgonną towarzyszkę, która by dzieliła serce jego i majątek. Wprawdzie miał zamiar osiąść w Mantui [3], skąd ród swój wywodził, ale że Kraków był mu po drodze, a do tego znalazł tu i królowę Włoszkę, i rodaków opływających jak pączki w maśle, więc mu się odechciało jechać dalej.

Signor Provano był sobie kawaler wcale gładkiej urody, w oczach niektórych pań uchodzić mógł nawet za Adonisa [4]; a wiek jego dość ponętny, bo coś niewiele za trzydziestkę sięgał. Ledwo kilka dni gościł w naszej stolicy, gdy już gruchnęło od końca do końca, że z ogromnymi przyjechał skarbami, że chciałby nabyć jakąś realność, a co największa, że krakowskie panny takie zrobiły na nim wrażenie, iż nie żartem zamyśla starać się o rączkę jakiej uczciwej kupcówny. Widać, że signor nie bez celu puścił w obieg ten swój projekcik, bo i doby nie wyszło, aż tu całe miasto trzęsie się tą wiadomością; kumoszki latają jedna do drugiej z językiem; poważni mieszczanie, pozakładawszy ręce za pas, radzą na podsieniach, a tymczasem jaki taki zapalony zawiścią, aby go sąsiad nie uprzedził, cichaczem wciska się do domu bogatego cudzoziemca i robi mu propozycję sprzedaży swojej kamienicy lub z boku

---

[1] *Signor* (wł.) – pan.
[2] O r i e n t – Wschód.
[3] M a n t u a – miasto we Włoszech.
[3] A d o n i s – według podań starożytnych Greków piękny myśliwy, w którym zakochała się bogini miłości Afrodyta; uosobienie męskiej piękności.

nadmienia o pięknych córeczkach, niezmiernie cnotliwych i gospodarnych, które mogłyby szczęście zrobić jakiego poczciwego człowieka, gdyby się taki gdzie trafił.

Gdy i nasz signor rzeczywiście trwał w tych zamiarach, natręctwo ofiarujących córki i kamienice bardzo mu było na rękę; żeniąc się bowiem po raz pierwszy na ziemi, nie ze wszystkim wiedział, jak sobie postąpić. Tak tedy przez różnych ojców, którzy mu się przedstawiali zrazu w roli machlarzy [1], wprowadzony tu i ówdzie, prezentowany mamie, pannom, podejmowany hojnie, noszony prawie na rękach, nie dał się przecież, mimo małego w rzeczach małżeńskich doświadczenia, do pierwszej lepszej pociągnąć, ale sprytem swoim diabelskim przepatrzył przynajmniej kilkanaście domów, obliczył urodę, charakter i przymioty każdej panienki i z tego pocztu wybrawszy, co mu najwięcej przypadało do smaku, raptem zdecydował się.

Pewnego poranka widziano go, jak wspaniałą kolebką zajechał przed kamienicę pana Fogelfedera z oświadczynami o rękę najstarszej panny, Agnieszki, po której wprawdzie posagu niedużo miał się spodziewać, było bowiem jeszcze trzy siostry na wydaniu i trzech braci dorostków, ale za to imię zaszczytne, znane w mieszczaństwie, rzadkie cnoty domowe, ogłada niepospolita – czyniła ten związek zaszczytnym. Signor Provano, nabiwszy sobie głowę, że robi niesłychaną partię, tak wysoki ton umiano mu pokazać, takie niby stroić trudności i ceregiele, wysadził się z weselem tak hucznym, że długo równego nie widziano w Krakowie.

Nie dość że dla narzeczonej z Wenecji posprowadzał najdroższe bławaty i złotogłowy, z Augsburga i Norymbergi misterne złotnicze roboty, ale jeszcze chcąc, żeby o tym gmin gadał po wszystkie wieki, podczas ślubnej ceremonii w kościele Panny Marii, przez który krakowianie zwykle idą do chrztu, do ślubu i do grobu, kazał rozrzucać pieniądze i bić medale z datą swego ożenienia się, a jak to zwykle bywa, że po ceremonii w kościele następuje uczta i tańce, on się dwojako wysadził, bo nie tylko swych sproszonych gości uraczył marcepanami i najrzadszymi małmazjami [2], ale jeszcze na ulicy kazał postawić kilka beczek wina i miodu i palić ognie sztuczne, przy których plebs sławę jego podnosił pod obłoki. Niech to nikogo nie dziwi, że diabeł, acz mądry, hołdował próżności światowej; wszakże on z natury swojej nie do cnoty, ale do złego skłonny; a przy tym nie darmo położono mu warunek, gdy na ziemię wychodził, że wszystkim ludzkim słabościom i namiętnościom

---

[1] M a c h l a r z – oszust.
[2] M a ł m a z j a – słodkie wino z krajów południowej Europy.

podlegać musi. Owoż zaraz mu zasmakowały rozkosze światowe, dymek pochwał sypanych zewsząd odurzał, wrodzona pycha kazała piąć się nad innych, ba! nawet kusić się o równe z jakim Firlejem lub Kmitą [1], chował też wspaniałe cugi, dworzan, błaznów, kapelę, a wyprawiał uczty ledwo nie co dzień. Do tego ledwo jakiś czas pożył z swoją panią małżonką, kiedy tak się w niej na zabój rozmiłował, że żadną miarą nie mógł znieść, jeśli cokolwiek zasępiła czoło lub kwaśny pokazała humorek: dogodzić, utulić, rozweselić miał sobie za skrupuł, a wiemy przecież, że rozpędzić podobne humorki niczym się snadniej nie uda jak brzęczącym mieszkiem.

Po kilku tygodniach słodyczy małżeńskiego pożycia postrzegł signor Provano, że dostojna jego połowica, krom [2] zacności urodzenia i niepośledniej urody, wniosła mu w dodatku taką pychę, jakiej i Lucyper by się nie powstydził, a cóż dopiero on, wcale potulne i pokorne diablisko. Pycha ta z każdym dniem zdawała się wzmagać, a to w miarę, jak dostrzegała coraz bardziej wzrastające przywiązanie mężowskie ku sobie. Różnymi tedy niewieścimi sztukami zawojowawszy go zupełnie, tak że z dobrodzieja i pana stał się prawie jej niewolnikiem, poczęła sobie z góry rozkazywać, nie zważając na żadne perswazje i względy, i jeszcze w tym większe wpadając furie, im on więcej, widząc niemożność, śmiał stawić słaby opór. Nie obeszło się bez swarów rano i wieczór, tak że dom signora Provany co chwila mu przypominał rodzinne piekło. Skarżył się zrazu biedaczysko przed rodzicami swej żony – ale jak gdyby poruszył gniazdo szerszeni, hurmem wsiedli nań pan teść, pani teściowa, bracia, dalsi koligaci, kumoszki, przyjaciele, znajomi nawet domu Fogelfederów, a kracząc i kładąc mu w uszy, mówili:

– Jagusia poświęciła ci swoją młodość, swoją przyszłość – miej się za szczęśliwego i znoś drobne jej kaprysy, bo kto kocha prawdziwie, ten wiele powinien wybaczyć i cnoty tylko widzieć, a wad i ułomności nie wygrzebywać.

W niesmak mu poszło, że się za krzywdę jego nikt nie ujął, i pomyślał sobie: „Musi to być taki zwyczaj między ludźmi!"

Ale nie na tym koniec utrapień. Jako diabeł z natury mocną skłonność do składania złota mający (wszystkie skarby pilnowane są przez diabłów), widział z bólem serca, że jejmość trwoniła ogromne sumy na różne stroje i noszenia, które wciąż z cudzych krajów przychodziły brykami i nie noszone prawie szły w kąt, gdy ten lub ów strój prędko się zmienił, podług obyczaju

---

[1] F i r l e j... – K m i t a – przedstawiciele najznamienitszych i najbogatszych rodów polskich w wieku XVI.
[2] K r o m – prócz.

zaprowadzonego przez tę lub ową osobę na dworze królewskim. Wszakże mniejsza by już o wydatek na stroje! – rozrzutność ta mogłaby pochodzić z wielkiej chęci podobania się małżonkowi; ale to gorsza, że dla kupienia sobie jakiego takiego spokoju rad nierad musiał kłopotać się o całą familię; i tak, teściowi pożyczać pieniędzy na towar, bez nadziei odebrania ich; siostrom swej żony pomagać w dostaniu mężów, czyli po prostu wyposażać je; a braćmi też się zajmować, wysyłając jednego z bławatami do Ordy [1], drugiego ze złotniczymi wyrobami do Moskwy, a na trzeciego łożąc w Norymberdze, gdzie terminował. Na te wszystkie nakłady pękały ogromne sumy; ssany na każdą stronę, przepędził już większą połowę majątku, a choć się często skrobał po głowie i turbował, nic nie pomagało. Niech no nadeszły zapusty lub Wielkanoc, kiedy to starym obyczajem całe miasto sadzi się na zabawy, na okazałe święcone, umiała pani Agnieszka tak podbudzić małżonka, że zawsze i najhuczniej u niego tańcowano a biesiadowano, i takie zastawiano święcone, że choć kto żyw w mieście przychodził na kołacz, przecież nie zdejmowano zastawy do samych Zielonych Świątek.

Nie darmo też jeden głos był w mieście: Pan Provano zgasi nawet kasztelana, i to nie jakiego drążkowego [2], ale najprzedniejszego z senatorów, Pana Krakowskiego [3]. Rzekło się wyżej o przyczynach, dla których podejmował te wymagania i wydatki lżej, niżby można było myśleć; a nie wątpić, iżby je weselszym jeszcze umysłem podejmował i nigdy ani słowa marnego nie rzekł, gdyby był mógł okupić nimi spokój domowy i tyle przynajmniej zyskać, iżby w zbliżającej się majątkowej ruinie zostawała mu pociecha w przywiązaniu małżonki. Ale, na nieszczęście, całkiem przeciwnego skutku doświadczył; pominąwszy bowiem niezmierne ekspensa [4], na jakie go wyciągała, humor się jej nie zmieniał, bo nakłóciwszy się z mężem, brała się do sług, które pokrzywdzone szły do pana na skargę, a nie zyskawszy nic, porzucały dom; jakoż bywało nieraz, że na całe gospodarstwo prócz pana i pani nie znalazłeś żywego ducha. Niemały stąd uszczerbek ponosił biedny signor Provano, nie

---

[1] O r d a – orda tatarska. Noszące różne nazwy ordy (np. krymska, budziacka, dobrudzka i inne) miały swe siedziby na wybrzeżach Morza Czarnego między ujściem Dunaju i Dniepru oraz na Krymie.

[2] K a s z t e l a n d r ą ż k o w y – w wieku XVI godność kasztelana była już czysto tytularna, dawała jednak prawo do zasiadania w senacie. Wielu senatorów, w tym i kasztelanowie, nie miało zarezerwowanych miejsc w sali posiedzeń senatu, zasiadali więc na ławach, na poręczach – stąd nazwa kasztelan drążkowy.

[3] P a n K r a k o w s k i – kasztelan krakowski, najwyższy senator świecki.

[4] E k s p e n s a – wydatki.

mogąc utrzymać żadnego człowieka, który by przywiązał się i służył mu wierniej; jaki taki, zbity i sfukany, porywał, co mógł, i wynosił się; sami nawet diabłowie, których w postaci woźnicy, lokaja i innych dworzan przywiózł z sobą z piekła, woleli wrócić i smażyć się w najgorętszym ogniu niż żyć na ziemi pod panowaniem takiej jędzy.

Tak tedy signor Provano, prowadząc żywot bardzo niespokojny i twardy, nieładem swoim i marnotrawstwem jejmości przyszedł do tego, iż prawie cały kapitał w krótkim lat przeciągu przetrwonił i już zaczynał rachować na nadzieję ogromnych pieniędzy mających mu nadejść ze wschodu i z północy. Wprawdzie jeszcze używał jakiego takiego kredytu, więc też zadłużył się na skrypta[1], zwykle na dwakroć większą wystawiane sumę, niż była mu zaliczoną. Tym sposobem coraz głębiej brnąc w długi, popadł w podejrzenie bankructwa u tych, co się na tym kręceniu bicza z piasku dobrze rozumieli.

Już tylko z trudnością mógł wyrwać jaki grosz, i to na zastaw; a jednak i jegomość, i jejmość nie tracili fantazji pańskiej; aż wtem kupcy wracający z cudzych krajów przywieźli wiadomość, że jeden brat pani Agnieszki, co to poszedł z towarem do Ordy, w drodze zabity został; a drugi – w Moskwie – znowu, co zyskał na handlu, przegrał w kości. Zaledwo ta smutna wiadomość, niszcząca ostatnie nadzieje signora Provany, gruchnęła po Krakowie, dalejże wierzyciele jego porozumiewać się między sobą i obmyślać środki ratowania swoich kapitałów; jednakże gdy terminy wypłat jeszcze nie nadeszły, stanęło na tym, aby baczne na niego mieć oko, albowiem tacy przybysze, goniący wiatry po polu, zazwyczaj, narobiwszy długów, znikają sobie jak kamfora, a wierzyciele zostają na lodzie.

Z drugiej strony signor Provano widząc, że wszystkie nadzieje spełzły na niczym, że apelacji dlań nie ma ani do piekła, a tym bardziej do nieba, gdy mu i ten kłopotliwy żywot obmierzł, postanowił cichaczem wziąć nogi za pas i drapnąć z Krakowa. Owoż pewnego poranku, dobrze przed świtem, wpadłszy na przygotowanego rumaka w stajni, wymknął się bramą Kazimierską i przeprawiwszy przez Wisłę, dalej na Podgórze. Zaledwo opatrzono się, że go nie ma, powstał niezmierny skweres między wierzycielami, którzy zaraz skoczyli do burmistrza, poruszyli rajców, wyprawili na wszystkie strony ceklarzy[2] i pachołków, a nawet jaki taki i osobiście puścił się w pogoń za

---

[1] S k r y p t - pisemne zobowiązanie, pokwitowanie.
[2] C e k l a r z – dawny pachołek miejski, pełniący służbę przy burmistrzu, ścigający przestępców.

zbiegiem. Uciekający signor, mimo pośpiechu, bo mu już nie o rzemień szło, ale o skórę, gdzieś niedaleko Wieliczki, wyjechawszy na wzgórze, postrzegł wielki ruch na gościńcu. Zrozumiał, że to pogoń, że mogą go dopędzić, a wtenczas wszystko przepadło! Owoż chcąc zmylić pogonie i bezpieczniej umykać, postanowił rzucić się na boczne dróżki i manowcami a jarami Kraków jak najdalej zostawić za sobą i szukać szczęśliwszej jakiej gwiazdy na świecie.

Jak pomyślał, tak zrobił. Jednakże napotykając częste rowy i płoty, a że nie liczył się do tęgich jeźdźców, więc jazda mu szła daleko niesporzej niż na szerokim gościńcu; wreszcie i koń jego, utknąwszy raz i drugi, zaczął nawet kuleć; nie pozostało mu więc, jak konia puścić samopas i na piechotę przez łany zbóż, krzaczki, łąki i błotka przemykać się ku gęstemu borowi, majaczącemu na odległych wzgórzach. Zalewając się krwawym potem, bo już słońce zaczęło dobrze dopiekać, cały zziajany, dobił się przecie do jakiejś wiejskiej zagrody, położonej pod lasem. Było to gospodarstwo, jak widać, jakiegoś zamożnego sołtysa, bo i płoty porządne, i sad owocowy, i piękne bydełko na wygonie.

Signor nie wypoczął nawet w ponętnym cieniu rozłożystego dębu, tylko zadyszany, spostrzegłszy, że gospodarz naprawia coś koło wozu, przypadł doń i klękając a podnosząc ramiona, zaklinał, aby go przyjąć w opiekę, jeśli go zaś uratuje z rąk goniących nieprzyjaciół, chcących go zgnoić w więzieniu, natenczs napędzi mu niezmiernych bogactw, o jakich ani mu się śniło. Jeżeliby zaś nie dotrzymał obietnicy, zawsze pozostaje mu wolność wydania go nieprzyjaciołom. Sołtys nasz, widząc trzęsącego się biedaka, a zresztą rozważywszy, że przez ten uczynek nie nabawi się żadnego kłopotu, a zawsze coś zyskać może, jeśli ów zbieg prawdę mówi choć w części; pokiwał głową i przyrzekł go ukryć. Jakoż kazawszy mu położyć się na kupie gnoju, przytrząsł go słomą, i zaledwie skończył tę pracę, gdy posłyszał pędzących konno, którzy nie wiem jaką tam poszlaką wiedzeni, przypadają do chłopa i mówią:

– A nie widziałeś to takiego i takiego?

– Nie widziałem ci nikogo – odpowiedział robiąc coś koło wozu.

– Łżesz, chamie! przechowałeś go! – krzyknęli podnosząc nań berdysze[1] i czekany[2].

---

[1] B e r d y s z – rodzaj siekiery na długim drzewcu.
[2] C z e k a n – obuch, czyli młot bojowy.

– To szukajcie sobie! – odpowiedział nieustraszony.

Jeźdźcy pokręcili się trochę po podwórku, a widząc, że nie ma co robić, kopnęli dalej. Jeszcze przez dwa dni pełno było hałasów i szukaniny za zbiegiem; dopiero trzeciego, gdy pogoń powróciła do Krakowa nic nie wskórawszy, sołtys kazał signorowi wyleźć z kryjówki i przypomniał mu dane słowo. Na to signor:

– Kochany przyjacielu! winienem ci ocalenie moje, dlatego też wszystkich sił dołożę, aby wywiązać się z tego długu wdzięczności. Żebyś zaś nie wątpił, że wiele mogę, powiem ci, kto jestem.

Signor Provano, przedsięwziąwszy szczerze wyspowiadać się ze wszystkiego sołtysowi, wystawił mu osobisty swój stosunek i warunki, podług których wyszedł z piekieł i pojął małżonkę. Następnie szeroko i długo rozwiódł się nad sposobem, w jaki go zbogacić zamyśla, a sposób ten był dość osobliwy. Jeżeli kiedykolwiek kmotr Grześko, to było chrzestne imię sołtysa, posłyszy o jakiej niewieście opętanej przez złego ducha, niech będzie pewny, że nie kto inny, tylko on siedzi w niej i dopóty siedzieć będzie, dopóki kmotr Grześko nie przyjdzie i nie rozkaże mu precz ustąpić; za tę zaś cudowną kurację może sobie rozkazać krewnym lub rodzeństwu hojnie zapłacić.

Tak tedy wywiązując się diabeł ze swojej obietnicy, którą potwierdził słowem honoru i uczciwości, nagle zniknął mu z oczu. Ale zaledwo kilka dni upłynęło, kiedy w Krakowie i w okolicy rozeszła się dziwna pogłoska, że kasztelanka przemyska, osoba rzadkiej urody, co niedawno poszła za wojewodę sandomierskiego, pani rzadkich przymiotów i dobroci, nagle przez diabła opętana została. Przywołano egzorcystów [1] i najbieglejszych lekarzy, sam król nawet swojego medyka posyłał, wszyscy robili, co mogli i co robić się zwykło w podobnych razach, lecz bez skutku; bezpięty ani myślał ustąpić, i jeszcze z świętości, jakimi ją okładano, na głos szydził, a egzorcyście urągał. Ażeby zaś dobitnie wszystkich przekonać, że to nie żadne antraksty, skwincjanny i inne tym podobne choroby lub urojenia, ale proste opętanie złego ducha, wciąż perorował [2] po łacinie, po włosku, wyzywał na subtelne dysputy w filozoficznych kwestiach i plótł niestworzone rzeczy o różnych osobach przy dworze, mocno nadwerężające ich sławę. Podobne gadaniny, mianowicie wyjawienie niektórych sekretów, niezmiernego nabawiały zdziwienia i strachu; bo ten i ów, co miał na sumieniu jaki krzywy uczynek, potężnie się

---

[1] Egzorcysta – wyklinacz szatana, wypędzający go z osoby opętanej.
[2] Perorować – przemawiać.

kurczył, żeby oliwa na wierzch nie wyszła. Już pan wojewoda tracił nadzieję, żeby jego małżonka przyszła kiedy do zdrowia, gdy pewnego razu kmotr Grzesiek stawił się przed nim, obiecując solennie, jako tę panią od złego ducha uwolni, byle mu za tę usługę pięćset złotych wyliczył; trafia mu się bowiem w sąsiedztwie piękny kawał ziemi do nabycia, a do zaokrąglenia gospodarstwa niezbędnie potrzebny. Pan wojewoda przystał chętnie na jego żądanie, a nawet gotów był sumę podwoić, byle skutek był pewny. Wziął się tedy kmotr Grzesiek do wypędzenia złego ducha, ale żeby lepiej sztukę swoją ubarwić, zaczął kreślić dokoła opętanej czarnoksięskie koła, mruczeć pod nosem jakieś formuły i kadzić jakimiś ziołami; w końcu, i to było najskuteczniejsze, zbliżył się do uszu cierpiącej pani i szepnął:

– Hej, kumie, wyleź no, to ja, Grześko, przyszedłem wypędzać was, jakeście mi sami kazali.

Na to signor:

– Dobrześ się sprawił, wszakże to jeszcze bogatym cię nie zrobi. Niech tylko stąd się wyniosę, wjadę w samą królowę Bonę i nie ustąpię z niej, chyba na twoje wezwanie. Za tę sztuczkę powinieneś sobie tęgo kazać zapłacić; królowa ma grube pieniądze, a tak, kiedy się staniesz majętniejszym niż wszyscy twoi sąsiedzi, już mię zostawisz w pokoju i nie będziesz wypędzał.

Powiedziawszy to wyszedł z onej pani z niezmiernym podziwem obecnych i całego Krakowa, gdy się ta rzecz rozeszła pomiędzy ludźmi. Po małym znowu czasie w całej Koronie i Litwie o niczym nie było słychać, tylko o nieszczęściu, jakie spotkało królową Bonę, która straszne rzeczy zaczęła dokazywać, wydziwiając synowi, panom koronnym, a najbardziej, że jawnie odgrażała się na synowę, chcąc ją po kilkakroć zabić – to sztyletem, to trucizną. Słowem, cudactw jej nie spisałby na wołowej skórze. Widząc to syn i ci, co ją otaczali, zrozumieli, że takie rzeczy nie mogą się dziać, tylko za sprawą szatańską; domyślano się więc, że musi być opętaną. Wezwano naprzód egzorcystów; ale gdy ci nie mogli uporu tego ducha zwyciężyć, który ich wyzywał na dysputy i urągał świętościom, przypomniano sobie o cudownym wyleczeniu wojewodziny sandomierskiej przez Grześka; posłano więc po niego. Przyszedł na zamek nasz Grzesiek, stawił się przed królem, zażądał grubej sumy, którą mu przyrzeczono wypłacić, i porobiwszy dla oka czarnoksięskie, swoje zaklęcia, wypędził bezpiętego z królowej. Lecz zanim Asmodeusz wyszedł z obranego siedliska, tak przemówił do chłopa:

– Widzisz, kumie, żem ja mego przyrzeczenia dotrzymał; zbogaciłem cię więcej, niżeś się mógł spodziewać; teraz z nami kwita, bratku, niceśmy sobie

nawzajem nie winni. *Clara pacta claros faciunt amicos* [1]. Owoż miej się na
baczności, abyś mi odtąd w drogę nie właził, i jeśli kogo opętam, nie brał się
do leczenia; w przeciwnym razie, ile dotąd byłem dobry dla ciebie, o tyle
stałbym się złym i mściwym.

Jak tedy widzimy, kmotr Grzesiek powrócił do domu zbogacony niezmiernie, gdy król podarował mu nie tylko obszerne grunta, ale jeszcze hojnym
groszem opatrzył; więc też o nic się nie troszczył, tylko żeby ów zły duch nie
zamącił mu szczęścia, jakiego się dziwnym fortelem dorobił. Jednakże nie
upłynęło kilka miesięcy, kiedy go doszła wiadomość, że córka potężnego
elektora Rzeszy [2] zaniemogła na tę samą chorobę. Gdy zaś i na elektorskim
dworze wiedziano o cudownym sposobie leczenia Grześka, a ten dwór był z
naszym spowinowacony [3], posłano jak w dym po niego. Grzesiek, który
wiedział, co się święci, i któremu już nie chodziło o majątek, udał, że chory, i
nie chciał jechać; lecz starosta krakowski, otrzymawszy wezwanie, aby go
pojmał i dostawił, użył przemocy i posławszy pachołków – do posłuszeństwa
zmusił. Nie było co robić, tylko ruszać na dwór elektorski. Grzesiek, z kwaśną
twarzą stanąwszy przed tak potężnym panem, oświadczył, że wprawdzie
udało mu się wyleczyć niejednego opętańca, z tym wszystkim nie zawsze to w
jego mocy pokonać podobną chorobę, albowiem bywają tego rodzaju złe
duchy, iż żadnymi zaklęciami ani groźbami wypłoszyć się nie dadzą. Bądź jak
bądź, spróbuje, wszakże z góry prosi, by mu za złe nie wzięto, jeżeli sztuka się
nie uda. Elektor, rozgniewany, na to odparł:

– Tylko mi córki nie wylecz, a będziesz wisiał, jak amen w pacierzu!

Srodze to zmartwiło kmotra, wszakże trudna rada, pan każe, sługa musi.
Przyprowadzono więc opętaną. Grzesiek przysuwa się do ucha księżniczki i
pokornie wita się z Asmodeuszem, przypominając mu wyświadczone dobrodziejstwo i przekładając, że mocno by się na nim zawiódł, gdyby go na
stratę życia chciał narazić.

Na to Asmodeusz:

– O podły zdrajco! a jak ty śmiesz zbliżać się do mnie? Myślisz to, że ci

---

[1] *Clara pacta claros faciunt amicos* (łac.) – jasne umowy czynią szczerych przyjaciół.

[2] E l e k t o r R z e s z y – w dawnych Niemczech (Rzesza Niemiecka) wybierało cesarza
tylko siedmiu książąt, którzy mieli prawo do tytułu: książę-elektor, tj. książę-wyborca.

[3] S p o w i n o w a c o n y – elektorowie brandenburscy z domu Hohenzollernów byli spo-
winowaceni z polskimi królami z rodu Jagiellonów.

pozwolę dłużej chełpić się, żeś mię na dudka wystrychnął? Pokażę ja tobie, co mogę, i równie jak zbogaciłem, potrafię zubożyć. Precz stąd! proś, nie proś, pójdziesz na hak, kochanku!

Gdy z tych słów zrozumiał kmotr Grześko, że tym sposobem już nic nie wskóra, umyślił, jako nie w ciemię bity, innego spróbować fortelu. Kazał więc, aby opętaną odprowadzono, i odezwał się do elektora:

– Najjaśniejszy panie! Słyszeliście, com mówił, jako są duchy tak nieposkromione, że z nimi trudno trafić do końca; właśnie ten opętaniec do najgorszych należy. Mimo tego zrobię jeszcze najtrudniejszą próbę, a tej może ustąpi. Jeśli się uda, wygramy obadwa, jeśli nie, tedy spuszczam się na wspaniałomyślność twoją, potężny panie! bo widzisz moją gotową chęć i niewinność. Owóż, żebyśmy z bezpiętym trafili do ładu, potrzeba na rynku wystawić wysokie rusztowanie, żeby się mogli pomieścić gdzie panowie dworscy i wysoka szlachta, rusztowanie to zasłać wspaniałymi kobiercami i makatami, a na środku ołtarz postawić. W przyszłą niedzielę ty sam, panie, na czele dworu, duchowieństwa, przedniejszych dostojników, przybrany w królewskie ornaty, udasz się na to przygotowane miejsce i wysłuchasz solennego nabożeństwa, zanim opętaną przyprowadzą. Potrzeba jeszcze, ażeby w pewnym oddaleniu od rusztowania postawiono z kilkudziesięciu muzykantów z hałaśliwymi narzędziami muzycznymi, jak: trąby, rogi, kotły, piszczałki, puzony; skoro ja machnę czapką, niech zaraz huknie cała kapela i ku nam się sunie. Wszystko to, jak tuszę, obok innych środków użytych przeze mnie posłuży do wyleczenia opętanej.

Ów pan, widząc gorliwą jego chęć, kazał przygotować rzeczy podług żądania, a gdy zapowiedziany dzień niedzielny nadszedł, a rusztowanie zajęte było przez wysoki dwór, a rynek zapełniony ludem, odprawiono nabożeństwo, po czym przyprowadzono opętaną w towarzystwie duchownych i panien dworskich. Kiedy Asmodeusz spostrzegł ten niezmierny tłum ludu, te przygotowania i ceremonię, zmieszał się i rzekł do siebie:

– Co ten chłopisko chce ze mną począć? Czy myśli mię zastraszyć tą zgrają? Czy jemu się zdaje, żem ja nieprzywykły do wspaniałości niebios i okropności piekielnych, żebym się miał taką lichotą zmięszać? Pożałuje on tego!

Wtem znowu nasz Grzesiek przysunął się do ucha opętanej i zaczął go zaklinać, aby ustąpił; on zaś tak się doń odezwał:

– Toś to ty, bratku, tę komedię wymyślił? O hultaju! o przechero! Rób sobie, co chcesz, a nie wymigasz się od szubienicy.

Grzesiek próżno zaklina, próżno molestuje; ale diabeł tylko zeń szydzi lub łaje; nie pozostało mu więc, jak spróbować ostatniego fortelu. Machnął czapką, a na znak umówiony zagrzmiała najdzikszymi głosy owa kapela, z tym wrzaskiem postępując coraz bliżej ku rusztowaniu.

Na tę niespodzianą wrzawę diabeł nastawił uszy, a nie wiedząc, co by to było, zapytał pełen zdziwienia stojącego obok Grześka o przyczynę hałasu. Na to Grzesiek odparł, niby przelękły:

– Biada nam, mości bezpięty! to wasza pani małżonka przychodzi po ciebie!

Trudno sobie wyobrazić nawet, jakie te wyrazy zrobiły wrażenie na umyśle Asmodeusza, gdy o swej małżonce posłyszał. Taka bowiem opanowała go trwoga, że nie namyślając się dłużej, czy to żona naprawdę lub nie, wyskoczył jak oparzony z opętanej i nie upamiętał się, aż w bramach piekielnych. Wolał on stokroć wrócić pod panowanie Lucypera i zdać sprawę z poselskich czynności, niż znowu wystawiać się na słone kołacze w pożyciu z dostojną połowicą.

Powróciwszy tedy do państw piekielnych, potwierdził w wymownym sprawozdaniu te wszystkie wieści, jakie tam obiegały na niekorzyść niewiasty. Grzesiek zaś, który tym razem pokazał się mądrzejszy od samego diabła, wesół wrócił do domu, gdzie swobodnie używał nabytych dostatków.

Antoni Józef Gliński

O KRÓLEWNIE ZAKLĘTEJ W ŻABĘ

B

ył sobie król i miał trzech synów. Król był staruszek, a synowie dorodni, przywołał więc ich do siebie i rzecze:
– Dziatki moje najmilsze, sokolęta moje najulubieńsze! dopełniają się moje lata, dobiega godzina życia doczesnego! trzeba mi królewskie brzemię jednemu z was powierzyć, bo starość nie radość: oczy źle widzą, uszy źle słyszą, a głowa ciąży ku matce ziemi... A że w królestwie naszym jest taki zwyczaj, że bezżenny panować nie może, chciałbym więc, abyście wkrótce się pożenili, a który lepszą wybierze żonę, ten następcą moim będzie. Idźcież i bez żon do domu nie wracajcie.

– Królu i ojcze – odpowiedzieli królewiczowie – jesteśmy gotowi spełnić twoją wolę, ale jakże młodzi i niedoświadczeni mamy sami, bez przewodnictwa ojca, odważać się na wybór żon dla siebie?

– Toteż, dziatki, będzie próba waszego rozumu, a kto jej godnie odpowie, przekona, że wart tak wielkiej nagrody.

Królewiczowie po sobie spojrzeli, pogadali, poradzili się i za zezwoleniem króla postanowili zasięgnąć zdania radców królewskich.

Nazajutrz więc rano obwoływacz rozkazów królewskich po ulicach stolicy chodzi i swoją piersią potężną trąbiąc w trąbę mosiężną, po każdym przystanku woła:

> Rady panowie, senatorowie!
> Ze snu słodkiego wstawajcie;
> I co wam powiem królewskim słowem,
> Słuchajcie, pilnie słuchajcie!
>
> Nim promień słońca oświeci gońca,
> Zbierzcie się w jedną gromadę;
> I z sobą zgodni, łask króla godni,
> Spieszcie do niego po radę.

Radcy królewscy w szaty godowe przybrani na radną salę przybyli, długo się, długo radzili i kiedy swe zdania objawili, okazało się, że co głowa to rozum, a czyj lepszy, Bóg chyba wiedzieć.to raczy.

Różnością zdań król zrażony, radę do domów rozpuszcza, przywołuje nadwornego mędrca-astrologa [1] i całą tę rzecz na jego sąd zdaje.

Mędrzec po trzykroć się kłania i oświadcza, że ponieważ śmierć i żona od Boga przeznaczona, zatem wybór żon dla królewiczów najlepiej zdać na losy.

I wprowadza królewiczów na wysoką wieżę pałacową, i rzecze do nich:

– Naciągnijcie, królewiczowie, wasze łuki, połóżcie na cięciwy ostre strzały, a za danym hasłem strzelicie w trzy różne strony: gdzie którego strzała padnie, tam będzie jego sądzona i tam pojmie sobie żonę.

Królewiczowie usłuchali, obok siebie stanęli, łuki swoje napięli, w trzy różne strony zmierzyli: starszy na miejskie pałace, średni na wiejskie dwory, a najmłodszy na kwieciste łąki.

Strzała królewicza starszego utkwiła w oknie jednego z miejskich pałaców, gdzie spotkał piękną i strojną senatorównę; wziął ją za żonę.

Średni królewicz znalazł swą strzałę w bramie wiejskiego dworu, na którego ganku ujrzał siedzącą piękną pannę, córkę zamożnego pana; poprosił o rękę, ożenił się i do stolicy z nią odjechał.

Najmłodszy królewicz przeszedł gaj zielony, przepłynął w łódce jezioro głębokie i ujrzał swą strzałę na środku bagna, a na niej zielona żabka siedziała i wprost na królewicza patrzała.

A bagno było tak grząskie i niedostępne, że żadnym sposobem nie mógł dostać swej strzały, siadł więc u brzegu i płacze.

– Czego płaczesz, królewiczu? – odezwała się żabka.

– Jakże nie mam płakać, kiedy strzały, na której siedzisz, dostać nie mogę, a bez niej do domu wracać nie śmiem.

– Weź mię sobie za żonę, a ja ci wnet podam strzałę.

– Jakże to być może, żabko?

– Tak się jednak pewnie stanie, żabka twą żoną zostanie! Bo przyznaj się, przyjacielu, żeś strzelił z wieży w tym celu, by ci lotna twoja strzała, wierną żonę ukazała – masz więc we mnie!

– Rozumnaś, jak widzę, żabko, bo i to wiesz, co się stało, i odpowiadasz rymami jakby poeta jaki; powiedz więc sama, jak mogę wziąć cię za żonę, jak ojcu ciebie pokazać i co na to ludzie powiedzą?

---

[1] A s t r o l o g – badacz wpływu gwiazd na życie ludzkie.

– Przynieś mię skrycie do twego mieszkania i nie pokazuj nikomu, a wszystkim mów: żem wschodnich krajów mieszkanka, cudnej urody sułtanka i chcę, by prócz męża żaden ni mężczyzna, ni kobieta nie widzieli mię, i – kwita.

Pomyślił królewicz, pomyślił, wreszcie zdał się na wolę bożą; podaną strzałę wziął od żaby, ją samą do kieszeni wsadził, zaniósł do swego mieszkania i westchnąwszy spać się położył.

Nazajutrz król dowiedział się od dworzan, iż wszyscy trzej królewiczowie z wyprawy po żony wrócili, kazał więc ich przywołać ku sobie.

– Cóż, miłe dziatki, czyście z żon waszych radzi?

– Radzi, królu i ojcze!

– Cieszcie się więc, dziatki, a tymczasem obaczymy, którego wybór lepszy, któremu Bóg moje berło przeznaczył. Oto na pierwszy raz, niech każda z moich synowych wytcze na jutro po dywanie, a której będzie piękniejszy, tej przed innymi przyznam pierwszeństwo.

Pospieszyli do żon swych starsi królewiczowie, poszedł za nimi i młodszy królewicz, a przybywszy do domu, zamyślił się głęboko i płakać zaczął.

– Czego płaczesz, królewiczu? – zapytała żabka.

– Jakże nie mam płakać – ojciec kazał, by wszystkie trzy jego synowe a nasze żony po dywanie do jutra wytkały, a której będzie piękniejszy, tej ma przyznać pierwszeństwo. Żony moich braci już pewnie pracują koło nich, a ty żabko, choć umiesz strzałę podawać i po ludzku mówić, potrafiszże dywan wytkać?

– Nie lękaj się o mnie, przeżegnaj się i zaśnij, a nim się przebudzisz, dywan gotów będzie.

Królewicz usłuchał, położył się i zasnął.

Żabka na okno wskoczyła, na tylnych łapkach stanęła i tak zanuciła:

Wiatry wiejące, wiatry szumiące,
Z czterech stron świata pospieszcie!
I wszystkie tłumnie pędząc wprost ku mnie
Na skrzydłach waszych przynieście:
Parę run cieniutkiej wełny,
Cudnych kwiatów koszyk pełny,
Z głębi mórz złotego piasku
I pereł rzadkiego blasku
Tak, abym dywan wzorzysty,
Cudnie lśniący i kwiecisty,
Przez jedną dobę wytkała
I do rąk lubemu dała.

Zaszumiały i zahuczały wiatry i po promieniach słońca spuszcza się dc pokoju siedem pięknych dziewic niosąc w koszyczkach różnobarwną wełnę, kwiaty, perły i wszystko, co potrzeba; oddają głęboki pokłon żabce i w kilka minut czarującej piękności dywan wytkały, ukłoniły się i uleciały.

Tymczasem obie żony starszych królewiczów chcą popisać się przed królem i każda swemu mężowi koronę zapewnić pragnie; nakupowały różnokolorowych włóczek, wybrały najpiękniejsze desenie i z największym pośpiechem u krosienek pracując, nazajutrz dywany swe ukończyły i mężom swym oddały.

Królewiczowie nazajutrz do króla przybyli, piękne dywany swych żon przed nim rozwinęli i stoją w milczeniu, czekając, co powie.

Król na jeden i drugi dywan spojrzał, a gdy najmłodszej synowej rozwinął, zdumiał się i zawołał:

– Oto mi dywan, jakiegom jeszcze nie widział, a jednak mam ich tyle! Najmłodszej mojej synowej pierwszeństwo przyznaję, ale trzeba drugą jeszcze próbę wykonać.

I kazał król, ażeby nazajutrz synowe po pierogu upiekły, a której będzie smaczniejszy, tej przed innymi przyzna pierwszeństwo.

Dwaj starsi królewiczowie smutni do żon swych odeszli, a najmłodszy, pierwszym powodzeniem uradowany, chętniej już do swojej żabki powracał, ale przybywszy zamyślił się i wzdychać zaczął.

– Czego wzdychasz, królewiczu? – zapytała żabka.

– Jakże nie mam płakać! ojciec nową próbę zadał i już nie wiem, czy uda się jak pierwsza, bo czyż potrafisz pieróg upiec?

– Bądź o to spokojny, przeżegnaj się i zaśnij, a jak się przebudzisz, weselszej myśli będziesz.

Królewicz usłuchał, położył się i zasnął, a żabka na okno wskakuje, na tylnych łapkach staje i cienkim głosem śpiewa:

> Wiatry wiejące, wiatry szumiące,
> Z czterech stron świata pospieszcie!
> I wszystkie tłumnie pędząc wprost ku mnie
> Na skrzydłach waszych przynieście:
> Z jasnego słońca
> W miarę gorąca,
> Z rosy perlącej
> Wody ciekącej,
> Z kwiecistej błoni
> Przecudnej woni,

A z bujnych ziarek
Mąki pięć miarek–
Bym, jak przyrzekła,
Przez noc upiekła
Pieróg dla swego
Męża lubego.

Zaszumiały i zahuczały bujne wiatry i po promieniach słońca spuszcza się do pokoju siedem pięknych dziewic, każda w ręku trzyma koszyczek, a w tych koszyczkach były: mąka, woda, wonne przyprawy i różne przysmaki; oddały głęboki ukłon żabce i w kilka minut upiekły pieróg, znowu się ukłoniły i na powrót po promieniach słońca uleciały.

Nazajutrz trzej królewiczowie do króla przybyli i każdy swój pieróg okazał.

Dobre były obu starszych synowych króla, ale kiedy pieróg najmłodszej skosztował, zdziwiony zawołał:

– Oto pieróg, co się zowie! lekki jak puch, pulchny jak dłoń, biały jak śnieg, a tak smaczny, że porównać z niczym nie można! Widać, żeś, mój synu najmłodszy, najlepszy wybór zrobił, ale obaczym jeszcze.

Dwaj starsi królewiczowie odchodzą zasmuceni, a najmłodszy pełen radości do domu powraca, żabkę swą na dłoń chwyta, pieści ją, muska, całuje i na koniec zapytuje:

– Powiedz mi, proszę, jak mogłaś, będąc żabą, tak śliczny dywan wytkać, tak smaczny pieróg upiec?

– Bo nie jestem, królewiczu, tym, czym mnie widzisz; jam także królewna i moja matka królowa, znana pod imieniem czarnoksiężny Światłowidy; a że bardzo wielu ma nieprzyjaciół, którzy nie mogąc jej szkodzić, chcieli na mą zgubę godzić, przymuszona zatem była, kiedym siedem lat liczyła, zamienić mię w żabę; i oto na wierzchu lub na dnie siedem lat przebyłam w bagnie, z którego mię tu przyniosłeś. A pod tą powłoką żaby, takie kraszą mię powaby, że ani oko nie widziało, ani ucho słyszało! Póki jednak moja matka wszystkich swych nieprzyjaciół ze świata nie zgładzi, póty dla bezpieczeństwa w tej żabiej skórze zostawać muszę, bądź więc cierpliwym, nim mię matka o minionym niebezpieczeństwie nie uwiadomi, a wtedy na własne oczy swoje ujrzysz cudne wdzięki moje.

Gdy to żabka mówiła, wchodzi dworzanin pałacowy od króla, by zaraz najmłodszy królewicz i jego bracia z żonami swymi udali się do pałacu, gdzie król z ucztą i gośćmi na nich czeka.

Królewicza przeraził ten rozkaz i nie wiedział, co począć.

Spostrzegłszy to żabka rzekła:

– Bądź dobrej myśli, królewiczu, i nie trać odwagi! Idź naprzód jeden do twego ojca i bądź o mnie spokojny; a jak zaczną się pytać, dlaczego mnie nie ma, a naówczas deszczyk prószyć zacznie – powiesz, że twoja żona wnet przybędzie, bo już się rosą majową myje; a gdy błyskawica błyśnie, powiesz, że się stroję; a gdy zagrzmi – że już jadę.

Królewicz, ufając żabce, uspokoił się i do pałacu poszedł, a tymczasem żabka znowu na okno wskoczyła, na tylnych łapkach usiadła i cienkim głosem zanuciła:

> Wiatry wiejące, wiatry szumiące,
> Z czterech stron świata pospieszcie!
> I wszystkie tłumnie pędząc wprost ku mnie
> Na skrzydłach waszych przynieście:
> Mą piękność cudną,
> Młodość ułudną,
> I wszystkie moje
> Kosztowne stroje,
> Abym mojego
> Męża lubego
> Mile zdumiła,
> Wzrok zachwyciła,
> I w sercu jego
> Miłość wznieciła.

Zaszumiały i zahuczały bujne wiatry i po promieniach słońca spuściło się do pokoju siedem dziewic cudnej piękności, a były to służebne panny zaklętej w żabę królewny, kiedy była jeszcze u swej matki; wszystkie nisko się jej pokłoniły, trzykroć naokoło ją obeszły i jakieś tajemnicze słowa wyrzekły.

I oto żabia skóra opada, a pośród siedmiu panien stoi cud piękności, prześliczna córa Światłowidy, jakiej ani oko widziało, ani ucho słyszało i stojąc wdzięcznie się uśmiecha, promieniami słońca patrzy, wonią róż oddycha!...

Tymczasem najmłodszy królewicz przechadza się po salach królewskich, pełnych przepychu i gości, gdzie już i starsi królewiczowie z pięknymi żonami przybyli, a król, witając je uprzejmie i sadząc obok siebie, najmłodszego syna pyta:

– A gdzież jest najmłodsza synowa?

I deszczyk wnet prószyć zaczął, a królewicz odpowiedział:

– Moja żona niedługo przybędzie, bo się już rosą majową myje.

Wkrótce na niebie błysnęło, że aż pałac oświeciło, a najmłodszy królewicz zawołał:

– Żona moja już się ubiera!

A gdy zagrzmiało, pobiegł ku drzwiom wołając:

– Żona moja już jedzie!

Otworzyły się podwoje, a na królewskie pokoje jakby słońce zaświeciło, jakby tysiące róż tchnęło! Weszła piękność niesłychana, najmłodsza króla synowa, jakiej ani oko widziało, ani ucho słyszało! Wszyscy stanęli zdumieni, tylko starsze synowe zbladły, a ich mężowie zadrżeli.

Król nie posiadał się z radości, że jego ulubieńcowi, najmłodszemu synowi, dostała się taka piękność, że kiedy na nią poglądał, nieboszczki swej żony żywy obraz widział.

A najmłodszy królewicz widokiem swej żony tak był zachwycony, że ją tylko jedną widział, ją tylko jedną słyszał.

– Powiedzże mi, mój synu – zapytał go król na stronie – dlaczegoś mi nie mówił, że ci takie szczęście Bóg zdarzył?

Tu mu królewicz na ucho wszystko opowiedział, a król wysłuchawszy, tak poradził:

– Idź wnet, synu, do domu, znajdź żabią skórę, którą pewnie zostawiła, rzuć ją na ogień i prędko powracaj; będzie musiała pozostać taką, jaką jest dopiero.

Królewicz ojca usłuchał, żabią skórę odszukał, rzucił ją w ogień – w trąbkę się zwinęła, zasyczała i spłonęła.

Nie tak się stało, jak król myślał, bo piękna królewna, żona najmłodszego królewicza, kiedy za powrotem swej żabiej skóry nie znalazła, niespokojna biegać zaczęła, rzewnymi łzami zapłakała, a gdy królewicz prawdę wyznał, przeraźliwym głosem krzyknęła, z zanadrza zieloną makówkę wyjęła, na królewicza ją cisnęła – królewicz legł snem ujęty, a sama na okno wskoczyła, pieśń swoim wiatrom zanuciła, w kaczkę się przemieniła, kwaknęła i uleciała.

Nazajutrz królewicz, gdy się obudził i królewny nie znalazł, wpadł w smutek i rozpacz i gorzko płakał.

Ale co tu smutek i płacz pomoże? Otarł więc łzy, przeżegnał się, na dzielnego konia wskoczył i puścił się w świat szeroki, pytając się wszędzie o królestwo królowej Światłowidy, gdyż sądził, że królewna do matki uciekła.

Jedzie królewicz, jedzie – nie tydzień, nie miesiąc i nie rok może – i wjeżdża na koniec na pole, całe kwitnącym makiem zasiane, a sen go tak opanował, że gwałtem prawie trzymał się na siodle, i gdy ujrzał w dali chatkę na kurzych nóżkach, domyślił się, co to znaczy, wyprostował się na koniu i zawołał:

> Domku, domku! porusz się
> Na kurzych nóżkach pod spodem;
> Do lasu tyłem odwróć się,
> A do mnie stań przodem.

Chatka na kurzych nóżkach zaskrzypiała, poruszyła się i obróciła drzwiami do królewicza.

Wchodzi do niej królewicz i znajduje Babę Jagę: kądziel przędzie, piosnkę nuci, a w myślach projekty układa.

– Jak się masz, królewiczu, co tu do mnie przywiodło?

Królewicz całą prawdę jej opowiedział, a ona mu na to:

– Mądrześ postąpił, żeś szczerą prawdę wyznał, za to ci pomogę, ile mogę. Znam twoją narzeczoną, piękną córkę królowej Światłowidy; przylata ona do mnie co dzień w postaci kaczki i oto tu siada; siądź więc pod stołem, przykryj się obrusem i wypatruj dobrej chwili, a gdy kaczkę schwycisz, dobrze ją trzymaj, choć się w różne postacie będzie przedzierzgać; jak się zmorduje, stanie się wrzecionem, wtedy przełam ją na pół, a ujrzysz to, za czym gonisz, i już zawsze twoją zostanie.

Wkrótce kaczka przyleciała, przy Babie Jadze usiadła, piórka swe dzióbkiem przebierać zaczęła, a królewicz cichaczem coraz bliżej podpełza i razem chwycił za skrzydło; kaczka zakwakała, skrzydłami zatrzepała i rwać się z rąk zaczęła, ale widząc, że to na próżno, zaczęła się przemieniać, to w gołębia, to w jastrzębia, wreszcie w syczącego węża, którego królewicz przeląkł się, z rąk wypuścił, a ten znowu kaczką stał się, kaczka głośno zakwakała i przez okno uleciała.

Królewicz błąd swój poznał, ale już było po czasie, a Baba Jaga wrzasnęła:

– Cóżeś zrobił, niebaczny! na zawsze spłoszyłeś ją ode mnie, ale że to twoja narzeczona, muszę ci dać inny sposób; masz oto kłębek nici, gdy stąd wyjdziesz, rzuć go, a gdy się pokoci [1], idź za nim, trafisz do mojej siostry, a tam się o reszcie dowiesz.

Królewicz się ukłonił, wyszedł, rzucił kłębek i puścił się za nim, a idąc tak dnie i noce, znowu stanął przed domkiem na kurzych nóżkach, do którego przemówił:

> Domku, domku! porusz się
> Na kurzych nóżkach pod spodem;
> Do lasu tyłem odwróć się,
> A do mnie stań przodem.

---

[1] Pokocić się – potoczyć się.

Domek odwrócił się drzwiami, a królewicz wbiegł do chatki zadyszany i spostrzegłszy drugą Babę Jagę, wszystko jej rozpowiedział.

– Skryj się pod ławę – zawołała Baba Jaga – bo twoja narzeczona już leci.

Przyleciała kaczka jak pierwej, złapał ją królewicz za skrzydło, kwaknęła, z rąk się targnęła, przemieniła się w indyka, z indyka w psa, z psa w kota, z kota w piskorza, z rąk się wyśliznęła i przez okno uleciała.

Królewicz zaczął był rozpaczać, ale Baba Jaga za to go ofuknęła, inny kłębek nici dała i puścił się znowu za nim, z tą co i pierwej ochotą, ale z silniejszym postanowieniem, by to, co mu do rąk wpadnie, nie wyrwało się tak snadnie, i ułożył plan taki: jeśli królewna ukaże się ptakiem, chwycę za oba skrzydła, jeśli płazem – za głowę, a gdy rybą – za skrzele.

I przed trzecim domkiem na kurzych nóżkach stanął, i zawołał:

> Domku, domku! porusz się
> Na kurzych nóżkach pod spodem;
> Do lasu tyłem odwróć się,
> A do mnie stań przodem.

Obrócił się domek, wszedł królewicz, ukłonił się starej i siwej Babie Jadze, oświadczył ukłony od dwóch jej sióstr młodszych, opowiedział wszystko i o radę i pomoc prosił.

– Na cóż było robić na przekór swej rozumnej żonie? – odezwała się Baba Jaga – widać, ona lepiej wiedziała, na co się jej żabia skóra przydała; a ty za jej piękność chciałeś zaraz oklaski świata zjednać, by później zamiast kwiatka ściskać w objęciu purchawkę – ale otóż i ona leci!

Królewicz zerwał się i pod ławę skoczył.

Przyleciała kaczka, u nóg Baby Jagi siadła, a królewicz zręcznie podpełzł i za oba skrzydła ujął.

Targnęła się kaczka raz i drugi, królewicz trzyma i czeka tylko, czy się w węża lub piskorza nie przemieni, by chwycić stosownie; ale królewna poczuła, jaki go duch ożywiał, nie czekając więc długo, stała się wrzecionem... królewicz chwycił je w obie ręce i o kolano złamał – patrzy, aż zamiast końców złamanego wrzeciona trzyma rączki królewny, swojej narzeczonej, a ta skromnie przed nim stoi, mile mu w oczy patrzy i słodko się uśmiecha!...

I przyrzekła królewiczowi, że odtąd na zawsze w naturalnej swej postaci wierną mu żoną zostanie, gdyż wrogowie jej matki całkiem wyginęli i nikt już ją prześladować nie będzie.

Uścisnęli się i z chatki Baby Jagi wyszli, wtem królewna zawołała:

> Na usilne me żądanie,
> Światłowidy rozkazanie,
> Niech tu most natychmiast stanie!

I w mgnieniu oka od domku, przy którym stali, aż do samego ganku pałacu ojca królewicza – ponad góry i lasy, przez morza i rzeki – stanął most, nie most, cudo mostów! Sam kryształowy, poręcze złote, a gałki diamentowe. Królewna z królewiczem na most ten weszli i królewna rzekła dalej:

> Na usilne me żądanie,
> Światłowidy rozkazanie,
> Niechaj tu natychmiast stanie:
> Kocz-kareta z cugiem koni,
> Na niej stangret z biczem w dłoni
> Z tyłu, w pozłocistej zbroi,
> Niechaj dwóch hajduków [1] stoi;
> Po bokach zaś niechaj jedzie
> Czterech konnych, a na przedzie,
> Machając laską potężną
> I trąbiąc w trąbę mosiężną,
> Niechaj dzielny laufer [2] bieży!

I wszystko to natychmiast stanęło; stangret paląc z bicza zajechał karetą pozłocistą, hajducy wsadzili do niej królewnę i królewicza, dzielny laufer zatrąbił i puścił się naprzód, a za nim po kryształowym moście potoczył się przepyszny pojazd i nazajutrz królewicz ze swą narzeczoną królewną przed gankiem rodzicielskim wysiada, wprost w objęcia pada, a ojciec czule do serca go przycisnął, z królewną pobłogosławił, następcą swoim mianował i tak wspaniałe wesele wyprawił, że ani oko widziało, ani ucho słyszało, jak się tam piło, jadło i hulało!...

O CZAROWNIKU I JEGO UCZNIU

Był sobie szewc ubogi, pijak zawołany, i miał poczciwą żonę, syna jedynaka i kilka córek.

Syn miał już lat kilkanaście, a więc troskliwa matka ubrała go, jak mogła, główkę gładko uczesała, czule go ucałowała, w kościele nabożnie się z nim pomodliła i w daleką go drogę poprowadziła, do stołecznego miasta, by go do

---

[1] H a j d u k – tu: żołnierz.
[2] L a u f e r – sługa biegnący przed pojazdem pana.

jakiego majstra na termin oddać i poczciwego jakiego rzemiosła nauczyć. Gdy już byli w połowie drogi, napotkał ich jakiś szlachcic w czarnej kapocie, upodobał chłopca i namawiał go do siebie na naukę; ale że staruszkę zwykłym chrześcijańskim pozdrowieniem nie powitał i coś mu źle z oczu patrzyło, a bardziej jeszcze, że rzemiosła swego wymienić nie chciał – staruszka swego syna powierzyć mu nie chciała i wreszcie tak go ofuknęła, że się odczepił i w tyle pozostał.

Idą więc sami a idą i kiedy już kilka mil uszli, ujrzeli się wśród wielkiej pustyni, przez którą cały dzień idąc, nigdzie ani wioski, ani lichej karczmy, ani nawet żywej duszy nie napotkali, a upał tak był wielki, że z pragnienia, gorąca i głodu podróżni całkiem ustali i na wielkim gościńcu piaszczystym usiedli odpocząć, i płaczą oboje.

Wtem na równej i pustej drodze, tuż przy szewcowej i jej synu zjawia się nagle kamień ogromny, a na tym kamieniu stoi na półmisku gorąca pieczeń wołowa, obok leży bułka białego chleba i stoi dzban z pieniącym się piwem.

Podróżni skwapliwie do kamienia przyskoczyli, ale gdy ręką do jadła sięgnęli, wszystko znikło i próżny tylko kamień pozostał; gdy zaś odeszli, znowu kamień jak pierwej był zastawiony!...

Kiedy tak kilka razy na próżno kusili się o posiłek, który to się zjawiał, to znikał na kamieniu – bystrego pojęcia chłopiec szewcowej domyślił się, co to znaczy, odłamał więc kawał podróżnego kija, który był osinowy, zastrugał jak kołek, zbliżył się do kamienia i w miejscu, gdzie cień jego padał, wbił go do ziemi.

Aż oto kamień znika, a gdzie był jego cień przygwożdżony, stoi ten sam podróżny szlachcic w czarnej kapocie, co to chłopca szewcowej na termin namawiał, i ani ruszy się z miejsca, a tak skurczony i zbiedzony, jakby go kto wrzątkiem oblał – i pokłoniwszy się do samej ziemi, zaczął chłopca błagać, by ów kołek z ziemi wyjął.

– Nie wyjmę, bracie – rzekł chłopiec – trafiła kosa na kamień! tyś, widać, czarownik, wprowadziłeś nas na tę pustynię i ze zgłodniałych i spragnionych chciałeś się, nędzniku, natrząsać! Postójże rok i sześć tygodni, aż wyschniesz i staniesz się jak ten kołek, którym cię do ziemi przygwoździłem.

– Ach, zmiłuj się, dobrodzieju! proś, o co chcesz, a natychmiast otrzymasz, uwolnij mnie tylko!

– Dobrze, niech i tak będzie! Otóż naprzód stań się znowu jak pierwej kamieniem, a na nim niech znajdziemy to wszystko, cośmy już na nim widzieli.

Znikł szlachcic w czarnej kapocie, a zjawił się znowu kamień obrusem zasłany, świeżą pieczenią, chlebem i piwem zastawiony.

Podróżni najedli się, napili, Bogu podziękowali, a kamień znowu stał się człowiekiem jak pierwej i prosił, by go odgwoździć.

– Odgwożdżę cię – rzekł chłopiec – pod tym warunkiem, że mię weźmiesz na trzy lata na naukę, ponieważ sam chciałeś tego, a na pewność, że mnie wyuczysz sztuki czarnoksięskiej, dasz mi zadatek.

Czarownik nachylił się ku ziemi, kopnął pod sobą piasek palcem i wziąwszy w obie garści kilkadziesiąt nowiutkich dukatów, wysypał je do czapki chłopca, a ten na to:

– To zda się dla mojej matki na jej domowe potrzeby, a mnie musisz dać zadatek pewniejszy, bo kawał własnego ucha.

– Cóż robić – odpowiedział czarownik – niech i tak będzie, bierz nóż!

– Nie mam noża przy sobie, daj mi swego, bo inaczej zębami odkąszę.

Czarownik wyjął zza pasa nóż składany, podał chłopcu i nadstawił ucho prawe.

– Dawaj lewe, bo coś zbyt chętnie prawe nadstawiasz.

Czarownik nadstawił ucho lewe, chłopiec złożył je we dwoje, oderżnął kawałek na ukos, włożył go do tłumoczka, przeżegnał znakiem krzyża świętego i wyjął kołek z ziemi.

Czarownik jęknął, potarł przecięte ucho, wywrócił koziołka, przemienił się w czarnego koguta, kazał, ażeby odprowadziwszy matkę, przybył chłopiec o północy na rozstajne drogi, na których teraz właśnie stali, skąd go już miał wziąć do terminu na trzy lata; po czym zatrzepotał skrzydłami, zamienił się w srokę i poleciał.

*

Odprowadziwszy matkę do najbliższej wioski dobry syn ucałował jej ręce i nogi, wysypał do fartucha otrzymane od czarownika złoto, poprosił, żeby po trzech leciech przybyła po niego na to samo miejsce, gdzie z mistrzem czarownikiem układ zrobili, i otrzymawszy błogosławieństwo, o północy na umówione rozstajne drogi powrócił.

Oparł się o słup wiorstowy, stał czas jakiś czekając przybycia swego mistrza, ale widząc, że północ dawno już minęła, a jego jeszcze nie ma, wyjął z tłomoka kawał urzniętego ucha i przyciął go zębami.

Słup wnet zaskrzypiał i zachwiał się; chłopiec odskoczył w stronę, spojrzał na napis i zawołał:

– Co u licha! czy nie ty to tylko, panie mistrzu czarowniku?

– Ja, ale na co kąsasz? – odpowiedział słup wiorstowy przybierając postać człowieka – pójdziem, cóż z tobą robić, zaprowadzę cię do siebie na naukę, ale tylko pamiętaj, że odtąd jesteś moim uczniem i sługą, póki co do joty nie wyuczysz się mojej sztuki i nie przyjdzie matka po ciebie.

Takim to sposobem chłopiec został uczniem mistrza czarownika. Ale zapytacie pewno, jak go tej sztuki wyuczył? Oto tak: powykręca mu ręce i nogi, samego w trąbkę zwinie, przechyli we dwoje i każe odrabiać się na powrót! albo wtłoczy mu swą rękę do krtani po same ramię, pochwyci za wnętrzności i wywróci na wywrót – przewróć się, jeśliś mądry!...

Taka to była nauka.

Uczeń był pojętny, i we trzy lata tak się sztuki czarnoksięskiej wyuczył, że nawet mistrza swego przewyższał.

Wielu rodziców przychodziło do czarownika po swoje dzieci, ale on tak zawsze umiał rzeczy układać, że z niczym powracać musieli.

Roztropny uczeń trzema dniami przed czasem, w którym matka powinna była przyjść po niego, wyszedł na drogę, spotkał ją i opowiedział, jakim sposobem może go trzykrotnie poznać.

– Pamiętaj, matko – rzecze – że kiedy czarownik stadninę koni zwoła i między nimi mnie poznać każe, ja będę tym, nad którego uchem muszka będzie brzęczała; a gdy stado gołębi nadleci, jeden z nich nie będzie grochu z innymi chwytał, i to ja będę; a gdy wreszcie każe mię poznać między pannami, to nad której brwią będzie pełzła boża krówka, ta będzie twym synem.

*

Kiedy szewcowa do domu czarownika przybyła i dopominała się o wyzwolenie i oddanie jej syna, czarownik zdjął ze ściany trąbę miedzianą i na cztery strony świata zatrąbił.

Jak ciemna chmura, nadbiegło wnet całe stado czarnych koni, które w półkole jak wryte przed szewcową stanęły; a były to nie konie, ale zwabieni uczniowie czarownika, którzy później musieli mu się wysługiwać, najtrudniejsze spełniając zadania.

Biedna matka chodzi od konia do konia, usiłuje poznać rodzicielskim okiem, przeczuć matczynym sercem swego syna, drżąc na samą myśl, że się może omylić i syna swego i siebie przez to zgubić.

Wtem spostrzega, że nad uchem jednego konia lata mucha, zawołała więc ucieszona:

– To mój syn!

– Zgadłaś – rzecze czarownik – ale czeka cię jeszcze druga próba.

To mówiąc chwycił za trąbę srebrną, na cztery strony świata zatrąbił, i nadleciało, jak chmura, całe stado białych jak mleko gołębi, które rzuciły się na groch posypany i chciwie go chwytać zaczęły.

– Zgadnij pomiędzy nimi twego syna – rzekł czarownik.

Matka spostrzegłszy gołąbka, który udawał tylko, że groch chwyta, ale go wcale nie jadł, zawołała:

– To mój syn!

– I jeszcze zgadłaś! no, terazże trzecia i ostatnia próba: jeśli zgadniesz, zabierzesz syna, jeśli nie, u mnie zostanie.

I zatrąbił na cztery strony świata w trąbę złotą: rozległy się w powietrzu jakieś dźwięczne śpiewy, zaczęły się spuszczać parami piękne dziewice w białych jak śnieg sukienkach, w różowych przepaskach, w prześlicznych wieńcach z bławatek i okrążywszy szewcową, stanęły nieruchomo.

Przypatrując się pilnie każdej, matka chodzi od jednej dziewicy do drugiej, spostrzega na koniec u jednej malutką bożą krówkę nad brwiami, zawołała więc radośnie:

– To mój syn!

I wszystkie dziewice znowu przez okno uleciały, a ta, którą szewcowa poznała, jej się synem rodzonym stała; syn rzucił się w objęcia matki i za wyzwolenie siebie serdecznie dziękował.

*

Szczęśliwi powracają do domu, ale uczeń czarownika zaraz spostrzegł, że w nim znowu po dawnemu bieda osiadła; dane złoto już się przeżyło, a ojciec ciągle się upijał.

– Czego przez trzy lata nauczyłeś się, synu – zapytał ojciec – i jaką z ciebie będę miał pomoc?

– Nauczyłem się sztuk czarnoksięskich, a pomoc ze mnie będzie taka: czym zechcesz, ojcze, tym się stanę: sokołem, chartem, słowikiem czy baranem; śmiało prowadź mnie na targ, przedawaj i bierz pieniądze, tylko zdejmuj powróz, na którym będziesz mnie prowadził, i nigdy nie żądaj, żebym zamienił się w konia, bo i pieniądze w korzyść nie pójdą, i mnie może się bieda przytrafić.

Szewc zapragnął nieść na przedaż sokoła, i nagle syn zniknął, a na ramieniu ojca usiadł sokół, z gotowym wytoczonym berłem do siedzenia, z kapturkiem do przysłonienia oczu.

Niesie go szewc do miasta, napotyka w drodze myśliwych, kupują sokoła, a za powrotem do domu szewc znajduje już w nim syna za stołem...

Kiedy wzięte za sokoła pieniądze szewc przehulał, zażądał do sprzedania charta, i chart u nóg jego stoi; wziął go za obrożę, poprowadził do myśliwych, przedał za dobre pieniądze, powrócił do domu i znowu znalazłszy w nim syna, nie posiadał się z radości, gdyż był już przekonany, że tym sposobem nigdy mu na pijatykę pieniędzy nie zabraknie.

Kiedy i te pieniądze również przepił, szewc kilka już razy wodził syna na jarmark już to w postaci wołu, krowy lub barana, już to gęsi, indyka lub koguta.

Wreszcie zaczął sobie przykrzyć, że wzięte za jedną sprzedaż pieniądze nie na długo mu starczą, gdyż za rzeczy, w jakie się syn jego przemienia, niezbyt drogo płacą, a za konia zapłacono by dobre pieniądze, ale syn wyraźnie zapowiedział, żeby nie żądał tego. Dlaczego jednak nie miałby on stać się koniem? Koń takież zwierzę jak i krowa; widać, że synek kpi sobie z ojca i żałuje mu dobrego zarobku!...

Tak pomyślał sobie w duchu szewc półpijany – zażądał konia, i koń stoi tuż przed oknem, silną nogą ziemię grzebie, z oczu tylko co skry się nie sypią, a z nozdrzy tylko co płomień nie bucha.

Pojechał szewc na koniu, a w mieście nadarzył się natychmiast kupiec, i to nie lada, bo powiedział od razu, że konia gotów jest kupić na wagę złota, i poprowadził do ważek; na jedną szalę wprowadził konia, a na drugą zaczęli z worów szuflami nowiutkie dukaty sypać, aż od rażącego ich blasku w oczach się ćmiło.

Szewc wlepił oczy na szalę ze złotem, która już prawie konia przeważać zaczynała, gdy nagle potrzymujące łańcuchy pękły, złoto na ziemię runęło i migocąc potoczyło się po pochyłym rynsztoku ulicy.

Szewc rzucił się za złotem i nie tylko o uzdzie, ale i o samym nawet koniu zapomniał, a kupiec tymczasem na niego wskoczył i poniósł się przez miasto, spinając go bez litości ostrogami, przycinając wędzidłem i siekąc prętem żelaznym, gdyż to był właśnie mistrz czarownik, chcący teraz nad biednym uczniem mścić się za ucięcie mu niegdyś ucha, które otrzymawszy na powrót przy jego wyzwoleniu, odzyskał nad nim straconą przedtem przewagę, jaką miał dotąd.

Zmordowawszy konia do piany, przyjechał na nim czarownik do swego domu niewidku, który chociaż stał w otwartym polu, nikt go jednak niepotrzebny nie widział; przywiązał go u ganku, a sam poszedł rozkazać, by go zaprowadzili do stajni, gdzie go największe męczarnie czekały.

Tymczasem biedny uczeń wiedząc, co się święci, zadarł głowę do góry, zaczepił uzdę o kół ogrodzenia i precz ją z głowy ściągnąwszy, uderzył o ziemię, przemienił się w zająca i drapnął co sił przez pole.

Mistrz czarownik na ganek wyszedłszy spostrzega, co się stało, uderza się więc o ziemię, przemienia się w charta i już, już biednego zająca dopędza – wtem zając, dopadłszy wzgórka, uderza się o ziemię, przemienia się w jaskółkę, wznosi się szybko w obłoki i coraz dalej leci: chart, to zoczywszy, przemienia się w jastrzębia, wzbija się ponad obłoki i już z nastawionymi szponami spada na jedną jaskółkę, gdy ta uderza się w falę wielkiego jeziora, zamienia się w płotkę i rzuca się do wody pod trawkę nadbrzeżną; ale w tejże chwili jastrząb w całym rozpędzie na powierzchnię jeziora spada, przemienia się w szczupaka i zaczyna za płotką gonić; ta widząc, że tuż, tuż z rozwartą paszczą szczupak nadpływa, zebrawszy ostatnie siły, podskakuje w górę, przemienia się w złoty pierścień i rzuca się wprost pod nogi pięknej księżniczce, córce księcia owego kraju, która tylko co wyszedłszy z kąpieli, na zielonej nadbrzeżnej murawie siedziała.

Księżniczka złoty pierścień chwyciła, na swój go paluszek włożyła i z radosnym zdziwieniem naokoło poglądała...

Tymczasem mistrz czarownik na powierzchnię jeziora w postaci gęsi wypływa, wychodzi na brzeg, otrząsa się z wody, przemienia się w kupca Greka i o oddanie mu zgubionego niby przezeń pierścienia najusilniej upraszać zaczyna.

Księżniczka gęstej, czarnej brody i wielkich, błyszczących oczu kupca mocno się przelękła, przeraźliwie krzyknęła, a pierścień do białych swych piersi przycisnęła.

Na krzyk ten zbiegły się liczne pokojowe i towarzyszki księżniczki, okrążyły młodą swą panią, rzuciły się na brodatego natręta i tak go szczerze łaskotać zaczęły, że kupiec mniemany śmiał się i płakał razem, kaszlał i kichał, nogami brykał, rękami wywijał, rzucał się na wszystkie strony i plackiem na ziemię padał tarzając się jak szalony, a rady sobie dać nie mógł, bo na nieszczęście, w przestrachu był zapomniał, że jest czarownikiem, i nieprędko odzyskawszy przytomność, przemienił się w jeża, od którego dziewczęta, prawie do krwi białe swe paluszki pokłuwszy, z krzykiem odskoczyły.

Księżniczka znaleziony pierścień ojcu pokazała i tak go bardzo upodobała, że dzień i noc na serdecznym palcu nosiła.

Nazajutrz, gdy jedna w pokoju została, zaczęła się niby bawić i jakoś przypadkiem pierścień upadł, potoczył się, rozsypał i – o dziw nad dziwy! –

przed piękną, zapłonioną księżniczką stanął śliczny chłopiec, uczeń czarownika!

Księżniczka tak się zmieszała, że oczu podnieść nie śmiała, ale gdy uczeń całą rzecz przełożył, tak go sobie upodobała, że mile z nim rozmawiała, a kiedy drzwiami ktoś skrzypnął, uczeń znów stał się pierścieniem, księżniczka na palec go włożyła, do piersi swych przytuliła i dygnąwszy grzecznie, ojca prosiła, by owego kupca, jeśliby się do pałacu po pierścień przyjść poważył, precz za bramę przepędzić kazał.

Kiedy jednak kupiec po pierścień tegoż dnia przybył, książę, mimo uprzedzenia córki, kazał mu go niezwłocznie oddać.

Księżniczka, zagniewana, ze łzami w oczach pierścień zdjęła, kupcowi go pod nogi cisnęła, aż się w drobne rozsypał perełki.

Nagle kupiec zadrżał cały, plackiem upadł na podłogę, stał się wnet czarnym kogutem i zaczął perełki dziobać, a podebrawszy wszystkie, wzleciał na okno, zatrzepał skrzydłami i zaśpiewał:

– Uczniu-gdzie-ty? – po czym śmignął w górę i zniknął.

Ale księżniczka, którą uczeń wcześnie nauczył, jak miała postąpić, rzuciwszy pierścień, upuściła niby przypadkiem swą chusteczkę, którą zręcznie jedną, najbujniejszą perełkę przykryła.

Ta to właśnie perełka, wytoczywszy się w tej chwili spod owej chusteczki i na zapytanie koguta odpowiedziawszy także głosem kogucim:

– A-ja-tu-taj! – rzuciła się w postaci sokoła przez okno. Sokół dopędził wnet czarnego koguta, szarpnął go silnie szponami, pochwycił lewe skrzydło, zmiął wszystkie lotki, a kogut jak kamień padł do bystrego potoku i utonął.

Sokół zaś wzniósł się ponad pałacem książęcym, wleciał przez okno szerokie, siadł na ręku swej księżniczki i jasnymi swymi oczami poglądał na nią i zeskoczywszy na podłogę, znowu ukazał się takim, jakim go już raz księżniczka widziała, ślicznym uczniem czarownika.

Odtąd uczeń czarów zaniechał, z księżniczką się ożenił, do pałacu swą matkę sprowadził, siostry za bogatych kupców powydawał, a po wszystkich szynkach całego kraju zalecił, by jego ojcu bezpłatnie wódkę dawano, za którą sam z własnej kieszeni co rok wypłacał.

A wkrótce po śmierci swego teścia ów poczciwy synek szewca i biedny uczeń czarownika udzielnym księciem został i wraz z żoną i dziatkami, i całym ludem poddanych był tak szczęśliwy, że tego ani piórem opisać, ani pieśnią wyśpiewać, ani bajką wybajać.

O MĄDRYM CHŁOPKU I GŁUPIM DIABLE

Od czasu strącenia swojego diabli zaczęli nawiedzać świat ten biedny i pragnąc niedoli i zatracenia rodu ludzkiego, natworzyli w nim różnych występków, zbrodni i nieszczęść: pychy, zbytków, chciwości, zdzierstwa, nienawiści, pogardy, niesprawiedliwości i nieposłuszeństwa, a stąd powstały różne klęski: głód, mór i wojna, nędza i rozpacz, płacz i narzekania.

Ale stan taki był tylko za morzami, nie u nas, bo kraj nasz, samymi tylko kmiotkami zaludniony, był niegdyś bardzo szczęśliwy; każdy w nim zajmował się rolą i na kawałek chleba pracował, a wdzięczna ziemia tak rodziła, że zbiór jednoroczny i swoich pracowników wykarmiał, i jeszcze zamorczyków żywił.

Diabli, zamieszkując strony cieplejsze, zasłyszeli też od kupców i o naszym kraju, a że go strzegły od nich żelazne krzyże na granicach stojące, pozamieniali się więc w dukaty i w ich to postaci przez kupców przywiezieni, zaczęli się i u nas ukazywać i na zgubę naszych dusz pracować.

Nie tak jednak niegdyś, jak teraz, szło im tu łatwo, bo lud nasz był pracowity i chętnie przestawał na tym, co im Pan Bóg dawał i co od matki-ziemi otrzymywać mogli; a diabli, choć byli mądrzy po zamorsku, w obliczu jednak cnót kmiecych byli głupi i nieraz prosty i poczciwy kmiotek tak diabła oszukał, że się aż za rogi swej głowy chwytał i ująwszy za swój ogon, silnie sobą o ziemię lub kamień grzmotał.

Już później, nieprędko, kiedy Niemcy mądre swe książki pisać zaczęli, rzucili się diabli do ich czytania i tak z czasem pomądrzeli, że biedny lud nasz ledwie już im teraz podołać może – tak się stali chytrzy i zdradliwi!

Otóż przed owym to jeszcze czasem – kiedy diabeł mądry był po zamorsku, a po naszemu głupi – jeden kmiotek posiadał sposób, za pomocą którego zawsze i wszędzie mógł go widzieć i bardzo mu dokuczać.

Sposób ten jest taki:

Jeżeli diabeł jest w postaci ludzkiej, spójrz mu w oczy.

W oczach ludzkich ujrzysz samego siebie, własną swą postać, a w diabelskich – przepaść bezdenną.

Jeśli zaś diabeł ukrywa się niewidzialny, weź kurzy znosek, w wigilię Bożego Narodzenia zniesiony, noś go przy sobie i spójrz przez drzwi karczmy lub przez dziurkę, z której sęczek wypadł – diabeł ukaże ci się w całej postaci.

Kmiotek, który ten sposób posiadał, wszedłszy do karczmy, chwytał zawsze diabła za rogi, siadał na nim konno i po karczmie hasał, a wszystkim zdawało się, jakoby on na kiju jak dziecko jeździł.

Nieraz go nawet, ująwszy za rogi, zaprzęgał do jarzma i całe nim pole zaorywał.

Dokuczyły diabłu te figle kmiotka, zabolał go kark od twardego jarzma, przychodzi więc ku niemu i prosi, by za jaką bądź cenę umowę z nim zrobił i prześladować go zaniechał.

Gdzie tam! Kmiotek ani słuchać nie chciał.

Wziął zatem diabeł na rozum i powiada:

– Kiedy już chcesz, bym ci koniecznie pracował, niech przynajmniej pracuję dobrowolnie, nie z musu, a za to każdym zbiorem będziemy się po połowie dzielić.

– Zgoda! – odpowiedział kmiotek – ale zróbmy umowę z góry, jak mamy się dzielić, żeby później kłótni nie było.

Diabeł rad, że go do pługa zaprzęgać i w karczmie jeździć na nim nie będzie, przystał na wszystko.

– Cóż będziemy robili? – zapytał diabeł.

– A cóż, nawarzym piwa i będziemy sobie popijać leżąc.

– A jak będziemy dzielić?

– O tak: my, ludzie mieszkamy na wierzchu ziemi, a wy, diabli, skwarzycie się w piekle pod ziemią – piwo zatem z wierzchu dla mnie, a z dołu dla ciebie. Zawińże się, przynieś kocioł, chmielu i słodu.

Wszystko, co było potrzebne, diabeł przyniósł i wkrótce cały war piwa był gotów.

Kmiotek piwo z wierzchu zlał dla siebie, a diabłu drożdże oddał.

Zaczął kmiotek popijać sobie piwo musujące, a diabeł ciągnie męty drożdżowe.

– E, coś piwo gorzkawe – odzywa się diabeł.

– Nic to – odpowiada kmiotek – cokolwiek chmielu zanadto, ale za to na żołądek zdrowe.

– Aj, człowiecze, bieda!

– Co za bieda?

– Brzuch boli!

– E, głupstwo! poboli i przestanie.

– A tak, przestanie! dobrze ci to mówić, ale jak mnie cierpieć?

– Widać, żeś miarkę przebrał, trzeba było być wstrzemięźliwszym cokolwiek, a teraz nie ma co biedować – zacznij biegać, i wybiegasz się.

Diabeł skurczył się we dwoje, chwycił się oburącz za żołądek i wybiegł.

W kilka dni przychodzi do kmiotka i użala się, że jeśliby nie diabla w nim siła, nie mógłby przenieść skutków piwa – tak go wydęło i inne z nim dziwy wyrabiało.

– Rozumnyś, człecze – mówi diabeł dalej – sobie z wierzchu wziąłeś, a mnie dałeś ze spodu!

– Głupiś, diable, kiedy tak mówisz – odpowiedział kmiotek – wszakże mówiłeś, że m u s u nie lubisz, otóż sam wziąłem piwo z m u s e m, a tobie z m ę t a m i oddałem – drugi raz wszystko, co będzie z wierzchu, tobie oddam; idź zaorz niwę, zasiejemy ją, i co będzie z wierzchu, to twoje.

Pobiegł diabeł w pole, całą noc pracował i niwę zaorał.

Kmiotek zasiał na niej rzepę i gdy dojrzała, nać oddał diabłu, a sam wziął soczystą i słodką rzepę.

Kmiotek smaczną rzepę zajada i uśmiecha się, a diabeł gryzie nać gorzką, krzywi się i spluwa.

Domyśliwszy się wreszcie, że go kmiotek oszukał, zrobił umowę, że odtąd, co zasieją, on ze spodu weźmie.

Znowu diabeł rolę zaorał, zasiał kmiotek grochem i gdy dojrzał, skosił, zwiózł do gumna, wymłócił i je na zdrowie, a diabeł powydzierał korzenie, otrząsł z ziemi i gryzie, aż mu w zębach trzeszczy.

Widzi diabeł, że nie może dać rady kmiotkowi – nęka go ciężką pracą, a to, co mu da za nią, zawsze nic warte.

Zdobywa się więc na nowe wykręty i rzecze:

– Słuchaj, człowiecze, nie możemy być dalej w spółce ze sobą, nie wypada ci jakoś ciągle obcować ze mną, a mnie praca nie w smak idzie, zróbmy więc inny układ.

– Ty, panie diable, jak uważam, lubisz ciągle nowostki, przykrzą ci się stare rzeczy, ale ja na nic innego zgodzić się nie chcę i albo cię będę dręczyć po dawnemu, albo musisz pracować wspólnie ze mną, lub wreszcie pożycz mi pieniędzy, a dam pokój tobie.

– Wiele żądasz pieniędzy?

– Pełny mój kapelusz.

– Tylko?

– Tylko.

– A kiedy oddasz?

– Jak wszystkie liście opadną z drzew.

Diabeł przystał na to, myśląc, że w jesieni przyjdzie po swą należność, a jeśli nie będzie mógł oddać, zapisze mu swą duszę, a on w tym właśnie celu wałęsał się po świecie, bo pan jego, Lucyper, chce być strasznie bogatym i posiadać miliony dusz ludzkich; każdy więc z jego wysłańców musi pewną ilość uwiedzionych dusz dostarczyć.

Tak myśląc biegł diabeł po pieniądze, a kmiotek poszedł do składu, pod którym był sklep[1] głęboki, wyrżnął otwór we drzwiach poziomych, postawił nad nim w zaciemku kapelusz z dnem przedartym i czeka.

Przybiegł diabeł, wsypał jeden wór złota – w kapeluszu ani znaku; przyniósł drugi – ani znaku; wysypał trzeci, czwarty, dziesiąty, a gdy ledwie za tysiącznym napełniło się miejsce w jamie, napełnił nareszcie i kapelusz.

Latając ciągle po pieniądze, diabeł spotniał okropnie, otarł więc czoło, uśmiechnął się niby i rzekł:

– Więc zobaczymy się w jesieni?

– Nie prędzej, jak kiedy wszystkie liście z drzewa opadną – to mój niezmienny warunek.

– Bywaj zdrów!

– Leć na zginienie!

*

Gdy jesień nadeszła, diabeł zjawił się przed kmiotkiem i przypomniał należność.

Kmiotek pokazał mu sosny zawsze zielone i powiedział, że stosownie do umowy zwróci mu ją wtedy, jak liście z niej opadną.

Za rok znowu przybył diabeł – sosna jeszcze zielona, przybył na drugi – ciągle zielona!

Domyślił się wreszcie nieborak, że zadrwiono z niego; pobiegł więc do lasu, pracował przez kilka miesięcy, poobnażał sosny i jodły ze szpilek i gałązek i przybiegł do dłużnika po pieniądze lub duszę.

Kmiotek poprowadził go do innego lasu i pokazał mu sosnę zieloną, a diabeł na to:

– To nie o tym, ale o tamtym lesie była mowa.

– Kłamiesz, diable – odpowiedział kmiotek – a kłamać diabelski ci honor zabrania.

– Takim sposobem suma moja ma ginąć? Bo z sosny, jak widzę, liść nigdy nie opada!

– Któż ci winien, żeś głupi!

– Jakże będzie?

– Tak jak było.

---

[1] S k l e p – tu: piwnica.

– Oto tak: kto dziewięć zakładów wygra, przy tym pieniądze zostaną – czy zgoda?

– Zgoda!... Jakiż pierwszy zakład?

– Spróbujmy się, kto silniejszy.

– Dobrze.

– No, mocujmy się!

– Gdzie tobie, diable, porównać się ze mną, kiedy ty nawet stuletniego mojego dziadka, który oto w tym ostępie śpi w łomie, nie zmożesz.

To mówiąc kmiotek przyprowadził diabła i wskazał mu z dala niedźwiedzia.

Diabeł poskoczył i chwycił go oburącz za szyję.

Niedźwiedź ryknął, ścisnął diabła w swych łapach i jak go zacznie po swojemu łamać – diabeł ledwie się wyrwał. I zbity, i zmięty przed kmiotkiem stanął.

– No, to szczęście, żem się nie z tobą samym spróbował. Kiedy w twoim dziadku, tak już starym, taka siła, jakaż w tobie być musi?... Jeden więc zakład wygrałeś, teraz drugi: kto z nas prędszy – ty uciekaj, ja będę gonił.

– Gdzie tobie, diable, iść ze mną na wyścigi, kiedy ty nawet mojego rocznego synka nie dopędzisz – spróbuj się z nim.

To mówiąc wskazał śpiącego pod miedzą zająca.

– Jakże się rozmówię z rocznym dzieckiem?

– Przyjdź do niego i krzyknij: „Huź-ha!"

Diabeł zbliżył się, krzyknął: „Huź-ha!", a zając jak skoczy – tyle go widzieli.

– Zaczekaj, zaczekaj! zrównajmy się! – woła diabeł biegnąc za nim i wkrótce, straciwszy go z oczu, z niczym powrócił.

– Twoja prawda, człecze, wygrałeś! Idzie teraz o trzeci zakład: rzucajmy, kto dalej rzuci.

To mówiąc porwał ogromny kamień i cisnął w powietrze – kamień spadł za godzinę.

Kmiotek miał w zanadrzu złapanego skowronka, wziął go w rękę i w górę rzucił – skowronek poleciał i znikł w obłokach.

Głupi diabeł sądził, że to kamień, czeka więc godzinę, czeka drugą, i jeszcze dłużej – nie spada.

– Wygrałeś, człowiecze, trzeci zakład! Teraz czwarty: jeśliś tak silny, spróbujmy, kto tego konia prędzej naokoło stogu przeniesie.

Pochwycił diabeł konia, dźwignął na barki, w kilka minut obniósł naokoło i stanął przed kmiotkiem zdyszany, a pot z niego kroplami kapał.

– Oj, ty niedołęgo – rzekł kmiotek – tyś konia na barkach dźwigał, oburącz go trzymał i ledwieś w pięć minut obniósł – a ja wezmę go tylko między nogi, a obaczysz!

To mówiąc wskoczył na konia, cmoknął i mniej niż w pół minuty objechał naokoło.

– I czwarty zakład wygrałeś! – zawołał diabeł – ale cóż to za siła w nogach!... Obaczymy, jak pójdzie zakład piąty: kto w ręku mocniej kamień ściśnie.

Chwycił diabeł kamień, ścisnął go oburącz w dłoni i kilka kropel wilgóci kapnęło.

– To mi sztuka! – zawołał kmiotek. Nachylił się niby po kamień, wyjął z kieszeni ser świeży i jak go w dłoniach ściśnie – serwatka ciurkiem pociekła.

– No, wygrałeś zakład piąty! Idzie teraz o szósty: kto mocniej huknie.

To mówiąc diabeł jak huknął – ziemia zadrżała, zerwał się wicher i kręcąc poniósł się przez pole.

Kmiotek tymczasem robił z leszczyny obręcz, a diabeł pyta:

– Porzuć niepotrzebną robotę i huknij – obaczymy, kto mocniej.

– Zaraz, zaraz! Tylko obręcz skończę.

– A to na co?

– Obręcz włożę na twoją głowę, bo gdy huknę, bez obręczy rogaty twój łeb pękłby na czworo, a i pod obręczą kto wie, czy dotrzyma.

– Nie hukaj, nie hukaj – zawołał diabeł – a mnie na co na taką próbę łeb mój wystawiać!... Wygrałeś zakład szósty! Idzie teraz o siódmy: kto mocniej gwizdnie.

Diabeł jak gwizdnął! – posypały się liście z drzewa, ptaki z gałęzi pospadały i psy po wioskach zawyły.

Trzymając w ręku długi harapnik rzemienny, kmiotek rzekł do diabła:

– Zamruż oczy!

– A to na co?

– Bo gdy gwizdnę, upadniesz!

– Nie lękaj się, mocny jestem na nogi, ale dla ostrożności zamrużę.

Diabeł stanął, oczy zmrużywszy, a kmiotek z rozmachem harapnikiem wzdłuż przez oczy jak go gwizdnie – aż mu się skry z oczu posypały, a ziemia tak mu się zdawała kręcić, że aż usiadł, trzymając się za nią oburącz.

– Może jeszcze raz gwizdnąć? – zapytał kmiotek.

– Nie trzeba, nie trzeba! – zawołał powstając diabeł. – Wygrałeś zakład siódmy! Teraz idzie o zakład ósmy: ot tak, rzucajmy się w górę, kto jeden drugiego wyżej podrzuci.

I porwał kmiotka, zamiótł nim po piasku, rzucił w górę, że aż nad komin swojej chaty wyleciał.

– Silnyś, diable! – rzekł kmieć, pobladłszy nieco, bujając tak wysoko – teraz na mnie kolej.

To mówiąc diabła wpół chwycił, ścisnął, ale zamiast rzucić, oczy w górę wlepił i pogląda na miesiąc, który był w pełni.

– Czego tam ślepisz? – zdziwiony diabeł zapytał.

– Patrzę na mego ojca, który siedząc tam, na księżycu, mruga na mnie, żebym mu ciebie tam zarzucił; on jest kowalem u Pana Boga, użyje cię do dęcia miechu.

Diabeł w przestrachu krzyknął:

– Wygrałeś, wygrałeś! – i zaczął się z rąk kmiotka wyrywać.

– A mnież to na co?... Muszę cię przecież przekonać, żem od ciebie silniejszy, a i ojciec mi podziękuje.

– Oj, zmiłuj się, człecze! I następny, ostatni zakład bez próby za wygraną daję, i pieniądze na zawsze już twoje – błagał pokornie diabeł kmiotka, a on mu na to:

– Mało mi tego! Wszak gdybyś wygrał, zabrałbyś mi moją duszę!... Puszczę cię chyba wtedy, kiedy dasz słowo, że poczciwych kmiotków nie będziesz uwodził.

– Daję na to moje diabelskie słowo i odtąd tylko między panami przebywać będę.

– Dokądże teraz pójdziesz?

– Pójdę nawiedzić królewnę.

– Cóż ci ona zawiniła?

– Nic nie zawiniła, ale muszę skorzystać, gdyż teraz łatwy przystęp do niej: od pewnego czasu zaczęła się zamyślać, bujać gdzieś po obłokach i o słodkich migdałach marzyć, i to ją tak zaprzątnęło, że ani kładąc się, ani wstając pacierzy nie odmawia – a takich nie tylko dusza, ale i ciało w naszej jest mocy.

– Dobrze i to wiedzieć, a teraz ruszaj na suche lasy! – krzyknął kmiotek, pchnąwszy silnie diabła, a sam rad, że się tak gracko wywinął, nucąc poszedł do domu.

W kilka miesięcy czy w pół roku ogłosił król po kraju, że najmilsza jego córka, jedynaczka, prześliczna królewna, od niejakiego czasu co noc przez diabła bywa nawiedzana i nikt ją dotychczas wyleczyć nie mógł; kto by więc jej chorobie zaradził, temu ją król za żonę odda i następcą swym mianuje.

Dowiedziawszy się o tym, kmiotek przeżegnał się i w drogę ruszył.

Przybywa do stolicy, udaje się wprost do króla i mówi:

– Najjaśniejszy królu! Dowiedziawszy się o obietnicy królewskiej, przychodzę królewnę wyleczyć.

– Ach, wylecz, mój ty kmiotku poczciwy! Ale pamiętaj ten warunek, że jeśli wyleczysz, moim zięciem i następcą zostaniesz, a jeśli nie – skóra będzie w robocie, bo z nosa pas, a z plec dwa zedrę i psami zaszczwać każę.

Nie zląkł się tego kmiotek, włożył do jednej kieszeni kawał sera szwajcarskiego, do drugiej spory kawał mydła; na wierzch sera nasypał orzechów, a na mydło – kulek żelaznych; do jednej miski wziął miodu, do drugiej dziegciu i wieczorem przyszedłszy do gościnnego pokoju królewny, za którym była jej sypialnia, postawił miski na stole, zapalił świecę, kiedy niekiedy zakosztuje miodu z miski i czeka.

Królewna śpi spokojnie, bo w przyległym jej pokoju sypialnym żadnego szmeru nie słychać.

O samej północy rozległo się nagle puchanie sowy, zatrzepały po oknach skrzydłami nietoperze, rozemknęły się na oścież podwoje – wbiegł diabeł i stanął jak wryty.

– Jak się masz, panie kumie – zawołał kmiotek do znajomego sobie diabła – po cóż waszeć tu zawitał?... czy nie po dziewiąty żakład tu przyszedłeś?

– Nie, człowiecze, przyszedłem królewnę nawiedzić... ale cóż to jesz tak smacznego?

– Jem słodycz nad słodycze – miód!

– Daj i mnie skosztować.

– Bardzo proszę!

Kmiotek podsunął mu miskę z dziegciem; sam zaś miód zajada, a diabeł, raz po raz biorąc łyżkę dziegciu, je, zapatrując się na kmiotka, i za każdym razem marszczy się i spluwa.

Kiedy jeden zjadł miodu miskę, a drugi dziegciu – kmiotek wziął orzech z kieszeni, rozkąsił go, wyłuszczył i je.

– Co robisz? – ciągle jeszcze spluwając diabeł zapytał.

– Jem orzechy, masz i ty kilka.

To mówiąc dał mu kmiotek kilka kulek żelaznych.

Diabeł, poglądając na kmiotka, jak orzechy gryzie z łatwością, chciałby go naśladować, przewraca w gębie kulę, ściska ją zębami, aż szczęki trzeszczą – nie może rozkąsić.

Męczył się diabeł, męczył się, wreszcie mniemany swój orzech wyplunął i rzekł:

– Ty, człecze, daleko, widać, silniejszy ode mnie – ja orzecha rozkąsić nie mogę!

– Czyż jeszcze nie przekonałeś się o tym?... Dam ci więc coś smaczniejszego.

I wydobył z kieszeni kawał sera i mydła.

– Dziękuję, człecze, mało mam czasu, muszę już iść do królewny.

– Niech dzisiaj śpi, jutro ją nawiedzisz.

– Muszę ją co noc nawiedzać, bo gdybym którą opuścił, musiałbym o trzydzieści mil ten zamek omijać.

– Pleciesz, kumie, trzy po trzy! Ot, masz kawał sera i zjedz, niewiele to zajmie.

Kmiotek ser zajada, a diabeł je mydło i co go przełknie, zmarszczy się i splunie.

– Nie pluj, diable, ale zjedz wszystko, bo kiedy moją gościnnością pogardzisz, chwycę cię za rogi i memu ojcu na księżyc zarzucę.

Diabeł coraz mydła ukąsi, żuje, przełyka i spluwa, i kiedy już skończył, porwała go nuda, zaburczało i zarżnęło w żołądku, wziął się, skurczony, za boki i chciał był ku sypialni postąpić – wtem ranne koguty zapiały, diabeł chwycił się za żołądek jak góra wzdęty, jęknął i poglądając z ukosa na drzwi sypialni, u których kmiotek stanął na straży – poszedł jak mydła zjadłszy, bo też zjadł rzeczywiście i czuł jego skutki.

Od tego to zdarzenia poszło to przysłowie w użycie, a królewna przestała być odtąd nawiedzaną, dawną swą wesołość odzyskała, cudowna jej krasa na nowo zakwitła i w tydzień czy miesiąc mądry i poczciwy kmiotek został jej mężem i następcą tronu razem, i gdy ich potem Bóg dziatkami pobłogosławił i on został królem, a ona królową – sami, dziatki i ich lud mnogi pędzili żywot tak błogi, że tego ani piórem opisać, ani pieśnią wyśpiewać, ani baśnią wybajać.

O DIABLE I O BABIE

Był sobie mąż i żona i oboje, on i ona, wspólnie sobie pracowali i tak szczerze się kochali, tak się radością i smutkiem wspólnie dzielili, że w wiecznej z sobą zgodzie żyli.

A wiadomo, że miłość, pokój i praca szczęściem małżonków wzbogaca i czy w dostatkach, czy w biedzie, życie im jak z płatka idzie.

Jakże diabeł, bies przeklęty, szczęścia ludzi wróg zawzięty, miał na ich pożycie błogie obojętnie patrzeć?

Używał on wszystkich sposobów, różne zastawiał sidła, najpowabniejszych pozorów podsuwał przynęty – nic nie pomaga: ani mąż, ani żona na żadną wędkę nie dają się ułowić.

Kiedy więc wszystkie przebrał sposoby i nic nie wskórał, diabeł aż wściekał się ze złości, targał siebie za rogi, kąsał za ogon, wychudł, wysechł jak trzaska i poszedł wreszcie przejść się po lesie.

Wtem wywiędła, pomarszczona, jak kociuba osmalona napotyka go baba.

Była to jędza znana, za czarownicę miana, w stawie nieraz pławiona [1], ale w wodzie nie tonęła.

Widzi, że diabeł smutny głowę w dół zwiesił i ogon po ziemi wlecze.

– Coś tak, panie kumie, zamyślony? – zapytała baba – czy cię kto czasem kołem osinowym nie uraczył lub może świętym kadzidłem podkadził?

– Ej, nie, babko! – odpowiedział diabeł – od zbicia osiną można się wychodzić, a od podkadzenia święconym kadzidłem wykichać się, ale kiedy się chce kogo do grzechu popchnąć, a nie można, ot, to rozpacz prawdziwa!

– Któż to u nas taki świętoszek, żeby nie zgrzeszył?

– A któż by był inny – twoi sąsiedzi!

I diabeł opowiedział wszystko, a ona mu na to:

– No, to i cóż, że się opierają? Nie dali się uwieść dzisiaj, dadzą się jutro; po co się tak niecierpliwić, widać, żeś w gorącej wodzie kąpany! jakby to już ci małżonkowie coś osobliwszego... pokochają się, pokochają i przestaną; albo to już takie gołąbki, że wiecznie gruchać tylko będą? Na wszystkie choroby są sposoby; przyjdzie pora, że się powadzą, wypatrz tylko słabą ich stronę, napadnij śmiało, nie zrażaj się lada fraszką i zwijaj się chytrze i mądrze, a prędzej czy później dopniesz swego i mnie boryszu [2] kupisz.

– Oj, kupiłbym, babko, kupiłbym! Ale próbowałem już wszystkiego, przebrałem wszystkie środki – nic nie pomaga! aż wstyd, do licha, żeby małżonków nie móc poróżnić – przyjdzie z rozpaczy do święconej wody wskoczyć!

---

[1] N i e r a z   p ł a w i o n a – w dawnych wiekach, gdy kobieta popadła w podejrzenie o czary, poddawano ją okrutnym torturom i przeróżnym „sposobom" sprawdzenia mocy czarodziejskiej. Do takich sposobów należało i pławienie w wodzie.

[2] B o r y s z – prezent za pośrednictwo, gościniec.

– Wstydź się, kumie, co ci to do głowy przychodzi!... Ot, nie trać czasu, a zawiń się: nie tym, to owym, nie jego, to ją popchniesz do kłótni, i nawet pobić się gotowi!

– Gdzież tam, próbowałem – ani sposobu!

– Taki z ciebie i diabeł. Cha, cha, cha!

– Nie śmiej się babko, i sam by Lucyper ich nie poróżnił.

– A ot, ja poróżnię!

– E, gdzie tam! chwalisz się tylko.

– Nie chwalę się! Bylebym tylko zechciała, dzisiaj jeszcze pokłóciłabym ich z sobą.

– A zmiłuj się, babko, zechciej!

– A co dasz za to?

– Cóż chcesz?

– Dasz trzewiki?

– Dam.

– No, dobrze! Leć po trzewiki, a ja pójdę do nich i ot, zobaczysz, zaraz się pokłócą.

*

Pobiegł diabeł po trzewiki dla baby, a baba pobiegła do swego sąsiada, który w polu orał.

– Jak masz się, sąsiedzie? – zapytała go baba.

– At, żyję sobie pomaleńku, a waszeć, czy zdrowa, co porabiasz?

– Ot, szłam prosto do ciebie, żeby cię od biedy ostrzec.

– Od jakiej?

– Od takiej, jakiej ani przewidujesz nawet... Twoja żona oszukuje ciebie; nie kocha, i chce cię nawet ze świata zgładzić.

– Moja żona? to nieprawda!

– Oj, prawda, sąsiedzie, prawda.

– To być nie może!

– Może, kiedy jest.

– I ona chce mnie ze świata zgładzić?

– Nie tylko chce, ale już nawet przygotowała się do tego. Jak tylko przyjdziesz dziś do domu, ona zacznie się do ciebie przymilać, poprosi, żebyś na jej kolanach głowę położył, i zacznie niby włosy przebierać; otóż połóż się i pilnie uważaj – obaczysz, że wyjmie z zanadrza brzytwę, żeby cię zarżnąć.

– Co mówisz!...nie wierzę.

– Przekonasz się i mnie podziękujesz.

Usiadł biedak na miedzy, ręce na krzyż założył, zaczął zastanawiać się, rozmyślać i wzdychać, a kilka łez mimowolnych stoczyło mu się po twarzy.

Baba tymczasem do wioski pobiegła.

*

– Dzień dobry, sąsiadko! – zawołała baba wchodząc do chaty – czyś żywa, czyś zdrowa?

– Trzymam się jako tako, sama czyś zdrowa?

– O mnie nie ma co i pytać, zwyczajnie jak w starości: dzień mój, wiek mój! Ale twój mąż źle ma się.

– Cóż mu się stało? wyszedł w pole zdrowiutki!

– Nic mu się jeszcze nie stało, ale dziś w nocy umrze; ja śmierć jego tak dobrze widzę, jak tu ciebie samą.

– O, mój Boże! Zmiłuj się babko, czy nie można dać rady?... Będę ci wdzięczna przez całe życie.

– W tymże celu przyszłam, żeby poradzić; on i sam tego nie wie, że śmierć swą w głowie we włosie nosi – położy się i nogi zadrze. Ma włos suchy, od którego niezawodnie dziś umrze, jeśli go przed wieczorem brzytwą nie zerżniesz. Jeżeli chcesz ratować, zrób tak: jak tylko powróci z pola, poproś, żeby głowę położył u ciebie na kolanach, a pierwej jeszcze weź brzytwę w zanadrze; który włos będzie najdłuższy i rudawy, ten jest właśnie suchy: przytnij go brzytwą przy samej głowie i bądź spokojna, niebezpieczeństwo przejdzie, a bez tego jutro już po nim byłoby.

Biedna żona chodzi niespokojna, robota z rąk jej wypada, niecierpliwie męża oczekuje i płacze: to myśląc, że mąż w niebezpieczeństwie, to z radości, że go od śmierci wyratuje.

Nie do roboty też było strapionemu mężowi.

Powrócił do domu smutny, położył się na ławie, a żona, mając brzytwę w zanadrzu, zaczęła mu się przymilać, usiadła przy nim i rzekła:

– Połóż głowę na moich kolanach, odpocznij sobie.

„A więc baba prawdę powiedziała" – pomyślał biedak i łzę nieznacznie otarł.

Położył głowę na kolana, żona zaczęła ręką włosy przebierać, wypatrzyła jeden, jakoby najdłuższy i niby rudawy nicco, i nieznacznie brzytwę wyjęła.

Nagle mąż zerwał się z ławy, chwycił za ręce, wytrącił brzytwę i zaczął ją bić i łajać!

Na próżno zapewniała go, że go od nieomylnej śmierci uratować chciała; że brzytwą chciała mu tylko suchy włos z głowy zerżnąć, bo mu on śmiercią tej jeszcze nocy groził – mąż wybił ją i z chaty wypędził.

Diabeł stał przed oknem niewidzialny, wszystko widział i słyszał, zacierał ręce z radości, uśmiechał się uśmiechem piekielnym i poszedł obaczyć się z babą, by jej trzewiki oddać.

Lękał się jednak przystąpić do niej zbyt zblisko i rękami trzewiki podać, żeby i jemu czasem łatki nie przypięła.

Wyłamał więc żerdź długą, przewiesił na końcu trzewiki i podał je babie mówiąc:

– Gdzie diabeł nie może, tam babę pośle.

O DOBRYM KMIOTKU, JEGO SYNU NIESPODZIANKU I O MADEJU

Był sobie kmiotek poczciwy, pracowity, wstrzemięźliwy i wiódł żywot tak pobożny, że żaden uczynek zdrożny nie plamił jego sumienia; choć zaś był szczupłego mienia, co dzień skrycie i otwarcie, jak gdyby to już z nałogu, cząstkę poświęcał na wsparcie uboższej swej braci w Bogu.

Za to też go Pan miłował, w świętej łasce swojej chował, wlał weń w uczynkach miłości czucie szczęścia i błogości, a chociaż był kmieć w paczesiach [1], miał dlań po śmierci w niebiesiech wieczne z sobą królowanie.

Raz o późnym wieczorze zbił się kmiotek z drogi w borze i błądząc nocy cichej, przybył do karczemki lichej.

Nie znalazłszy w niej nikogo przejął się był zrazu trwogą, lecz wkrótce się uspokoił, znakiem się Krzyża uzbroił i już śmielej stawiąc kroki wlazł sobie na piec wysoki. *Kto się w opiekę* odmówił, położył się i zasnął.

O samej północy ktoś do karczemki przybył, ognia wykrzesił i oto koło stołu na ławach dwunastu zbójców zasiadło: każdy olbrzymiej urody, zbrojny, barczysty, niemłody, a tak grożącej postawy, że bez trwogi i obawy nikt by ujrzeć ich nie mógł.

Jeden z nich, widać, przewódca, z workiem złota w jednej dłoni, w drugiej z buławą z jabłoni, złoto na stół sypnął i w dwanaście kupek układać zaczął.

---

[1] W p a c z e s i a c h – w ubraniu z płótna zgrzebnego.

W ciszy po szumnym wprzód gwarze jedenastu zbójców twarze, połyskujące od potu, obróciły się ku złotu i wrząc dzikim ogniem szału czekają równego podziału, by krwią zbroczony nabytek wziąć i roztrwonić na zbytek.

Wtem na piecu tuż przy ścianie śpiącego kmiotka sapanie nagle doszło zbójców uszu.

Przewódca buławę chwycił, jednym susem na piec wskoczył i śpiącego grzmotnął.

Lecz, o cudo! choć w samo czoło wymierzył, choć z całej siły uderzył – zamiast zdruzgotać od razu, jakby od twardego głazu odskoczyła buława, a kmiotek śpi spokojnie.

Zbójca wprzód się był przeląkł, ale widząc, że się podróżny nie obudza, przyniósł ku niemu światło i widzi, że cały od stóp do głowy okryty w zbroję stalową, i to w zbroję nie zwyczajną: ciało najszczelniej osłania, a od razów tak ochrania, że go żadna ludzka siła ranić by nie potrafiła.

Zdziwieni zbójcy chwilkę podumali, potem złotem się podzielili i spać się pokładli, i jeden tylko przewódca z buławą na straży pozostał i na spokojnie śpiącego kmiotka ciekawie pogląda.

Nazajutrz, gdy wszyscy wstali, ocknął się też i kmiotek, ale równo z o-cknieniem zniknęła na nim zbroja cudowna i był w zwykłym kmiecym ubraniu.

To bardziej jeszcze przewódcę zbójców zdziwiło, postanowił zbadać, co by to było, i w tym celu zaczął go prosić, by do jutra pozostał z nimi.

Przez cały dzień karmią go i bawią, a pod wieczór prawie gwałtem tak podpoili, że gdy do snu się udawał, ledwie do połowy *Kto się w opiekę* zmówił – i zasnął.

Zbójcy wnet go obskoczyli i chcą zabić, gdyż zbroją do połowy tylko był okryty, lecz przewódca nie pozwolił, do jutra zaczekać kazał i wszyscy, tak jak stali, na ziemię pokotem runęli i bohaterskim snem posnęli.

Gdy się kmiotek ocknął o świcie, na rozkaz przewódcy zbójcy go otoczyli, tak błagali i prosili, że jeszcze na jeden dzień z nimi pozostał.

Przez cały go dzień bawili, przysmakami karmili, a wieczorem tak winem uraczyli, gwałtem do picia zmuszając, że nie tylko *Kto się w opiekę* nie zmówił, lecz ani się przeżegnał, na ławę runął i zasnął.

Okrążyli go wnet zbójcy i chcą zabić, gdyż już całkiem zbroi na nim nie było – ale przewódca buławą swoją od razu go osłonił, sam aż do świtu stał przy nim na straży i gdy się obudził, rzekł:

– Powiedz, kmiotku, czyś nie czarownik czasem, bo gdy pierwszej nocy miałem cię zabić – wiedz bowiem, że się między zbójcami znajdujesz – jakąś cudowną zbroją byłeś okryty, od której moja buława jak lekka plewa odskoczyła, a uderzenie nawet cię ze snu nie obudziło; na drugą noc byłeś tą zbroją do połowy okryty, a dzisiejszej całkiem bez niej... Jeśliś czarownik, naucz mię czarów, a dam ci za to wór złota.

– Nie jestem czarownik, lecz, widać, Bóg łaskaw na mnie, gdyż owa zbroja, której widocznie nie mam, była zapewne skutkiem nabożnego odmówienia *Kto się w opiekę poda Panu swemu*. Zawczoraj połowę tylko tego psalmu odmówiłem, do połowy też tylko okryty nią byłem, a wczoraj podobnom wcale go nie odmówił.

– Więc widać, kmiotku, żeś szczęśliwy u Boga! Pomódl się czasem do Niego, za mnie, zbójcę niegodnego, bo ja sam modlić się nie umiem i nie śmiem, a za to daruję ci życie... Uchodź tylko stąd śpiesznie, by cię żaden z moich towarzyszy nie ujrzał, gdyż jesteś jeszcze pierwszy, co z rąk naszych cało wychodzisz.

Kmiotek ukłonił się, wyszedł, westchnął szczerze i gdy już był w polu, ukląkł pod krzyżem i za ocalenie Bogu dziękował.

*

W rok czy we dwa potem kmiotek był już żonaty i w gospodarce Bóg mu szczęścił; raz więc, naładowawszy wóz pszenicą, do odległego miasta pojechał.

Jedzie, jedzie – wtem o zmroku zbił się z drogi, wjechał do lasu i gdy z dala światełko ujrzał, ruszył prosto na blask jego, i oto nagle koń zapadł do błota i wóz ugrzązł po same osie.

Kmiotek skoczył do konia, rzucił się do wozu, wydobywał go, konia ratował, ale nic nie mógł wskórać, zmógł się tylko i w uniesieniu zawołał:

– Co jeden pocznę – tu i sam diabeł nie dałby rady.

– Dam! – wrzasnął tuż przy nim kusy i kulawy Niemczyk – darmo jednak nie pomogę, a bez mojej pomocy, koń, wóz i pszenica pozostaną w bagnie, w moim siedlisku, skąd na przejezdnych czatuję.

Chciał się kmiotek przeżegnać, ale słowa święte znikły mu z pamięci i ręki do czoła podnieść nie mógł; po chwili więc drżąc zapytał:

– Cóż byś chciał za ratunek? Może duszy!

– Duszy twojej bronią od nas twe uczynki miłosierne, za ratunek więc dasz mi lada fraszkę.

– Cóż przecie?

– Ot, choćby i to nawet, coś w domu zostawił, a o czym jednak nie wiesz i czego się znaleźć nie spodziewasz.

Kmiotek pomyślił chwilkę i rzekł:

– Jakże ci dam rzecz taką, o której sam nie wiem?

– Odstąpisz mi ją na piśmie... oto ja napiszę umowę, a ty ją podpiszesz.

To mówiąc wydobył z zanadrza pergamin [1] herbem [2] diabelskiej godności opatrzony, wziął do ręki pióro, którym przedajni sędziowie swe wyroki piszą, ukłuł serdeczny palec lewej ręki kmiotka, napisał kilka wyrazów krwawych i dał do podpisu.

Kmiotek umowę podpisał, diabeł ją chwycił, w zanadrze schował i jak się zawinął, natychmiast konia i wóz z bagna wydobył, na drogę wyprowadził i zniknął.

Po jego dopiero zniknieniu uczuł kmiotek władzę w prawej ręce, przeżegnał się, pojechał dalej, a jadąc ubolewał, że zamiast wezwania Boga na pomoc, zamiast polecenia się Jego opiece świętej – w roztargnieniu diabła jakoś wywołał, i któż to wie, jakiego mu figla wypłatał?...

W mieście korzystnie pszenicę sprzedał, połowę pieniędzy do trzosa schował, a za resztę nakupował obrazków świętych, szkaplerzy, krzyżyków, medalików, książek do nabożeństwa, kantyczek i ewangeliczek i z tym towarem pojechał od miasteczka do miasteczka, od wioski do wioski, od chaty do chaty, i kiedy już wszystko wyprzedał, w osiem miesięcy po swoim wyjeździe do domu powrócił.

Żona z okna go spostrzegła, chwyciła miesięczne dziecko na rękę i z syr.kiem spotkała go na ganku.

Uradował się kmiotek i za tak drogą mu niespodziankę gorąco Bogu dziękował, ale gdy później rozważać zaczął, domyślił się, że przed wyjazdem w drogę syna właśnie w domu zostawił, o którym nie wiedział i którego znaleźć nie spodziewał się i że go zatem przed jego jeszcze urodzeniem diabłu zapisał.

Ubolewał skrycie, płakał w cichości, żonie jednak nic nie mówił i w tydzień po powrocie nowo narodzonego synka ochrzcili i Niespodziankiem nazwali.

Niespodzianek rośnie a rośnie, z niemowlęcia stał się pacholęciem, z pacholęcia chłopakiem, z chłopaka młodzieńcem.

---

[1] **P e r g a m i n** – specjalnie wyprawiona skóra owcza, koźla lub cielęca, używana w dawnych wiekach jako materiał piśmienny, zwłaszcza do spisywania ważnych dokumentów.

[2] **H e r b** – godło, znak.

Cichy, łagodny, pokorny, posłuszny, pilny i rozum miał nad laty, tak że mu się wszyscy dziwili, a w szkółce klasztornej tak się uczył przykładnie, że go do nowicjatu wzięto, i za kilka miesięcy miał się już na kapłana wyświęcić.

W miarę zbliżania się tej uroczystości kmiotek, ojciec Niespodzianka, stawał się coraz smutniejszym, zamyślał się głęboko i często zapłakane oczy miewał.

Zauważyła to matka, powiedziała synowi, a syn przystąpiwszy do ojca sam na sam ucałował mu ręce i tak go ze łzami błagał, tak prosił, tak na wszystko zobowiązywał, by mu się z przyczyny swego smutku zwierzył, że ten zapłakawszy rzewnie powiedział:

– Jakże, mój synu, nie mam płakać, jakże się nie mam smucić, kiedy wkrótce zbliża się czas twego wyświęcenia, a ta chwila pewnie nie nadejdzie dla ciebie, bo czyż poświęcić się Bogu dopuści ten, któremu cię przed twym jeszcze urodzeniem zapisałem?

I opowiedział mu wszystko.

– To więc jest przyczyną twojego smutku, ojcze! – zawołał Niespodzianek. – Ufaj zatem w miłosierdzie Boga i módlcie się za mnie, a ja, nim jeszcze czas moich wyświęcin nadejdzie, pójdę do piekła i ów zapis niewinnej mojej duszy do rąk ci, ojcze, przyniosę!

To rzekłszy, pożegnał się z ojcem i matką, otrzymał rodzicielskie ich błogosławieństwo, uzyskał pozwolenie zwierzchności klasztornej, wziął z sobą kropidło, wodę i kredę święconą, przeżegnał się, *Kto się w opiekę* zanucił i wielkim gościńcem na zachód ruszył.

*

Idzie Niespodzianek dzień, idzie drugi, na trzeci dzień wchodzi do puszczy głębokiej i widzi, że tuż na pniu dębowym siedzi starzec z ogromną buławą, głowę ku ziemi zwiesił i myśli.

– Stój! młodziku – potrząsając buławą starzec zawołał – skąd ci taka zuchwałość, że śmiesz iść tędy, gdzie już od dwudziestu lat żywa noga wędrowca nie postała.

– Z urodzenia jestem kmiotek, z nazwiska Niespodzianek, a z powołania przyszły sługa Boży.

– Dokądże zmierzasz?

– Idę do piekła po zapis mojej duszy.

– Usiądź więc, młodzieńcze, i posłuchaj, co ci nieszczęśliwy starzec powie.

Niespodzianek usiadł na kamieniu przeciwległym, a starzec wzniesioną buławę na ziemi postawił, powiódł naokoło oczyma, siadł na pniu dębowym, pomyślił, westchnął i rzekł:

– Opowiem ci krótko, na cóż zbrodniami, które mnie samego zgrozą przejmują, mam razić młode uszy twoje... Jestem rozbójnik Madej!... siedemdziesiąt pięć lat już ubiega, jak w tych lasach z jedenastu rodzonymi braćmi puściłem się na grabieże, rozboje i mordy!... Ile jest włosów na głowie, gwiazd na niebie, liścia na drzewie, piasku w morzu, tyle grzechów cięży na mojej duszy, tylu łez, krwi i nieszczęść byłem przyczyną!... Spójrz na moje bogactwa !

To mówiąc wstał, zaprowadził nieco w bok gościńca i ukazał trzy ogromne jamy: jedna była pełna pieniędzy miedzianych, druga – srebrnych, trzecia samym złotem była napełniona.

– Widzisz więc, młodzieńcze – mówił dalej Madej do Niespodzianka – że żaden może panujący tyle bogactw nie posiada, a jednak cóż mi po nich?... Jak najlichszy robak czołgam się w prochu moich wspomnień, a każde jak ognistym sztyletem przeszywa!... Bracia moi wszyscy wyginęli: jednych ścięto, drugich powieszono, inni polegli i przynajmniej nie czują okropności życia przeciążonego tylu zbrodniami. Ja jeden tylko żyję, liczbę już lat moich straciłem i zawsze na próżno śmierci wzywam – wzdryga się, widać, spojrzeć mi w oczy!... Od ludzi strach mię goni, a pamięć życia tak okropne zadaje mi katusze, że poniesieniem tysiąca śmierci chciałbym się wykupić od nich, gdyby te śmierci śmiercią sprawiedliwego być mogły!... Są to zapewne skutki przeczucia kary wiecznej, jaka mnie czeka po zgonie... Kiedy więc będziesz w piekle, zapytaj się, co mię tam czeka, i idąc tędy na powrót, opowiesz mi na tym samym miejscu, gdzie cię niecierpliwie całe noce i całe dnie czekać będę.

Ze zwieszoną w dół głową Madej pozostał, a Niespodzianek dalej poszedł.

*

Przybywszy do bram piekła Niespodzianek uderzył w nie trzykroć kropidłem, otworzyły się z łoskotem, wszedł wewnątrz i stanął na środku.

Do dwunastu żelaznych łańcuchów przykuty stał tam w wiecznych płomieniach gorejąc mocarz duchów piekielnych, władca ciemności – Lucyper.

Dwunastu szatanów stało około niego ze stalowymi piłami, każdy piłował jeden łańcuch żelazny, i przez cały rok nieustannie piłując, już, już miał go przepiłować i mocarz piekieł z więzów by się uwolnił, żeby potem panowanie swoje nad światem rozciągnąć: – gdy oto na Zmartwychwstanie Pańskie rozlegnie się uroczysty głos pierwszego „Alleluja!" i łańcuchy znowu się zrosną, a dwunastu szatanów znowu, z jękiem i ze zgrzytaniem zębów, nigdy nie skończoną swą pracę znowu rozpoczyna.

Od miejsca, gdzie stoi przykuty Lucyper, do dalszych otchłani piekielnych prowadzą trzy bramy z napisem: nad pierwszą – „Karania za pot kmiotków", nad drugą – „Męczarnie za łzy ludzkie", nad trzecią – „Katusze za krew niewinną".

Niespodzianek rzuciwszy okiem po piekle zakreślił koło święconą kredą, stanął na środku, który krzyżem świętym przeżegnał, i w lewej ręce trzymając kociołek z wodą święconą, umaczał w nim kropidło i zaczął Lucypera i jego szatanów kropić.

Zakipiały roje szatanów, zasykali jak węże, rzucili się ku przybyszowi, lecz nie mogąc zakreślonego koła przekroczyć, z krzykiem i wrzaskiem rozpierzchli się w różne strony.

Niespodzianek ciągle kropił a kropił, i gdy na czoło Lucypera spadła kropla wody święconej, mocarz ciemności jęknął ogromnym głosem i zawołał:

– Czego chcesz od nas?

– Zwróćcie mi zapis na moją duszę.

Lucyper chwycił za trąbę miedzianą, którą dźwigali na sobie pierwsi czterej szatani, i zatrąbił do bramy pierwszej.

Wyleciało stamtąd mnóstwo diabłów, ugięli korne szyje przed swym władcą i na rozkaz jego, by wnet oddali zapis na duszę Niespodzianka, odpowiedzieli, że go nie mają.

Niespodzianek znowu zaczął kropić wodą święconą, a Lucyper chwyciwszy za trąbę srebrną, którą drudzy czterej szatani dźwigali, zatrąbił do bramy drugiej.

Zbiegła się z niej wielka moc innych już diabłów i oświadczyli, że i oni o owym zapisie nie wiedzą.

Znowu zanurzył Niespodzianek kropidło do kociołka, i zaczął Lucypera, szatanów i diabłów kropić.

Rozległ się krzyk wielki, aż piekło zadrżało, a Lucyper chwyciwszy trąbę złotą, którą dźwigali czterej ostatni szatani, zatrąbił do bramy trzeciej.

Wielkim pędem przyleciała ćma czartów zasapanych i oddawszy głęboki ukłon Lucyperowi, czekają rozkazu.

– Oddajcie zapis na duszę Niespodzianka!

Wszyscy spojrzeli po sobie i zaczęli się wymawiać, że takiego zapisu nie mają.

Niespodzianek brał się znowu do kropienia, a Lucyper zatrąbił we wszystkie trzy trąby razem, i z najgłębszych zapadlin piekła przybiegł diabeł kulawy, zezowaty i łysy i stanął przed Lucyperem.

– Zwróć Niespodziankowi zapis na jego duszę!

Diabeł kulawy zaczął się krztusić, majaczyć, rudym ogonem takt po piekle wybijać, a Lucyper z gniewem zawołał:

– Oddaj!

Skrzywił się diabeł, jak gdyby pianie koguta posłyszał lub kół osinowy na grzbiecie poczuł – sięgnął ręką za cholewę, dostał zwitek pergaminu, rozwinął go, okazał i oddał.

Niespodzianek wziął swój zapis i uradowany już miał odchodzić, gdy Lucyper rzekł do diabła kulawego:

– Masz szczęście, żeś się dłużej z oddaniem nie ociągał, kazałbym cię na Madejowe łoże zaprowadzić.

Niespodzianek całkiem był zapomniał o Madeju, obróciwszy się więc znowu do Lucypera, jeszcze raz kropnął nań wodą święconą i rzekł:

– Każ mi to łoże pokazać.

Na dany rozkaz diabeł kulawy poszedł w głąb piekła, Niespodzianek udał się za nim i ujrzał straszne łoże Madejowe.

Całe z żelaza i na śrubach: u jednego końca wiszą klamry dla ujęcia głowy, a u drugiego dla skrępowania nóg, i to się skraca do rozmiarów kolebki, to się kilkanaście łokci rozciąga; spód i boki najeżone nożami, brzytwami, sztyletami, nożycami, obcęgami, kleszczami, szydłami i hakami; wszystko to rwie, rżnie i kole, szarpie, kraje i nacina; z dołu buchają płomienie nieustanne, a z góry rozpalona siarka ognistym dżdżem spada.

Zawrócił się prędko Niespodzianek i progi jaskini potępionych opuścił.

*

Idąc ciągle na wschód słońca Niespodzianek przybył do puszczy, zastał Madeja na pniu dębowym, opowiedział mu wszystko, opisał przygotowane dla niego łoże i już miał odejść, gdy Madej powstał, zadrżał i rzekł:

– Cóż mi teraz pozostaje? Mamże oddać się rozpaczy? Wszakże to do was, kapłanów, powiedziano, że co tu rozwiążecie, i tam będzie rozwiązane – wyspowiadaj więc mię i rozgrzesz!

– Rozpaczać nie powinieneś, bo większe jest miłosierdzie Boga niżeli grzechy całego świata; a spowiadać i rozgrzeszać nie mogę, bom jeszcze święcenia nie otrzymał.

– Radź więc, co mam czynić?... albo wyspowiadaj, zostaw mi nadzieję i odejdź, albo cię tą buławą zabiję!

Cóż Niespodzianek miał począć?

Na wzgórku, między trzema jamami, w których bogactwa Madeja były, wbił do ziemi jabłonową jego buławę, kazał mu uklęknąć przy niej i rzekł:

– Kiedyś, gdy kapłanem zostanę, przyjdę cię wyspowiadać, a teraz uczynkami miłosierdzia, modlitwą, skruchą i pokutą możesz twoje grzechy zagładzić; co dzień więc napełniaj sakwy pieniędzmi, które posiadasz, pełznij na klęczkach do płynącego w tej dolinie strumienia, nabieraj wody do ust i na klęczkach do buławy, narzędzia twoich grzechów, powracaj i przez całe ją dni polewaj: – jak twe skarby tym sposobem przechodniom rozdasz, a ta buława przyjmie się, puści rostki, okryje się liściem, zakwitnie i owoce wyda – wesel się i raduj się naówczas, bo grzechy twoje Pan ci odpuści!

Rzekł i odszedł.

*

Madej przeżegnał się, ukląkł i zadaną sobie pokutę ściśle wypełniać zaczął.

Co dzień, wśród gorących modłów i szczerego żalu za grzechy, napełnia sakwy pieniędzmi, pełznie na klęczkach do strumienia w dolinie, powraca tymże sposobem, z wodą w ustach, do buławy, polewa ją i po drodze pieniądze biednym przechodniom i ubogim rozdaje.

Niespodzianek zaś rad, że zapis swej duszy odzyskał, życie swoje uratował i Madeja na drogę skruchy, pokuty i miłosiernych uczynków naprowadził – powrócił wkrótce do domu i strapionych rodziców tak pocieszył, że jakby się na nowy świat narodzili.

W tydzień czy w miesiąc potem Niespodzianek wyświęcił się na kapłana, a że wiódł żywot świątobliwy i z wielkiej mądrości słynął, w lat więc kilkanaście biskupem został.

*

Raz biskup Niespodzianek objeżdżając parafie powierzonej sobie diecezji jechał przez puszczę głęboką i nagle tak nadzwyczajny zapach jakby rajskich jabłek uczuł, że kilku asystujących mu kapłanów w różne strony rozesłał, by jabłoń z wonnymi jabłkami wyszukali.

Jeden z szukających wkrótce powrócił i oznajmił, że na wzgórku niedaleko strumienia, pomiędzy trzema głębokimi jamami, rośnie jabłoń rumianymi jabłkami osypana, których woń tak miła i silna, że z trudnością tylko mógł się oderwać od nich, a gdy sięgnął ręką do zerwania, jakby żywe pomknęły się w górę i nie dały się zerwać; pod ową zaś jabłonią klęczy staruszek stuletni, siwy jak gołąb, z białą jak śnieg brodą, z próżnymi po bokach sakwami, i tak się szczerze do Boga modli, że jakby był w zachwyceniu.

Słuchając tego opowiadania biskup niezmiernie się zdziwił, przypomniał swą niegdyś przygode z Madejem i spiesznie udał się ku cudownej jabłoni z klęczącym starcem.

Przyszedł pod jabłoń wonnymi jabłkami osypaną, stanął przed modlącym się wciąż starcem, w którym Madeja poznał, i gdy mu pasterskie dał błogosławieństwo – starzec jakby ze snu zbudzony spojrzał na biskupa, wzniósł ręce ku niebu, ujął go za kraj szaty, ucałował z pokorą i rzekł:

– Ojcze przewielebny! przybywasz więc wreszcie – wszystko, coś mi zalecił, wypełniłem: pieniądze biednym przechodniom i ubogim rozdane; buławę, którąś tu wbił do ziemi, dnie i noce na klęczkach wodą ze strumienia z ust polewałem, i stało się, jakoś rzekł: przyjęła się, puściła rostki, pokryła się liściem, zakwitła i – patrz, ile i jakie owoce wydała!... Bóg mi więc odpuszcza, tylko ty, ojcze, wyspowiadaj mię i rozgrzesz na drogę ku Niemu.

Biskup usiadł i zaczął go spowiadać.

Jak tylko Madej grzech wymieni, za każdą razą jabłko upadnie – i oto spadłymi jabłkami była już ziemia usłana, na jabłoni dwa jeszcze jabłka wisiały, a Madej więcej grzechów przypomnieć nie może.

– Przypominaj, staruszku... jeszcze dwa grzechy być muszą – rzekł biskup.

– Nie przypominam, ojcze! Zdaje się, żem wszystkie już wyznał.

– Może to więc są dwa dobre uczynki twoje... Czy w czasie twojego zabłąkania nie wyświadczyłeś komu co dobrego?

– Raz tylko, będzie już temu przeszło lat trzydzieści, nie dopuściłem zabić podróżnego w karczmie i ucieczkę mu ułatwiłem. Był to jakiś kmiotek szczęśliwy u Boga, bo gdy znalazłszy na piecu uderzyłem go moją buławą, nie tylko nic mu to nie szkodziło, ale nawet ze snu się nie obudził, a była na nim jakaś zbroja cudowna, która go pokrywała, jak się pokazało później, za każdym nabożnym odmówieniem psalmu: *Kto się w opiekę...* Od owej to chwili zaczęło mię moje życie przerażać i poczułem straszne zgryzoty sumienia.

– Ów kmiotek, któremuś życie darował, był to mój ojciec – zawołał biskup – bo o tej przygodzie swojej, która mu się przytrafiła, kiedy jeszcze był nieżonaty, nieraz sam opowiadał.

– Twój ojciec!... A syn jego, później narodzony, naprowadził mię na drogę zbawienia – o wielkie zrządzenie Bogá!... Ależ i ja miałem ojca... ach, kapłanie, najpierwszą i najokropniejszą zbrodnię przypominam – ojca zabiłem!

Jedno z wiszących jabłek spadło, a biskup rzecze:

– A twoja matka?

– I matkę także.

Ostatnie jabłuszko spadło, i gdy biskup korzącego się starca rozgrzeszył – nagle zwiędłe starca ciało w marny się proch rozsypało, a dusza, skruchą zbawiona, z więzów ciała uwolniona, jako gołębica biała wprost do nieba poleciała.

Józef Ignacy Kraszewski

GŁUPI MACIUŚ

O tym głupim Maćku, o którym wam już nieraz może nianki i służące różne dziwne historyjki opowiadały, powiem i ja wam jedną, której może nie słyszeliście.

Był sobie raz możny wieśniak, który miał trzech synów: dwóch rozumnych, a trzeciego wszyscy za głuptaska mieli. Ojciec wzdychał, matka płakała, patrząc nań, bracia się śmieli, ludzie ramionami ruszali i mówili:

– Co z tego biedaka będzie?

Maciek miał dobre serce, powolny był, posłuszny, pracowity, ale wygadać się jak drudzy nie umiał i co mu kto powiedział, wszystkiemu wierzył. Poszedł w pole do roboty, a miał z sobą w kobiałce albo w dwojaczkach jedzenie, spotkał ubogiego albo nawet głodne psisko, zaraz częstował, dzielił się, czasem i wszystko oddał, a sam powracał na czczo. Ale śmiał się z tego wesół był, a drudzy też wyśmiewali się z niego. Nigdy się nawet i za to nie pogniewał i powiadał im: ,,Na zdrowie!''

Litowano się nad nim powszechnie, bo stary ojciec przewidywał, gdy mu umrzeć przyjdzie, a Maciek zostanie sam na kawałku gruntu, z gospodarstwem nie da sobie rady i zejdzie wprędce na dziady. Na opiekę starszych braci niewiele było można rachować, bo ci go lekceważyli, a o sobie tylko myśleli. Matka też popłakiwała nad przyszłym jego losem, frasując się, co z niego będzie.

Rodzice już nie byli młodzi, więc naprzód staruszce się zmarło, a ojciec zatęskniwszy za nią, wkrótce też obległ i na śmierć się dysponował[1]. Nim zaś nadeszła ostatnia godzina, zawołał jeszcze synów wszystkich do siebie, starszym zalecając, aby nad Maćkiem opiekę mieli, nie opuszczali go pamiętając, że on im jest rodzonym bratem.

Po śmierci ojca, pogrzebie i stypie przyszło tedy braciom dzielić się ojco-

---

[1] D y s p o n o w a ć – tu: przygotowywać.

wizną. Maciek tam, oczywiście, żadnego głosu nie miał, siadł pod piecem i mówił:

– Co mi dacie, to wezmę.

Bracia, niedobre chłopy, myśleli tylko, jak by się Maćka zbyli. Gruntu mu dawać nie chcieli, pieniędzy się nie znalazło w skrzyni, a gdyby i były jakie, pewnie by ich Maćkowi nie wydzielili... Z bydełka, roboczych wołów i koni, co było tego, potrzebowali do gospodarstwa, które między sobą na połowę rozdzielili. Maćka chcieli wykwitować lada czym i starszy mu rzekł:

– Co ty tu będziesz robił? Głupi jesteś, poszedłbyś w świat po rozum, może byś go na drodze napytał. My cię za parobka wziąć nie możemy, boby ludzie na to sarkali... Ruszaj sobie gdzie na służbę za oczy!

– Jużci, na drogę coś ci się da – rzekł młodszy – abyś nie biedował, póki służbę znajdziesz... Dostaniesz kożuszynę przenoszoną, a bodaj i starą siermięgę po ojcu, a czapka też nieboszczyka niezła... no i kij jego w dodatku, abyś się miał czym psom opędzać.

Nie bardzo się Maćkowi z tej chaty chciało, do której był nawykł, prosił się więc, aby go choć za parobka lub pastucha u siebie zostawili, ale bracia się na to w żaden sposób zgodzić nie chcieli.

– Z ciebie dla naszego całego rodu tylko pośmiewisko; żaden z nas żony nie dostanie, póki ty w chacie będziesz. Ruszaj, gdzie cię oczy poniosą!

Naglili tak i nastawali, że w końcu zgodził się Maciek iść precz, byleby mu dali się czym okryć i jaki grosz na drogę.

Gdy Maćka już w podróż trzeba było wyprawić, bracia poszli do komory i wybierali odzienie co najstarsze i najgorsze, śmiejąc się a opowiadając, że to jeszcze dla niego aż nadto dobre było. Maciek się ani spierał, ani napierał, brał, co mu dawali. Dostał więc, jak postanowili, starą kożuszynę, wynoszoną po ojcu, starą jego siermięgę, czapkę baranią i kij, buty jedne podarte i parę łapci w zapas.

Nie straciwszy mimo to serca do braci, pięknie się z nimi pożegnał, starszego w rękę pocałował, młodszego uściskał, nawet z psem Burkiem, który go za wrota przeprowadził, przystojnie się rozgadał, no i poszedł w świat.

Na drogę dali mu bracia dziesięć trzygroszniaków.

Szedł tedy głupi Maciuś polem, borem, gdzie go oczy niosły, ale naprzód zawrócił pode wsią na cmentarz, aby się na grobie ojca i matuli pomodlić. A był dzień wiosenny, piękny, i na tej bożej roli tak kwiatki bujały i rosły jak na najweselszej łące i pachniało dokoła, i ptaszęta śpiewały.

Znalazł Maciek w rogu cmentarza mogiłę, na niej krzyż, który on sam z drzewa wyciosał, przykląkł tedy, zmówił *Anioł Pański*, a potem siadł odpoczywać i dumać. Kiedy tak sobie myśli o ojcu, i matuli, a o tym, co z sobą robić będzie i gdzie ma chleba szukać, patrzy, aż siadła na ogrodzeniu sroczka i kiwa do niego główką, jakby się z nim witała. Maciek też się jej pokłonił, bo sroka sroką, a każdemu dobrze życzył i nikomu chybić nie chciał. Patrzy on na nią, aż otworzyła dzióbek i zaczyna pogawędkę:

– Jak się masz, Maćku?

– Zdrowa bądź sroczko! Bóg zapłać.

– Coś ty tak markotny?

– Ano, widzisz, szukam służby, nie wiem, czy znajdę, braciom trzeba było ojcowizny ustąpić, idę w świat.

– No, no – odezwała się siedząca na płocie – przecież ty tak biedny nie jesteś. Ojciec wiedział dobrze, że ci bracia dadzą pewnie jego starą siermięgę. Popatrz no w niej dobrze; całe życie w nią dukaty [1] zaszywał. Porozparaj rękawy i kołnierz, znajdziesz, za co sobie chatynkę i kawał gruntu kupić...

Zakręciła sroka ogonkiem, zaśmiała się i poleciała. Myśli tedy Maciek – a może i prawda! bo ptaki różne rzeczy wiedzą. Wziął się tedy do siermięgi i począł pruć, aż posypały się obrączkowe dukaty, a było ich tyle, że w podołek od koszuli zawiązawszy je, nabrało się z pół garnca.

Podziękowawszy tedy ojcu, poszedł wprost Maciek do bliskiego dworu i chatę z ogrodem, jak należy, i z kawałkiem gruntu kupił, a jeszcze mu przygarść została na początek gospodarstwa. Trzeba było i koni, i wołów, i owieczki, i świnki, i wszystkiego, co w podwórku i chlewkach być powinno. Musiał tedy iść na targ do miasteczka, a że mu bez chłopca w chacie trudno było samemu, a trafił się sierotka, wziął go sobie do pomocy. Dopieroż ani dnia, ani nocy nie szczędząc, do roboty się jął Maciek, jako to na swym własnym, z wielką ochotą. A szło mu wszystko jak z płatka. Nie wyszedł rok, gdy już głupi Maciek tak zasobny był, a tak u niego wszystko ślicznie się udawało, że mu sąsiedzi zazdrościli. Już mu tedy i żonę swatano, ale nie chciał się żenić, dopóki się dobrze nie rozpatrzył.

Jednego wieczoru, gdy na przyźbie sobie siadłszy, chleb zajadał a serem zakąsywał, patrzy – drogą jedzie wóz, krowa chuda z wołem do niego zaprzężona, a na wozie jeden z braci jego siedzi napity, drugi leży – jadą i kłócą się. Zobaczywszy Maćka, zdziwili się mocno i stanęli...

– Cóż to, ty tu służysz, a jak się gospodarz zowie, co cię wziął? – Na to Maciek, śmiejąc się powiada:

---

[1] D u k a t y – złote monety.

DOSIADA ŻWAWO KOGUTA, LECI Z GÓRY
I JUŻ ZA KRAJ SZATY NIESZCZĘSLIWA MA
POCHWYCIĆ, GDY TA RZUCA PRZEŚCIERA
·DŁO, OBEJRZY SIE, A PŁACHTA W MORZE
W SZERSZE MORZE SIĘ ROZPŁYWA·

– Tak się zowie jako i ja... nie ma go podczas w chacie, wstąpcie, proszę, bo oto chłopak wieczerzę sposobi, będzie nas trzech.

Bracia z wozu wylazłszy do chaty szli, dziwując się zamożności i porządkowi; i posiadali za stołem. Maciek piwa kazał przynieść i braci częstował. Gadu a gadu, a począł im rozpowiadać o gospodarstwie, o zbiorze, o dostatku, aż w końcu śmiejąc się dołożył:

– Widzicie, że mi Pan Bóg poszczęścił, bo gospodarzem, u którego służę, ja sam jestem, a wszystko, co tu widzicie, moje!

– Jakże to może być – zawołali bracia – kiedyś goły jak palec z domu wyszedł!

– Ano, daliście mi przecie starą ojcowską siermięgę, a w niej znalazłem, co mi nieboszczyk tatulo przeznaczył.

Porwali się bracia za włosy widząc, że się oszukali przez chciwość swoją, bo chata i gospodarstwo Maćkowe więcej było warte niż ojcowizna. Poczęli tedy krzyczeć i wymyślać, że oszukał ich i okradł.

– Wiecie co? – rzekł na to Maciek. – Gorsza, mówicie, ojcowizna, gospodarstwo u was podupadło, krowę, widzę, do woza zaprzęgacie. Mówicie, żem was pokrzywdził, głowa na głowę – mieniajmy się.

Bracia poszli się rozpatrzeć. Maćkowa część lepsza była od ich obu razem.

– Zgoda! – zawołali. – Ruszaj ty do naszej chaty, my bierzemy twoją, a wynoś się zaraz, jak stoisz!

– Tylko starą siermięgę ojcowską zabiorę z sobą, i bywajta zdrowi – rzekł Maciek. – Milsza mi ojcowizna, choć nędzna, niż wszystko. Szczęść Boże!

Skinąwszy tedy na sierotę swego, poszedł do wozu, krową zaprzężonego, chcąc go z sobą zabrać, bo mu się on należał wedle umowy, ale bracia i tego nie dali. Przepędzili go kijem za wrota.

Szedł tedy Maciek znowu, ale co by się miał smucić, radował się wielce. Dopiero gdy do chaty ojcowskiej dobił się a zobaczył ją pustą, kołkiem podpartą, w oborach nędzę, w stodole pustki, wszędzie brud i nieład, serce mu się okrutnie ścisnęło. Jeszcze obchodził powyłamywane płoty dokoła, gdy na jednym z nich, patrzy, siedzi sroczka i ogonem wywija.

– Dobry dzień, Maćku.

– A nie bardzo on dobry – westchnął nowy gospodarz – widzicie, co tu za bieda, rąk nie ma za co zaczepić, jak ja sobie rady dam?

– Ale ba – odparła jejmość z białym kołnierzykiem. – A boża opieka? Jakoś to będzie. W komorze w rogu podłubcie, jest tam garnuszek dla was, co go matula zakopała.

Roześmiała się poczciwa sroczka i furknęła. Maciek, choć doświadczył, że nie kłamała, ale nie bardzo chciał wierzyć. Jednak do komory poszedł, łopatą poruszył ziemię, no – i garnuszek znalazł, ale dukatów w nim nie było, tylko talary [1], dobrą miarą około garnca. Panu Bogu tedy dziękował, odwagi nabrał i dopiero całe gospodarstwo na nowo wielką pracą i zachodem zaczął podnosić. A szło mu i tak jak z płatka. Nieraz zdawało mu się, że ojca i matulę koło siebie widywał, jakby czasem mu co szeptali i podpowiadali, a cieszyli się, niekiedy sroczka na płocie siadała i wesołą z nim rozpoczęła rozmowę, a zawsze jakąś dobrą dała radę. Sąsiedzi niezmiernie się dziwowali, że głupi Maciek był tak rozumny i szczęśliwy, ale że się wygadać i chwalić nie umiał, nazywali go przecie głupim Maćkiem i żartowali z niego. Markotno mu to było, bo już się dla gospodarstwa i z tęsknoty, że się sam jeden został, żenić chciał, a za głupiego Maćka nikt córki nie chciał dać. Gdzie się tylko zeswatał, odprawiano go z kwitkiem, aż jednego razu idąc poza wsią, pod płotem, patrzy, siedzi dziewczątko obdarte i płacze. Stanął tedy i pyta:

– Co ty za jedna? co tobie jest?

Nierychło mu dla wielkiej żałości i płaczu poczęła rozpowiadać powoli, że ją matula odumarła i tak sama jedna została na świecie. Serce mu się ścisnęło na tę niedolę patrząc, a że jej sam skosztował, ulitowawszy się nad sierotą, wziął ją za rękę i poprowadził do sołtysowej żony, Barciechy.

– Barciecho, matko – rzekł – oto biedna sierota jest, która przytułku nie ma, mnie jej do chaty brać nie godzi się, bo tam matki i opieki nie znajdzie, przyjmijcie wy ją i hodujcie jak najlepiej, a ja zapłacę... I choćby nie wiem co miało kosztować – niech u was sierocie dobrze będzie!

Zgodziła się na to sołtysowa, zmiarkowawszy zaraz, że i posługę mieć będzie, bo jej sierota i ziela przyniesie, i gęsi popasie, i wody zaczerpnie, i Maciek głupi zapłaci jeszcze. Sierotka tedy została u niej, a Maciek się o nią raz w raz dowiadywał i tak mu w oczach rosła a piękniała, że już myśleć zaczął, żeby się z nią ożenić. Sierotka przez wdzięczność bardzo się do niego przywiązała i gdy miał przyjść, czekała na niego na drodze z uśmiechem i dobrym słowem. Sołtysowa się też jej odchwalić nie mogła, bo była pracowita, zręczna i roztropna.

Upłynęło parę lat, gospodarstwo Maćkowe szło znowu doskonale, a ojcowizna tak się polepszyła, że mu sąsiedzi zazdrościli.

– Nie ma to jak głupim być – mówili – człowiek ma szczęście. Ot, i ten Maciek, niezdara, trzech zliczyć nie umie, a tak mu idzie jak po maśle.

---

[1] T a l a r y – monety srebrne.

Jednego razu, gdy Maciek wracał z pola i chciał sierotkę swą nawiedzić, nie znalazł jej jak zwykle w podwórku ani przy studni. Patrzy, w progu sołtysowa stoi i fartuchem łzy ociera. Tknęło go coś, zbliżył się.

– Nie ma naszej Marysi! – rzekła. – Wczoraj jacyś wielcy państwo przyjechali i wzięli ją jak swoją, powiadając, że ich była. Nawet się jej z tobą pożegnać nie pozwolili, z czego mocno płakała, i kazała tylko powiedzieć, że póki żywa, o tobie nie zapomni.

Poczciwy Maciek, co by miał się gryźć, że ją utracił, począł Panu Bogu dziękować, że ją szczęście spotkało, ale poszedł do domu jak struty... Nic mu już w smak nie było.

Jakoś wprędce potem, jednego dnia, kiedy siedział nad misą klusek i jeść mu się nie chciało, posłyszał huk wielki: wpadli do chaty bracia jego, którzy już gospodarstwo od niego odebrane zmarnowali, i precz go wygnali z ojcowizny jak przywłaszczyciela, odgrażając się, że zabiją, jeżeliby się śmiał pokazać i o cokolwiek upominać. Maciek, nawet nie sprzeczając się, za kij wziął i poszedł w świat.

Idzie tedy, idzie polem – aż szóstego dnia spotkał przy drodze dziewczątko, niby ową sierotkę, ale tak wystrojoną i wypiękniałą, że mu ją trudno było poznać. Ta zaś Maćka z dala od razu poznawszy, rzuciła mu się na szyję i gwałtem do swej rodziny zaprowadziła jako dobroczyńcę, co ją w biedzie ratował. Został tedy Maciek przy dworze niby w służbie, a jak go lepiej rodzice poznali, że sierotka bardzo go kochała, wydali ją za niego...

Trudno uwierzyć, ale tak było i mnie na wesele prosili, i ja tam byłem, miód i wino piłem... po brodzie ciekło, w gębie nic nie było... I koniec.

Z CHŁOPA KRÓL

Na imię mu było Gaweł, był najmłodszym z braci – wszyscy oni uchodzili za rozumnych, jego głuptaskiem nazywano; nie dlatego żeby rozumu nie miał, ale że serce w nim było tak miękkie, że o sobie nie pamiętając nigdy, nad drugim się lituje, zawsze w końcu pokutować za to musiał.

Bywało, siądą u jednej miski, bracia go zawsze odjedzą, a w końcu jeszcze i łyżkami po głowie biją, z czego on się śmieje... Najgorszą koszulinę zawsze miał, podarte łapcie, ale się tym nie gryzł, i choć czasem przymarzł a wygłodził się, ale widział, że drudzy mieli do syta, a dobrze im było – on radował się także. Starsi od niego zawsze, co chcieli, wydurzyli, a potem wyśmiewali się z niego. Ojciec i matka gryźli się tym, bo przewidywali, że na świecie źle mu będzie i nigdy nie dojdzie do niczego. Zostawiano go czasem w chacie bez dozoru – nie obeszło się bez szkody. Przyszedł ubogi, a prosił, Gaweł mu oddał, co gdzie znalazł, bodaj koszulinę z grzbietu, a zwierzęta karmił, od gęby sobie odejmując, a każdemu na słowo wierzył, i oszukiwał go, kto chciał.

Ojciec go kilka razy obił za tę głupotę, aby przecież o sobie pamiętał, ale rozumu mu nie nabił. Gawełek, jakim był, pozostał. Miał już taką naturę.

Raz gdy nikogo w chacie nie było, a Gaweł na przyzbie siedział, zjawił się przed wrotami ubogi, ale tak strasznie goły, bosy, odarty, głodny, biedny, zapłakany, osłabły, że chłopcu okrutnie go się żal zrobiło. A jak mu jeszcze zaczął opowiadać o nieszczęściu swoim, Gaweł o wszystkim zapomniał. Wziął go do chaty i co było w niej najlepszego – ojcowską koszulę, sukmanę, chodaki, czapkę – oddał wszystko. Obiad, który stał na przypiecku przygotowany, odgrzał i nim go nakarmił. Na ostatek, wiedząc, gdzie jest ojcowski węzełek groszy, co było w domu, oddał ubogiemu wszystkie krom dwóch trzygroszówek.

Napojony, nakarmiony, odziany, ubogi odszedł błogosławiąc chłopca, ale i śmiejąc się z niego po trosze...

Wkrótce potem matka z ojcem nadeszli, a Gaweł im z wielką radością wyspowiadał się z tego, co zrobił. Ojciec wpadł w okrutny gniew, tak że go nawet matka pohamować nie mogła, począł syna kijem okładać okrutnie, grożąc, że go zasiecze, jeżeli się kiedy w chacie pokaże.

– Idź, trutniu! – wołał – idź, gdzie cię oczy poniosą, giń marnie i niech cię nie znam!

Gdy Gaweł miał już precz iść, matka się nad nim ulitowała i przez okno rzuciła mu dwie pozostałe trzygroszówki.

Wziął je biedak zasmucony i – co było robić – ojciec, choć mu do nóg padał, słuchać nic nie chciał, musiał precz iść. Myślał sobie, jak się ojciec przegniewa, powrócę – i przebaczy. Ojciec zaś mówił:

– Niech sam nauczy się dbać o siebie, inaczej nas zuboży i nic z niego nie będzie.

Wyszedł tedy Gaweł na gościniec, popatrzył – dokąd tu mu iść?...Westchnął do Boga i puścił się, gdzie go oczy poniosą.

Jeszcze się niedaleko od wsi odsadził, gdy spotkał jednego ze swych braci.

– A dokąd to?

– W świat idę, ojczysko się pogniewało, nabił mnie i kazał precz iść, a na oczy mu się nie pokazywać.

Starszy brat roześmiał się i rzekł:
– Dobrze ci tak, boś głupi. Jak rozumu nabierzesz, wówczas powrócisz.
Odwrócił się od niego śmiejąc i poszedł.
Trochę dalej pod gruszą, patrzy, siedzi brat drugi i pyta go:
– Dokądże to?
– Ano, w świat, bo mnie ojciec wygnał precz.
Drugi brat śmiać się też począł i powiada:
– Szczęśliwej drogi, głupi Gawełku! Będzie nas mniej, to się lepiej naje-
my.
Szedł tedy Gaweł, szedł, aż trzeci brat pędzi woły z paszy.
– A ty dokąd?
– Z chaty mnie wygnali... bywaj zdrów, wędrować muszę, a na drogę nie
mam, ino dwa trzygroszniaki.
Trzeci brat ruszył ramionami.
– Ja bym ci złamanego szeląga nie dał – odezwał się – takiemu głupcowi jak
ty dawać, to w dziurawy worek tkać. Bywaj zdrów!
Pożegnawszy się w ten sposób z rodziną, nie miał już Gaweł co robić we wsi
i okolicy, i przyśpieszywszy kroku, puścił się nieznajomą drogą. Głodno mu
było, smutno bardzo po swoich, ale jednak Panu Bogu ufał. „Kogo Bóg
stworzył, tego nie umorzył" – mówił sobie. Kraj dokoła stał się jakiś pusty
bardzo. Szedł tedy, szedł, nikogo nie spotykając długo, aż idzie człek naprzeciw, a na plecach worek niesie, w worku się coś szamocze żywego.
– Boże, pomagaj – odezwał się Gaweł – co to niesiecie, poczciwy człecze?
Ten stanął.
– Co ty mnie poczciwym nazywasz – ofuknął się – poczciwy to znaczy
głupi, ja nim nie jestem. Niosę kota czarnego, aby go utopić. Kot był szkodnik, zamiast myszy łapać, mleko wypijał i do misek zaglądał. Uczepię mu
kamień do szyi i niech idzie na dno.
To mówiąc pokazał głowę kota Gawłowi, a było to stworzenie takie śliczne,
lśniąco czarne, z dużymi oczyma, z pyszczkiem różowym, że się Gawłowi
niezmiernie żal go zrobiło.
– Takiemu młodemu, ślicznemu kotkowi ginąć!... Daj mi go! – rzekł do
chłopa. – Co masz topić, ja go wezmę...
– Darmo! – zaśmiał się chłop. – O nie! tego obyczaju u mnie nie ma. Wolę
utopić jak dać darmo. Nabrałbym złego nałogu.
– Zapłacić nie mam czym – odparł Gaweł – całego majątku mam dwa

trzygroszniaki, ale jeżeli jednym się zaspokoisz? Co robić! Byłem kotkowi życie ocalił.

Chłop podumał, ruszył ramionami, wziął trzygroszniak i kota mu oddał.

Gawełek szedł dalej, wesół, że bożemu stworzeniu życie ocalił, a kot też zdawał się rozumieć wyświadczone dobrodziejstwo, bo się do nowego pana tulił i pomrukiwał. Miał chłopiec w kieszeni chleba kawałek, więc choć sam jeść chciał, pomyślał, że on sobie łatwiej strawy dostanie. Przełamał chleb na pół, pokruszył go i nakarmił kota, który zjadłszy z apetytem, na ręku u niego usnął.

Odszedł może staj kilkoro, patrzy, znowu człek idzie i worek niesie, a w worku się coś szamocze...

-- Pomagaj Bóg, człecze -- rzekł stając Gaweł -- a co to za towar niesiecie?

-- Towar? -- odparł człowiek -- nie towar to żaden, nie prosię tłuste ani gęś, ale złe i niepoczciwe psisko. Drobiu mi już zdusił kilkoro, a szczeka, a po nocach wyje... przywiąże mu do szyi kamień, niech idzie na dno.

To mówiąc pokazał psa Gawłowi, który mu się wydał bardzo śliczny. Psiuk miał taką minę, jakby się prosił, aby mu życie darowano. Litość wzięła Gawła.

-- Dajcie mi go! -- rzekł.

-- Darmo? Toć skóra przecie coś warta. Kuśnierz ją zafarbuje i sprzeda za lisią. Co dasz?

-- Jedyne tylko ostatnie mam trzy grosze -- odezwał się Gawełek, dobywając groszniak z węzełka.

-- Co robić, dawaj choć tyle -- rzekł śmiejąc się człowiek -- a nie, to psa zabiję albo utopię.

Targ w targ, musiał Gaweł zapłacić za psa ostatnie trzy grosze, a człek mu psiuka oddał i poszedł rychocząc ze śmiechu, głupim go zowiąc, o co się Gaweł nie gniewał.

Pies koło niego skakał, szczekał i przypadał mu do nóg.

Trzeba go było nakarmić. Dobył chłopak ostatni kawałek chleba, pokruszył go i psu oddał... Tak tedy z kotem na ręku i psem u nogi puścił się dalej w drogę.

Głód mu mocno dokuczał, a nogi zmęczone nie dopisywały.

Siadł więc pod gruszą, na kamieniu, myśląc, co dalej robić.

Pies się położył z jednej strony, kot z drugiej. Gaweł tymczasem Panu Bogu dziękował, że mu się dwoje stworzeń uratować udało.

Tylko głód czuł wielki i w żołądku mu świdrowało. Słońce się miało ku zachodowi, w polu jak zajrzeć ani gospody, ani miski.

Co tu robić? Bieda! Ani sobie, ani zwierzętom poradzić. Dokoła pustynia, ani jeść nie ma co, ani się gdzie przespać, a tu noc nadchodzi.

– Albo to Pana Boga nie ma? – rzekł pocieszając się Gaweł.

Spojrzał na swoich towarzyszów. Kot siedział oczy żółte to mrużąc, to otwierając szeroko... Pies spoglądał na niego i ogonem kiwał.

– A co! bieda! – odezwał się wesoło do pieska.

Pies jakby go zrozumiał, zerwał się, nosem pociągnął, zaczął chodzić wkoło, ziemię wąchać, na ostatek nuż grzebać.

Grzebie, grzebie tuż przy nogach chłopca, aż się zasapał, coraz głębiej, coraz żywiej, ziemię łapami odrzuca, a oczy mu się świecą, poszczekuje wesoło, coraz to spojrzy na Gawła i grzebie dalej a dalej.

„Co to on sobie myśli? – rzekł w duchu Gaweł – jużciż on darmo dla zabawki tego nie robi i musi coć znać i wiedzieć."

Wtem pies nozdrza zapuścił w wykopany dół, powąchał mocno, podniósł się i szczeknął, jakby w głąb wykopanej jamy pokazywał chłopcu.

Gaweł wstał, pochylił się i zajrzał... Patrzy: na samym dnie leży coś błyszczącego; rękę zapuścił głęboko i dobył pierścień świecący, duży, piękny, ale piaskiem i ziemią oblepioną na nim okryty. Nigdy Gaweł tak wspaniałego klejnotu nie widział, i oglądał go z ciekawością wielką. Złoty był, jakby ze sznura grubego upleciony, a w środku siedziało oko dziwne, patrzące jak ludzkie i mieniące się coraz to inną barwą. Gaweł począł go ocierać, ażeby oczyścić, ale razem i myślał sobie:

„Pierścień jak pierścień, piękna rzecz, ale co mi z tego, kiedy gospody nie ma, ani wieczerzy..."

Ledwo że mu to przez głowę przeszło – patrzy – aż osłupiał... Stoi we drzwiach wspaniałej gospody, pies i kot też byli przy nim; jeden się łasi, drugi poszczekuje i prowadzą go przez wspaniałą sień do ślicznej izby. Żywej duszy w niej nie było, ale stół nakryty bielizną białą, a na nim wieczerza taka, że dwóch by się nią królewiczów najadło, taka dostatnia i smaczna. Misa klusek z serem aż się kurzy, chleb, masło, kura pieczona, woda we dzbanku, piwo i miód...

Niewiele tedy myśląc, zasiadł uradowany Gaweł sam jeść i dwór swój nakarmić, bo o nim zapomnieć nie mógł; a jadł wygłodzony, aż mu za uszami trzeszczało i Panu Bogu dziękował, na pierścień cudowny spoglądając, bo tego się dorozumiewał, że wszystko to jemu jedynemu był winien.

Usługi około stołu nie było żadnej, ale taki osobliwy porządek, że miski i talerze, skoro się wypróżniały, znikały w oczach...

Gdy się Gaweł dobrze najadł i napił, zachciało mu się spać i byłby się choć na ziemi położył, bo do tego był nawykły, ale w drugiej izbie widać było posłane łóżko, pościel śliczną, białą, a w dodatku i odzież piękną, nową, w którą nazajutrz mógł się ubrać... Więc Panu Bogu podziękowawszy, szedł do łóżka i jak legł, tak natychmiast zasnął. Kot i pies pokładli się też przy nim.

Jak długo spał, sam nie wiedział, bo sen miał mocny, że się nawet na drugi bok nie przewrócił. Otworzywszy oczy, zobaczył już wielki dzień, biały, słońce przyświecające wesoło, kot się umywał, a pies siedział z uszami do góry i powitał przebudzenie pana wesołym szczekaniem.

Skoczył Gawełek co żywo umywać się, odziewać, a bieliznę i suknie wdziawszy, sam siebie nie mógł poznać. Na ścianie wisiało ogromne zwierciadło, w którym przejrzawszy się, przekonał się, że wypięknił przez tę noc i do królewicza był podobny...

Zaledwie się tak przystroił, trochę mu się ckliwo zaczynało robić, bo byłby przekąsił chętnie, gdy w pierwszej izbie zobaczył stół nakryty i już go zachodził zapach krupniku, tak pokuśliwy, że musiał do misy biec co rychlej, aby nie ostygł.

O kocie i psie nie zapominając, dobrze się posilił Gaweł. Cóż tu dalej robić? Siedzieć tam w niemej tej gospodzie samemu jednemu, jeść, pić i spać tylko – nudno. Pomyślał tedy sobie: „Trzeba w drogę dalej...”

To mówiąc potarł swój pierścień i oto w mgnieniu oka znalazł się znów na drodze, sam jeden ze psem tylko i kotem. Gościniec tylko był inny, nie ten, którym szedł wczoraj. Szeroko wybity, wysadzony wielkimi starymi drzewami, ciągnął się, jak okiem zajrzeć, krajem wesołym i żyznym, na który miło było popatrzeć.

Ludzi na polach uwijało się około roboty mnóstwo; złociste pojazdy szły drogą, na lewo dwory, pałace i wioski widać było wesołe. Szedł więc Gaweł dalej w cieniu drzew powoli, wszystkiemu się przypatrując a nie spiesząc. Przed nim biegł pies, za nim sunął się kotek...

Ponieważ Gaweł w kieszenie nabrał chleba pod dostatkiem, nie potrzebował już we dnie gospody, siadł pod drzewami, sam się najadł i swoich towarzyszów nakarmił. Dopiero pod wieczór trzeba było o noclegu pomyśleć.

Znalazła się też jak raz wieś bardzo wielka i porządna, do miasteczka podobna, bo w środku jej było targowisko, dokoła domami obstawione. Właśnie w chwili gdy wchodził tu Gaweł, ogromne zbiorowisko ludu napełniało plac, a w środku na koniach stali ludzie i głośno coś z papieru czytali.

Widać było po konnych, iż z urzędu zostali posłani, bo mieli na sobie suknie wyszywane, z herbami, i kapelusze z piórami na głowach, a jeden wprzód trąbił, nim drugi miał czytać, aby ludzie słuchali... Cały tłum stojący dokoła zafrasowane bardzo miał twarze; niektórzy ręce łamali i rozpaczać się zdawali. Ten, co na koniu siedział, czytał co następuje z papieru:

– Z rozkazu Króla Jegomości Gwoździka, ogłasza się wszystkim wiernym jego poddanym, że oto wielkie nieszczęście grozi państwu, albowiem potężny, ale niegodziwy sąsiad, król Strasznej Góry, Bimbas, z wojskiem nieprzeliczonym ciągnie prciw Gwoździkowi i chce kraj zniszczyć i zawojować. Kto by przeciwko niemu wystąpił, a Gwoździka i jego państwo od zagłady uratował, temu król rękę swej córki jedynaczki, najpiękniejszej z królewien, Marmuszki, przeznacza i po sobie mu królestwo przekaże!

Słuchał tego czytania Gaweł – i natychmiast spytał stojącego przy sobie wieśniaka, którędy droga do zagrożonej stolicy i gdzie się nieprzyjaciel znajdował.

Na to jeden z heroldów odpowiedział, że Bimbas z wojskiem stał już o pół dnia od miasta, a do niego stąd nie było dalej jak dzień drogi.

Gaweł począł zaraz pierścionek swój trzeć i żądać, aby mu się wojsko stutysięczne zebrało dla pobicia nieprzyjaciela króla Gwoździka; miał bowiem na myśli ożenić się potem z królewną Marmuszką – no i spokojnie sobie panować temu królestwu. Jeszcze pierścień tarł, gdy sam ujrzał się na koniu, a poza wsią zaczęło się ukazywać wojsko wielkie i trzech wojewodów przybiegło do niego po rozkazy.

Gaweł wyjechał, przez zdumiony lud się przerzynając, wśród okrzyków radosnych do swojego wojska, rozkazując mu biec przeciwko Bimbasowi na obronę stolicy... Sam też z wojewodami puścił się w cwał, zapomniawszy nawet o swoim kocie i psie; ale oni oba tuż za koniem biegli nieodstępnie.

Nim rozedniało, wojsko Gawłowe, on i wojewodowie już byli pod murami stolicy Gwoździka, który się był zamknął w niej i ludzi miał mało, i już nie wiedział, co począć.

Bimbas tymczasem zbliżał się, zapewniony, że nie znajdzie siły, która by mu się opierać śmiała, gdy Gaweł ze trzema wojewodami i wojskiem swym jak piorun spadł na niego!

Co się tam działo, opowiedzieć trudno: dosyć że jak zajrzeć, pola pokryły się trupami, a sam Bimbas zaledwie z życiem uszedł. Gaweł zaś po odniesieniu zwycięstwa pod murami stolicy króla Gwoździka położył się obozem i trzech swoich wojewodów wysłał w poselstwie z pozdrowieniem, dopominając się królewny Marmuszki w małżeństwo, wedle uroczyście danego na to słowa.

Król Gwoździk, który z wieży na odniesione zwycięstwo patrzał wraz z królewną, natychmiast wyjechał na spotkanie przyszłego zięcia. Król był staruszek, zgrzybiały, maleńki, a koronę miał ciężką i wielką na łysej głowie, która mu ciągle aż prawie opadała, tak że ją podtrzymywać musiał...

Przywitał go Gaweł u namiotu swojego, uściskali się, przy czym Gwoździk koronę pod pachę wziął bez ceremonii i poprowadził go na zamek do córki. Tu wystrojona królewna Marmuszka czekała na narzeczonego w szatach ze złotogłowiu, a piękna tak, że jak od słońca bił blask od niej, ale minkę miała dumną, na wybawcę spoglądając z góry.

Gwoździk, poczciwe człowieczysko, koronę rzuciwszy do kufra i pozbywszy ceremonialnych strojów, w doskonałym humorze siadł za stół. Wesele Gawła z Marmuszką odbyło się tegoż dnia, przy wielkiej radości wszystkich mieszkańców stołecznego grodu.

Byli na nim jeszcze trzej wojewodowie Gawła i wojsko jego całe stało pod murami, ale że bardzo dużo jadło i piło, król Gwoździk przymówił się wprędce, czyby go nie można rozpuścić.

Gaweł zgodził się na to i poszedłszy w kąt, potarł swój pierścień, wydając stosowne rozkazy. Nazajutrz i wojewodów, i wojska nie stało, a Gaweł pozostał sam z żoną.

Wkrótce jakoś potem stary Gwoździk, który pić i jeść, a za stołem długo przesiadywać lubiał, zjadłszy na wieczerzę ogromny kręg kiełbasy i wypiwszy całą stągiew[1] piwa, w nocy Panu Bogu ducha oddał. Sprawiono mu pogrzeb wspaniały, po czym Gawła ukoronowano razem z jego żoną i poczęło się panowanie.

Kotek i pies przy nowym królu nieodstępni byli ciągle.

Jak Gaweł królował, domyślić się łatwo, znając jego dobre serce. Począł od tego, że biedny lud od wszelkich podatków i od ciężkich danin uwolnił, dla ubogich pozakładał szpitale i domy przytułku, a po całych dniach z kotem i psem chodząc, szukał żebraków, kalek, sierot, aby im pomagać, ratować, odziewać i karmić.

---

[1] S t ą g i e w – dawne naczynie o pojemności kilku wiader.

Królowej się to nie podobało, a jeszcze mniej wszystkim panom przy dworze, którzy na to nosem kręcili, że Gaweł ich pochlebstw nie słuchał i nie obdarzał ich, a cały był biednym oddany.

Zaczęli więc panowie owi podrwiać z króla i nawet ośmielili się przed królewną przebąkiwać, że to król był osobliwy jakiś i musiał chyba sam być lichej kondycji[1], kiedy tak się kochał w pospolitym gminie.

Ubodło to królowę, która choć męża dosyć kochała, dumną była z tego, iż pochodziła z wielkiego rodu Gwoździków i Ćwieczków. Zaczęła więc wypytywać męża o jego ród i genealogię[2]. Gaweł, śmiejąc się, zbywał ni tym, ni owym, czym wielką wzbudził w niej ciekawość.

Zaczęła mu się więc bardzo przymilać królowa, udawać dla niego nadzwyczajną miłość i zaręczać mu, że choćby prostym chłopem był, ona równie kochałaby go zawsze i wdzięczną mu była za ocalenie królestwa. Z wolna też coraz natarczywiej dowiadując się i badając go, królowa Marmuszka jednego wieczora, gdy sami byli i siedzieli w ogrodzie, słuchając słowików, zaczęła go usilnie prosić i zaklinać, aby jej historię swoją, od dzieciństwa poczynając, opowiedział. Gaweł dobroduszny wyznał jej wszystko, a naprzód, że prostym chłopskim synem był i jakim sposobem do tego cudownego pierścienia doszedł. Nie krył się nawet z tym, gdzie ten swój skarb nosił i jak go trzeba było używać.

Królowa Marmuszka, dowiedziawszy się o tym, że zaślubiła chłopa, nie dała tego znać po sobie, ale niezmiernie się gryzła, postanawiając zgubić go i od niego się uwolnić.

Jednego tedy razu, gdy Gaweł mocno zasnął, wcale się nie obawiając niczego, zakradła się królowa i pierścień mu zręcznie z zanadrza dobywszy, na swój palec włożyła, żądając od niego, aby Gaweł natychmiast przeniesiony został do wielkiej wieży na pustej wyspie wśród morza i tam do śmierci pod strażą siedział, więcej ani jej, ani królestwa swojego nie oglądając.

Gdy poczciwy Gaweł obudził się, już wedle rozkazania żony zamknięty, i zobaczywszy, że pierścienia nie miał, domyślił się, że go zdradziła królowa.

Wdrapał się na górne piętro wieży, aby choć zobaczyć, gdzie go osadzono, i ujrzał dokoła tylko jedno morze, jak okiem zajrzeć, maleńką wyspę skalistą, o którą się bałwany rozbijały, i morskie ptactwo, które żałośnie piszcząc latało dokoła.

---

[1] K o n d y c j a – tu: stan, warstwa społeczna.

[2] G e n e a l o g i a – rodowód

Kogo mu najbardziej żal było, to kota i psa, przyjaciół swych wiernych, których tu z nim nie było. Ale gdy się to działo, ów pies i kot również po całym zamku swojego pana szukali, biegali, wąchali, nie mogąc się domyśleć, co się z nim stało. Piesek dopiero, pierścień spostrzegłszy na palcu u królowej, bo ta go nigdy nie zrzucała, domyślił się, iż zdradą pozbyła'się męża. We dwu z kotem osnuli więc plan, jakim by sposobem mogli dobrego pana pomścić i uwolnić.

Kot począł od tego, że z zajadliwością większą rzucił się na myszy zamkowe, aby zmusić je do pomocy dla odzyskania pierścienia. On i pies, który mu we wszystkim dopomagał, tępili je bez miłosierdzia. W końcu też do ostateczności doprowadzone myszy, którym na zamku dobrze było i wynosić się z niego nie chciały, zwołały sejm w piwnicy.

Począwszy radzić z wieczora, ponieważ głosy były podzielone, a każda mysz chciała długą mowę powiedzieć i pochwalić się, że umie pięknie mówić – radziły do rana i... nic nie uradziły. Nazajutrz, zwoławszy się znowu, o mało się nie pokąsały! Cała gromadka podzieliła się na dwa obozy, a trzeci stanął w pośrodku, aby je zgodził. Tego zagryziono na śmierć. Dziesiątego dnia, gdy kot coraz okrutniej się pastwił nad nimi, postanowiono nareszcie wysłać do niego poselstwo...

Kot przyjął je, ale zapowiedział, że o żadnym *modus vivendi*[1] mowy być nie może, dopóki myszy mu pierścienia od królowej nie dostaną. Wyszpiegował on, że w nocy królowa go w ustach trzymała z obawy, aby się z palca nie zsunął, bo rękę miała małą i paluszki cienkie, a pierścień był duży.

Myszy tedy, ratując naród swój od zagłady, musiały wkraść się do sypialni i czatować. A że są to stworzenia bardzo przemyślne i mądre, obmyśliły łaskotać tak śpiącą Marmuszkę, aby śpiąca pierścień z ust wypuściła. Raz i drugi się nie udało, na ostatek, gdy ciągle myszki ogonkami jej około ust poczęły łaskotać, królowa otworzyła je, a pierścień wypadł i zsunął się na podłogę; tu pies i kot czekali już i pies, schwyciwszy pierścień, natychmiast skrobać począł do drzwi, skomlić, aż służąca, wstawszy, wypuścić go musiała.

Pies i kot razem tejże nocy wykradli się precz z zamku i z miasta w pole, a że wiedzieli już instynktem, że Gaweł na wyspie pustej wśród morza się znajdował, wprost do morza dążyli... Szli i szli, bo bardzo daleko było od brzegu, aż nareszcie dostali się do niego. Ale jak tu się przez wodę przeprawić?

---

[1] *Modus vivendi* (łac.) – sposób życia, współistnienia.

Kot nie umiał pływać, a nie chciał się zostać, bo utrzymywał, że bez niego się tam nie obejdzie. Ułożyli się więc, ażeby pies wziął go na grzbiet, a kot miał w pysku pierścionek nieść, i tak do wyspy płynąć mieli.

Wszystko z początku szło pomyślnie, byli już na pół drogi do wyspy, którą z dala widzieli, gdy pies zapytał kota:

– Masz pierścień?

– A mam! – odparł kot, ale gdy to mówił, otworzył gębę i – pierścień wypadł z niej i w głębi morza utonął. Nie śmiał się już do tego przyznać ze strachu, aż stanęli na wyspie.

Tu się pies pyta:

– A gdzie pierścień?

– Trzymałem go wiernie – rzekł kot z boleścią – ale gdyś mnie zapytał, niepotrzebnie otworzyłem pyszczek, aby odpowiedzieć i... pierścień poszedł na dno morza.

Pies wpadł w ogromną wściekłość.

– Kocie! zdrajco jakiś – zakrzyczał – rób, co chcesz! ratuj się, jak możesz, ale to ci przysięgam na Cerbera [1], że jeśli mi pierścienia jakimkolwiek sposobem nie odzyskasz, zagryzę cię na śmierć... a sam też potem głodem się zamorzę.

Kot nie miał innego sposobu, bo prostaczek był i wymyślić nic nowego nie umiał, tylko tak samo sobie postąpić z rybami jak na zamku z myszami. Stanął więc, by czatować na ryby i dusić je bez miłosierdzia.

Tysiące trupów leżało na brzegu; morderstwo było okrutne, ryby się przestraszyły. Zwołały więc i one sejm wielki, ale daleko inszy niż u myszy. Zasiadły ogromne jesiotry, łososie, szczupaki i różne ich matadory [2], w jednej chwili uradziwszy poselstwo do kota. Drobne rybki musiały słuchać i ani myślały się przeciwić, boć im głosu nawet nie dano.

Kot już czekał na brzegu. Jesiotr stary począł do niego mowę, ale tej on ani chciał słuchać.

– Śmierć wam wszystkim – zamiauczał – jeśli mi pierścienia nie dostaniecie! Róbcie, co chcecie, inaczej pokoju nie będzie!

Natychmiast ryby wielkie, którym się nie chciało samym w błocie i szlamie brukać na dnie, wykomenderowały dziesięć tysięcy maleńkich, aby pierście-

---

[1] C e r b e r – wielogłowy pies, który według podań starożytnych Greków strzegł wejścia do podziemnego świata umarłych.
[2] M a t a d o r – wybitna jednostka.

nia szukały i tegoż dnia uboga płotka go przyniosła... Stary jesiotr go jej odebrał i popłynął do kota.

Radość była wielka, ale na tym nie koniec. Pierścień wprawdzie mieli, a dostać się z nim do środka wieży nie było żadnego sposobu. Nie było do niej żadnego wnijścia, żadnej dziury, żadnego okna i tylko wierzch miała otwarty, którędy powietrze wchodziło. Kot więc ofiarował się drapać na mur do pana... Pies został pod wieżą, siadł na skale i pilnował.

Lezie tedy kot, lezie, trzyma się pazurami kamieni, dobrał się do połowy wieży, a tu go siły opuściły... i... buch... na ziemię. Ale że kot zawsze na nogi pada, więc mało co się utrząsł.

Pies zawarczał:

– Musisz się dostać na górę, a nie, to cię zagryzę, próbuj drugi raz!

Ledwie wytchnąwszy, kot po raz wtóry począł wędrówkę po murze i spadł znowu, a pies go za kark pochwycił i o mało nie zdusił.

– Polezę raz jeszcze – jęknął kot – tylko daj mi odetchnąć.

Za trzecim razem kot już tak pazurami się chwytał i wybierał dobrze kamienie, że się do wierzchołka dostał.

Gaweł właśnie siedział tam na ławce kamiennej i tęsknie na morze patrzał, gdy swego poczciwego kota zobaczył, który bezsilny padł u stóp jego, a razem i złoty pierścień się potoczył...

Pochwycił go Gaweł uradowany, biedne stworzenie razem na ręce biorąc, bo kot już ledwie dyszał...

Ponieważ go tam na wieży o suchym chlebie i wodzie trzymano, król Gaweł głodny był i zmizerowany, więc potarł pierścień, żądając gospody dla siebie, psa i kota...

I w tejże chwili znaleźli się wszyscy za stołem w tej samej izbie, w której Gaweł już raz bywał, gdy od rodziców wyszedł... Nie tylko odpocząć, zjeść i napić potrzebował, a towarzyszów nakarmić, ale i o tym pomyśleć, co dalej robić. Do królowej, która go tak niegodziwie zdradziła, powracać nie bardzo chciał, chociaż ją kochał. Wszelako pięknego królestwa żal mu było, a nade wszystko ubogich żebraków, kalek i wszystkich biedaków, którym mógł być pomocą i opieką.

Wyspawszy się i najadłszy, nimby coś postanowił Gaweł, zażądał on sobie przejść się trochę między zielonością i drzewami, których nie widział dawno – znów więc na tę samą wybrał się drogę, co w pierwszej podróży, i trafił do tej samej wioski.

Dziwna rzecz, tak jak pierwszym razem, znalazł się tłum ogromny w rynku, przestraszony i lamentujący.

– Poczciwi ludzie, co się tu u was znowu dzieje – zapytał – biedę jakąś, widzę, macie.

– Och! bieda, bieda! – odpowiedział mu wójt – a już nas teraz nikt ratować z niej nie przyjdzie. Królowa i królestwo padnie ofiarą. Nie wiadomo, co się z królem Gawłem stało, który panem był rozumnym i silnym. Teraz, gdy go nie ma, niepoczciwy Bimbas dowiedział się o tym, ciągnie na stolicę i zawojuje nas, a zawojowawszy, każe swoim językiem gadać, do swoich modlić się bogów i zażąda, abyśmy wszyscy skórę z siebie pozdzierali, a powkładali tę, którą on nam narzuci. A to jest najstraszniejsza rzecz, jaka naród biedny spotkać może.

Gaweł słuchał i dumał. Do królowej żal miał wielki, to prawda, ale czyż za to królestwo jego pokutować miało?

Potarł więc pierścień, żądając sto tysięcy wojska i trzech wojewodów. W mgnieniu oka wojewodowie nadbiegli, wojsko stanęło. Gaweł na koniu siedział i ciągnął pod stolicę na odsiecz!...

Gdy się to wojsko jego pokazało, a Bimbas je zobaczył, nie czekając bitwy, począł uciekać... Bito więc ich w pogoni na kapustę siekąc, a i sam niepoczciwy Bimbas padł na placu.

Królowa z zamku patrzała i mdlała ze strachu. Wprawdzie nieprzyjaciel został odparty, ale Gaweł, mąż jej, będzie chciał się na niej pomścić za zdradę... Przebłagać go nie widziała sposobu... Zwycięski pan wchodził już do swej stolicy...

Marmuszka zamknęła się w izbie i padłszy na ziemię, losu strasznego, jaki ją spotkać musiał, czekała, będąc pewna, że król ją teraz na tę samą wyspę ześle, aby tam w wieży siedziała. Ale Gaweł nadto poczciwy i dobry był, ażeby się miał mścić srogo... Otworzono wrota, panowie i starszyzna plackiem padła pod nogi panu, udając niezmierną radość z jego powrotu...

Gaweł, nic nie mówiąc, wprost do żony prowadzić się kazał. Stanął we drzwiach.

– A co? królowo Marmuszko – rzekł – a tom ja znów zjawił się w porę. Nieprawdaż? Na wieży mi się strasznie nudziło. Pan Bóg pomógł, przyjaciele poratowali... Musimy tedy znowu żyć razem, bo co się sobie raz ślubowało, to się rozerwać nie może... Mógłbym się ja mścić, ale nie chcę. Podła to rzecz... Bez kary jednak słusznej nie ujdziesz, królowo moja.

Tu Marmuszka głowę podniosła słuchając.

– Jestem sobie prosty chłop... Gaweł... z chłopa królem zostałem i z tym się nie taję. Poszłaś za mnie, Marmuszko, jesteś żoną moją, więc wraz ze mną musisz, za karę, iść i rodzicom moim w chacie ubogiej do stóp się pokłonić... Naówczas wszystko ci przebaczę i zapomnę.

Królowa Marmuszka uściskała nogi jego i na wszystko się godziła.

Nazajutrz, jak dzień, potarł król pierścień, żądając być na drodze do chaty rodziców... I on, i Marmuszka oboje w koronach złotych, w płaszczach z gronostajami, za nimi dwór, wozy, konie, skarby, aż strach. Idą, idą, aż jeden z braci Gawłowych pędzi woły z paszy i zobaczywszy króla, padł na ziemię, przestraszony, bijąc czołem. A był w prostej sukmanie, odarty i brudny. Stanął król śmiejąc się.

– A coś ty mnie nie poznał?... Tociem Gaweł, rodzony twój brat, tylkom się przez moją głupotę korony dorobił, gdy ty ze swoją mądrością woły pasiesz. Wstawaj i chodź z nami.

Musiała tedy królowa Marmuszka ścierpieć, że chłop jeden już przy niej szedł.

Trochę dalej, patrzą, idzie brat drugi, chude konie popędzając. Zobaczywszy orszak królewski, co prędzej na bok odegnał szkapy i nie śmiejąc nawet spojrzeć na Gawła, padł pozdrawiając go. A ten woła:

– Wstawaj! nie poznałeś mnie, brat twój jestem, chodź z nami.

Pod samą chatą nastraszył się ich tak samo brat trzeci – i zbliżyli się nareszcie do wrót.

Ojciec i matka wybiegli się przypatrywać orszakowi, który się zatrzymał. Rodzice oboje nie poznali Gawła, aż po głosie, gdy się odezwał do nich i pokłonił obojgu...

– Bóg wam zapłać, kochani moi, żeście mnie precz z chaty wygnali, bo gdyby nie to, nie doszedłbym do królestwa i nie mógłbym wam na starość być pomocą. Więc dziękuję wam z duszy, a gdy mnie Bóg na tronie posadził, abym nie zapomniał nigdy, żem taki człek, jako i inni ludzie, chodźcie wy ze mną i zasiądźcie przy mnie w chłopskich sukmanach, abym się pokory uczył i w dumę nie wzbijał.

To rzekłszy Gaweł, rodziców swych poszanowawszy, zabrał ich ze sobą do stolicy, w której gody nowe sprawiwszy, sto lat szczęśliwie królował z królową Marmuszką, a synowie jego po dziś dzień w tym państwie panują.

KWIAT PAPROCI

Od wieków wiecznych wszystkim wiadomo, a szczególniej starym babusiom, które o tym szeroko a dużo opowiadają wieczorem przy kominie, gdy się na nim drewka jasno palą i wesoło potrzaskują, że nocą świętego Jana, która najkrótsza jest w całym roku, kwitnie paproć, a kto jej kwiatuszek znajdzie, urwie i schowa, ten wielkie na ziemi szczęście mieć będzie.

Bieda zaś cała z tego, że noc ta jest tylko jedna w roku, a taka niezmiernie krótka, i paproć w każdym lesie tylko jedna zakwita, a to w takim zakątku, tak ukryta, że nadzwyczajnego trzeba szczęścia, aby na nią trafić.

Ci, co się na tych cudowiskach znają, mówią jeszcze i to, że droga do kwiatu bardzo jest trudna i niebezpieczna, że tam różne strachy przeszkadzają, bronią, nie dopuszczają, i nadzwyczajnej odwagi potrzeba, aby zdobyć ten kwiat.

Dalej jeszcze powiadają, że samego kwiatka w początku rozeznać trudno, bo się wydaje maleńki, brzydki, niepozorny, a dopiero urwany przemienia się w cudownej piękności i jasności kielich.

Że to tak bardzo trudno dojść do tego kwiatuszka i ułapić go, że mało kto go oglądał, a starzy ludzie wiedzą o nim tylko z posłuchów, więc każdy rozpowiada inaczej i swojego coś dorzuca.

Ale to przecież pewne, że nocą świętojańską on kwitnie, krótko, póki kury nie zapieją, a kto go zerwie, ten już będzie miał, co zechce.

Pomyśli tedy sobie, choćby najcudowniejszą rzecz, ziści mu się wnet.

Wiadomo także, iż tylko młody może tego kawiatu dostać, i to rękami czystymi.

Stary człowiek, choćby nań trafił, to mu się w palcach w próchno rozsypie.

Tak ludzie bają, a w każdej baśni jest ziarenko prawdy, choć obwijają ludzie w różne szmatki to jąderko, że często go dopatrzeć trudno, ale tak i ono jest.

I z tym kwiatkiem to jedno pewna, że on nocą świętego Jana zakwita.

Pewnego czasu był sobie chłopak, któremu na imię było Jacuś, a we wsi przezywali go ciekawym, że zawsze szperał, szukał, słuchał, a co było najtrudniej dostać, on się najgoręcej do tego garnął... taką miał już naturę. Co pod nogami znalazł, po co tylko ręką było sięgnąć, to sobie lekceważył, za ba i bardzo miał, a o co się musiał dobijać, karku nadłamać, najwięcej mu smakowało.

Trafiło się tedy raz, że gdy wieczorem przy ogniu siedzieli, a on sobie kij kozikiem wyrzynał, chcąc koniecznie psią głowę na nim posadzić – stara Niemczycha, baba okrutnie rozumna, która po świecie bywała i znała wszystko, poczęła powiadać o tym kwiecie paproci...

Ciekawy Jacuś słuchał i tak się zasłuchał, że mu aż kij z rąk wypadł, a kozikiem sobie omal palców nie pozarzynał.

Niemczycha o kwiecie paproci rozpowiadała tak, jakby go sama w żywe oczy widziała, choć po jej łachmanach szczęścia nie było znać. Gdy skończyła, Jacuś powiedział sobie:

– Niech się dzieje co chce, a ja kwiatu tego muszę dostać. Dostanę go, bo człowiek, kiedy chce mocno, a powie sobie, że musi to być, zawsze w końcu na swoim postawi.

Jacuś to często powtarzał i takie miał głupie przekonanie.

Tuż pod wioską, w której stała chata rodzicieli Jacusia, z ogrodem i polem – był niedaleko las, i pod nim właśnie obchodzono sobótki [1], a ognie palono w noc świętojańską.

Powiedział sobie Jacuś:

– Gdy drudzy będą przez ogień skakali, i łydki sobie parzyli, pójdę w las, znajdę ten kwiat paproci. Nie uda mi się jednego roku, pójdę na drugi, na trzeci, i będę chodził póty, aż go wyszukam i zdobędę.

Przez kilka miesięcy potem czekał, czekał, na tę noc i o niczym nie myślał, tylko o tym. Czas mu się strasznie długim wydawał.

Na ostatek nadszedł dzień, zbliżyła się noc, której on tak wyglądał; ze wsi wszystka młodzież się wysypała ognie palić, skakać, śpiewać i zabawiać się.

Jacuś się umył czysto, wdział koszulinę białą, pasik czerwony nowy, łapcie lipowe nie noszone, czapkę z pawim piórkiem, i jak tylko pora nadeszła a mrok zapadł, szmyrgnął do lasu.

Las stał czarny, głuchy, nad nim noc ciemna z mrugającymi gwiazdkami, które świeciły, ale tylko sobie, bo z nich na ziemi nie było użytku.

Znał Jacuś dobrze tę drogę w głąb lasu po dniu i jaką ona bywała w powszedni czas. Teraz gdy się zapuścił w głąb – osobliwsza rzecz, nie mógł ani wiadomej drożyny znaleźć, ani drzew rozpoznać. Wszystko było jakieś inne. Pnie drzew zrobiły się ogromnie grube, powalone na ziemi. Kłody powyrastały tak, że ani ich obejść, ani przez nie przeleźć; krzaki się znalazły gęste a kolące, jakich tu nigdy nie bywało; pokrzywy piekły, osty kąsały. Ciemno, choć oczy wykol, a wśród tych zmroków gęstych coraz to zaświeci para oczu jakichś i patrzą na niego, jakby go zjeść chciały, a mienią się żółto, czerwono, biało i – nagle mgną i gasną. Oczu tych, na prawo, na lewo, w dole, na górze,

---

[1] S o b ó t k a – pozostałość prasłowiańskich obchodów na cześć słońca. Uroczystość sobótki, na którą składało się m.in. palenie ognisk, puszczanie wianków, obchodzono w noc świętojańską (23/24 czerwca), uważaną za noc czarodziejską.

pokazywało się mnóstwo, ale Jacuś się ich nie ulakł. Wiedział, że one go tylko nastraszyć chciały, i pomrukiwał, że to strachy na Lachy!

Szedł dalej, ale co to była za ciężka sprawa z tym chodem! To mu kłoda drogę zawaliła, to on przez nią się przewalił. Drapie się, drapie, a gdy na wierzch wlazł i ma się spuścić, patrzy, a ona się zrobiła taka mała, że ją mógł nogą przestąpić.

Dalej stoi na drodze sosna, w górze jej końca nie ma, dołem pień jak wieża gruby. Idzie wkoło niego, idzie, aż gdy doszedł, patrzy, a to patyk taki cienki, że go na kij wyłamać by można...

Zrozumiał tedy, że to wszystko było zwodnictwo nieczystej siły.

Potem stanęły na drodze gąszcze takie, że ani palca przez nie przecisnąć, ale Jacuś jak się rzucił, pchnął, zamachnął: zdusił je, zmiętosił, połamał i przedarł się szczęśliwie...

Idzie, aż moczar i błoto. Obejść ani sposób. Spróbował nogą, grzeźnie, że ani dna dostać. Gdzieniegdzie kępiny wyrastają, więc on z kępy na kępę. Co stąpi na którą, to mu się ona spod stóp wysuwa, ale jak począł biec, dostał się na drugą stronę błota. Patrzy za siebie, aż kępiny wyglądają gdyby ludzkie głowy z błota i śmieją się... Dalej już, choć kręto i bez drogi, szło mu łatwiej, tylko się tak obłąkał, że gdyby mu przyszło powiedzieć, którędy nazad do wsi, już by nie umiał rozpoznać, w której stronie leżała.

Wtem patrzy, przed nim ogromny krzak paproci, ale taki jak dąb najstarszy, a na jednym liściu jego, u spodu, świeci się, gdyby brylant, kwiatuszek jak przylepiony... pięć w nim listków złotych, w środku zaś oko śmiejące się, a tak obracające ciągle jak młyńskie koło... Jacusiowi serce uderzyło, rękę wyciągnął, i już miał pochwycić kwiat, gdy nie wiedzieć skąd, jak... – kogut zapiał. Kwiatek otworzył wielkie oko, błysnął nim i – zgasnął. Śmiechy tylko dały się słyszeć dokoła, ale czy to liście szemrały tak, czy się co śmiało, czy żaby skrzeczały, tego Jacuś rozpoznać nie mógł, bo mu się w głowie zawieruszyło, zaszumiało, nogi jakby kto podciął, i zwalił się na ziemię.

Potem już nie wiedział, co się z nim stało, aż znalazł się w chacie na pościeli, a matka płacząc mówiła mu, że szukając go po lesie, nad ranem półżywego znalazła.

Jacuś sobie teraz wszystko dobrze przypomniał, ale do niczego się nie przyznał. Wstyd mu było. Powiedział sobie tylko, że na tym nie koniec, przyjdzie drugi święty Jan, zobaczymy...

Przez cały rok tylko o tym dumał, ale żeby się z niego ludzie nie naśmiewali, nikomu nic nie mówił. Znowu tedy umył się czysto, koszulę włożył białą, pasik czerwony, łapcie lipowe nie noszone – i gdy drudzy do ogni szli, on w las.

Myślał, że znowu mu się przyjdzie przedzierać jak pierwszym razem, aż ten sam las i ta sama droga zrobiła się zupełnie inną. Wysmukłe sosny i dęby stały porozstawiane szeroko na gołym polu kamieniami posianym... Od jednego drzewa do drugiego iść było potrzeba, iść, i choć zdawało się tuż blisko, nie mógł dojść jakby uciekało od niego, a kamienie ogromne, mchem całe porosłe, śliskie, choć leżały nieruchome, jakby z ziemi wyrastały. Pomiędzy nimi paproci stało różnej: małej, dużej, jak zasiał, ale kwiatu na żadnej. Z początku paproci było po kostki, potem do kolan, aż w pas, dalej po szyję – i utonął w niej nareszcie, bo go przerosła... Szumiało w niej jak na morzu, a w szumie niby śmiech słychać było, niby jęk i płacze. Na którą nogą stąpił, syczała, którą ręką pochwycił, jakby z niej krew ciekła...

Zdawało mu się, że szedł rok cały, tak długą wydawała mu się ta droga... Kwiatu nigdzie... nie zawrócił się jednak i nie stracił serca, a szedł dalej.

Na ostatek... patrzy, świeci z dala ten sam kwiatek, pięć listków złotych dokoła, a w pośrodku oko obraca się jak młyn...

Jacuś podbiegł, rękę wyciągnął, znowu kury zapiały – i znikło widzenie. Ale już teraz nie padł ani omdlał, tylko siadł na kamieniu. Z początku na łzy mu się zbierało, potem gniew w sercu poczuł i zburzyło się w nim wszystko.

– Do trzech razy sztuka! – zawołał z gniewem. A że zmęczony się czuł, położył się między kamienie na mchu i zasnął.

Ledwie oczy zmrużył, gdy mu się marzyć poczęło. Patrzy, stoi przed nim kwiatek o listkach pięciu, z oczkiem pośrodku i śmieje się...

– A co? masz już dosyć – mówi do niego – będziesz ty mnie prześladował?

– Com raz powiedział, to się musi stać – mruknął Jacuś – na tym nie koniec, będę cię miał!

Jeden listek kwiatka przedłużył się jak języczek i Jacusiowi się wydawało, jakby mu na przekorę się pokazał, potem znikło wszystko i spał snem twardym do rana. Gdy się obudził, znalazł się w znajomym miejscu na skraju lasu, niedaleko od wioski, i sam nie wiedział już, czy to, co wczoraj było, snem miał zwać czy jawą. Powróciwszy do chaty, zmęczonym się tylko czuł tak, że położyć się musiał i matuś mówiła mu, że wyglądał jak z krzyża zdjęty.

Przez cały rok, nic nie mówiąc nikomu, myślał ciągle, jakby tego dokazać, żeby kwiatu dostać. Nie mógł jednak nic wydumać, trzeba było spuścić się na szczęście swoje, na dolę lub niedolę.

Wieczorem znowu koszulę wdział białą, pasik czerwony, łapcie nie noszone, i choć go matka nie puszczała, jak tylko ściemniało, pobiegł do lasu.

Stała się znowu inna rzecz, las był taki jak zawsze pospolitych dni, nic się już w nim nie zmieniło. Ścieżki i drzewa były znajome, żadnego cudowiska nie spotykał, a paproci nigdzie ani na lekarstwo. Ale lżej mu było wiadomymi ścieżkami dostać się daleko, daleko w gąszcze, gdzie pamiętał dobrze, że paprocie rosły...Znalazł je na miejscu i nuż w nich grzebać, ale kwiatu nigdzie ani śladu.

Po jednych łaziły robaki, na drugich spały gąsienice, innych liście były poschłe. Już miał Jacuś z rozpaczy porzucić daremne szukanie, gdy – tuż pod nogami zobaczył kwiatek. Pięć listków miał złotych, a w środku oko świecące. Wyciągnął rękę i pochwycił go. Zapiekło go jak ogniem, ale nie rzucił... trzymał mocno.

Kwiat w oczach rosnąć mu poczynał, a taką jasność miał, że Jacuś musiał powieki przymknąć, bo go oślepiała. Wciągnął go zaraz za pazuchę pod lewą ręką, na serce...

Wtem głos się odezwał do niego:

– Wziąłeś mnie – szczęście to twoje, ale pamiętaj o tym, że kto mnie ma, ten wszystko może, co chce, tylko z nikim i nigdy swoim szczęściem dzielić się nie wolno...

Jacusiowi tak się w głowie z wielkiej radości zaćmiło, że niewiele na ten głos zważał.

„A! co mi tam! – rzekł w duchu – byle mnie na świecie dobrze było..."

Poczuł zaraz, że mu ów kwiat do ciała przylgnął, przyrósł i w serce zapuścił korzonki... Ucieszył się z tego bardzo, bo się nie obawiał, aby uciekł albo mu go odebrano.

Z czapką na bakier, podśpiewując, powracał nazad. Droga przed nim świeciła jak pas srebrny, drzewa się ustępowały, krzaki odchylały, kwiaty, które mijał, kłaniały mu się do ziemi. Z głową podniesioną stąpał i tylko roił, czego ma żądać. Zachciało mu się naprzód pałacu, wioski ogromnej, służby licznej i strasznego państwa; no i ledwie o tym pomyślał, gdy znalazł się u skraju lasu, ale w okolicy zupełnie mu nie znanej...

Spojrzawszy sam na siebie, poznać się nie mógł. Ubrany był w suknie z najprzedniejszej sajety [1], buty miał na nogach ze złotymi podkówkami, pas sadzony, koszulę z najcieńszego śląskiego płótna.

---

[1] S a j e t a – cienka, lekka tkanina.

Tuż stał powóz, koni białych sześć w chomątach pozłocistych. Służba w galonach – kamerdyner [1] rękę mu podał kłaniając się, wsadził do karety i – wio!

Jacuś nie wątpił, że do pałacu go wiozą; jakoż tak się stało, w mgnieniu oka powóz był u ganku, na którym służba liczna czekała.

Tylko ani znajomego nikogo, ani przyjaciela, twarze wszystkie nieznane, osobliwe, jakby przestraszone i pełne trwogi.

Miał za to na co patrzeć wszedłszy do środka... Strach, co to był za przepych i jaki dostatek – tylko ptasiego mleka brakło.

– No! będęż teraz używał! – mówił Jacuś i opatrzywszy kąty wszystkie, naprzód poszedł do łóżka, bo go sen brał po tej nocy pracowitej. W puchu jak legł na bieliźnie cieniutkiej, przykrywszy się kołdrą jedwabną; i gdy usnął – sam nie wiedział, ile godzin tam przeleżał. Obudził się, gdy mu się strasznie jeść zachciało.

Stół był zastawiony, gotowy i taki osobliwy, że co Jacuś pomyślał, to mu się na półmisku sunęło samo. I jak spał bardzo długo, tak teraz, począwszy jeść a popijać, nie przestał, aż dalej już nie było co wymyślić i smak stracił do jadła.

Szedł potem do ogrodu.

Cały on był sadzony takimi drzewami, na których kwiatów było pełno razem i owoców; a coraz to nowe odkrywały się widoki. Z jednej strony ogród przypierał do morza, z drugiej do lasu wspaniałego; środkiem płynęła rzeka.

Jacuś chodził, usta otwierał, dziwił się, a najbardziej to mu się wydawało niezrozumiałym, że nigdzie swojej znajomej okolicy ani tego lasu, z którego wyszedł, ani wioski – dopatrzeć się nie mógł. Nie zatęsknił jeszcze za nimi, ale – ot, tak jakoś chciało mu się wiedzieć, gdzie się one podziały.

Wokoło otaczał go świat zupełnie mu obcy, inny, piękny, wspaniały, ale nie swój. Jakoś mu zaczynało być markotno. Na zawołanie jednak, gdy się ludzie zbiegać zaczęli a kłaniać mu nisko, a co tylko zażądał, spełniać i prawić mu takie słodycze, że po nich tylko się było oblizywać – Jacuś o wsi rodzinnej, o chacie i rodzicach zapomniał.

Nazajutrz zaprowadzono go na żądanie do skarbca, gdzie stosami leżało złoto, srebro, diamenty i takie różne malowane papiery szczególne [2], za które można było dostać, co dusza zapragnęła, choć były zrobione z prostych gałganków, jak każdy papier inny.

---

[1] K a m e r d y n e r – pokojowiec, lokaj.
[2] M a l o w a n e p a p i e r y s z c z e g ó l n e – pieniądze papierowe, banknoty.

Pomyślał sobie Jacuś: „Miły Boże, gdybym to ja mógł garść jedną albo drugą posłać ojcu i matusi, braciom i siostrom, żeby sobie pola przykupili albo chudoby" – ale wiedział o tym, że jego szczęście takie było, iż mu się z nikim dzielić nie godziło, bo zaraz by wszystko przepadło.

„Mój miły Boże! – rzekł sobie w duchu – co ja mam się o kogo troszczyć, albo koniecznie pomagać; czy to oni rozumu i rąk nie mają? Niechaj każdy sobie idzie i szuka kwiatu, a daje radę, jak może, aby mnie dobrze było".

I tak żył sobie Jacuś dalej, wymyślając coraz to nowego na zabawę.

Więc budował coraz nowe pałace, ogród przerabiał, konie siwe mieniał na kasztanowate, a kare na bułane, posprowadzał dziwów z końca świata, stroił się w złoto i drogie kamienie, do stołu mu przywozili przysmaki zza morza, aż w końcu sprzykrzyło się wszystko. Więc po pulpetach jadł surową rzepę, a po jarząbkach schab wieprzowy i kartofle, a i to się przejadło, bo głodu nigdy nie znał.

Najgorzej było, że nie miał co robić, bo mu nie wypadało ani siekiery wziąć, ani grabi i rydla. Nudzić się poczynał wściekle, a na to innej rady nie znał, tylko ludzi męczyć, to mu robiło jaką taką rozrywkę, a ta w końcu się uprzykrzyła...

Upłynął tak rok i drugi – wszystko miał, czego dusza zapragnęła, a szczęście to mu się wydawało czasem tak głupie, że mu życie brzydło.

Najwięcej go teraz gnębiła tęsknica do wioski swojej, do chaty i rodziców, żeby ich choć zobaczyć, choć dowiedzieć się, co się z nimi tam dzieje... Matkę kochał bardzo, a jak ją wspominał, serce mu się ściskało.

Jednego dnia zebrało mu się na odwagę wielką – i siadłszy do powozu pomyślał, aby się znalazł we wsi przed chatą rodziców. Natychmiast konie ruszyły, leciały jak wiatr i nie opatrzył się, gdy zatrzymał się przed znanym mu dobrze podwórkiem. Jacusiowi łzy się z oczu puściły.

Wszystko to było takie, jak porzucił przed kilku latami, ale postarzałe, a po tych wspaniałościach, do których nawykł, jeszcze mu się nędzniejszym wydawało.

Żłób stary przy studni, pieniek, na którym drewka rąbał, wrotka od dzie-dzińca, dach porosły mchami, drabina przy nim... stały jak wczoraj. A ludzie?

Z chaty wychyliła się stara, przygarbiona niewiasta, w zasmolonej koszuli, z obawą spoglądając na powóz, który się przed chatą zatrzymał.

Jacuś wysiadł; pierwszy spotykający go w podwórku był stary Burek, jeszcze chudszy, niż był niegdyś, z sierścią najeżoną. Szczekał na niego zajadle, przysiadając na tyle i ani myślał poznać.

Jacuś postąpił ku chacie, w progu jej wsparta o uszak drzwi stała matka, wlepiając w niego oczy, ale i ta nie zdawała się w nim swojego rodzonego domyśleć.

Jacusiowi serce biło wzruszeniem wielkim.

– Matuś – zawołał – to toć ja wasz, Jacek!

Na głos ten drgnęła staruszka, oczy zaczerwienione od dymu i płaczu skierowała ku niemu i stała oniemiała. Potrząsnęła potem głową.

– Jacuś! wolne żarty, jaśnie panie! Tamtego już na świecie nie ma. Gdyby żył, toćby przecie przez lat tyle do biednych rodziców się zgłosił, a gdyby jak wy we wszystko opływał, z głodu nie dałby im umrzeć.

Pokiwała głową i uśmiechnęła się szydersko.

– Gdzie tam! gdzie tam! – rzekła. – Jacuś mój miał serce poczciwe i nie chciałby nawet szczęścia, z którym by się nie mógł podzielić ze swoimi.

Zasromał się mocno Jacuś, oczy spuścił... Kieszenie miał pełniusieńkie złota – ale co ręką sięgnął, ażeby garść jego rzucić w fartuch matce, to strach go brał wszystko razem utracić...

I stał tak, stał upokorzony, zawstydzony, a starucha na niego spoglądała...

Poza nią zbierało się rodzeństwo, pokazała się głowa ojca... Jacusiowi serce miękło, ale jak spojrzał na swój powóz, konie, ludzi, a pomyślał o pałacu, znowu twardniało – i czuł, że kwiat paproci leżał na nim jak pancerz żelazny...

Odwrócił się od starej matki nie mówiąc słowa, nie patrząc i wolnym krokiem poszedł, słysząc tylko za sobą wściekle ujadającego Burka... Siadł do powozu i kazał jechać na powrót do raju. Ale co się w nim, i z nim działo, tego język nie wypowie, żadne pióro nie opisze. Słowa starej matki, że nie ma szczęścia dla człowieka, jeżeli się nim dzielić nie może, brzmiały mu w uszach jak przekleństwo.

Powróciwszy do pałacu, kazał kapeli grać, pannom swoim tańcować, zastawić stoły – upił się nawet trochę, kilku ludzi kazał oćwiczyć, ale to wszystko nie pomogło, pozostał bardzo markotny...

Przez cały rok, choć jak zwykle we wszystko opływał, w gębie mu czegoś było gorzko, a w sercu jakby kamień dźwigał...

Nie mógł w końcu wytrzymać, po roku znowu pojechał do wsi swojej i chaty...

Spojrzał, wszystko, jak było: żłób, pieniek, dach, drabina, wrota i Burek z sierścią najeżoną – ale stara matka nie wyszła. W progu pokazał się w koszulinie najmłodszy brat jego, Maciek.

– A matuś gdzie? – zapytał przybyły.

– Chorzy leżą – rzekł malec wzdychając.

– A tatuś?

– Na mogiłkach...

Choć Burek mało go za pięty nie chwytał, wszedł Jacuś do chaty. Stara matka stękając leżała w kątku na łóżeczku. Podszedł do niej Jacuś... popatrzyła nań, nie poznała... Mówić jej było trudno, a on o nic pytać się nie śmiał.

Serce mu się krajało. Już sięgał do kieszeni, aby złotem sypnąć na ławę – ale dłoń mu się ścisnęła, strach go paskudny ogarnął, że własne szczęście utraci.

Niegodziwy Jacuś począł mędrkować:

– Starej już się niewiele na świecie należy, a jam młody. Ona się długo męczyć nie będzie... a przede mną... życie, świat, panowanie.

I wyrwał się z chaty do powozu, a z nim do pałacu – ale przybywszy tu, zamknął się i płakał.

Pod żelaznym pancerzem na piersiach, który włożył na nie kwiat paproci, związane i skrępowane budziło się sumienie... i gryzło mu wewnątrz serce. Więc kazał kapeli grać, a dworni skakać, i pić zaczął, aby je zagłuszyć.

Chwilami zdawało się, że go już nie słychać, a potem – jak wrzasło, Jacuś o mało nie oszalał. Ale nazajutrz i dni następnych, ani na moment nie spoczywając, durzył się ciągle czymś, latał, jeździł, strzelał, słuchał wrzasków różnych, jadł, pił... hulał... Nic nie pomagało...

W uszach ponad wszystkie wrzaski brzmiało:

„Nie ma szczęścia dla człowieka, jeżeli się nim z drugim podzielić nie może!"

Rok nie upłynął, aż Jacuś wysechł jak szczypa, wyżółkł jak wosk – i w tym swoim dostatku i szczęściu męczył się nie do zniesienia. W końcu po jednej nocy bezsennej, nakładłszy złota w kieszenie, kazał się wieźć do chaty.

Miał to postanowienie, choćby wszystko stracił, a matkę i rodzeństwo poratować.

– Niech się już dzieje, co chce! – mówił – niech ginę, dłużej z tym robakiem w piersi żyć nie mogę.

Stały konie przed chatą.

Wszystko tu było jak przedtem: żłób stary u studni, pieniek, dach, drabina – ale w progu chaty żywej duszy nie było...

Jacuś pobiegł do drzwi – stały kołkiem podparte; zajrzał przez okno – chata była pusta...

Wtem żebrak, stojący u płota, wołać nań zaczął:

– A czego tam szukacie, jasny panie... Chata pusta, wszystko w niej wymarło z biedy, z głodu i choroby...

Jakby skamieniały stał ów szczęśliwiec u progu – stał i stał...

„Z mojej winy zginęli oni – rzekł w duchu – niechże i ja ginę!”

Ledwo to rzekł, gdy ziemia się otworzyła i zniknął – a z nim ów nieszczęsny kwiat paproci, którego dziś już próżno szukać po świecie.

Sadok Barącz

B

ŚMIECH

yła królewna, której nikt nie mógł do śmiechu pobudzić. Rodzice bardzo się martwili, że mają córkę jak posąg nieczułą i zimną, gdyż człowiek nigdy nie śmiejący się przykre zawsze sprawia wrażenie i nie może być lubiany. W tym tedy smutku ogłosili rodzice, że ktokolwiek potrafi królewnę rozśmieszyć, ten będzie jej mężem. Królewna była ładna, bogata i niejeden kusił się o jej rękę, lecz gdy rozśmieszyć jej nie mógł, z rozkazu królewskiego tracił głowę. Już też nikt nie śmiał podejmywać się tak niebezpiecznego poselstwa.

Był jeszcze jeden król opodal, który miał trzech synów, dwóch rozumnych, a jeden był głupi. Powiada najstarszy do ojca:

– Daj mi moją część majątku, a ja pójdę do tej królewny.

Opierał się bardzo ojciec, gdyż to był syn najmądrzejszy , a do tego pier-worodny i następca tronu. Ale naleganiom syna musiał ulec i wyprawił go w drogę.

Nabrawszy tedy dosyć jedzenia i pieniędzy, wziął też magiel z sobą sądząc, że hurkotaniem potrafi rozśmieszyć królewnę. Idzie tedy i zdybuje dziadka siedzącego nad wodą. Usiadł sobie, a wyjąwszy z sakwy wiktuały, począł sobie zajadać. Dziadek też przysunął się do niego i prosi o kawałek chleba.

– A nie pójdziesz ty, stary cyganie, jak cię tu laską pociągnę, to obaczysz! – zawołał królewicz dumny i napiwszy się wody, udał się w dalszą drogę.

Przychodzi do tego miasta, gdzie była królewna, hurkotał tedy maglem, królewna nie śmiała się, jeno głowę mu precz zhurkotali.

Dowiedział się o tym brat, młodszy królewicz, i powiada:

– Wezmę ja wałek do ręki i niby z berłem będę szedł do królewny, a ona pewnie rozśmieje się.

Jak myślał, tak też zrobił, a nabrawszy wiele pieniędzy i jedzenia w torbę, idzie z wałkiem niby berłem jakim. Przychodzi tak samo jak brat do studzienki, nad którą siedział dziadek wynędzniały. Siadł sobie przy studzience i zajada smacznie różne przekąski. Dziadek także począł go prosić o kawałek chleba.

– A nie pójdziesz ty, kalicunie [1], jak cię kijem pociągnę, to obaczysz! – zawołał rozgniewany królewicz za to, że taki obdartus śmiał do niego mówić, a napiwszy się wody, udał się w dalszą drogę. Przyszedłszy do tego miasta, gdzie była królewna, ubrał się jak najśmieszniej i z wałkiem niby z berłem idzie do królewny. A królewna nie roześmiała się, jeno rozkazała temu dudkowi uciąć głowę.

Dowiedziawszy się o tym, ojciec bardzo się smucił, do którego głupi syn powiada:

– Pozwólcie mi, ojcze, do tego miasta, gdzie jest królewna, która się nigdy nie śmieje.

– Idź na cztery wiatry, błaźnie! – zawołał ojciec strapiony i wyprawił go bez grosza złamanego z domu.

Służąca, zmiłowawszy się nad nim, dała mu kawał suchara na drogę. Idzie on tedy i przychodzi do owej studzienki, a zobaczywszy biednego dziadka, zawołał:

– Pomagaj Bóg, dziadku znękany! – i usiadł sobie koło studni. Dziadek zbliżył się do niego i prosi o kawałek chleba.

– Ja bym ci dał, dziadku, ale mam tylko kawał suchara, jeżeli masz jeszcze zęby, to gryź razem ze mną.

Gryzą tedy razem, a zjadłszy napili się wody. Po czym padł sen na głupiego i zasnął bardzo twardo. Przebudziwszy się patrzy, a tu kareta złota stoi przed nim i złota kaczka z kaczorem złotym ciągnie tę karetę.

– Wstawaj! – powiada dziadek. – Jam Pan Jezus, z którym suchar twój poczciwie dzieliłeś, jedź w imię Boże, a będziesz miał królewnę.

Siada głupi do karety, kaczor z kaczką ciągną i przyjechali do miasta pewnego, i stanęli na nocleg w oberży. Dziwią się wszyscy, a dwie córki oberżysty poszły do wozowni pchły płoszyć i pozrzucały z siebie koszulki; jednej przyszło na myśl upiłować sobie kawał złota z karety i porwała nóż, i poczęła piłować złoto. Lecz piłując żadną miarą odstąpić nie mogła karety, druga siostra przelękła się i uciekła. Nazajutrz, wstawszy, głupi siadł do karety, jedzie dalej, a biedna dziewczyna bez odzienia biegnie i piłuje złoto. Przejeżdżają przez miasteczko, ludzie wychodzą i dziwują się bardzo. Wybiegł piekarz i tak się zagapił na to widowisko, że wszystek chleb spalił się

---

[1] K a l i c u n – żebrak.

w piecu, co widząc porwał ze złości zapaloną łopatę, a wybiegłszy z domu, począł łopatą walić dziewczynę po tylnej części ciała.

– A ty, szelmo! ja przez ciebie chleb spaliłem.

Ale, bijąc, nie może się już oderwać od karety, biegnie dalej i wali nieustannie.

Aż tu nad wodą pierze bieliznę kobieta, która spostrzegłszy takie widowisko, wytrzeszczyła ślepie i nie widziała, kiedy woda uniosła wszystką bieliznę. Ponieważ spostrzegła szkodę, rozgniewana leci z prannikiem, nuż tedy okładać dziewczynę i piekarza prannikiem.

– A wy, szelmy! ja przez was bieliznę straciłam.

Ale, bijąc, już nie mogła oderwać się od karety. Jadą tedy dalej i przyjechali do tego miasta na noc, gdzie była królewna, która się nigdy nie śmiała.

Rano idzie głupi do pałacu i prosi, żeby mu wolno było rozśmieszyć królewnę. Wszyscy bardzo ciekawi, co to za figiel będzie, weszli na balkon wraz z królewną. Aż tu jedzie złota kareta, ciągnie złoty kaczor z kaczką złotą, a przy karecie panna bez odzienia piłuje złoto, a piekarz wrzeszczy:

– A ty, szelmo! ja przez ciebie chleb spaliłem – nuż tedy pannę rozpaloną łopatą po tylnej części ciała.

– A wy, szelmy! – woła praczka – ja przez was bieliznę straciłam.

Nuż tedy raz piekarza, drugi raz pannę po tylnej części ciała prannikiem.

Cały balkon pęka od śmiechu, widząc taką robotę, a królewna, niewiele myśląc, za nimi w śmiech, ale już nie śmiała się, jeno ryczała z radości.

Głupi wygrał, ożenił się z królewną, odziedziczył wielki majątek i tron po ojcu, a kareta złota z kaczorem i kaczką zniknęła.

Adolf Dygasiński

KRÓL HUK–PUK

B ędzie temu już przeszło parę tysięcy lat, kiedy na świecie żył jeden król nazwiskiem Huk-Puk.

Przychodzi raz do niego jakiś staruszek z długą, siwiutką brodą i powiada mu:

– Zwyciężysz, królu, takiego mocarza, co ludzi, psów, koni i żelaza nigdy nie widział.

Ogromnie się zdziwił Huk-Puk tej przepowiedni i chciał, żeby mu ów wróż powiedział, co za jeden jest mocarz, który nie widział nigdy ludzi, psów, koni i żelaza. Ale starzec zniknął, nie rzekłszy ani słówka więcej; szukali go po całym królestwie i nie znaleźli.

Huk-Puk był zuch ogromny, przed niczym się nigdy nie uląkł, a jego wszyscy się bali. Bogactw miał bardzo dużo. Przyjaciół dokoła siebie jeszcze więcej. Przez całe lata wysiadywali u niego goście, wielcy panowie, rycerze; bo jak się tylko dowiedział, że jest gdzie na świecie siłacz, zaraz go do siebie sprowadzał i już nie puszczał z domu. Z takim nikt wojny nie chciał prowadzić, wolał się od razu poddać, jako że pardonu[1] nie było tam żadnego.

Ano, ucztował Huk-Puk z przyjaciółmi wesoło; skoro im się zaś uczty naprzykrzyły, wsiadali wszyscy na konie, brali z sobą psy i dopiero polowali w borach. Było co widzieć, kiedy trzystu i więcej takich wielkoduchów rwało na koniach, ogromnych ogierach, które kwiczały, wspinały się do góry, jakby chciały po powietrzu latać. Chłopi stawali na pagórkach i z daleka przyglądali się temu widowisku. Ci zaś wpadali w bór jak wichura i szła po lasach muzyka trąb, rogów, a psy znowu goniły za zwierzyną i grały niczym dzwony. Wybili, wypłoszyli wszystko, gdzie tylko jakie zwierzę było.

Jednego razu król powiada do swoich:

– Tu, w całej okolicy, nie ma już dla nas roboty; musimy się puścić daleko, poszukać sobie porządnej puszczy i tam zapolować.

---

[1] P a r d o n – tu: litość, darowanie życia.

Dobrze. Wsiadają na koń, jazda! Jadą dzień, drugi, trzeci, mijają różne bory, gdzie by też mogli byli polować, ale Huk-Puk ciągle powiada:

– Jeszcze nie tu! Mnie się chce takiego polowania, co go nie było jak świat światem.

Przyjechał nareszcie do jakiejś obcej ziemi: bór okrutny szumi, ani znaku ludzkiej stopy, tylko ścieżynki, które pewnie zwierzęta wydeptały. Dzicz straszna, puszcza nieprzebyta, starodrzew taki, żeby temu siekiera w żaden sposób rady nie dała: dęby, buki, sosny, jodły, świerki i inne drzewa rosły tam pewnie od stworzenia świata, kiedy je na początku jeszcze sam Pan Bóg posiał.

Skoro wjechali w bór taki, to niejednego strach zdejmował; coś tam takiego było, że człowiek od razu tracił śmiałość – niby jedyna na świecie puszcza bez ludzkiego śladu. Orły i przeróżne ptaki, które się gdzie indziej rzadko widzi, siedziały na drzewach spokojnie, a na ludzi spoglądały bez najmniejszego lęku, jeno się ogromnie, widać, dziwiły, co to za jedni! Na każdym kroku pełno tam było osobliwego śpiewu, świergotu, gwizdania, kukania, krakania, pisku: gwar taki, że uszy zatykaj. Małe ptaki z czubkami i bez czubków mieniły się na różne kolory, fruwały sobie spokojnie, a niektóre siadały koniom na łbach i tym rycerzom na ramionach.

– Tu będziemy używali na polowaniu! – powiada Huk-Puk.

Zsiedli z koni, nałamali gałęzi, porobili sobie szałasy, pożywili się tam, napoili konie, wypoczęli.

– Dalejże, zakładać ogary! – zawołał król.

Byli tacy ludzie od tego, więc zaraz wzięli coś pięćdziesiąt ogarów i zapuścili toto w knieje. Zaczęło się polowanie, ogary od razu zagrały „tia-fu, tia-fu, tia-fu", trafiły, widać, na jakąś porządną zwierzynę, bo od gonitwy aż się las zatrząsł.

W samej rzeczy psy pognały za jeleniem, ogromnym rogaczem, który sadził przed nimi w susach i poszedł. Ogary precz idą za nim jak woda, dalej i dalej; zaciekły się i poszły do samego środka puszczy.

Teraz już były niesłychane rzeczy. Psy napotkały gromadę takich wilków, które dopiero pierwszy raz w życiu zobaczyły psy. Skoro w tej puszczy noga ludzka nie postała od stworzenia świata, to tam i pies nie bywał nigdy. Ogary się przelękły, w tej chwili zapomniały głosu, od razu wzięły ogony pod siebie, chcą wracać, skąd przyszły, jako ćma wilków była niepoliczona. Ale czym prędzej wysunął się naprzód jeden wilk, ogromna bestia, zaszedł psom drogę i powiada w zwierzęcej mowie:

– Ani mi się ważcie wracać, skoroście przyszły do królestwa zwierzęcego; osobliwie, że takich zwierząt jako wy jeszcze też tu nikt nie widział!

Ogary były teraz w większym strachu, bo je zaraz potem wilki wkoło otoczyły i wołają:

– Marsz z nami! Pójdziecie do króla puszczy, to się tam wytłumaczycie, coście wy za jedne stworzenia.

Idą, idą sporym krokiem, psy w środku, wilki naokoło; spotykają się po drodze z rozmaitymi zwierzętami, które spoglądały z wielkim podziwem, jako i one pierwszy raz w życiu oglądały takie dziwne zwierzęta.

Przybyli nareszcie do jednego miejsca, gdzie się wilki zatrzymały; ogary patrzą – naokoło warty ze zwierząt; tu niedźwiedzie, tam jelenie z ogromnymi rogami, koty dzikie, czyli żbiki, dziki ze strasznymi kłami, a pomiędzy wszystkim uwijały się lisy, borsuki, kuny, jeże, zające. Co które zwierzę podejdzie, zaraz zapytuje wilków:

– Kież licho wy znowu prowadzicie?

– Sami nie wiemy, co to takiego – mówią wilki. – Odmieńce jakieś, pół wilka, pół lisa, jedne czarne, drugie białe, żółte, bure, srokate: pewnie czarnoksiężnik który pozaklinał oto zwierzęta i tak je poodmieniał. Pojmaliśmy toto w niewolę na granicy i wiedziemy przed króla, bo jużci zwierzętami one być muszą.

Postąpili dalej do takiego miejsca, gdzie się zrosło z sobą siedem dębów w taki sposób, że utworzyły jedno drzewo ogromnej grubości niczym setny dom. Dopiero w tym siedmiodębie były drzwi, a przed drzwiami straszny niedźwiedź kudłaty stał na warcie. Wilki mu powiadają, o co chodzi; on zaś spojrzał ze złością na te ogary, poszedł do drzwi i zapukał. Po niejakim czasie drzwi się na oścież otwarły i dopiero wyszedł z siedmiodębu pan okazały: cały był złoty, a oczy miał diamentowe. Na jego ramionach siedziały dwa sokoły, z tyłu szły za nim cztery duże małpy, przed nim sześć pawi z rozpiętymi ogonami, a z każdego boku miał przy sobie lisa: widać, służba taka. Zaraz się odezwał jakimś osobliwym głosem tak, że ogary wszystko, a wszystko rozumiały.

– Moi kochani wojacy – mówi on do wilków – widzę , żeście zwyciężyli jakiegoś dziwnego nieprzyjaciela. Bardzo dobrze!

Potem się odwrócił do ogarów i pyta:

– Co wy za zwierzęta, jak się nazywacie?

– Jesteśmy ogary z psiarni naszego króla.

– Któryż tu między wami jest oficer?

– Zagraj nam zawsze przoduje, kiedy na polowaniu czy na obławie gonimy zwierzynę.

– Co, zwierzynę? To wy, szelmy, bez mojego pozwolenia zwierzęta płoszycie? Ho, ho, czekajcie no, rabusie, my was tu nauczymy rozumu!

I zaczął się król puszczy strasznie gniewać i rzucać.

Tak ogary widzą, że źle, i wypychają naprzód Zagraja, żeby co przemówił. Wystąpił Zagraj i powiada:

– U naszego króla polowanie rzecz zwyczajna, a psy na to on trzyma i karmi, żeby mu zwierzynę napędzały! Dlatego kowal ma kleszcze, żeby sam palcami nie wyciągał z ognia żelaza. My, ogary, niceśmy temu przecie nie winne, że swoje robimy.

Z tego powiedzenia zaraz było widać, że ten Zagraj ma dobrze w głowie. Król puszczy pomyślał trochę, a potem zapytuje swoich zwierząt:

– Kogóż tu te łajdaki ścigały?

Wystąpił teraz ogromny jeleń, już dobrze podsiwiały ze starości, skłonił się wielkimi rogami do samej ziemi i powiada:

– Mój królu, te dziwne bestie, które się tu ogarami mianują, właśnie mnie napadły w lesie i chociażem się tęgo zwijał, byłbym niezawodnie zginął; ale, na szczęście, uciekłem za pas graniczny obstawiony wilkami i to mię uratowało... Oho, założyłbym się, że te ptaszki są wielkimi rozbójnikami!

– Kto z was, moje zwierzęta, chce ich zguby? – zapytuje król puszczy.

Wtenczas wyrwał się zając, a oddawszy królowi pokłon, tak mówił:

– Nas, biednych zajączów, zjadają wilki, lisy, orły, jastrzębie; no, ale to już z prawa opłacamy ten podatek, niechże aby nowy nie spada na nas! My, królu, boimy się takich ogarów i prosimy cię pokornie: odbierz im życie!

Potem jeden stary wilk odezwał się w te słowa:

– Trzeba tym niewolnikom zajrzeć naprzód w usta, zobaczyć ich zęby i przekonać się, czy one żyć mogą, bo jeżeli jadają trawę, to z nich będziemy mieli pożytek; rozmnożą się i będzie mięso. A jeżeli mięso jadają – niech zginą.

Zajrzeli ogarom w zęby i na wszystkie strony wołają:

– O, takie zębce nie będą przecie żuły trawy!... Zęby do mięsa!

Psy się składają, że one mięsa nigdy nie jadły, co najwyżej – kości; ale im tam nikt nie uwierzył. No, i jedne zwierzęta były za zgubą ogarów, a drugie mówiły, że im wszystko jedno. Wreszcie król puszczy znowu się odzywa:

– Hej wy, psy, czy jak wam tam, powiedzcież mi, co wy też za cnoty macie? Czy was pan wasz dlatego trzymał i żywił, że umiecie nosem tropić moją zwierzynę?

– Nie, królu! – zawołał Zagraj. – Główna nasza cnota to wierność i posłuszeństwo! My tak wiernie służymy swojemu panu, że gdyby on umarł, to niejeden z jego psów także umrzeć gotów. Czasem się zdarzy, że pan w gniewie wybije psa albo mu jeść nie da, ale pies i tak go nigdy nie opuści, liże jego ręce i stopy.

Kiedy to lis usłyszał, odwrócił się na bok, parsknął śmiechem i rzekł:

– A to dopiero głupie zwierzęta!

Zastanowiło króla puszczy to, co psy powiedziały, i tak przemówił:

– Słuchajcie, moi poddani, ja zatrzymam tych psów, żeby się przekonać, jaka też to jest ich wierność! Bo, prawdę mówiąc, nie mam tu ani jednego zwierzęcia, którego bym był zupełnie pewny. Słuchają mnie, bo muszą. Ale jak przyjdzie co zrobić, niedźwiedź zawsze mruczy; lis mnie na każdym kroku oszukuje; wilk głównie dba o to, aby się nażreć; zając jest tchórzem podszyty; dzika świnia nie ma najmniejszego punktu honoru; kot zaś jest to skończony obłudnik.

Takim sposobem ogary uszły śmierci.

*

Król Huk-Puk widząc tymczasem, że psy nie powracają, odzywa się do przyjaciół:

– Szkoda mi ogarów, nigdy nie pozwolę na to, żeby miały marnie zginąć! Co będzie, to będzie, a poszukać ich koniecznie trzeba!

Powiedział tak, a wszyscy, jak siedzieli na koniach, tak się hurmem puścili w puszczę. Zabrnęli w straszne wertepy, co tam ledwie zwierz dziki przejść mógł, nie człowiek na koniu. Jadą, a tu słychać, jak tysiące wilków naokoło wyją. Ten i ów nie był rad tej wyprawie i wyrzekł:

– Po co my tutaj brniemy? Licho psów wzięło, to i nas weźmie.

Ale Huk-Puk ani myślał bez psów powracać.

– Musimy przetrząsnąć te ostępy – powiada – dostać się do samego jądra puszczy!

Wjechali w straszne gąszcze, jary, o mało karków nie poskręcali. Później wpadli na moczary i niewiele brakowało, żeby potonęli. Konie im się rwały w prawo, w lewo, chrapały, czuły, widać, coś niedobrego, bo nie chciały iść naprzód. Dostały ostrogami i poszły.

Naraz spojrzą ci myśliwcy, a tu przed nimi ogromna moc wilków, jak okiem sięgnąć wilki, i tylko wilki. Jedne poprzysiadały na ogonach i z podziwem patrzyły na tych konnych; drugie przywarowały jak psy; inne wyszczerzyły zęby, a sierść im się strasznie zjeżyła na karkach i grzbietach i ślepia okropnie błyszczały.

– Moi panowie – powiada Huk-Puk – tu się nie ma co namyślać, jeno trzeba żwawo zacząć robotę! Te bestie pożarły moje psy niezawodnie.

Z tymi słowy dobył szabli, spiął konia i wpadł na wilki z wielkim impetem, a za nim wszyscy inni. Niech Bóg broni, co tam wyrabiały konie, kiedy wpadły w tę wilczą gromadę! Wierzgały, tratowały, a niektóre zębami porywały wilki za grzbiety i dopiero z całej siły waliły o ziemię, aż wnętrzności z nich powyłaziły. Ludzie znowu naokoło siekli szablami, przebijali dzidami, inni cięte strzały puszczali z łuków. Dosyć powiedzieć, bitwa była tak sroga, jaką nawet między samymi ludźmi rzadko kiedy widzieć można. Narobili z wilków mięsa i krwi im puścili tyle, że krwawe kałuże stały na każdym kroku. Ale wilki też nie próżnowały; niektóre dobrały się koniem do gardła, i taki zduszony koń padał na ziemię z jeźdźcem. Jęku, stęku, krzyku było pełno; ale nareszcie ludzie wzięli górę i wilki zmykały z placu bitwy jak zające. Dopiero Huk-Puk schował do pochwy zakrwawioną szablę, a wyjął zza pasa róg i zatrąbił na zwycięstwo. Las się przed nimi zupełnie z wilków oczyścił, a na placu zostały te tylko, co już nie żyły albo które konały.

Po tej wygranej pojechali dalej, ale też, tak samo jak przedtem, nie mieli równej drogi, jeno się musieli przedzierać przez gąszcze, przejeżdżać przez jary, bagna. Nareszcie przybyli do siedmiodębu, gdzie była stolica puszczy. Jak tylko ich tam spostrzegł ten niedźwiedź, co stał na warcie przed królewskim domem, zaraz zaczął na gwałt okropnie ryczeć i obiema łapami we drzwi domu walił. Zrobił się popłoch straszny, różne zwierzęta uciekały na wszystkie strony, a kruki zakrakały w górze. Na ten hałas wypadł z siedmiodębu złoty król puszczy, zajaśniał w słońcu, zobaczył, co się dzieje, i wyjął z zanadrza trąbkę, zagrzmiał na cztery strony świata, a głos echem leciał przez puszczę.

Teraz zaczęły się zbierać przerozmaite leśne zwierzęta, pędziły z szumem jakby wicher, a górą znowu nadciągały orły, jastrzębie, sokoły, kruki, wrony, sroki i inne ptactwo. Wszystko to biło skrzydłami, trzepotało, robiło wrzask straszliwy.

Dopiero ów król puszczy wydał komendę i zaraz w pierwszym szeregu stanęły niedźwiedzie; wspięły się w górę na tylnych łapach i tak szły na tych jezdnych z okropnym rykiem. Huk-Puk i inni rycerze tego jednego bardzo się bali, żeby im konie dopisały i dostały na miejscu; a sami nastawili dzidy i czekali, żeby dobrze przyjąć niedźwiedzie. Zaczęła się bitwa, rycerze szablami rąbali łby niedźwiedzie na drzazgi, a dzidami przebijali je na wylot. Od tych srogich ran ryczały jeszcze straszniej, niektóre zaś broniły się ze wściekłą zajadłością. Krew teraz już tak się lała, że rycerze i konie byli zupełnie czerwoni. Odmęt, zamieszanie ogromne. Tu straszny niedźwiedź we krwi broczył i krew buchała z niego, a tam inny przytłoczył sobą rycerza i konia, i dopiero z nich pazurami darł skórę i mięso w pasy. Cały bór trząsł się od tej wrzawy, a co które zwierzę mniej w sobie miało odwagi, zmykało w jaki najdalszy kąt puszczy. Huk-Puk miał bardzo ciężką przeprawę, bo się na niego rzucił największy niedźwiedź, dowódca niedźwiedzi; król go dwa razy pchnął dzidą, ale za trzecim razem dzida się złamała na dwoje, a niedźwiedź był strasznie mocny, powstał z ziemi i z rykiem pędził na króla. Huk-Puk nie wiedział, co robić, przypadkiem wydobył swój róg myśliwski, zatrąbił. Na ten głos wypadły ogary, które tam właśnie były w niewoli i od razu się rzuciły na tego niedźwiedzia: jedne go zębami chwyciły z tyłu, drugie mu się uwiesiły u gardła, u uszu, a szarpały go na wszystkie strony, wyrywały z niego mięso kawałkami. Król puszczy przekonał się teraz, że psy były swojemu panu wierne, ale pewnie żałował, że ich nie kazał powiesić albo inaczej stracić.

Koniec końców Huk-Puk zwyciężył i niedźwiedzie.

Widzi król puszczy, że już stracił co najlepsze wojsko: ćmę, wilków i ogromną moc niedźwiedzi, więc nie chciał już wystawiać do bitwy ani dzików, ani jeleni, osobliwie, że i one lęk miały wielki. Ano, załamał ręce, spogląda po tych trupach i żałosnym głosem zawołał:

– Nad kimże teraz będę panował? Przepadło raz na zawsze całe moje królestwo!

Dopiero wywiesił białą szmatę, że niby prosi o pokój.

„Ja też niczego więcej nie potrzebuję – pomyślał sobie Huk-Puk – zmachaliśmy się ogromnie, i czas, żeby wypocząć."

Więc zaraz podjechał do tego złotego króla puszczy, podał mu rękę i rzekł:

– U nas jest taki zwyczaj, że jak się zawrze pokój, a jeden drugiemu poda rękę, to kiep, kto zdradzi.

Wtenczas król puszczy zapytuje znowu:

– Ktoście wy tacy, ogromnie bitni i mocni?... Ani wam niedźwiedzie, ani wilki rady dać nie mogą.

Roześmiał się Huk-Puk i rzekł w te słowa:

– Cóż znowu, tego nie wiesz, żeśmy ludzie? Sam przecie odrobinę podobnyś jest do człowieka, nie do zwierzęcia.

Kiedy to posłyszał król puszczy, zaraz oczy zakrył rękoma i gorzko zapłakał.

– Więc to ludzie, ludzie! – powiada. – Nic dziwnego, że mię ze szczętem pobili... Ale ja zawsze myślałem, że ludzie powinni mieć głowę, dwie ręce, dwie nogi, a ci oto mają dwie głowy, po cztery nogi, a do rąk sobie przyprawiają długie ostre tyki...

– Ba, przecież my siedzimy na koniach! – zawołał Huk-Puk. – Jedna głowa jest zwierzęcia, druga ludzka, nogi końskie, a ręce człowieka...

Powiedział to i skoczył z konia.

– Przypatrz mi się teraz samemu – mówi. – Widzisz, ludzie tak oto wyglądają, tylko bez konia na piechotę nigdy by się tu człowiek do ciebie nie dostał.

Król puszczy oglądał teraz ludzi od stóp do głowy, dotykał dzidy, szabli, pancerza, obejrzał je na wszystkie strony i nie chciał wierzyć, żeby to ludzie sami zrobili.

– To być nie może – powiada – wyście się z tym musieli już urodzić, tak samo jak się wilk rodzi z zębami, jeleń z rogami, a jeż z kolcami!

Potem się go znowu Huk-Puk zapytał:

– A cóżeś ty za jeden, że cię zwierzęta dzikie tak słuchają i szanują jak ojca?

– Widzisz, jestem tu, w tej puszczy, od stworzenia świata! – odrzekł ze smutkiem król puszczy. – Byłbym zaś do końca świata królem, opiekunem i ojcem królestwa zwierząt, gdyby nie było przepowiedni, że ludzie całe to królestwo zniszczą, skoro się tylko raz do mnie dostaną.

Teraz dopiero Huk-Puk przypomniał sobie, jako mu ów staruszek z siwiuteńką brodą przepowiedział, że zwycięży takiego króla, który nigdy nie widział ludzi, psów, koni i żelaza.

Król puszczy tak dalej mówił:

– Pójdź, człowieku, przeczytaj, co jest napisane na moim siedmiodębie od samego początku świata!

Huk-Puk zbliżył się do siedmiodębu ze swoimi rycerzami i wyczytał:

„Dopóty będzie stała ta stolica zwierząt, póki do niej na koniach, z psami, z żelazem nie przybędą ludzie i krwi nie rozleją!"

– Któż zaś mógł napisać taką przepowiednię? – zapytuje Huk-Puk.

– Nikt nie napisał, jeno zaraz na początku świata to drzewo wyrosło z ziemi i już od razu miało na sobie taki napis, a im dłużej rosło, tym napis był wyraźniejszy.

Oni patrzą, a tu siedmiodąb zaczyna się chwiać i nareszcie upadł na ziemię, gruchnął z ogromnym łomotem.

W tej chwili zrobił się tam na puszczy zamęt straszny; co gdzie jakie zwierzę było, uciekało z całych sił. Ptaki, które siedziały na drzewach, porwały się nagle, zatrzepotały skrzydłami, wzniosły się w górę, aż słońce zaćmiły, i co tchu poleciały gdzieś na dalekie bory.

– Patrz, człowieku – mówi król puszczy – wszystko się ciebie boi, stroni, ucieka przed tobą i będzie już tak uciekało do końca świata!

– Zbierz się, pójdź z nami, będzie ci u mnie między ludźmi dobrze – powiada Huk-Puk.

– O nie, za żadne skarby świata do ludzi nie pójdę!

– A cóż teraz będziesz robił, kiedy już nie masz żadnego królestwa?

– Będę ludziom dokuczał do końca świata, będę ich topił po wodach, wodził po lasach, żeby błądzili; będę im sprowadzał nieszczęścia: głód, chorobę, wojny; będę ich nawiedzał wszelakimi strachami i frasunkiem.

Potem się puścił i biegł jak wiatr. Oni za nim, a ten wpadł w ogromne bagno, w moczary takie, że ani myśleć, żeby tam człowiek przeszedł, choćby najlżejszy. Ciągnęło się owo bagno pewnie na jakie dziesięć mil wzdłuż i wszerz, a słychać tam było gwar straszny, wrzaski. Odzywały się chórem dzikie kaczory, gąsiory, bąki, żurawie, czaple, czajki, nury, łabędzie. Kiedy te przestały na chwilę wrzeszczeć, zaraz zaczynały rechotać miliony żab i gwizdać krocie żółwi.

– My i to z czasem zdobędziemy – rzekł Huk-Puk. – Potrzeba tylko przybyć tutaj z łodziami, a jeszcze lepiej spuścić wodę i bagno osuszyć.

Od tamtego czasu ludzie już wszędzie a wszędzie polują, zwierzęta zaś nigdzie nie mają kawałka ziemi na swoje królestwo, tylko w rozproszeniu tułają się po lasach, polach i ciągle przed ludźmi uciekają.

Huk-Puk to wszystko zrobił, ale zrobił nie sam, jeno przy pomocy psów, koni i żelaza.

O ZAJĄCZKU SPRAWIEDLIWYM

Był ongi chłop Maciek, człowiek dobry, jeno nędzarz i głupi.

Raz poszedł do lasu, zbiera tam susz, okrzesuje sęki uschłe, gałązki, składa sobie to na kupkę. Wtem słyszy – coś opodal jęczy, jakby prosiło o miłosierdzie. Miał lęk, ważył się – iść nie iść, zobaczyć. Ano, poszedł ostrożnie, patrzy, co to być może.

Oto sosna ogromna się zwaliła i przygniotła srodze niedźwiedzia, aż mu ślepia na wierzch wylazły.

– Zlituj się nade mną, człowiecze, ocal mi życie! – mówi żałośnie to niedźwiedzisko.

Chłopa zdjęła litość, zabrał się do roboty: z biedą podsadził pod kłodę drąg jeden, drugi. Wysilał się potem, i co który drąg podniesie, zaraz podstawił pod niego soszkę – podstawkę taką. Kapał mu z czoła pot; ale zwierzę ocalił i sam wrócił do domu.

Upłynął jakiś czas, Maciek zapomniał o swym uczynku, idzie znowu na zbierkę do lasu, spotyka jak raz tego samego niedźwiedzia, który wręcz pyta:

– Tyżeś to, chłopie, ocalił mi niegdyś życie?

– Jużci, ja, albo co?

– Bo widzisz, przyjacielu, chciałbym ci dać koniecznie nagrodę, jako mię to okrutnie korci, żem ci winien wdzięczność.

– Co znowu za nagrodę?

– Kochanku, ja cię zjeść muszę – nie ma rady!

– Śmiałbyś, kudłaczu jakiś, dobroczyńcę swego zabijać?

– Przecież każdy na tym świecie za dobre złem płaci, to i ja nie mogę ci się inaczej wywdzięczyć.

– Gadanie! Tylko podły tak robi! Sprawiedliwość, wdzięczność były, i są na świecie.

Więc niedźwiedź w śmiech.

– Jeszczem też takiego głupca, jak żyję, nie widział – powiada – ale słuchaj, ja ci przyznam słuszność, jeżeli znajdziesz sędziego, który sprawę między nami rozsądzi podług ciebie.

– Znajdę! – zawołał Maciek i poszedł szukać sędziego.

Spotyka chłopa.

– Pójdźcie – mówi mu – zrobicie sąd między mną a niedźwiedziem!

Chłop poszedł, niby to słucha, o co chodzi, a Maćka łokciem trąca, mruga do niego i do ucha mu szepcze:

– Powiedz najprzód, ile mi zapłacisz, jeśli sprawę osądzę na twoją korzyść? A nie, to przegrasz.

Niedźwiedź zaraz zmiarkował zmowę i ryknął:

– Sprawiedliwości nie można kupić ani sprzedać. Tym mi oczu nie zamydlicie.

Maciek podrapał się w głowę.

– Źle, kiedy człowiek jest takim sędzią!

Biegnie szukać innego.

Napotkał wołu, wiedzie go, zaprasza, żeby sądził.

– Czym ja głupi? – wół odrzeknie. – Widzę przed sobą swoich rzeźników i rad będę, jeżeli choć jednego z was licho weźmie... Jeszcze tego brakuje, żebym takim sprawiedliwość dawał. – Ryknął, zadarł ogon i uciekł.

Zbierało się na płacz Maćkowi, myślał, że sprawiedliwość, wdzięczność są rzeczy zwyczajne, razem ze światem stworzone.

Idzie, znowu szuka sędziego, a tu jaskółeczka siedzi na gałązce i świergota:

– Ani zbyt wielkiego, ani zbyt małego nie bierz, Maćku.

„Uhm! – pomyślał chłop. – Trzeba będzie wziąć barana."

Znalazł barana, prowadzi, pyta:

– Jakież twoje zdanie?

Ten beknął, klnie się:

– Ja tam nie znam żadnej sprawiedliwości, wdzięczności ani niewdzięczności. Mogę tu pobeczyć, i na tym koniec... Jeżeli wam o zgodę chodzi, nasz pies owczarski – doskonały sędzia: jednego barana w kark, drugiego za łeb, w natyłki i my, tysiąc owiec, musimy żyć w zgodzie. Oho, nasz kundel jest wielki sędzia!

Niedźwiedziowi oczy zaświeciły się z radości.

– Chłopie – powiada – wdzięczność dla ciebie gryzie mię, truje coraz bardziej. Zjeść cię koniecznie muszę, żeby się wywdzięczyć.

– Zaczekajże – chłop mówi – ten baran jest głupi i jak świat światem, baran sędzią nie bywał; ale poczciwca tu jednego sprowadzę.

Bieży Maciek i psa wzywa:

– Wierneś jest zwierzę, pewnie masz w sobie wdzięczność i sprawiedliwość.

Opowiedzieli mu sprawę i nastają:

– Sądź podług wiecznej sprawiedliwości świata!

Pies się zamyślił, a potem rzecze:

– Wczoraj w nocy zbóje napadli mojego pana, a ja go w porę ostrzegłem, ocaliłem mu życie, majątek, a on mi dzisiaj przez wdzięczność i sprawiedliwość wsypał takie kije, że oto łazić nie mogę.

Maciek w rozpaczy pędzi i myśli sobie:

„Głupi jestem, że jaskółki słucham! Ani zbyt duży, ani zbyt mały – niemądre słowa... Konia przyzwę, to jest zwierzę poczciwe ze skórą i kościami".

Przyszedł koń i powiada:

– Ja znam wybornie wdzięczność i sprawiedliwość, gdyż wożę, noszę swojego pana i zarabiam się w pługu na niego.

– No i cóż? – pyta Maciek uradowany.

– Za to mnie pan głodem morzy i biciem srogo płaci!

– O mocny Boże! – wykrzyknął Maciek strapiony – czy już z Twojego ślicznego świata zginęła wdzięczność i sprawiedliwość?

A jaskółka świergocze:

– Ludzie nauczyli swojskie zwierzęta niewdzięczności, niesprawiedliwości... Twój sędzia, Maćku, ani zbyt wielki, ani zbyt mały, ale dziki być musi!

– Pewnie mądralę-lisa trzeba mi przyzwać – rzekł sobie i sprowadził lisa.

Kita ogonem na prawo, na lewo macha, oczyma strzyże, sprawy wysłuchuje, nareszcie powiada:

– Ogromnie mi dziwno, żeś ty, niedźwiedziu, do tego czasu jeszcze nie schrupał głupiego Maćka... Sumienie musi cię gryźć ogromnie, gdyż najgorsza to rzecz mieć dług wdzięczności, a nie płacić go niewdzięcznością. Zjedz chłopa bez ceregieli, a nie, to powiem, żeś i ty głupi.

Dopiero niedźwiedź aż się pokłada, tarza od śmiechu i powiada:

– Lis dobrze rai, bo ty, Maćku, schudniesz mi przez to szukanie sprawiedliwości, a ja nie lubię jeść chudego.

Chłopa mrowie przeszło, kiedy widział, że się niedźwiedzisko oblizuje, i poszedł zaprosić wilka na sędziego, chociaż i w niego nie bardzo wierzył.

Wilk łbem coś kręcił, na brzuch niedźwiedzia spoglądał, a Maćkowi się wydało: on widać o sprawiedliwości rozmyśla!

Tymczasem wilk przemówił w te słowa:

– Tobie, niedźwiedziu, głód pewnie nie dokucza, skoro pozwalasz takiemu chłopu ciągnąć się na sądy! Chcesz, ja go oprawię, a zjemy do spółki?

Ale niedźwiedź zgrzytnął, mruknął:

– Nie chcę z wilkami spółek!

Do Maćka się zaś zwrócił i powiada:

– Tak czy owak, na moje wychodzi i zjeść cię muszę, żeby dług wdzięczności raz spłacić.

Chłop sobie wyprosił, że jeszcze jednego sędziego sprowadzi.

Idzie, odmawia pacierze, Bogu się poleca, a jaskółeczka przed nim usiadła i zaświergotała:

– Maćku, Maćku! Sprawiedliwość zna taki tylko, któremu niesprawiedliwość dniem i nocą doskwiera, który nikomu najmniejszej krzywdy nie czyni, a kryć się musi, żeby wyżył.

– Gdzież ja nieszczęśliwy takiego znajdę?

– Pod krzem, niedaleczko stąd przycupnął, kryje się przed człowiekiem, psem, wilkiem, lisem. Ostrożnie podchodź do niego, aby nie pomyślał, że go chcesz zabić, i nie uciekł.

– Jakże z nim mówić?

– Idź, a powtarzaj te słowa: „Pana Boga chwalę, nikomu źle nie czynię, mam w sercu wdzięczność i sprawiedliwość."

Zabrał się Maciek, idzie, powtarza to, co mu jaskółeczka kazała. Nagle spod krza zajączek wypada, kic, kic i mówi:

– Słyszałem ja o twojej przygodzie z niedźwiedziem i myślałem o tym właśnie, jakby ci tu pomóc.

– Oj, zajączku, żeby cię też Bóg dobrą myślą natchnął! Niedźwiedź mi oto dowodzi, że na świecie nie ma ani wdzięczności, ani sprawiedliwości.

– Wdzięczności nie ma, bo ona musi od stworzeń wychodzić, a te są niewdzięczne, ale sprawiedliwość pochodzi od samego Boga i ona nigdy nikogo nie minie.

Zaczęło się sądzenie, niedźwiedź mówi, że tak a tak.

– Zjeść go powinienem, jeno chcę się najprzód przekonać, jako na świecie nie ma wdzięczności ani sprawiedliwości.

Maciek też wykłada swoje.

– Dobrze to jest, co wy mówicie – powiada zajączek – tylko ja koniecznie muszę wiedzieć, jak to wszystko było, zanim ta wasza sprawa powstała.

– Leżałem pod kłodą – rzecze niedźwiedź – a ten głupi chłop kłodę dźwignął i mnie wyswobodził; niechże ma za to nagrodę!

– Ja muszę wiedzieć, jakeś ty wyglądał! – powtarza zajączek.

– Bo możeś ty jest za wdzięcznością? – pyta niedźwiedź.

– Nie znam wdzięczności na świecie, znam tylko grzeszne istoty.

– Widzę, że z ciebie sędzia całą gębą.

Poszli, znaleźli to miejsce, gdzie kłoda przywaliła była niedźwiedzia: drągi i soszki podpierały jeszcze kłodę.

Tak zajączek mówi:

– Właźże, Misiu, pokaż mi, jak leżałeś!

Niedźwiedź wlazł i kiedy się już położył, zając mrugnął na chłopa:

– Powyjmuj prędko drągi i soszki!

Chłop tak zrobił, a niedźwiedź zaraz jęknął, stęknął, prosił:

– Ulżyjcie, bo mię ta kłoda zgniecie!

Zajączek mu zaś odpowie:

– Teraz jest tak, jak z początku było: żaden z was obu nic nie winien. Nie ma na świecie wdzięczności, a sprawiedliwość na ciebie oto spadła.

Potem się zwrócił do Maćka i rzecze:

– Umykaj żwawo do domu! Chwal Boga, nie czyń źle nikomu, a wdzięczność i sprawiedliwość miej w sercu, choćbyś tylko taki sam jeden był na świecie.

SYN BOGINKI

Było raz małżeństwo, mąż i żona, zwali się Kręciszowie, bogaci ludzie na roli, jeno bezdzietni. Jako już mieli wiek stateczny, to się frasowali, że pomrą, a majątku nikt bliższy po nich nie odziedziczy. Próżno się martwili, bo im Pan Bóg dał nareszcie chłopaka, którego na chrzcie świętym ochrzcili imieniem Wojtek – sam sobie takie imię przyniósł.

Cieszyli się ogromnie, ale niedługo.

Na trzeci dzień po chrzcinach musiała Kręciszowa wyjść z chałupy po ogień do sąsiady. Poszła z garnkiem, prosi:

– Sąsiado, użyczcie mi ognia, jeno prędko, bom dziecko samo zostawiła w chałupie!

Ale ta sąsiada nie miała ognia – wygasł jej przez noc i Kręciszowa musiała z garnkiem biegać do innej chałupy.

Wraca ona do domu z ogniem, zadyszana, spogląda na dziecko i wszystko jej się zdaje, że to nie ten sam jej Wojtek, tylko jakieś inne dziecko. Nic nie mówi – czeka, aż mąż nadejdzie. Kręcisz niedługo potem przyszedł i baba do niego rzecze:

– Spojrzyj no bacznie na to dziecko!

Spojrzał.

– Cóż takiego? – pyta.

– Nie uważasz ty, że to tak, jakby nie nasz Wojtek?

– Prawda święta, tamten miał jakąś mniejszą głowę!

– Ano to jak raz nie nasz; bo ten i oczy ma takie bez koloru...

Co rychło przyzwali kumę, kumotora, mówią im:

– Moiściewy, obejrzyjcie no swego chrzestnika! Ten on, czy inny?

Ci go oglądają z każdziutkiej strony, pytają Kręciszów:

– O cóż wam zaś chodzi?

– Jakże wy myślicie? Wojtek to będzie, czy nie Wojtek?

– Wojtek był chyba jakiś inny, nie miał chyba tylaśnej głowy.

– O rety, toć rychtyk – powiada Kręciszowa. – Jak temu dziecku z wiekiem ciągle będzie rosła głowa, to pewnikiem urośnie z tyla co ćwierć!

– Jużci urośnie, co nie ma urosnąć! – powiadają.

– Moja kumo, rzeknijcie swoje zdanie: co się stało?

– Nic innego, tylko wam Boginka musiała dziecko odmienić: tamto zabrała, a swoje podrzuciła. Pewnieście kolebki nie obłożyli zielem, dzwonkami tymi...

– W samej rzeczy – odzywa się kumoter – będzie temu z godzina albo i więcej, jak na własne oczy widziałem jakąś babę; na wyścig rwała z dzieckiem do lasu.

– Ano to Boginka, jak amen w pacierzu!... To dziecko może być nie chrzczone.

– Jak jest Boginki, nie może być chrzczone!

Dopiero w chałupie zmartwienie, bo trza odchować nie tylko nie swoje, ale nawet nie ludzkie dziecko, strasznie odmienne.

Schodzili się tam różni ze wsi – radzą, co począć. Jedna stara kobieta raiła, że takie dziecko, podrzucone przez Boginkę trzeba porządnie zbić, żeby na cały głos wrzeszczało. Kiej Boginka posłyszy, że się rodzonemu krzywda dzieje, przybieży z lasu i odda prawdziwe dziecko, a zabierze swoje.

Bić, to bić. Kręciszowa wzięła i wyplaskała tego małego uczciwie raz, drugi, trzeci, na gółkę. Darł się chłopak wniebogłosy, aż cały zsiniał, ale Boginka nie przyszła – może ta nie usłyszała? – i nie odniosła prawdziwego Wojtka. Potem przywykli jakoś rodzice i do tego, a stary Kręcisz nieraz mawiał:

– Na dwoje babka wróży: nieprawdziwy alboli też prawdziwy...

Odchowali go zupełnie jak swego własnego. Tylko serca nikt osobliwie nie miał do tego chłopaka, niby koli onej niepewności. A głowisko mu urosło setne nikiej wiadro.

Do żadnej roboty nie był zdatny – okrutny niemrawiec, dziamdzia taki. Ale też się go nie trzymały i figle żadne, jak innych chłopaków. Próżniaczysko ogromne, jacy [1] z kąta w kąt łaził a poziewał.

– O, jak mi się też przykrzy! – mówi.

– Musi ci się przykrzyć, skoro masz lenia w sobie – rzecze Kręciszowa.

Do jednej rzeczy miał sposobność: obżartuch był ogromny. Żeby nie wiem jaką miskę postawił przed nim, to ją uprzątnął czyściutko i jeszcze palce oblizał. Jak zaś przyszło co robić, zawdy zasnął.

Wiedzieli ludzie ze wsi, że to niekoniecznie ludzkie dziecko, jeno pewnie diablicy z lasu, więc go nikt nie uważał – za nic go mieli.

---

[1] J a c y – tu: tylko.

Było mu już pewnie ze szesnaście lat, kiedy raz ojciec tak mu zapowiedział:

– Ruszaj mi, wałkoniu jeden, do stodoły, narznij sieczki dla koni! Niech choć aby tyle wyręki mam z ciebie w domu!

Ano poszedł do stodoły niby też to rznąć sieczkę, a wlazł w zapole i mówi ᴄobie:

– Co ja mam po próżnicy targać swoją siłę!

Dopiero się zagrzebał w słomie i spał jak kamień.

Wchodzi do stodoły ojciec, a tu ani Wojtka, ani sieczki. Zeszedł go tam w zapolu na spaniu; jak też odpasał pas, jak zacznie bić, skatował strasznie chłopaka.

Wojtek ani mruknął. Wytrzymał bicie. Ale się potem zabrał i poszedł precz z chałupy. Powiedział matce, że idzie do służby. A jego już tak ciągnęła zła natura...

Akurat było jakoś po strasznej nawałnicy, co tam spadła z gradem i piorunami. Chmura się pono oberwała i narobiła ludziom szkody. Chłopak wyszedł za wieś; idzie groblą i spotyka jakichś dwóch czarnych ludzi, a każdy z nich trzymał pęki sznurów. On myślał, że to są kominiarze z Działoszyc, co wsie obchodzą i gdzie wypadnie wycierają sadze w kominach. A to byli płanetnicy, którzy spadli na ziemię, jak się tam chmura oberwała. Tak ci się zaraz na Wojtku poznali i wzięli go ze sobą.

– Pójdź do nas – powiadają – będzie ci dobrze. Jedwabne życie!

– A jakąż wy mi robotę dacie?

– Co ci teraz mamy gadać. Pójdź z nami... a jak ci się nie spodoba, to odejdziesz! U nas nie ma żadnej niewoli.

Uszli kęs drogi – wstępują do jednej chałupy... proszą baby, żeby im dała mleka od czarnej krowy; sami się napili i Wojtkowi też dali. Poszli.

Przychodzą potem nad jakiś wielki staw – a tu się czarna chmura opuszcza z nieba aż do samego dołu. Wtenczas ci dwaj mówią do Wojtka:

– Siadaj na tę chmurę, usadów się z wygodą, bo pojedziemy!

Przez chwilkę się wagował, ale wsiadł – i oni takoż wsiedli, wołają:

– Wio, bure, na górę!

Niby chmurom tak przykazywali.

Zrobił się zaraz szum, war jakiś – kipiało tam, a tak dudniło, jakby kto tysiące koni pędził. Zajechali pod niebo. Wojtek spogląda, a tu naokoło niego same płanetniki, jeno ci dwaj, co z nim przyjechali, byli starsi, majstrowie sami, a reszta – czeladnicy. Jedni na komendę brali chmury na powrozy i ciągnęli, kaj im przykazano; drudzy znowu dmuchali tam w chmurach na deszczówkę i lód z niej robili, a inni ten lód siekali na kawałki, żeby mieć grad; przesypywali toto z miejsca na miejsce i dopiero rzechotało nikiej orzechy. Spodobało się Wojtkowi takie rzemiosło: precz robił grad – oddawał go pod miarą na ćwierci. Albo przeciągał i przesuwał chmury nad różnymi wsiami; przychodzi do niego jeden z tych majstrów i powiada:

– Dosyć już masz wyćwiki w tej robocie; pójdziesz teraz robić śnieg, bo go mało co mamy na zimę.

Musiał teraz Wojtek heblować takie cieniusieńkie wióry z lodu, że toto było lżejsze od pierza. Ale nie umiał dobrze lodu zasłaniać od słońca, szkody im tam narobił.

Z dobre pół roku czasu zbarłożył u tych płanetników, aż raz słyszy komendę:

– Ustawić chmurę prosto nad Kręciszową chałupą!

Poszedł tam na tę chmurę, wywiercił sobie dziurkę i patrzy: akuratnie ta chałupa, gdzie się odchował, a dalej struga, błonie, gdzie pasał bydło, gęsi. Tak mu się cno zrobiło do ludzi, ile że spostrzegł matusię na podwórku, jak przed deszczem zbierała z płotu szmaty. Wziął i skoczył, spadł rychtyk na strzechę Kręciszowej chałupy.

Spostrzegła go tam matka i pyta:

– Wojtek, czyś to ty?

– Toć ja, ja sam, matusiu!

– Oj zbytniku jakiś! mało ci miejsca na ziemi, żeś na kalenicę wylazł? Schodźże prędzej, bo deszcz zaraz lunie z tej czarnej chmury!

– Mnie ta deszcz i chmury nie żadna dziwota!

Tak sobie matka nie mogła nijak zmiarkować, dlaczego on tak mówi.

Przyszedł potem do izby – przeciąga się, ziewa i rzecze:

– Spracowałem się ogromnie, moi rodzice, i przyszedłem się tu do was wyspać!

Oboje Kręciszowie spoglądali nań, a on – kocmołuch taki czarny, że aż niemiło patrzeć.

– Kajżeś ty znowu bywał, coś tak poczerniał? – pyta ojciec.

– Żałujecie mi kawałka chleba, tom musiał chodzić po zarobkach, jako darmo nigdzie jeść nie dadzą.

– A umyjże się, ladaco, bo patrzeć na ciebie przykro! – rzeknie matka.

– Moja czarność od wody nie puści! Dajcie mi się czym posilić, potem pójdę do stodoły na spanie.

– Oj, ty paliwodo, płanetniku jakiś! – zawołała matka.

A on spojrzał i powiada:

– Skądże wy znowu wiecie, żem ja płanetnik?

Zaraz zastanowiło rodziców to jego pytanie: bo jakby był synem Boginki, to mógł być i naprawdę płanetnikiem.

Wyjadł wszystko, co tylko było w warmiczkach, i pyta:

– Nie macie, matusiu, już nic do jedzenia?

Dodała mu jeszcze Kręciszowa pajdę chleba z masłem, a później poszedł spać do stodoły. Przesiadywał już przy tych rzekomo swoich rodzicach, ale się nie brał do żadnej zwyczajnej roboty, a czasem się odzywał:

– Ja to tylko umiem robić, czemu nikt nie poradzi.

Widzi on raz, że na polu jest taki kręciel, wiatr, co go też diabelskim tańcem zowią; na drodze to porywał kłąb kurzu i młynkiem w górę niesie, a tam w polu porywał garście zboża, mierzwił i roznosił. Nikt tego potem w porządny snopek nie mógł związać. Tak Wojtek popatrzał tylko i pyta chłopów, którzy tam byli przy robocie:

– Nie ma też tu kto z was porządnego noża przy sobie?

Jeden chłop miał i podał mu taki długi nóż, wyostrzony. On wziął, chuchnął na ostrze, pociągnął po cholewie i czekał chwilę, aż się taki kręciel zerwie, zacznie mierzwić garści zboża. Ano zaczęło się – powstał młynek, wichrzył ze zbożem pożętym. Wojtek podchodzi, przymrużył jedno oko, a drugim celuje i dopiero skoczył, sygnał tym nożem. W ten moment wszystko ustało, precz sobie gdzieś poszło.

– Cóżeś ty zaś takiego zrobił? – pytają chłopi.

– Nie widzieliśta? Przebiłem go ówtym nożem.

Już się nawet nie pytali, kogo on przebił, ani tego noża nikt nie chciał poszukać i podnieść, jak wiadomo było, że Wojtek w złego utrafił.

– Oj, nie jest on prosty Wojtek Kręcisz, skoro kręcielowi poradzić może! – tak mówili chłopi.

Szło precz na okolicę, że ten chłopak z ogromną głową lepiej różności zna niż druga baba, co uroki odczynia albo wróż jaki. Przychodzi do niego ten i ów po kryjomu, jak trzeba było zaradzić jakiej nieczystej sile.

Zjawia się raz jeden chłop i powiada w te słowa:

– Wojtek, może byś ty mi narail, bo prawie co noc dusi mię zmora. Jużem się zamykał na kłódkę, kładł pod poduszkę siekierę, nóż... na nic.

– Jakże ona was dusi?

– No, czuję w sobie okropną duszność i strach, a nijak się obudzić nie mogę i choć chcę krzyknąć, to się jeno spocę, zmorduję, ale pary ze siebie nie puszczę. Schudłem nikiej słomka, opadłem z ciała.

– Rada na to będzie, jeno ja sam muszę iść do was i nocować w waszej chałupie przez tyle dni, ile.wypadnie. Ale pamiętajcie, żeby w całej wsi nikt a nikt nie wiedział, że ja u was jestem! Ogromny sekret!

I poszedł z onym chłopem do jego wsi. Dali mu tam dobrą wieczerzę; podjadł sobie doskonale, potem kazał, żeby mu zrobili posłanie ze świeżego siana pod nalepą i drzwi od izby zostawili na noc otworem – choć taka zmora może się przecisnąć przez najmniejszą szparkę.

Tej nocy pierwszej zmora wcale nie przyszła i chłop się wyspał, aż mu rano oczy zbielały na zdrowie.

– Żebym ja się to co noc tak wyspał – powiada – przyszedłbym wnetki do siebie, bo uważam, że mi sen potrzebniejszy niż jadło.

– Moja w tym rzecz! – odrzeknie Wojtek. – Jak wam z piersi nie będzie krwi ssało, to przyjdzie i sen, i zdrowie.

– Bóg ci zapłać za obietnicę!

Nazajutrz ogromnie go przez cały dzień podejmowali – dawali mu jeść, co zechciał: jajecznicę, kluski z mlekiem, ser, chleb z masłem, baba usmażyła mu nawet gołąbka i wódki się też napił, a później wyspał się po południu w stodole.

Ano nadeszła noc – znowu tam drzwi od izby nie zaparli, a jemu posłali przy nalepie. Kiedy już wszyscy twardo spali, on sam jeden czuwał, jako za dnia należycie swoje odespał. Naraz – tup, tup, tup! – coś do izby wpadło. Rozgląda on się – kocur ogromny, ślepie mu się w ciemności świecą jak światła na roratach; chwileczkę posiedział sobie na izbie, potem idzie i – hyc! – prosto na łóżko, gdzie się chłop położył. Jak się już ten kot odrobinę zasiedział, wtenczas dopiero Wojtek cichuteńko na bałyku do łóżka podszedł, kota za kark capnął i zaczął tłuc, walić o ziemię, ciągle zaś dziesiętował:

– A nie chodź po nocy, psia duszo zatracona!

Pobudzili się wszyscy w izbie na ten hałas, ale nikt nie śmiał słóweczka pisnąć ze strachu – niech się tam Wojtek upora ze zmorą! On zaś tego kota stłukł na kwaśne jabłko, później go wyniósł za drzwi, wyrzucił na podwórko i teraz dopiero drzwi do izby mocno zaparł. To wyraźnie przez jakiś czas słychać było za oknem stękanie ludzkie: juści zmora była.

Na drugi dzień powiada Wojtek do tamtego chłopa:

– Powiedzcież, nie przeszkadzało wam co w nocy?

– Obudziłem się po północku, kiedyście tę zmorę mordowali, i już potem do świtania nie spałem, lęk miałem okropny. Alem teraz strasznie kontent, żeście jej, Wojciechu, dali taką odprawę.

– Co noc teraz będziecie rzetelnie sypiali, bo się zmora już przyjść do was nie waży. Uważajcie sobie tylko, która też baba we wsi będzie kulała przez jedenaście niedziel, to ona była zmorą, co was dusiła, jeno jej już od was na zawsze wara! No, każcie swojej kobiecie uwarzyć żuru na szperce i do tego kartofli ze skwarkami; pośniadam i pójdę... Jakby jeszcze upitrasiła tej paradnej jajecznicy, com ją tu jadł wczoraj, toby nie było nic nadto.

Wojtek pośniadał sobie uczciwie i poszedł.

Niejednego on od zmory zwolnił – równo w swojej wsi, jak i we wsiach innych.

Ale znowu coś o milę za lasem, przy bocznej drożynce, było takie bajorko, które daleko w łąki zachodziło, a jednym brzeżkiem dochodziło do drogi i ludzie tamtędy musieli przejeżdżać. Złe tam psociło, taplało ludzi i konie. Postawili figurę, świątka takiego – nie pomogło. Jaki taki wolał nieraz milę nadłożyć i innej drogi poszukać niż się przez ten moczar puszczać; osobliwie w nocy.

Wszyscy mówili, że pod tą wodą mieszka Topielec i on tak psoci.

Zgadało się raz o tym, bo prawie każdy człowiek tamtejszy miał jakiś przypadek na onej wodzie: jednemu konie przepadły z wozem, a sam ledwie z życiem uszedł; innego znowu wodziło z babą, wozem i końmi do samego świtu po łąkach, że aż okropność. Był tam zaś we wsi gospodarz, co pojechał do miasta krew puszczać; chciał do domu wracać krótszą drogą i na własne oczy widział przy tym bajorze Topielca. Tak się odzywa do Wojtka:

– Skoroś taki zuch, zgnęb tamtego Topielca! Zasługę będziesz miał przed Bogiem za to, że ludzi zbawisz od licha.

– Zgnębić mogę, tylko za darmo nie będę robił; mnie ojciec żywić nie chce, nieraz dobrze z głodu przymrę, a pędzą mię do takiej ciężkiej pracy, co dla mnie jest całkiem opaczna.

Naradzili się chłopi między sobą, zrobili składkę: jedni dali zboża, kartofli, drudzy pieniędzy.

– Idź – powiadają – raz zrób koniec z Topielcem.

Dopiero Wojtek wszystko, co od chłopów zebrał, oddaje matce i mówi:

– Macie tu prowiant, a nie wymawiajcie mi, że darmo chleb wasz zjadam, jako sobie zarobić umiem.

Potem się zabrał i nocą, po miesiączku, poszedł nad owo jezioro. Siadł w sitowiu, ledwie głowę co nie bądź wyścibił, czeka. Nie upłynęło może siedmiu pacierzy – jest. Topielec wyszedł z wody, jeno laseczkę miał w ręce, a z lewego troka sukmany sączyła mu się woda. Popatrzył on naokoło siebie i rzecze:

– Źle! ludzie już tędy jakoś nie jeżdżą, nie mam żadnej roboty ani zabawy! Trzeba choć siano zgnoić chłopom na łąkach!

Dopiero się puścił w pląsach po łące, a z tego lewego troka sukmany woda się siurczkiem lała na pokosy. Biegał tak jak ze sikawką, zmoczył wszystko do cna; wskakiwał na kopki siana i także je zmoczył. To z tego aż się opary ogromne porobiły i wisiały ponad łąkami nikiej płachty.

Korciły Wojtka te psoty, ale cierpliwie czekał końca.

Nareszcie wyhulał się Topielec i idzie z powrotem do jeziora, a laseczką się podpiera. Dopiero teraz Wojtek nagle wyskoczył mu przed samym nosem, łap go za łeb i z całej siły ręb o ziemię, aż jękło i ten zły się odbił.

– A cóżeś ty, psia duszo, za jeden, mocny taki? – wystękał Topielec. – Pókim żyw, jeszczem takiego hamana nie widział, choć przecie taplałem ogiery i byki...

– Widzisz, trafiłeś na swego! Ani drgniesz, póki cię w garści trzymam! Albo mi teraz powiedz, gdzie jest twoja moc, albo ci sprawię takie basy, że się już nigdy, przenigdy nie wyliżesz!

– Kiej ja ci nie mogę zdradzić mocy swojej; bo cóż będę na świecie znaczył, jak ją utracę?

– Musisz, sobako! – krzyknął Wojtek i zaraz go oburącz chwycił za bary, a potem grzmotnął o ziemię jeszcze mocniej niż przedtem.

– Dam ci tyle skarbów, ile tylko zechcesz, a puść, nie bij! Boś już wątrobę we mnie odbił, bebechów w sobie nie czuję!

Wtenczas Wojtek kolanami klęknął mu na piersiach, popluł w obie garści i jak też zacznie macać go po żebrach, a ciągle dogaduje:

– Ja skarbów twoich nieżądny! Gadaj zaraz, bo inaczej flaki z ciebie wytrząsnę! Gdzie moc twoja?...

Topielec jeszcze się przez chwilę wagował; ale kiedy mu Wojtek znowu pięścią dojechał, tak już zaczął prosić pardonu:

– Gwałtu! Puśćże mię! Cóżem ja ci przeskrobał?...

– Nie puszczę, tyla cię wezmę na barana, zaniosę do wsi, oddam chłopom, coś ich nieraz porządnie manił i taplał!

Tak Topielec, ledwie żyw, podaje mu teraz swoją laseczkę i mówi, że w niej jest cała jego moc.

Wojtek zaraz wziął laseczkę i Topielca już z rąk popuścił, dał mu pokój, tylko go pyta:

– Cóż ty z tą laseczką robisz?

– Wodę nią otwieram i zamykam, kiedy mi się podoba. Trzeba tylko tą laseczką dotknąć morza, rzeki czy jeziora, a wody się w okamgnieniu rozstąpią.

– No, to mię teraz prowadź do swojego domu!

Srodze skatowany Topielec ledwie nogi powłóczył za sobą. Dopiero Wojtek trącił laseczką po wodzie i zaraz się zrobiła czyściutka ulica, jako woda ustąpiła na prawo i na lewo.

– Idź ty naprzód, a ja za tobą! – rzekł Wojtek.

Po niejakim czasie przyszli do ślicznej kamienicy, tam pod ziemią, pod jeziorem, gdzie były największe otchłanie. Topielec zapukał – otworzyła mu jego żona; weszli. Stancje – wszystko paradne, ogromny porządek na każdym miejscu i bogactwo. Rozsiadł się Wojtek na kanapie, kazał sobie dać wieczerzę; sama Topielcowa usługiwała mu do stołu i dwie jej córki, cudo piękności.

Nad ranem, kiedy już dobrze podjadł różnych potraw, zabiera się do powrotu i rzecze:

– Dobrze żyjecie, podoba mi się! Jeszcze tu do was kiedy bądź przyjdę, bo ryby smaczne.

Już mu z tą laseczką łatwo było trafić do domu.

Zapytują chłopi na wszystkie strony:

– Cóż, cóż? Jakże ci też tam poszło?

A on im na to:

– Możecie teraz na moje słowo śmiało przez bajorko przejeżdżać i w dzień, i w nocy, konie tam pławić, bydło poić; nic nie dokuczy.

Jeno wszystkiego, jak się z Topielcem rozprawiał, nie chciał zeznać; powiedział chłopom, że się o takich rzeczach publicznie nie mówi. „Ci, co słuchają, mogliby poumierać." Więc go już nie napastowali.

Niedługo potem przyszedł do niego po radę chłop jeden, mizerak straszny taki, że w całym obleczeniu były tylko łaty a w łatach dziury; człowiek ogromnie zbiedzony, aż żółtość na niego padła.

– Słyszałem, mój Wojciechu – powiada – że różne kawałki i sztuki znacie. Może byście i mnie pomogli?

– Skoro się dowiem w czym rzecz, to może wam pomogę.

– Jakiegoś osobliwego stracha mamy w chałupie: nocami łazi, tłucze się po izbie, po komorze. No, a jak tylko zmierzch, to ustawicznie słychać pisk jakiś w nalepie czy pod nalepą, bo trudno pomiarkować, gdzie.

– A widzieliście kiedy, jak toto wygląda?

– Ja nie widziałem, jeno kobieta moja nieraz widziała cień taki biały i powiada, że chyba musi dusza jaka u nas pokutować.

– Idźcie do domu i powiedzcie swojej kobiecie, żeby dziś dla mnie była wieczerza jak się patrzy; przyjdę tam wieczorkiem.

Chłop nic nie odrzekł, poszedł do domu.

Na wieczór przychodzi Wojtek do tej chałupy, gdzie straszyło, pyta: – Jest wieczerza?

Podchodzi do niego na to gospodyni i z płaczem rzecze:

– Moiściewy, toć ja wam nie mam co dać na wieczerzę, jako wszystkiego u nas brakuje; te dzieci swoje oto karmię płonkami, głogiem, tarkami.

– Jak to, i krowy nie macie?

– Krowina jest, jeno jej wymiona tak przyschły, że kropli mleka nie puszczają, żeby nie wiem jak doić.

– Nawet i chleba w chałupie nie macie?

– Ani okruszyny nie ma. Żeby chleb był... mój Boże, czegóż więcej trzeba!

– Rozpalcież choć ogień na nalepie! W ciemności trudno wysiedzieć.

– Z czegóż ja, nieszczęśliwa kobieta, rozpalę? Chybabym tę starą ławinę porąbała; ale nie mam ani siekiery, ani nawet kozika w domu.

– No, to mi pościelcie koło nalepy!

– Czymże zaś pościelę, kiej ździebełka barłogu nie mamy?

– Dobrzem wyszedł! – powiada Wojtek.

I markotny usiadł na ławie, podparł rękami głowę; ale ława była zepsuta i wnet się pod nim zawaliła; musiał sobie usiąść na ziemi.

Wtem słyszy – coś pod nalepą zapiszczało:

– Pi, pi, pi, piii! pi, pi, pi, piii!

Zupełnie tak jak gąsiątko, które dopiero co z jaja wylazło.

On posłuchał i odzywa się:

– Aha, teraz rozumiem! To tu u was jest piszcząca Bieda... Ooo! to gorsze i od Zmory, i od Topielca!

Pod nalepą znowu zapiszczało.

Wojtek wstał i nic nie mówiąc poszedł do domu. Myśleli, że się zgniewał i już do nich nie wróci. Ale on wrócił, tylko przyniósł ze sobą plasterek miodu, dratwę szewską i młot.

Tamci ludzie pokładli się spać z dziećmi po kątach, na gołej ziemi; zasnęli.

Wojtek po omacku zdjął buty, w jeden włożył rękę i wysmarował podeszwę miodem na wewnątrz; potem się nakrył kapotą i leży. Nie spał wcale, jeno nasłuchiwał tego piszczenia pod nalepą.

Na jeden raz spod nalepy wychodzi coś bielusieńkie, cienkie a długie. Zaczęło toto łazić po izbie, zaglądać w każdy kąt: gdzie tylko był jaki okruch czego, zaraz schrupało, a jak co było całe, to ono psuło, wygryzało dziury i ciągle piszczało, labiedziło. Przychodzi ono do Wojtka, bierze ten but wysmarowany miodem, zagląda w niego; potem się skurczyło i w but wlazło. Wyraźnie było słychać, jak tam w bucie mlaskało, wylizywało podeszwę.

Dopiero się Wojtek zerwał nagle, mocno ścisnął cholewę u góry i zawiązał ją dratwą. Teraz wyniósł się z butem przed chałupę, usiadł na przyzbie i przy świetle miesiączka czekał, co dalej. Słyszy on, że w bucie zaczyna coś chrupać – zupełnie tak, jak kiedy mysz gryzie. To ta Bieda chciała się z buta wygryźć i już zębami dziurkę napoczęła. Ale on chwycił młot i zaczyna walić z całej siły.

– Człowieku, zlituj się, nie bij!

Ten nic, tylko raz za razem wali.

– A pókiż mię też będziesz mordował? – pyta Bieda.

– Póki ci wszystkich zębów nie powybijam, sobacze nasienie! Żebyś już gryźć nie mogła.

Walił tak Biedę, aż jej nareszcie zęby powybijał. Wtenczas dopiero przestał bić, kiedy te wybite zęby zachrzęściły tak w bucie, jak kamyki w grzechotce.

Bierze on teraz but z Biedą i poszedł prosto do onego bajorka, gdzie to był zgnębił Topielca.

Otworzył wody laseczką, przeszedł między nimi suchą nogą, zapukał do domu Topielcowego.

Zaraz do niego wyszła żona Topielca i w te słowa mówi:

– Coście wy też najlepszego zrobili, mój Wojciechu! pozbawiliście oto mojego męża wszelakiej roboty i teraz tak mi w domu dokucza, że wytrzymać z nim trudno!

Jużci ten Topielec stracił moc swoją i nie mógł już dokuczać ludziom, tak strasznie psocił w domu, niemiłosiernie trapił żonę, dzieci, jako z dawien dawna przywykł do dokuczania.

– Przyniosłem ja mu zabawkę! – rzecze Wojtek. – Będzie teraz miał komu dokuczać; niech używa.

Z tymi słowy odwiązał dratwę i zaraz z cholewy wyleciała Bieda. Poczęła piszczeć, szukać sobie jakiego kącika, żeby tam osiąść na komornem.

On zaś wysypał z buta zęby, przerachował je i zobaczył, że brakowało jednego. Tak woła na tę piszczącą Biedę:

– Słuchaj no, ty psia wełno, nicpotem! Tobie jeszcze w gębie jeden kieł został i możesz nim szkodzić! Ja ci go koniecznie muszę wybić!

Bieda w tej chwili rozdziawiła gębę – pokazuje, że już nie ma ani jednego zęba.

– Ten ząb – powiada – co ci go do rachunku brakuje, gryzł dawniej najlepiej; alem go sobie do krzty wyszczerbiła na chłopskiej pracy, która jest twardsza od najtwardszych kamieni. Szlacheckie złoto, srebro, diamenty gryzłam łatwiej aniżeli ty chleb z masłem; nawet bez zębów dałabym temu radę. Ale kiedy przyszła kolej na chłopską pracę, od razu sobie wyłamałam ten ząb najlepszy.

– Ha no, choć ta bez zębów, może się i tak wypasiesz u tych Topielców – powiada Wojtek przez kpiny.

Kazał sobie tam podać jeść, posiedział chwilkę, potem zostawił Biedę pod wodą i odszedł.

W kilka dni przybiega do niego ten sam chłop; ale się już bardzo zmienił: na twarzy nabrał ciała, wesoło patrzył i obleczenie miał o wiele lepsze.

– Mój dobrodzieju! – woła. – Toć teraz u nas w domu wszystko inaczej! Czymże ja wam też wynagrodzę taką przysługę?

– Wyprawcie mi oto którego dnia porządny bankiet, jakom godzien. Nie tylko, żem tej waszej piszczącej Biedzie powybijał wszystkie zęby, alem ją jeszcze w dodatku zatopił.

Jednego dnia zbliża się do Wojtka sam Kręcisz i powiada:

– Wojtek, wiesz ty o tym, że koszula jest najbliższa ciała?

– To ma znaczyć pono, że o krewnych lepiej pamiętać trzeba niż o obcych.

– No, a ty obcym się wysługujesz, o domu zaś ani zbylisz [1].

– Bo mię, tatusiu, pędzacie do takiej roboty, co dla mnie nic a nic nie kwadruje [2].

– A byłżeś ty kiedy w nocy na tym naszym pólku koło łąki?

– Nie byłem! Po cóż bym tam w nocy chodził?

– Widzisz, a tam jakieś licho lata z latarką... i skoro się tylko człowiek pokaże, to ono tak goni, że niech ręka boska broni!

– Tegom nie wiedział; ale skoro teraz wiem, może co na to poradzę.

Zaraz wieczorem poszedł na ojcowe pole. Po drodze ukopał sobie rzepy, potem wlazł w kartofle, położył się w bruździe. Leżał i rzepę zagryzał.

No, dobrze. Około północka, ni stąd, ni zowąd pokazał się tam na polu jakiś człowiek w szlachetnym surducie, w kąszkiecie, z latarką w ręku. Przebiegł po uwrociu, a potem w poprzek przeskakiwał zagony i tak mamrotał pod nosem:

---

[1] Ani z b y l i s z – ani wspomnisz, nie pomyślisz.
[2] K w a d r o w a ć – pasować, odpowiadać.

—POSŁUCHAJCIE
NO TYLKO, GOS-
PODARZU! — RZEKŁ
DIABEŁ, BIORĄC
GO ZA RĘKĘ —
A BĘDZIE NAM
OBU DOBRZE. +
OTO PRZYJMIJ-
CIE MNIE ZA
PAROBKA, A
KIEDY WY DLA
DWORU ROBIĆ
MUSICIE

JA TYMCZASEM TYLE ZAPRACUJĘ, ŻE DLA NAS WSZYS-
KICH WYSTARCZY. WŁAŚNIE SZUKAŁEM SOBIE GDZIE SŁUŻ-
BY, ALE O TEJ PORZE TRUDNO GDZIE MIEJSCE ZNALEŹĆ; MU-
SIAŁBYM SIĘ, OT, KOŁATAĆ PO ŚWIECIE. SZCZĘŚLIWY BĘDĘ, JAK
MI DACIE U SIEBIE PRZYTULISKO I CO SIŁ STARCZY PRACOWAĆ
WAM SIĘ NIE POLENIĘ. WOLA TWOJA, MÓJ PRZYJACIELU. ODPOWIE-
DZIAŁ DRWAL. DACHU I KĄTA W CHACIE NIKOMU NIE BRONIĘ;

– To jest Kręciszów zysk, a Boroniowa strata! To jest Kręciszów zysk, a Boroniowa strata!

I tak w kółko: co skoczył, powtórzył to samo.

Wojtek nagle wypadł z kartofli, a ten surdutowy obces się rwie do niego jak szalony. Przywykł do tego, że chłopi zawdy przed nim uciekali, więc się i teraz spodziewał tego samego; ale Wojtek stał jak mur, ani drgnął.

– Bliżej pójdź – mówi – bliżej!... ja przed tobą nie mam żadnego boja!

Dopiero tamten zawrócił i sam w nogi.

Jak się Wojtek za nim nie puści, to tylko po naci kartoflanej furczało, a ziemia dudniła. Ten na przodzie zmykał jak zając, jeno się światełko migało, ale go Wojtek nareszcie dognał i już miał za kark chwytnąć, kiedy mu się nogi w badyle zaplątały i w tym rozmachu gruchnął, aż nosem ziemię zarył w bruździe.

Tamto tymczasem umknęło.

Powrócił do domu – markotny był, że mu tak źle poszło, a Kręcisz spod oka nań spojrzał i powiada:

– Różności ci się pono udawały z takimi złymi, ale to licho na naszym polu musi być sztuczka!... Nie darmo on ze światłem chodzi.

Wojtek nic ojcu nie odrzekł, jeno się w duchu zawziął, żeby postawić na swoim.

Na drugą noc już się w poręczniejszym miejscu zasadził, żeby bliżej być tego stracha. Tak ledwie co się pokazało ówto licho, a on mu już zastąpił drogę i chciał je przycapić. Ale co ręką chwyci, nic w garści nie czuje: rozstępowało się to tak jak powietrze... Biegli tak obok siebie i Wojtek wyraźnie czuł, że tamten jest jak wiatr. Podziw go zdjął ogromny, więc pyta:

– Cóżeś za jedno, że cię widzę na oczy, a tykać nijak nie mogę?

– Mnie nie chwycisz, bom jest dusza!

– A czegóż się ty tu po naszym pólku wałęsasz?

– Odpokutować muszę za grzechy swego życia.

– Nie można ci pomóc pacierzami albo czym innym?

– Ten by mi tylko pomógł, kto by te oto kliny na polu Kręcisza oddał na własność dzieciom po Boroniu.

– Przez cóż by zaś grzesznej duszy miała pomóc taka darowizna?

– Oj, nie darowizna to, nie! Z mojej przyczyny Boroniowi krzywda się stała i ja teraz za to pokutuję.

– Kimżeś ty był za życia?

– Miernikiem, mój człowieku, miernikiem! Ja rozmierzyłem to pole niesprawiedliwie... Widzisz, przy świetle muszę co noc dziewięćdziesiąt dziewięć razy obejść i obejrzeć krzywdę ludzką. Nie spodziewam się zaś, żeby prędko te Kręciszowe kliny przeszły na dzieci Boronia... Człowieku, jeśli nie możesz mi pomóc, to w pokucie nie przeszkadzaj!

Zafrasował się Wojtek, jako co innego zamyślał, a co innego się stało. On myślał, że to było złe, co ludziom szkodzi, i chciał je zgnębić, a to nieszczęśliwa dusza, pokutująca na miejscu, gdzie zgrzeszyła.

Tak poszedł do Kręcisza i zapytuje:

– Powiedzcie mi też, tatusiu, jakeście wy nabyli te kliny nad łąką, co teraz są na nich kartofle?

– Ho, ho! Kiedy to tam było! Z okładem dwadzieścia pięć lat temu, jakem do spółki z nieboszczykiem Boroniem kupił był duży szmat roli. Omętra potem rozdzielił to pole na dwie równe połowy i każdy z nas wziął swoje.

– Tylko wy, tatusiu, wzięliście więcej, jako te kliny akurat powinien był dostać Boroń!

– Rychtyk. Ciewy! Skądże on wie? A toć ja omętrze dałem pięćdziesiąt rubli gotowego grosza za to, żeby sprawę dobrze pokierował na moją stronę. Oo! te kliniki to w całej naszej wsi najlepszy kawałek ziemi!

– Należałoby je zwrócić dzieciom po Boroniu, bo juści krzywdę mają.

– Czyś ty oszalał? Sobie radź, nie mnie staremu! – tak fuknął Kręcisz i już nie chciał dalej rozmawiać.

Ale Wojtek myślał nad tym, jak by pomóc duszy owego miernika; nałamał sobie dosyć głowy, nareszcie wpadł na myśl, że gdyby się ożenił z Kaśką Boroniówną, toby w taki sposób był koniec z tymi klinami, boby właśnie przeszły na dziecko po Boroniu.

„Przecie by mi ojciec choć te kliny musiał dać na wiano – myślał sobie. – A jakby nie dał, tobym je odkupił".

Nie traci czasu, zaraz nazajutrz idzie do tej Boroniówny i tak zapytuje:

– Kaśka, chciałabyś mię ty za męża? Powiadam ci szczerze, żebyś bardzo a bardzo dobrze zrobiła.

A dziewucha na to w śmiech:

– Oj, za takiego bym też iść chciała! Pośmiewisko ludzkie, z głową taką jak wiadro! Człowieku, toć ciebie ludzie obgadują na wszystkie strony. Powiadają, że dla ciebie żur baba będzie musiała warzyć w jednym saganie, a kartofle w drugim! Przecie ty pono dzień przesypiasz, a po nocach się tułasz, jak co niedobre! Gdzie by zaś kobieta jak należy poszła przed ołtarz do sakramentu z takim obżartuchem i próżniakiem!... No, a jeszcze przecie mówią, żeś ty nie żaden syn Kręciszów, jeno syn Boginki!

Wyśmiała go, wydrwiła tak, że mu się na płacz zbierało. Najbardziej go zaś to ubodło, że ludzie we wsi o nim mówią: „podrzutek, syn Boginki".

Jeszcze się nigdy Wojtek tak nie zgryzł, nie zmartwił jak teraz.

– Pójdę – powiada – w bory, lasy, muszę znaleźć tę Boginkę; niech powie rzetelnie, czym ja syn jej, podrzucony Kręciszom! Jeżeli prawda, to ja już do wsi nigdy nie wrócę.

Rozżalił się okrutnie i poszedł.

Jak sobie wtenczas poszedł, tak lata przechodziły rok po roku, a on nie wracał.

Z początku go we wsi wspominali, potem całkiem zapomnieli.

Topielec już ludzi nie taplał, Zmora nikogo nie dusiła. Bieda pod polepą nigdzie nie piszczała, Strzyga w kościele świec nie gryzła i nie łamała – bo on i Strzygę zmógł także, nim odszedł. Płanetnicy już nie spadali, jako wiedzieli, że w tamtej wsi na miejscu jest płanetnik. Tylko na Kręciszowym polu ciągle jeszcze po nocach łaził miernik z latarką; ile razy go zaś stary Kręcisz z daleka zobaczył, czuł w sobie wyrzut sumienia i syna sobie przypominał.

– Gdzie się ten Wojtek zawieruszył? Postarzałem się i ja, i kobieta. Komu to majątek zostawić?... Może by te kliny Boroniom zwrócić?... Ee, trza poczekać!...

Już przeszło coś lat siedem, a o Wojtku ani słychu, ani dychu.

Kręciszowa codziennie wyglądała z podwórka na drogę, upatrywała, czy Wojtek skąd nie idzie, zawsze zaś chcąc nie chcąc spojrzała na strzechę; dobrze pamiętała, że on tam raz siedział, jak do domu wrócił.

Aż tu jednego dnia ludzie patrzą – lezie przez wieś jakiś człowiek, wysoki, chudy, dobrze zbiedzony. No, nieznajomy... któż może wiedzieć, co to za jeden? Psy z całej wsi za nim pędzą, ujadają – zwyczajnie, jak na obcego.

Zatrzymał się przed chałupą Kręciszów, wszedł, zastał ich w domu.

– Niech będzie pochwalony!

– Na wieki! – mówią oboje. – Z daleka idzie?

– Ooo, z daleka!

Rozgadali się od słowa do słowa. On im różności opowiada – zaraz znać było, że dużo widział.

Kręciszowa też, jak to kobieta, mówi swoje, że mieli syna; niestatek był, co prawda, trzymały się go zawdy jakieś fanaberie dziwne, ále i tak go szkoda. Pewnikiem byłby się zlepszył, zmądrzał, a tak przepadł jak kamień w wodzie.

Ten nieznajomy jadł tam u nich wieczerzę, dopiero wstaje z ławy i powiada:

– Widzicie, to ja jestem Wojtek, jeno ten pierwszy, co wam go Boginka porwała, a tamten drugi przy matce został w boru!

Ogromna radość! Nie mogli się go naściskać, nacałować, a fetowali za dziesięciu – wszystkim, co mieli najlepsze.

Zaraz drugiego dnia rozniosło się po wsi, że do Kręciszów przyszedł prawdziwy Wojtek, ten sam, co go Boginka porwała z kolebki na trzeci dzień po chrzcinach. Schodzili się ludzie, żeby człowieka oglądać: juści niemałe było dziwo.

Coś w trzy tygodnie potem idzie ten Wojtek na zaloty do Kaśki Boroniówny i tak do niej mówi:

– Kaśka, może byś ty za mnie poszła?

– Za ciebie to pójdę, boś ty jest prawdziwy Wojtek Kręcisz!

Dali na zapowiedzi i ślub był przed adwentem, a Kręciszowie wyprawili ogromne wesele, na którym grało aż pięciu muzykantów. Cały zaś majątek oddali starzy tym młodym.

Wtenczas dopiero Wojtek zebrał wkoło siebie dużo ludzi i tak się odezwał:

– Moi kochani, jeden tylko Wojtek Kręcisz był od urodzenia na świecie: to ja! Ani mię Boginka nie kradła, ani nie oddawała.

– Święta prawda! – zawołali. – Ludzie to bajali i bajali... tak sobie; kto by ta wierzył?

Eliza Orzeszkowa

O RYCERZU MIŁUJĄCYM

Bywają na świecie ludzie nader silni, od wszelakiego złego silniejsi, którzy gdyby największa przeszkoda na drodze ich stanęła, jak piórko z drogi ją zmiotą, taka w nich moc! A jaka to moc! Skąd w nich ta moc? Zgadnijcie! Nie zgadujecie? Słuchajcie tedy; opowiem.

...Było raz zdarzenie takie:

Legł pośród drogi, którą ludzie chadzali, jeździli, kamień takiej wielkości okrutnej, że ni przejść, ni przejechać bezpiecznie nikomu nijak nie dawał. Jednym się o niego u wozów koła potrzaskały, insi przez niego doświadczyli upadków śmiertelnych, insi jeszcze z daleka objeżdżać go zmuszonymi byli. Ile od tego srogiego głazu poszło po ludziach frasunków i smutków, ile zgryzot przecierpianych, robót nie spełnionych, utrat poniesionych – nie zliczyć!

Skąd ten głaz wziął się? Nie wiadomo. Ziemia go zapewne sama na stracenie człowiecze wydała, boć wszyscy wiedzą, że karmicielką będąc, macierz ta nasza zarówno i trapicielką działkom swym być, a ku ich trapieniu potwory srogie wydawać z siebie umie. O, umie!

Ale przebrała się raz cierpliwość ludzka, kto żyw, do kupy zbiegł się i hejże wszyscy razem przeciw spólnemu nieprzyjacielowi!

Jako gałęzie przestępu dokoła pnia dębowego, tak ramiona co najsilniejsze dokoła głazu się oplotły i hej! ho! ho! w górę! silniej! wyżej! Jeszcze raz! Jeszcze, jeszcze raz i dziesięć, i sto razy!

Nic! Jak tkwił, tak tkwi w ziemi świętej, spośród mchu brunatnego, co go obrasta, białe zęby wyszczerzając – z pośmiewiskiem.

Tedy stanęli ludzie biedni w zasmęceniu wielkim, ręce poopuszczali i milcząca głucha na nich spadła. Nic nie mówią, nic nie zamierzają, zęby tylko ścisnęli i z nogami, jakby w ziemię przez nieszczęście wkopanymi, stoją. Oj, oj! Czy kto nie widział tego, jak nieszczęście wkopuje w ziemię nogi ludzkie! A zdarza się też, że i całego człowieka, z sercem żywym, do niej zakopie. Bo kto nieszczęśliwy jest, ten jakby pod ziemią był. Żyw niby, a martwy i głucha milczącość dookoła go oblatuje.

Wtem, widzą, ktościś na koniu drogą nadjeżdża, a że droga leśną była, więc co wybłyśnie spośród drzew promień słoneczny, to mu w hełmie wysokim niby gwiazdę złotą, niby diament tęczą świecący zapali.

Pan, nie pan; rycerz, nie rycerz! Chybać rycerz, bo hełm ma nad głową i odzież gdzieniegdzie od stali pobłyskującą. Oblicze zaś rycerza jaśniało od piękności takiej, takiej jakiejścić anielskiej albo niebieskiej, że gdy przybliżył się i konia powstrzymał, ludzie wnet ufność ku niemu poczuwszy, o biedzie swej rozpowiadać mu zaczęli, a narzekać rozpowiadając.

– Tak i tak, jaśnie wielmożny panie – rozpowiadają – takie i takie zdarzyło się nam nieszczęście.

Patrzą, aż na jasne oblicze rycerza najmilsza dobroć występuje i z konia zsiadać on zamierza.

– Ja wam – mówi – kamień ten z drogi odrzucę.

Oni na to z podziwieniem:

– Gdzieżby jaśnie wielmożny pan dla nas taką fatygę ponosił!

A on im na to z uśmiechem cudnym:

– Dlatego jestem na świat posłany, aby cierpiących i ukrzywdzonych ratować!

Oni znów na to z wątpliwością:

– Nie wystarczy tu siła, by największa.

A on im na to z oczyma błyszczącymi jak gwiazdy:

– Moje wystarczą, bo je biorę z miłującego serca.

Tu głaz okrutny rękoma opasał, wstrząsnął nim tak, że aż ziemia stęknęła, aż oblicze własne zalało mu się zdrojem potu i z ziemi go wyrwawszy, w las daleko odrzucił. Tylko w powietrzu zagrzmiało od runięcia głazu na świerki i sosny, które jak trzciny łamały się pod nim z trzaskiem niewypowiedzianym.

I ucichło. Droga przed ludźmi leżała równa, gładka, a po twarzach ludzkich skrzydło anielskie pisało litery radości.

Rycerz znowu na koń wsiadł i pięknie ukłoniwszy się, pojechał dalej, cierpiących i ukrzywdzonych ratować.

Silnyż był, silnyż! A skąd w nim była ta olbrzymia moc?

– Z serca miłującego – mówi.

Ot, w sercu miłującym, widać, tkwi ta moc olbrzymowa, co by największe zło przemóc zdoła.

CZEGO PO ŚWIECIE SZUKAŁ SMUTEK

Pewnego razu polem bardzo pięknie przez naturę ubranym szedł Smutek, wielkie sprawiając szkody i spustoszenia; czarne bowiem zasłony, którymi był okryty, zachmurzały jasność słoneczną, od bladości jego oblicza padała na kwiaty barwa trupia, a od ciężkiego jego oddechu kłosy gięły się ku ziemi i marnie roniły napełniające je ziarna. Nie dziw, że śród istot, zamieszkujących pole, wielkie przeciwko natrętnemu szkodnikowi temu powstało szemranie.

– O, widmo ponure –zawołały – po co wyszedłeś z otchłani złego i włóczysz się po świecie, aby wszystko, co na nim wzrasta, czynić płonnym, ciemnym i trującym?!

– Ukażcie mi istotę pewną, której dotąd nadaremnie pośród was upatruję – odpowiedział Smutek – a wnet zstąpię do otchłani mojej i nigdy już ziemi naprzykrzać się nie będę; ale dopóki nie znajdę tego, czego szukam, chodzić po niej nie przestanę jak pierworodne i niepozbyte przekleństwo.

Usłyszawszy to, pierwsza Wesołość ku niemu zleciała i różową chmurką, w której migotał rój srebrnych gwiazdek, w powietrzu zawisłszy, zaszczebiotała:

– Mnie pewnie szukasz, ciemna zmoro! Oto jestem! Patrz, jakam ładna i zgrabna! Umiem śpiewać srebrzyście, tańczyć prześlicznie i śmiać się z byle czego. Oddech mojej piersi orzeźwia jak zefir, a z tego cacka, które trzymam w dłoni, jakkolwiek jest ono malutkim i kruchym, płynie nieśmiertelna woda zapomnienia. Przypatrzże się mnie dobrze, stary nudziarzu, i ruszaj sobie na bory i lasy!

Ale Smutek jednym przeczącym wstrząśnięciem głowy szeroko naokół rozwiał swoje czarne krepy, a samego ich widoku znieść nie mogąca Wesołość uleciała daleko i strwożona, zgnieciona, omdlała, pomiędzy kwiaty i kłosy upadła.

Wtedy z postawą wyprostowaną, a obliczem otwartym i nieskazitelnie białym, drogę Smutkowi zastąpiła Prawość.

– Wesołość jest milutką, ale też płochą sobie istotką – rzekła – i nieśmiało różnych tam kalectw pod różową gazą jej sukni odnaleźć by można. Jam czysta jak woda krynicy i prosta jak pięknie wyrosła topola. Nie mam na sobie ani jednej plamki, która by pochodziła od brzydkiej śliny kłamstwa i nie tkwi we mnie żaden cień czyjejkolwiek krzywdy. Może więc na mój widok, który przecież nie urojonym jest, lecz istotnym, zechcesz ten świat od obecności swojej uwolnić?

Przychylnie Smutek na Prawość popatrzył i nawet blade jego oblicze ożywił słaby promień pociechy; jednak przecząco wstrząsnął głową.

– Szanuję cię, o Prawości – rzekł – i przyznaję, że gdybym ciebie po wiele razy już nie spotykał, krepy moje byłyby dwakroć żałobniejsze i jadowitsze oddechy; ale nie jesteś istotą, której szukam i bez której władzy strącenia mnie ze świata ty nie posiadasz.

Słysząc odprawę tę, daną Prawości, Pracowitość wyprostowała grzbiet, nad robotą jakąś zgięty, namuloną dłonią ze zmarszczonego czoła pot otarła, z szerokim odetchnięciem przeciągnęła potężne, ale zmęczone członki i naprzeciw Smutkowi wystąpiła.

– Przeze mnie i tylko przeze mnie – rzekła – przy życiu, dostatku i rozumie utrzymuje się wszystko, cokolwiek w te dary zaopatrzyła Natura. Jestem pierwszą uczennicą i pomocnicą Natury, a nawet mistrzynią i panią moją w pomysłach i mocy przewyższam, bo twory jej udoskonalając i powiększając piękności, stawiane przez nią, zapory do życia i szczęścia usuwam, a gęsto rozsianym truciznom zapobiegam. Ja to pustynie przemieniam w żyzne pola i urodzajne ogrody, w łonach gór i na wód powierzchniach toruję bezpieczne drogi, wznoszę wspaniałe miasta, cudami wiedzy i sztuki napełniam liczne i ogromne skarbce, w głowach ludzkich pielęgnuję myśli i rozwijam wątki fantazji, dopóki nie rozgorzeją w pełne płomienie prawdy i piękna. Beze mnie nikt i nic trwać, żyć, rozkwitać, myśleć, wynajdywać, tworzyć nie może. Beze mnie każdy zasiew marnie zginąć, każdy błysk szybko zgasnąć, każdy przymiot przemienić się w przywarę, a każda przywara na potwora wyrosnąć musi. Taką jestem i mam nadzieję, że przed prastarym, szanownym, niezliczonymi zasługami opromienionym obliczem moim pierzchniesz jak mgła...

Smutek smutnie potrząsnął głową.

– Szanowną jesteś i pełną zasług, o Pracowitości, i temu nie przeczę bynajmniej. Gdybyś nie istniała, nie istniałoby też nic wcale, bo nawet drobna ptaszyna, aby uwić swe gniazdo, i rybka, aby wyżywić się robaczkami, i roślina, aby swe tkanki przez wciąganie w nie gazów przy życiu zachować, pomocy twej potrzebują. Cóż jednak, skoro pomimo twego tak wyraźnego istnienia ja obok ciebie i tak jak ty dawno chodzę po świecie. Owszem, w niezliczonych i niezwikłanych zwojach twojego szpiku i mózgu kryje się tyle krzywizn i ostrzy, od których zasłony moje stają się jeszcze czarniejszymi i większa bladość pada mi na oblicze... Widzisz więc, że jak od wieków, tak i nadal wspólnie po ziemi chodzić musimy.

Pracowitość była rozumną, więc zrozumiała, że Smutek miał słuszność, i z cichymi łzami w oczach odeszła.

Po jej oddaleniu się z uciszonych i przygasłych wysokości spłynęła postać wyniosła,spokojna,łagodna i przyjaznym głosem do czarnej chmury Smutku przemówiła:

– Wiele przenikam i rozumiem, dlatego też w łonie moim tkwi wiele mieczów boleści. Nie znać tego po mnie, bo dostojne znoszenie męczarni jest jednym z moich przymiotów. Nauczam wszystkich, a w samej sobie noszę wieczne burze, przez to wzniecane, że umiem tak mało. Nieraz z rozkoszą mówię: „Wiem!", lecz częściej z żalem wyznaję: „Nie wiem!". Beze mnie i świat byłby ciemny, jednak czuję, że zupełną światłością nie jestem, i trawi mnie wieczna ku niej tęsknota. Widzisz więc, Smutku, że z bliska spokrewnionymi z sobą jesteśmy. Jesteśmy nawet jako rodzeństwo, od poczęcia samego zrośnięte z sobą sercami; bo ktokolwiek nie bywał smutnym, mądrym być nie może, a kto jest mądrym, smutnym bywać musi. Mnie zaś na imię Mądrość. Powiedz mi, kogo na tym polu szukasz, a jaśniej widząc od innych, dopomogę ci może do znalezienia istoty, od której twoje zniknięcie z powierzchni zależy. Otwarcie bowiem mówiąc, dla tej biednej ziemi tyś zmrokiem, brzemieniem i jadem, więc czuję nad nią litość, która także jest dobrym, lecz dokuczliwym przymiotem mojej natury. W dodatku, gdy ty zawsze powrócisz do swej otchłani, ja sama pewno pozbędę się swoich trosk, burz i tęsknot. Kogo szukasz, o Smutku?

Widocznie dla swojej siostry Mądrości Smutek niejaką przychylność uczuwał, i z głową pochyloną, palcem do sinych warg przyłożonym, namyśla się, czy ma nareszcie wyjawić przed kimś cel swoich wędrówek. Jednak od dawna już przenikało go silne pragnienie powrócenia do otchłani, z której był rodem, i spokojnego ułożenia się na dnie jej do snu wiecznego. Nie był złośliwym, więc odwieczna włóczęga, wśród której tylko niemiłe innym rzeczy mógł sprawiać, zmęczyła go już bardzo i czuł dotkliwie ciążące na nim brzemię przekleństw wszystkiego, co żyło... Więc po krótkim namyśle przemówił:

– Być to może, o Mądrości, że ty jesteś skuteczną jaką wskazówką mnie od życia, a żyjących ode mnie uwolnić potrafisz. Wiedz zatem – jakże niewiele przenikasz i rozumiesz, skoro tej tajemnicy nie odgadłaś sama! – wiedz zatem, że w ogromnym tłumie cnót i występków, zalet i przywar, który to pole zamieszkuje, od wieków szukam – Dobroci.

Na spokojnym, chociaż śladami wielkich cierpień zbrużdżonym obliczu Mądrości odmalowało się zdumienie.

– Łacniej, mój bracie, wszystkiego spodziewać bym się mogła niż tego, co mi właśnie powiedziałeś. Dobroci szukasz! Ależ istot noszących to imię jest tu tak wiele, że sama ich pospolitość sprawiła wielką ich taniość. Na rynkach, pośród których mieszkańcy tego pola nazywają, co im najlepiej się podoba, nikt już nawet nie zapytuje o Dobroć, a jeśli jeszcze ktokolwiek jej kiedy zażąda, za trzy grosze szacunku i za grosz pochwały otrzymać ją może. Jest jej okazów i różnych gatunków tyle, co gwiazd na niebie. Patrz tylko, ta na przykład, która w pobliżu naszym tak żwawo uwija się po polu, każdemu ukłon grzeczny albo drobną przysługę oddając, nikogo nie omija, na nikogo krzywo nie spojrzy, uśmiech jej jak miód słodki, postać jak trzcina gibka... Masz, czegoś szukał!

Smutek ze zniechęceniem ręką skinął.

– Tę znam od dawna. Samozwańczo nazwała się ona Dobrocią. Właściwie ma wiele imion, z których tamtego znajdziesz zaledwie ćwierć litery. Usłużnością jest ona, Woskowością myśli i woli, Chciwością chwalby.

Mądrość patrzała w inną już stronę i rzekła:

– Więc spójrz na tę drugą. Czy spostrzegasz, jak kunsztownie przechodzi ona pomiędzy najróżniejszymi z roślin tego pola, żadnej nie zaczepiając ani skrajem sukni, od każdej ostrożnie uchylając ręce, strzegąc stopy od zdeptania zarówno chwastu, jak kłosu. Ta już pewno niczemu nie zrządzi nic złego. Nie jestże więc Dobrocią?

– Nie – odparł Smutek. – W księdze imion, której Przyroda na pamięć mi wyuczyć się rozkazała, nazywa się ona: Nijakość i Bierność.

– Więc wskażę ci jeszcze jedną. Popatrz tylko na tę, której rumieńce pożądliwości, zawiści, pychy do czoła uderzają, a jednocześnie w kamiennym milczeniu kurczą się wąskie usta i cicho, układnie lgną do piersi ręce, od wyciągnięcia się powściągane. Nic nam do tego, co tam wewnątrz kipi i skowyczy, skoro ona tego żadnym dźwiękiem i ruchem nie zdradza, gdy grzeszną jest, skromną i nieszkodliwą – czyż nie jest Dobrocią?

– Ani trochę w to nie wierz – gorzko śmiejąc się odparł Smutek. – Jest ona wszem Złością, której towarzyszy Obłuda, a nie zachęca Odwaga. Byleby tylko zamknęły się wszystkie oczy i uszy – to, czego pożąda, cichutko pochwyci, a przedmiot gniewu swego lub zawiści z tyłu zajdzie i nie szczekając ukąsi.

Mądrość zamyśliła się głęboko, a Smutek mówił dalej:

– Widzę, że wyraźnie określić ci muszę cel moich poszukiwań, bo jakkolwiek wzrok masz jasny, czasem przyćmiewa go i ludzi wielka mnogość i rozmaitość zjawisk, które badasz. Ażeby zniknąć z tego pola, potrzebuję spotkać i panią jego uczynić Dobroć szczerą, czynną, odważną, cierpliwą, litościwą, umiejącą kryć łzy własne, a ocierać cudze, zadania krzywdy lękającą się, tak jak ogień lęka się wody, a ku ofierze śpieszącą, jak łania śpieszy ku wodzie. Dobroć rozpatrującą winy nie dlatego, ażeby winowajcę przekląć, lecz dlatego, ażeby w nim choć drobną nić niewinności dostrzec; Dobroć, rylcem wdzięczności wytłaczającą w pamięci każdą doznaną łaskę, a jak marny kamień wyrzucającą z serca każdą własną urazę; Dobroć, która jest Prawością, bo cudzym dobrem cieszy się, zamiast pożądać go dla siebie, i Pracowitością, bo dobra światu przysporzyć gorąco pragnie, i Mądrością, bo ma takie zaklęcia i leki, które rany goją, ciemności rozpraszają i...

– Przestań, przestań, o Smutku – przerwała Mądrość – bo nic nowego mi nie powiadasz, a słowa twoje budzą znowu moją tęsknotę za doskonałą światłością.

Więc Smutek rzekł już tylko:

– Gdyby Dobroć, której szukam, zapanowała nad tym polem, moja wędrówka po nim byłaby skończoną... Wraz z mnóstwem ciemnych istot, z którymi wspólnie opuściłem otchłań złego, mógłbym powrócić do niej i na dnie jej w pokoju lec i wypoczywać.

Skończył, a Mądrość, w zamyśleniu pogrążona, długo z czołem na dłoni opartym stała, aż rzekła:

– Lituję się nad tobą, mój bracie, a zarazem nad wszystkim, co żyje...

– Mniemasz, może, iż tej istoty wcale na tym polu nie ma? – drżącym od niepokoju głosem zapytał Smutek.

Mądrość po długim znowu namyśle rzekła:

– Nie wiem...

I odeszła.

Smutek zaś, tak jak wprzódy, polem wlókł się a wlókł się; ciemne zasłony, którymi był okryty, zachmurzały jasność słoneczną; od bladości jego oblicza na kwiaty padała barwa trupia, a od ciężkiego jego oddechu kłosy zginały się ku ziemi i marnie roniły napełniające je ziarna...

BAŚŃ

... – O! wierz! istnieją wody wskrzeszające, drzewa śpiewające, ptaki, które mówią jak ludzie, i ludzie, którzy kochają jak bogi; tylko, aby to wszystko ujrzeć i posiąść, trzeba przebyć siedem mórz, siedem gór, siedem lasów i wejść w krainę – Baśni.

– Skąd rodem Baśń?

– To córka wspomnień, co tkwią pod głuchą niepamięcią w duszy pamięci, i przeczuć, które wiodą duszę w siną, niewiadomą, w niewidzialną dal, przez morza, przez góry, przez lasy...

– O, gorzkie mórz wody! O, strome gór zbocza! O, cierniste są lasów zarośla! Pociesz mnie! Opowiedz baśń!

– Szara godzina spływa na nasze pochylone głowy. Podaj mi rękę. Tak! Niech smutek twój uśnie i bóle pomilkną na chwilę. Niech w sercu twym na chwilę przygaśnie rubin tęsknoty. Niech ci się zda, żeś już po drugiej stronie gorzkich mórz, stromych gór, ciernistych lasów. Posłuchaj!

W lesie pełnym platanów, buków, cyprysów ciemnych i nad wód błękitnymi strugami malin czerwonych o upajającej woni, w lesie obrastającym świętą górę Idy [1] Zefir królewicz pokochał pasterkę Śpiewną. Jemu bogowie dali piękność królewską i serce tak głębokie, jak morze kryjące na dnie korale i perły; jej Muza [2] dźwięków włożyła do kolebki upominek czarującego głosu.

Nad błękitnym strumieniem z dłoni zamyślonej Śpiewna po mknących falach puszczała kielichy powoi, śpiewając tak rozgłośnie, tak dźwięcznie i słodko, że z zarośli różanych łanie wychylały zasłuchane głowy, jelenie, powstrzymując bieg swój ku wodzie, stawały wśród cyprysów i patrzały w niebo, ptaki z czerwonymi malinami w dziobach leciały ku niej jak ku przybyłej z krainy cudu mistrzyni śpiewaczych chórów.

Aż dnia pewnego Zefir śpiewanie to usłyszał, cicho, po mchach stąpając, Śpiewnę niewidzialnie zaszedł i dłonie na oczach, a usta na ustach jej położył. Potem patrzali na siebie tak długo, aż jak w zwierciadła swe obrazy wzięli w źrenice nawzajem, a potem na szczyt Idy wstąpiwszy, oczyma razem po morzu bezbrzeżnym powiedli. On opowiedział jej, jakie na dnie morza kryją się perły tęczowe i korale krwawe, ona mu o perłach i koralach morskich, o gwiazdach niebieskich, o smutkach ziemskich i rozkoszach rajskich długą i cudną pieśń wyśpiewała. Tak im upłynął pierwszy dzień miłości i odtąd szczęście ich było jak perła, jak koral, jak gwiazda, jak raj – i tylko nie miało w sobie tego krwawego diamentu ziemi, którym jest tęsknota. Za kimże, za czym tęsknić by mogli, skoro nie rozłączali się z sobą nigdy?

---

[1] I d a – góra na wyspie Krecie, poświęcona w starożytności matce bogów, Cybeli. Tu miał się wychowywać mały Zeus.

[2] M u z a – w mitologii greckiej boginka opiekująca się jakąś gałęzią nauki lub sztuki.

Lecz żyła wówaczas w tym samym lesie nimfa [1] niezmiernie potężna i piękna, rozległe wpływy wywierająca na niebie i ziemi. Ulubienicą Artemidy [2] będąc, na wzór olimpijskiej swej pani sprawiała często łowy wspaniałe. Na imię jej było Sylla. Dziewicą była z rysami cudnymi, z wzrostem potężnym i kształtami, które łączyły w sobie siłę i harmonię. W purpurowym płaszczu dosiadała zazwyczaj złotorogiego jelenia, a za nią w ślad biegły sfory chartów chyżych, o paszczach zawziętych i sierści na kształt wód morskich przelewającej w sobie zmienne barwy błękitu i seledynu. Gdy tak, z kruczym włosem po zwojach purpury rozwianym, przez las na złotorogim jeleniu umykającą gazelę ścigała, za nią i przed nią zdawały się pędzić szczekające bałwany morza.

Otóż Sylla ujrzała raz Zefira, gdy uniesiony zapałem łowów gonił tę samą, co ona, gazelę. Nikt ze śmiertelnych, nikt nawet z bogów ani sam Apollo [3] nie wydał się jej tak pięknym, jak ten młodzieniec, którego królewską urodę miłość przyoblekała w bajeczne blaski szczęścia. Strzały Sylli uprzedziwszy, na gibką szyję gazeli zarzucił pętlę arkanu i piękne zwierzę powiódł ku Śpiewnej, która nad strumieniem powrotu jego z łowów czekała.

W jaki sposób Śpiewna przyjęła dar kochanka, jak wspólnie i czule pieścili gazelę, co on jej opowiadał, o czym ona mu śpiewała, jakim śmiechem wesołym napełnili ustroń leśną i jaka tam później okryła ich cisza głęboka, wszystko to zza cyprysów ujrzała, usłyszała Sylla i w głębie lasu odbiegłszy, złotą rózgą smagnęła swoją błękitną psiarnię, a ku wdzięcznej szyi jelenia swego przypadłszy, zapłakała deszczem kipiących i wrzących łez.

Odtąd Zefir, ścigany przez zakochaną w nim nimfę, nie zaznał spokoju. Zjawiała się przed nim w miejscach różnych, znajdowała go w zaciszach najgłębszych, wabiła, nęciła wdziękami, mocami wszystkimi, w jakie zaopatrzyli ją hojni bogowie.

Raz przybyła ku niemu w postaci dziewczynki niewinnej, uległej, skromnej i rozkwitła jak wiosna, z rumieńcem tak świeżym jak jutrznia, szeptem tak rzewnym jak trwożna modlitwa błagała go o wzajemne kochanie.

Innym razem na kształt rozszalałej w obrzędowym tańcu kapłanki Cybeli [4],

---

[1] N i m f a – w mitologii greckiej boginka leśna lub wodna.

[2] A r t e m i d a – córka Zeusa, bogini księżyca, opiekunka łowów i dziewic; szczególną czcią otaczały ją kobiety starożytnej Grecji.

[3] A p o l l o – w mitologii greckiej bóg słońca i piękna, opiekun muz; brat Artemidy.

[4] C y b e l e – matka bogów w mitologii greckiej. Jej kultowi towarzyszyły wyuzdane orgie.

z włosem rozwianym i wargą w ogniu wina zapaloną, rozlewała przed nim taki ocean uniesień i zachwytów, w jaki sam Zeus [1] nie nurzał się nigdy.

To jeszcze, u Muzy dźwięków liry pożyczywszy, próbowała mu śpiewać bohaterskie i z kolei tęskne i żałosne pieśni, czując przecież z rozpaczą i gniewem, że ani brzmieniem głosu, ani tym wzdęciem i podniesieniem serca, które pieśń czynią pełną i wysoką, Śpiewnej prześcignąć ani doścignąć nie może.

Zefir zaś od łagodnej i skromnej czy od płonącej w Dionizosowym [2] szale, czy od grającej na pożyczonej lirze – niechętnie odwracał oczy, a z ust dobywały się mu przysięgi uroczyste lub gniewne, że spośród ziemianek i spośród niebianek jedną Śpiewnę kochać będzie niezłomnie i wiecznie.

Złorzecząc potędze swej tak wielkiej, a przecież tak marnej, że jednej godziny szczęśliwej zdobyć jej nie mogła, Sylla uroków od przyrody pożyczać zaczęła. Przemieniona w ptaka, tak błękitnego, jakim w dniu pogody bywa niebo w Grecji, leciała przed młodym myśliwcem, wołając, wabiąc:

– Pójdź! pójdź ze mną! W mgły srebrne, w rosy perłowe, w deszcze róż, w zawieje gwiazd, na łoża usłane tęczami, oblane światłami jutrzenki! Pójdź, pójdź za mną na śnieżne pościele narcyzów, pod wodotryski bijące winem i miodem, w progi komnat biesiadnych, na wezgłowia z purpury, w wonne dymy bursztynu i mirry!

Tu z krzykiem bólu ptak pokusy opadł na krzak ciernisty, gdyż strzała Zefira zraniła mu lazurowe skrzydło. A w pobliżu cierniowego krzaku Zefir ukląkł przed Śpiewną i szyję swą wątłymi jej ramionami opasał.

Minęły dnie, aż Sylla we własnej już postaci, na złotorogim jeleniu przed oblubieńcem pasterki stanąwszy, tak przemówiła:

– Zuchwalcze, który opór bezrozumny stawisz pragnieniom i prośbom bogini, wiedz, że dziś losy twe rozstrzygnąć się muszą. Wczoraj zwiedziłam Cyterę [3], kędy łowami zabawia się Artemida, i u tej pani mojej, która mi jest przyjazną, wyjednałam dla ciebie dar nieśmiertelności, jeżeli, żądaniu mojemu posłuszny, opuścisz swoją pasterkę. Pójdź ku mnie, o najpiękniejszy i z dłoni mej wypij ambrozję [4], dającą wieczne trwanie. U boku mojego,

---

[1] Z e u s – najwyższy bóg w mitologii greckiej.

[2] D i o n i z o s – grecki bóg bujnego życia przyrody, szczególnie winnej latorośli. Uroczystości ku jego czci łączyły się z wyuzdaniem; ważną rolę odgrywały w nich kobiety zwane bachantkami.

[3] C y t e r a – wyspa na Morzu Śródziemnym.

[4] A m b r o z j a – pokarm i napój bogów dający im nieśmiertelność i wieczną młodość.

bogom równy, na wieki młody i piękny, żyć i panować będziesz nieśmiertelnie!

Teraz pewną była, że Zefir do stóp jej przypadnie, a z dłoni wypije tę szczęśliwość i chwałę niezmierną, którą mu w darze przyniosła. Z ziemskiego królewicza przedzierzgnąć się w bóstwo niebieskie, na Olimp [1] wstąpić, zimnej śmierci, szpetnej starości, gorzkim nieszczęściom umknąć na zawsze – któraż z glist ziemskich zdumiewającej tej niespodziance oprzeć by się zdołała?

Jednak Zefir chmurnym wejrzeniem odparł zwycięskie wejrzenie Sylli, przecząco głową wstrząsnął i odrzekł:

– Ze Śpiewną żyję i z nią chcę umierać, a nieśmiertelność bez niej byłaby dla mnie tylko nieśmiertelną męką.

Nimfa niezmiernym gniewem uniesiona zawołała:

– Czy wiesz o tym, że unicestwić cię zarówno, jak unieśmiertelnić jest w mojej mocy?!

A potem spod purpury wyciągając ramię, które Afrodyty [2] samej zazdrość obudzić by mogło, mówiła:

– Czy widzisz orła, który tam w górze kołysze zmęczone skrzydła nad niebosiężnym platanem? Tyle czasu do namysłu ci daję, ile go upłynie, pokąd ptak ten osiądzie na swej zielonej kolebie... Oto już lotem leniwym w błękitnym opuszcza się eterze... Spływa w dół... Zwija skrzydła... Spoczął! Zefirze! Litość miej nade mną i nad sobą! Nie daj zbudzić się harpiom [3], które uczuwam w swym łonie! Ten kwiat głogowy, który trzymasz w dłoni, ten biały, ten skromny, ten biedny kwiat mi podaj w znak zgody. W znak, żem zwyciężyła, podaj mi ten kwiat... O, rychlej! O, pośpiesz! Nieśmiertelność ci daję! Nieśmiertelność za jeden, za biały, za skromny kwiat głogu!

Zdrojem łez, wołając tak, płakała niebianka, a łkania i krzyki te słysząc, błękitna psiarnia jej wyciem przeraźliwym las napełniła, żałośnie skomlał jeleń złotorogi, a platany, cyprysy, buki, kołysząc we wsze strony głowy zdziwione, szumiały: ,,Dziwy! Dziwy! Nieśmiertelność za jeden, za biały, za biedny kwiat głogu!"

We wrzawę tę wmieszał się wkrótce głos królewski i spokojny. Z dumą królewską, ze spokojem niezłomnego serca Zefir odpowiedział:

---

[1] O l i m p – góra w Grecji, według mitologii znajdowała się tam siedziba bogów.
[2] A f r o d y t a – boginii piękności i miłości w mitologii greckiej.
[3] H a r p i e – potwory drapieżne, będące uosobieniem chciwości i krwiożerczości.

– Ten biały, ten skromny, ten biedny kwiat głogu, gdym wychodził na łowy, Śpiewna wyjęła ze złotych swych włosów, piosenkę o nim zaśpiewała, ustami go dotknęła i mnie go dała prosząc: „Pamiętaj!" I nie oddam go za nieśmiertelność, bo spoczęła na nim pieśń, pocałunek i prośba Śpiewnej.

Wtedy Sylla, goręcej od purpury swej zapłoniona, dłonie ku niebu podniosła.

– Artemido! Na pomoc! – zawołała.

I z piersi wzdętej rzucała błaganie:

– Artemido! Spraw, aby ten wzór stałości niezłomnej przemienił się w żywioł najniestalszy, najzmienniejszy, najlotniejszy, nigdzie pod gwiazdami twardego nie mający siedliska! Spraw, aby przemienił się w to, co pasie chmury pod stropem niebieskim, gna fale za falami po morskich przestworzach, co liśćmi drzew chwieje, korony kwiatów kołysze, rosę z traw strąca i niewidzialnie, wśród nie kończącej się nigdy wędrówki napełnia przestrzeń westchnieniami i łkaniami! Spraw, aby przemienił się w tchnienie, w westchnienie, w powiew, w szmer, w wiecznie uciekające i nieśmiertelnie trwające – nic!

Zaledwie to wyrzekła, Zefir zniknął, a natomiast w cichych dotąd cyprysach wiatr zaszeleścił, zaszemrał, westchnął i w las uleciał, kołysząc piórami paproci, z róż dzikich strącając pióra u skrzydeł śpiącego orła.

Za sprawą potężnej nimfy bogowie przemienili królewicza Zefira w lekki i ciepły wiatr, który na zawsze miał nosić imię jego; ona zaś sama, ta zakochana, zawistna i mściwa, męką triumfu swego uniesiona, na złotorogim jeleniu, do szkarłatnego płomienia podobna z głośnymi łkaniami ku dzikim głębinom puszczy pędziła, a za nią jak szczekające bałwany morza gnały błękitne jej sfory.

Śpiewna... – o! gdzież jest pędzel, który by odmalował, jak w sercu rozdartym krwawi się rubin tęsknoty... Długo, długo po leśnych zaciszach, polanach i łąkach, nad wód błękitnymi strugami, w gęstwinach cyprysów i buków Śpiewna szukała Zefira. Tak go szukała, że czerwone blizny okryły jej stopy, lice zbielało jak kielich powoju, a oczy przygasły, jak przygasają gwiazdy, gdy w noc jesienną wzbiją się ku nim mokre i mętne opary ziemi. Do widma chwiejnego, do żywego obrazu żalu i bólu podobna, po wszystkich drogach i ścieżkach błądziła, aż nad brzegiem morza stanąwszy, niezmierzonym przestworzom wód i nieba skarżąc się zapłakanymi oczyma, śpiewać zaczęła. W smutku bezdennym śpiewała o szczęściu bezgranicznym a minionym, więc nie dziw, że zwątlałe siły jej wzrosły i głos wzbił się tak wysoko, rozległ się tak szeroko, zawarł w sobie takie głębie i moce, że fale morza, powściągając swe biegi, w spienionych grzywach stanęły nieruchome, że szerokoskrzydlate mewy w powietrzu lot zawiesiły, a wysoko na niebie, obłokiem białym osłonięty, Apollo na złotym wozie swym stanął – i słuchał. Wszystko, co dokoła oddychało, rosło, leciało, płynęło, przestało oddychać, róść, lecieć, płynąć, aby słuchać jej śpiewu; najchciwiej przecież słuchał go krążący dokoła wiatr i ona również najtęskniej, najgłębiej, najsrebrniej śpiewała, ilekroć na licu swym pobladłym i stopach poranionych uczuła jego westchnienie.

Aż stała się rzecz dziwna – nie dziwna jednak, skoro sprawił ją dobry, jasny, w pieśni rozkochany Apollo – Śpiewna, śpiewając, poczęła maleć, rozchwiewać się, niknąć, aż rozwiała się, zniknęła... Rozwiała się w dźwięki, w miriadę dźwięków, które pochwycił wiatr i na skrzydłach niewidzialnych uniósł w dalekie światy.

Tak Zefir, przez złą boginię w najlotniejszy z żywiołów zmieniony, odnalazł w przestworzu Śpiewną, którą Apollo rozwiał w muzykę.

Odtąd ilekroć na ziemi bądź z fletni czy lutni, bądź z piersi człowieczej wypłynie ton muzyczny, porywa go lekki, ciepły wiatr i nosi po świecie, aż łkającą w nim tęsknotę pocałunkami uciszy.

Gdy ton muzyczny, przez wiatr porwany, milknie w oddali, to królewicz Zefir całuje pasterkę Śpiewną i miłość – mocą zaklętych w niej czarów – zwycięża przemoc.

Bolesław Prus

W

O UŚPIONEJ PANNIE
I ZAKLĘTYCH SKARBACH
NA DNIE POTOKU

dawnych czasach... po kamieniach płynęła woda. Teraz ona pokazuje się tylko na wiosnę albo po wielkim deszczu. I był strumień w tym miejscu.

Na dnie potoku leżał jeden spory kamień, jakby nim kto dziurę zatykał. W rzeczy samej była tam dziura, właśnie nawet okno do podziemiów, gdzie są zachowane wielkie skarby, jakich by na całym świecie nie znalazł. A między tymi majątkami, na szczerozłotym łóżku śpi panna, może nawet jaka hrabini, bardzo śliczności i bogato odziana.

Ta zaś panna śpi przez taki interes, że jej ktoś wbił złotą szpilkę w głowę, może ze zbytków, a może i z nienawiści; Bóg ich tam wie. Tak śpi i nie ocknie się, dopóki jej kto szpilki z głowy nie wyciągnie i potem się z nią nie ożeni. Ale to rzecz ciężka i nawet niebezpieczna, bo tam w podziemiach pilnują skarbów i samej panny różne straszydła. Dlatego najśmielszy człowiek, choćby mu się i jak podobała panna, a jeszcze lepiej jej majętności, wejść do podziemiów nie miał odwagi, ażeby go co nie ujadło...

O tej pannie i o tych majątkach wiedzieli ludzie od dawna takim sposobem, że dwa razy do roku, na Wielkanoc i na święty Jan, usuwał się kamień, co leżał na dnie potoku, i jeżeli kto stał wtedy nad wodą, mógł zajrzeć do otchłani i widzieć tamtejsze dziwy.

Jednej Wielkanocy przyszedł do zamku młody kowal z Zasławia. Stanął nad potokiem i myśli:

„Nie mogłyby się to mnie pokazać skarby?... Zaraz bym wlazł do nich, choćby przez najciaśniejszą dziurę, naładowałbym kieszenie i już nie potrzebowałbym dymać miechem."

Ledwie tak pomyślał, aż naraz – usuwa się kamień, a kowal widzi wory pieniędzy, misy ze szczerego złota i tyle drogiej odzieży jak na jarmarku.

Ale najpierw wpadła mu przed oczy śpiąca panna, taka śliczna, że kowal stanął słupem. Spała se i tylko jej łzy płynęły, a co która upadła – czy na jej koszulę, czy na łóżko, czy na podłogę – zaraz zamieniała się w klejnot. Spała i wzdychała z bólu od szpilki; a co westchnęła, to na drzewach nad potokiem zaszelepały liście nad jej strapieniem.

Już kowal chciał wejść do podziemiów; ale że czas przeszedł, więc znowu kamień zamknął się, aż zabulgotało w potoku.

Od tego dnia mój kowal nie mógł sobie miejsca znaleźć na świecie. Robota leciała mu z ręki. Gdzie nie spojrzał, widział ino potok jak szybę, a za nią pannę, której łzy płynęły. Aż pomizerniał, bo go coś ciągle trzymało za serce rozpalonymi obcęgami. Zwyczajnie zamroczyło go.

Kiedy już całkiem nie mógł wytrzymać z tęsknoty, poszedł do jednej baby, co znała się na ziołach, dał jej srebrnego rubla i spytał o radę.

– Ano – mówi baba – nie ma tu inszej rady, tylko musisz doczekać świętego Jana i kiedy się kamień odłoży, musisz leźć w otchłań. Byleś pannie wyjął szpilkę z głowy, obudzi się, ożenisz się z nią i będziesz wielki pan, jakiego świat nie widział. Tylko wtedy o mnie nie zapomnij, że ci dobrze poradziłam. I to se spamiętaj: kiedy cię strachy otoczą, a zaczniesz się bać, zaraz przeżegnaj się i umykaj w imię boskie... Cała sztuka w tym, żebyś się nie zląkł; złe nie ima się niebojącego człowieka.

– A powiedzcież mi – mówił kowal – jak poznać, że człowieka strach zdejmuje?...

– Takiś ty?... – mówi baba. – No, to już idź do otchłani, a jak wrócisz, o mnie pamiętaj!

Dwa miesiące chodził kowal do potoku, a na tydzień przed świętym Janem wcale się stąd nie ruszył, tylko czekał. I doczekał. W samo południe kamień odsunął się, a mój kowal z siekierą w garści skoczył w jamę.

Co się tam koło niego nie działo, włosy na głowie stają. Otoczyły go przecie takie poczwary, że inny umarłby od samego ich wejrzenia. Były niedopyrze wielkie jak psy, ale ino wachlowały nad nim skrzydliskami. To zastąpiła mu drogę ropucha duża jak kamień, to wąż zaplątał mu się między nogi, a kiedy kowal ciapnął go, wąż zaczął płakać ludzkim głosem. Były wilki takie na niego zajadłe, że co im piana padła z pyska, to buchnęła płomieniem, a w opoce wypalała dziury.

Wszystkie te potwory siadały mu na plecach, chwytały go za ¹surdut, za rękawy, ale żaden nie śmiał go skrzywdzić. Bo wiedzili, że się kowal nie boi, zaś przed niebojącym się złe umyka jak cień przed człowiekiem.

– Zginiesz tu, kowalu!.. – wołały strachy, ale on tylko ściskał siekierę w garści i tak im odpowiadał, że wstyd powtórzyć...

Dobrał się nareszcie kowal do złotego łóżka, gdzie już nawet poczwary nie miały dostępu, ino stanęły wkoło kłapiąc zębami. On zaraz zobaczył w głowie panny złotą szpilkę, szarpnął i wyciągnął do połowy..

Aż krew trysnęła... Wtem panna łapie go rękami za surdut i woła z wielkim płaczem:

– Czego mi ból robisz człowieku!...

Wtedy dopiero kowal się zląkł... Zatrząsł się i ręce mu opadły. Strachom tego tylko było trzeba. Który miał największy pysk, skoczył na kowala i tak go kłapnął, że krew trysnęła przez okno i poplamiła kamienie.

Od tej pory kamień zatkał okno od podziemiów, że go już nikt znaleźć nie może. Potok wysechł, a panna została w otchłani na pół rozbudzona. Płacze teraz już tak głośno, że ją czasem i pastuchy słyszą na łąkach, i będzie płakać wiek wieków.

Henryk Sienkiewicz

BAJKA

Za górami, za morzami, w dalekiej krainie czarów, przy kolebce małej księżniczki zebrały się dobre wróżki ze swą królewną na czele.

I gdy, otoczywszy księżniczkę, patrzyły na uśpioną twarzyczkę dzieciny, królowa ich rzekła:

– Niechaj każda z was obdarzy ją jakim cennym darem wedle swej możności i chęci!

Na to pierwsza wróżka, pochylając się nad uśpioną, wypowiedziała następujące słowa:

– Ja daję ci czar piękności i mocą moją sprawię, że kto ujrzy twarz twoją, pomyśli, iż ujrzał cudny kwiat wiosenny.

– Ja – rzekła druga – dam ci oczy przezrocze i głębokie jak toń wodna.

– Ja dam ci powiewną i wysmukłą postać młodej palmy – ozwała się trzecia.

– A ja – mówiła czwarta – dam ci wielki skarb złoty, dotychczas w ziemi ukryty.

Królowa zamyśliła się przez chwilę, po czym, zwróciwszy się do wróżek, tak zaczęła mówić:

– Piękność ludzi i kwiatów więdnie. Urocze oczy gasną wraz z młodością, a i w młodości często zaćmiewają się łzami. Wicher łamie palmy, a wiatr pochyla wysmukłe postaci. Złota kto nie rozdziela między ludźmi, ten budzi ich nienawiść, a kto je rozdzieli, temu pustka zostaje w skrzyni. Przeto nietrwałe są wasze dary.

– Cóż jest trwałego w człowieku? i czymże ty ją obdarzysz, o królowo nasza? – pytały wróżki.

A na to królowa:

– Ja jej dam dobroć. Słońce jest wspaniałe i jasne, ale gdyby nie ogrzewało ziemi, byłoby tylko martwo świecącą bryłą. Dobroć serca jest tym, czym ciepło słońca: ona daje życie. Piękność bez dobroci jest jako kwiat bez woni albo jak świątynia bez bóstwa. Oczy mogą podziwiać taką świątynię, ale dusza nie znajdzie w niej ukojenia. Bogactwo bez dobroci jest piastunką samolubstwa. Nawet miłość bez dobroci jest tylko ogniem, który pali i niszczy. Wiedzcie, że wasze dary mijają, a dobroć trwa; jest ona jak źródło, z którego im więcej wody wyczerpiesz, tym więcej ci jej napłynie. Więc dobroć – to jedyny skarb niewyczerpany.

To rzekłszy królowa wróżek pochyliła się nad śpiącą dzieciną i dotknąwszy rękami jej serca, rzekła:

– Bądź dobrą!

LEGENDA ŻEGLARSKA

Był okręt, który zwał się „Purpura"[1], tak wielki i silny, że się nie bał wichrów ani bałwanów, choćby najstraszniejszych.

I płynął ciągle z rozpiętymi żaglami, wspinał się na spiętrzone wały[2], kruszył potężną piersią podwodne haki, na których rozbijały się inne statki – i płynął w dal, z żaglami w słońcu, tak szybko, że aż piana warczała mu po bokach, a za nim ciągnęła się szeroka i długa droga świetlista.

– To pyszny statek! – mówili żeglarze z innych okrętów. – Rzekłbyś, lewiatan[3] fale porze!

A czasem pytali załogę „Purpury":

– Hej, ludzie! dokąd jedziecie?

– Dokąd wiatr żenie! – odpowiadali majtkowie.

– Ostrożnie! tam wiry i skały!

W odpowiedzi na przestrogę wiatr tylko odnosił słowa pieśni, tak szumnej jak burza sama:

Wesoło płyńmy, wesoło!

---

[1] „P u r p u r a" – pod tą nazwą autor rozumie Polskę. Cała legenda przedstawia w skrócie nasze dzieje od wzrostu potęgi państwa w wiekach XIV – XVI, poprzez rozprzężenie wewnętrzne w wieku XVII i XVIII – do końcowej katastrofy – rozbiorów (beznadziejna walka załogi z rozszalałymi żywiołami). Autor przypomina tragiczne powstania, których wprawdzie nie potępia, jednak bardziej skuteczny ratunek widzi w pracy od podstaw, w podźwignięciu i uświadomieniu ludu polskiego.

[2] W a ł y – fale, bałwany morskie.

[3] L e w i a t a n – legendarny, olbrzymi potwór morski.

Szczęśliwe było życie załogi na tym statku. Majtkowie, zaufani w jego wielkość i dzielność, drwili z niebezpieczeństw. Sroga panowała karność na innych okrętach, ale na „Purpurze" każdy robił, co chciał.

Życie tam było ustawicznym świętem. Szczęśliwie przebyte burze i pokruszone skały zwiększyły jeszcze zaufanie.

– Nie ma – mówiono – takich raf ni takich burz, które by „Purpurę" rozbić mogły. Niech huragan przewraca morze – „Purpura" popłynie dalej.

I „Purpura" płynęła istotnie, dumna, wspaniała. Przechodziły lata całe – a ona nie tylko sama zdawała się być niezłomną, ale ratowała jeszcze inne statki i przygarniała rozbitków na swój pokład.

Ślepa wiara w jej siły zwiększała się z dniem każdym w sercach załogi. Żeglarze zleniwieli w szczęściu i zapomnieli sztuki żeglarskiej. – „Purpura" sama popłynie – mówili. – Po co pracować, po co baczyć na statek, pilnować steru, masztów, żagli, lin? po co żyć w trudzie i pocie czoła, gdy statek, jak bóstwo – nieśmiertelny?

Wesoło płyńmy, wesoło!

I płynęli jeszcze długie lata. Aż wreszcie z upływem czasu załoga zniewieściała zupełnie, zaniedbała obowiązków i nikt nie wiedział, że statek począł się psować. Słona woda przeżarła belki, potężne wiązania rozluźniły się, fale poobdzierały burty, maszty popróchniały, a żagle zetliły się na powietrzu.

Wszelako głosy rozsądku zaczęły się podnosić.

– Strzeżcie się! – mówili niektórzy majtkowie.

– Nic to! płyniemy z falą! – odpowiadała większość marynarzy.

Tymczasem pewnego razu wybuchła taka burza, jakiej dotychczas nie bywało na morzu. Wichry zmieszały ocean z chmurami w jeden piekielny zamęt. Wstały słupy wodne i leciały z hukiem na „Purpurę", straszne, spienione, wrzące. Dopadłszy statku, wbiły go aż na dno morza, potem rzuciły ku chmurom, potem zwaliły znów na dno. Pękły zwątlałe wiązania statku i nagle krzyk straszny rozległ się na pokładzie:

– „Purpura" tonie!

I „Purpura" tonęła naprawdę, a załoga, odwykła od trudów i żeglugi, nie wiedziała, jak ją ratować!

Lecz po pierwszej chwili przerażenia wściekłość zawrzała w sercach, bo kochali jednak swój statek ci marynarze.

Więc zerwali się wszyscy i poczęli bić z dział do wichrów i fal spienionych, a potem, chwyciwszy, co kto miał pod ręką, poczęli chłostać morze, które chciało zatopić „Purpurę".

Wspaniała była walka tej rozpaczy ludzkiej z tym żywiołem. Lecz fale były silniejsze od żeglarzy. Działa zalane umilkły. Olbrzymie wiry porwały wielu walczących i uniosły w odmęt wodny. Załoga zmniejszała się z każdą chwilą – ale walczyła jeszcze. Zalani, na wpół oślepli, pokryci górą pian, żeglarze walczyli do upadłego.

Chwilami sił im brakło, ale po krótkim spoczynku znów zrywali się do walki.

Na koniec ręce im opadły. Poczuli, że śmierć nadchodzi.

I nastała chwila głuchej rozpaczy. I poglądali na się ci żeglarze jak obłąkani.

Wtem te same głosy, które poprzednio ostrzegały już o niebezpieczeństwie, podniosły się znowu, silniejsze, tak silne, że ryk fal nie mógł ich zagłuszyć.

Głosy te mówiły:

– O, zaślepieni! Nie z dział wam bić do burzy, nie fale chłostać, ale statek naprawiać! Zstąpcie na dno. Tam pracujcie! „Purpura" jeszcze nie zginęła![1]

Na owe słowa drgnęli ci na wpół umarli i rzucili się wszyscy na spód, i rozpoczęli pracę od spodu.

I pracowali od rana do nocy, w trudzie i pocie czoła, chcąc dawną bezczynność i zaślepienie wynagrodzić...

WYROK ZEUSA[2]

Raz wieczorem spotkali się na skałach Pnyksu[3] Apollo[4] i Hermes[5] i stanąwszy na krawędzi wiszaru, spoglądali na Ateny.

Wieczór był cudny; słońce przetoczyło się już z Archipelagu[6] ku Morzu Jońskiemu i zanurzało z wolna swą promienną głowę w turkusową, gładką

---

[1] „Purpura" jeszcze nie zginęła – przejrzysta aluzja do pierwszych słów hymnu narodowego *Jeszcze Polska nie zginęła*.

[2] Zeus – najwyższy bóg w mitologii greckiej.

[3] Pnyks – wzgórze i plac w Atenach, na którym w starożytności odbywały się zebrania ludowe.

[4] Apollo – grecki bóg słońca, sztuk i nauk, zwłaszcza poezji, syn Zeusa i Latony.

[5] Hermes – syn Zeusa i Mai, bóg handlu i żeglugi, opiekun kupców i złodziei.

[6] Archipelag – dawna nazwa Morza Egejskiego.

roztocz. Ale szczyty Hymetu i Penteliku świeciły jeszcze jakby oblane stopionym złotem i prócz tego na niebie była zorza wieczorna. W blaskach jej tonął cały Akropol [1]. Białe marmury Propylejów [2], Partenonu i Erechtejonu [3] wydawały się różowe i tak lekkie, jakby kamień stracił wszelką wagę lub jakby były sennym zjawiskiem. Ostrze włóczni olbrzymiej Ateny Promachos [4] płonęło w zorzy, niby zapalona nad Attyką [5] pochodnia.

Na niebie ważyło się na rozpostartych skrzydłach kilka jastrzębi, które leciały na nocleg do gniazd ukrytych w skałach.

Ludzie wracali gromadami z robót polnych do miasta. Drogą od Pireus [6] szły muły i osły, dźwigając zawieszone po bokach kosze pełne oliwek lub złocistego winogradu; za nimi, w czerwonych obłokach kurzu, ciągnęły stada kóz krętorogich, przed każdym stadem kozieł białobrody, po bokach psy czujne, z tyłu pasterz grający na multankach lub cienkim źdźble owsianym.

Między stadami posuwały się z wolna wozy, wiozące boski jęczmień, ciągnione przez woły leniwe; tu i ówdzie mijały się oddziały hoplitów [7], przybranych w miedź, dążących na nocną straż do Pireus lub Aten.

W dole miasto wrzało jeszcze życiem. U wielkiej fontanny, w pobliżu Poikile leżącej, młode dziewczęta, przybrane w białe szaty, czerpały wodę śpiewając, chychocąc głośno lub broniąc się chłopcom, którzy zarzucali na nie pęta plecione z bluszczów i wiciokrzewu. Inne, naczerpawszy już wody, z amforami [8], wspartymi na ramieniu, i ręką wzniesioną do góry, szły do' domów, lekkie i wdzięczne, do nimf nieśmiertelnych podobne.

Łagodny wietrzyk, z równiny attyckiej wiejący, donosił do uszu dwóch bogów odgłosy śmiechu, śpiewów i pocałunków.

---

[1] A k r o p o l –warownia miejska. Akropol w Atenach należy do najsłynniejszych zabytków budownictwa starożytnego.

[2] P r o p y l e j e – kryta kolumnada, stanowiąca wejście na Akropol w Atenach.

[3] P a r t e n o n i E r e c h t e j o n – świątynie bogini Pallas Ateny na Akropolu.

[4] A t e n a P r o m a c h o s – Atena Walcząca, wielki posąg tej bogini mądrości na Akropolu.

[5] A t t y k a – kraina wokół Aten.

[6] P i r e u s – port morski w pobliżu Aten.

[7] H o p l i t a – w starożytnej Grecji ciężkozbrojny żołnierz piechoty, uzbrojony w miecz, tarczę i włócznię.

[8] A m f o r a – dwuuszny dzban do wina i do wody w starożytnej Grecji.

„W dal godzący" Apollo, dla którego oczu nie było nic pod niebem milszego nad niewiastę, zwrócił się do Argobójcy[1] i rzekł:

– O synu Mai, jakże piękne są Atenki!

– I cnotliwe, mój Promienisty – odpowiedział Hermes – bo pod opieką Pallady zostają.

Srebrnołuki bóg umilkł i patrzył a słuchał dalej. Tymczasem zorze z wolna gasły, ruch stopniowo ustawał; niewolnicy scytyjscy[2] zamknęli bramy i wreszcie uczyniło się cicho. Noc ambrozyjska[3] rzuciła ciemną, nabijaną gwiazdami zasłonę na Akropol, miasto i okolicę.

Lecz mrok nie trwał długo. Wkrótce z Archipelagu wynurzyła się blada Selene[4] i poczęła żeglować, jak srebrna łódź, po niebieskim przestworzu. I znów rozświeciły się marmury na Akropolu, tylko świeciły teraz jasnozielonym światłem i były jeszcze do sennego zjawiska podobniejsze.

– Trzeba przyznać – rzekł „W dal godzący" – że Atene cudną sobie obrała siedzibę.

– Ha! mądra ona! Któż mógł lepiej od niej wybrać! – odpowiedział Hermes.
– Przy tym Zews ma dziwną do niej słabość. Byle go tylko, prosząc o coś, pogłaskała po brodzie, zaraz nazwie ją swą Tritogeneją, córeczką kochaną[5], wszystko przyrzeknie i na wszystko skinieniem głowy przyzwoli.

– Tritogeneja nudzi mnie czasem! – mruknął syn Latony.

– Zauważyłem to i ja, że ona staje się teraz nudna! – odpowiedział Hermes.

– Jak stary perypatetyk[6]. A przy tym i cnotliwą do obrzydliwości, zupełnie jak moja siostra, Artemis[7].

– Albo jak jej własne służki, Atenki.

Promienisty zwrócił się ku Argobójcy:

---

[1] A r g o b ó j c a – przydomek Hermesa, który zabił wielookiego strażnika nimfy Io, groźnego Argusa.

[2] S c y t y j s c y – ze Scytii, starożytnej krainy na północ od Morza Czarnego.

[3] A m b r o z y j s k a noc – pełna czaru i upojenia.

[4] S e l e n e – bogini księżyca.

[5] C ó r e c z k a k o c h a n a – Pallas Atena, córka Zeusa, nie miała matki, gdyż według mitologii wyskoczyła z czoła swego ojca. Tritogeneja to jeden z przydomków Ateny.

[6] P e r y p a t e t y k – tu: filozof. Perypatetykami nazywano uczniów i zwolenników filozofii Arystotelesa.

[7] A r t e m i s – siostra Apollina, bogini łowów i opiekunka dziewic.

– Drugi raz już wspominasz, jakby umyślnie, o cnocie Atenek. Czy one naprawdę takie niezłomne?

– Bajecznie, o synu Latony!

– Proszę! – rzekł Apollo. – A czy sądzisz, że jest w tym mieście choć jedna kobieta, która by się oparła mnie?

– Myślę, że tak!

– Mnie, Apollinowi?

– Tobie, mój Promienisty!

– Mnie, który ją opętam poezją, oczaruję pieśnią i muzyką?

– Tobie, mój Promienisty!

– Gdybyś był uczciwym bogiem, gotów bym pójść o zakład. Ale ty, Argo-bójco, jeśli przegrasz, ulotnisz się natychmiast razem ze swymi sandałami, posochem[1], i tyle cię będę widział!

– Nie. Położę jedną rękę na ziemi, drugą na morzu i przysięgnę na Hades[2]. Takiej przysięgi dotrzymuję nie tylko ja, ale nawet członkowie magistratu w Atenach.

– No! to znów przesadzasz. Ale dobrze! Jeśli przegrasz, musisz mi dostawić na Trinakię[3] stado długorogich wołów, które ukradniesz u kogo ci się podoba, tak jak w swoim czasie, będąc jeszcze chłopięciem, ukradłeś moje stada na Pierii[4].

– Zgoda! A co dostanę, jeśli wygram?

– Wybierz, co chcesz.

– Słuchaj mnie „W dal godzący", będę z tobą szczery, co, jak wiesz, nieczęsto mi się zdarza. Raz posłany przez Zewsa, nie pomnę już w jakiej sprawie, przelatywałem właśnie nad twoją Trinakią i ujrzałem Lampecję, która wraz z Featuzą strzeże tam twoich stad. Od tej chwili nie mam spokoju. Lampecja nie schodzi mi z oczu, z pamięci, kocham ją i wzdycham do niej dniem i nocą. Jeżeli wygram, jeżeli znajdzie się w Atenach kobieta tak cnotliwa, że ci się oprze, dasz mi Lampecję. Niczego więcej nie żądam.

Srebrnołuki począł kiwać głową.

---

[1] P o s o c h – laseczka Hermesa, symbolizująca zakres jego władzy.

[2] H a d e s – królestwo podziemne, zamieszkałe przez cienie zmarłych, którego władcą był syn Kronosa, Hades.

[3] T r i n a k i a – mityczna wyspa boga słońca, na której pasły się jego święte krowy.

[4] P i e r i a – kraj na północ od siedziby bogów, Olimpu. Pieria była siedliskiem Muz.

– Że też miłość umie się zagnieździć nawet w sercu patrona kupców. Ależ bardzo chętnie. Dam ci Lampecję, tym bardziej że ona teraz nie może się pogodzić z Featuzą. Mówiąc nawiasem, obie są zakochane we mnie i dlatego się kłócą.

Radość wielka strzeliła z oczu Argobójcy.

– Więc zakład stoi – rzekł.j– Jedno tylko: kobietę, na której chcesz popróbować swojej boskiej mocy, ja ci wybiorę.

– Byle była piękna!

– Będzie godna ciebie.

– Przyznaj się, żeś już jakąś upatrzył.

– Przyznaję.

– Dziewica, mężatka czy wdowa?

– Rozumie się, mężatka. Pannę czy wdowę mógłbyś sobie zjednać obietnicą małżeństwa.

– Jak jej na imię?

– Eryfila. Jest to żona piekarza.

– Piekarza? – spytał krzywiąc się Promienisty – to mi się mniej podoba.

– Cóż chcesz! ja w tych kołach najczęściej się obracam... męża Eryfili nie ma obecnie w domu; pojechał do Megary. Ta piekarzowa jest najpiękniejszą kobietą, jaka kiedykolwiek stąpała po matce ziemi.

– Ciekawym.

– Jeszcze jeden warunek, mój Srebrnołuki. Przyrzecz mi, że użyjesz tylko sposobów godnych ciebie i nie postąpisz w żadnym razie, jakby postąpił taki na przykład gbur jak Ares[1], lub nawet, mówiąc między nami, jak postępuje ojciec nasz wspólny, Chmurozbiórca[2].

– Za kogo mnie masz?! – rzekł Apollo.

– Zatem wszystko umówione i mogę ci pokazać Eryfilę.

Powietrze zniosło zaraz obydwóch bogów z Pnyksu i po chwili zawiśli obaj nad jednym z domów opodal Stoa.[3] Argobójca podniósł potężną dłonią cały wierzch domu równie łatwo, jak gospodyni gotująca strawę podnosi pokrywę garnka i ukazując niewiastę, siedzącą w zamkniętym od ulicy miedzianą kratą i wełnianą zasłoną sklepie, rzekł:

---

[1] A r e s – bóg wojny, niezwykle krwiożerczy i okrutny. Bogowie greccy uważali go za największego brutala.

[2] C h m u r o z b i ó r c a – Zeus, który był władcą piorunów.

[3] S t o a – słynna kolumnada ateńska, gdzie miewał wykłady wybitny filozof Zenon, założyciel szkoły stoików.

– Patrz!

Apollo spojrzał i skamieniał.

Nigdy Attyka, nigdy cała ziemia grecka nie wydała piękniejszego kwiatu nad tę niewiastę. Przy blasku potrójnego kaganka siedziała pochylona nad stołem i zapisywała coś pilnie na marmurowych tabliczkach. Długie jej i spuszczone rzęsy rzucały cień na policzki, chwilami jednak podnosiła głowę i oczy w górę, jakby się namyślając i przypominając sobie, co jeszcze ma zapisać, a wówczas widać było jej cudne źrenice, tak błękitne, że przy nich turkusowa toń Archipelagu wydałaby się bladą i spłowiałą. Była to po prostu twarz Kiprydy[1], biała jak piana morska, zaróżowiona jak jutrzenka, o purpurowych jak syryjska purpura ustach i złocistej fali włosów – piękna, najpiękniejsza na ziemi – piękna jak kwiat, jak światło, jak pieśń!

Gdy spuszczała oczy, wydawała się cichą i słodką, gdy je podnosiła w zamyśleniu – natchnioną. Pod Promienistym poczęły drżeć boskie łydki, nagle wsparł głowę na ramieniu Hermesa i szepnął:

– Hermesie, ja ją kocham! Ta albo żadna!

Hermes uśmiechnął się chytrze i byłby zatarł z radości ręce pod fałdami chleny[2], gdyby nie to, że w prawicy trzymał posoch.

Tymczasem złotowłosa wzięła nową tabliczkę i poczęła na niej pisać. Rozchyliły się przy tym jej boskie usta i zaszemrał jej głos, do głosu formingi[3] podobny:

– Członek Areopagu[4], Melanokles, za chleb przez dwa miesiące: drachm[5] czterdzieści pięć i cztery obole[6]... napiszmy dla okrągłości drachm czterdzieści sześć... Na Atenę! napiszmy pięćdziesiąt – mąż będzie kontent. Ach ten Melanokles... Gdybyś ty nie mógł przyczepić się do nas o fałszywą wagę, dałabym ja ci kredyt... Ale z szarańczą trzeba żyć dobrze...

Apollo słów nie słuchał, poił się tylko dźwiękiem głosu, urokiem postaci i szeptał:

---

[1] K i p r y d a – bogini piękności i miłości, Afrodyta. Jednym z głównych ośrodków jej kultu był Cypr, stąd nazwa Kipryda.

[2] C h l e n a – kawał sukna narzucony na chiton (rodzaj koszuli) i spinany sprzączką na prawym ramieniu lub na piersiach.

[3] F o r m i n g a – najstarszy grecki szlachetny instrument muzyczny, bogato rzeźbiony i wykładany złotem oraz kością słoniową.

[4] A r e o p a g – sąd ateński.

[5] D r a c h m a – moneta srebrna w starożytnej Grecji.

[6] O b o l – miedziana moneta zdawkowa.

– Ta albo żadna!

Złotowłosa mówiła, pisząc dalej:

– Alcybiades, za praśne placki na miodzie z Hymetu dla hetery [1] Chryzalis: min [2] trzy. Ten nigdy nie sprawdza rachunków, przy tym poklepał, mnie raz na Stoa po łopatce... napiszmy więc: min cztery. Kiedy głupi, niech płaci... Ale też i ta Chryzalis!... Chyba karmi plackami swoje karpie w sadzawce, albo może Alcybiades umyślnie ją tuczy, by ją potem sprzedać kupcom fenickim za kółka z kości słoniowej do uprzęży.

Apollo na słowa nie zważał – poił się tylko głosem i szeptał do Hermesa:

– Ta albo żadna!

Lecz syn Mai nakrył nagle dom i cudne zjawisko znikło, a Promienistemu zdawało się, że razem z nim nikną gwiazdy, czernieje księżyc i świat cały przesłania się ciemnością krain kimeryjskich [3].

– Kiedy się zakład ma rozstrzygnąć? – spytał Hermes.

– Dziś, natychmiast!

– Ona pod niebytność męża sypia w sklepie. Możesz tam stanąć na ulicy, przed tą kratą. Jeśli odsunie zasłonę i kratę ci otworzy, ja zakład przegrałem.

– Przegrałeś! – zawołał „W dal godzący".

I nie tak szybko letnia błyskawica przebiega nocą między wschodem a zachodem, jak on pomknął nad słone fale Archipelagu. Tam uprosiwszy Amfitrytę [4] o pustą skorupę żółwia, nawiązał na niej promieni słonecznych i z gotową formingą powrócił do Aten.

W mieście było już zupełnie cicho, światła pogasły, tylko domy i świątynie bielały w blasku księżyca, który wysoko wypłynął na niebo.

Sklep leżał w załamaniu murów, a w nim za kratą i zasłoną spała prześliczna Eryfila. Promienisty, stanąwszy na ulicy, począł uderzać w struny formingi. Pragnąc obudzić lekko swą ukochaną, zagrał z początku tak cicho, jak cicho wieczorem wiosennym brzęczą roje komarów nad Illisem. Lecz

---

[1] H e t e r a – kobieta lekkich obyczajów w starożytnej Grecji.

[2] M i n a – moneta wartości stu drachm.

[3] Krainy k i m e r y j s k i e – zachodnie krańce Ziemi według ówczesnych wyobrażeń. W kraju Kimeriów panowała wieczna mgła i ciemność, ponieważ nie docierał tam nigdy blask słońca.

[4] A m f i t r y t a – bogini morza, żona władcy mórz, Posejdona. Jej władzy podlegały fale morskie i wszystkie stwory głębinowe.

pieśń wzbierała stopniowo, niby górski strumień po boskim deszczu i coraz potężniejsza, słodsza, bardziej upajająca, napełniła całe powietrze, które poczęło drżeć lubieżnie. Tajemniczy ptak Ateny przyleciał cichym lotem od strony Akropolu i siadł na pobliskiej kolumnie nieruchomy.

Wtem nagie ramię, godne Fidiasza lub Praksytela[1], bielsze od pentylickich marmurów[2], odsunęło zasłonę... W Promienistym zamarło serce ze wzruszenia.

I rozległ się głos Eryfili:

– Co tam za chłystek włóczy się po nocy i brzdąka! Nie dość się człowiek w dzień napracuje, jeszcze mu w nocy spać nie dadzą!

– Eryfilo! Eryfilo! – zawołał Srebrnołuki.

I począł śpiewać:

> Z Parnasu[3] wyniosłych szczytów,
> Gdzie w blasku i wśród błękitów
> Natchnione muzy koleją
> Natchnione pieśni mi pieją:
> Ja bóg! ja światłość uczczona,
> Spływam!... Ty otwórz ramiona,
> A wieczność będzie mi chwilą
> Na piersi twej, Eryfilo!

– – – – – – – – – – – – – – –

– Na świętą mękę ofiarną! – zawołała żona piekarza – ten urwis do mnie śpiewa i mnie tu chce zbałamucić!... A nie pójdziesz-że ty do domu, utrapieńcze?!

Promienisty, chcąc ją przekonać, że nie jest zwykłym śmiertelnikiem, zaświecił nagle tak, że od jego blasku zajaśniała ziemia i powietrze – lecz Eryfila, widząc to, zawołała:

– Schował nicpoń latarkę pod chleną i za jakiegoś boga mi się tu podaje! O, córo możnego Diosa![4] podatkami umieją nas cisnąć! a nie ma za to nawet straży scytyjskiej w. mieście, która by takich wartogłowców do kozy brała.

Apollo nie dał za wygraną i śpiewał dalej:

---

[1] F i d i a s z... P r a k s y t e l e s – słynni rzeźbiarze starożytnej Grecji.
[2] P e n t e l i c k i e m a r m u r y – w Pentelikonie była w starożytności kopalnia najpiękniejszych marmurów.
[3] P a r n a s – góra poświęcona Apollinowi, siedlisko podległych temu bogowi muz, które opiekowały się sztuką i wszystkimi gałęziami nauki. Parnas jest symbolem poezji.
[4] D i o s – Zeus. C ó r k a D i o s a – Atena.

Ach, otwórz ramiona białe,
Ja ci wieczystą dam chwałę...
Nad wszystkie w niebie boginie
Imię twe w świecie zasłynie –
Ja nieśmiertelność dam tobie,
Ja cię tak, piękna, ozdobię
Potęgą boskiego słowa,
Że żadna w Grecji królowa
Nie będzie tak uwielbiona!

– – – – – – – – – – – – – – –

Ach otwórz, otwórz ramiona!...

– – – – – – – – – – – – – – –

Z błękitów obedrę morze,
Z purpury i złota zorze,
Z skier gwiazdy, a z rosy kwiaty,
I z tej świetlistej tkaniny
Uczynię dla mej jedynej
Tęczowe Kiprydy szaty...

I głos boga poezji brzmiał tak cudnie, że cud wywołał. Oto wśród ambro-
zyjskiej nocy zadrgała złocista włócznia w ręku stojącej na Akropolu Ateny i
marmurowa głowa olbrzymiego posągu zwróciła się nieco ku Katapolis, by
lepiej słuchać słów pieśni... Słuchały niebo i ziemia; morze przestało szumieć
i legło ciche przy brzegach; nawet blada Selene przerwała swą nocną po niebie
wędrówkę i stanęła nad Atenami nieruchoma.

A gdy Apollo skończył, wstał lekki wiatr i niósł pieśń przez całą Grecję,
gdziekolwiek zaś zasłyszało choć jeden jej ton dziecko w kolebce, tam z tego
dziecka miał wyrosnąć poeta.

Lecz zanim jeszcze syn Latony skończył, gniewna Eryfila poczęła krzyczeć
głośno:

– Głupiec jakiś! rosą tu będzie kupczył i gwiazdami. Że męża w domu nie
ma, to myślisz, że wszystko ci wolno? Hej! szkoda, że czeladzi nie mam pod
ręką, nauczyłabym ja cię rozumu! Ale i tak oduczę cię, mydłku, włóczyć się
po nocy z bałabajką!

To rzekłszy porwała za dzieżę z kwasem rozczynowym i chlusnąwszy przez
kratę, oblała Promienistemu promienistą twarz, promienisty kark, promienistą chlenę i formingę. Jęknął na to Apollo i zakrywszy swą natchnioną
głowę połą mokrej chleny, odszedł we wstydzie i złości.

A czekający na Pnyksie Hermes brał się za boki, stawał na głowie i wywijał
z radości posochem.

Gdy jednak strapiony syn Latony zbliżył się ku niemu, chytry opiekun handlarzy udał współczucie i rzekł:

– Przykro mi, żeś przegrał, o, „W dal godzący!"

– Idźże precz, francie! – odrzekł z gniewem Apollo.

– Pójdę, tylko mi oddasz Lampecję.

– Bogdaj ci Cerber[1] łydki poszarpał. Nie dam Lampecji i mówię: idź precz! bo ci twój posoch na głowie połamię.

Argobójca wiedział, że gdy Apollo zły, to nie ma z nim żartów, więc odsunął się przezornie i rzekł:

– Jeśli chcesz mnie oszukać, to bądźże ty nadal Hermesem, a ja zostanę Apollinem. Wiem, że nade mną potęgą górujesz i że ukrzywdzić mnie możesz, ale na szczęście jest ktoś od ciebie mocniejszy, i ten nas rozsądzi. Wzywam cię, Promienisty, na sąd Kronida[2]!... Chodź ze mną!

Zląkł się imienia Kronida Apollo, nie śmiał odmówić i poszli. A tymczasem poczęło świtać. Attyka wychyliła się z cienia. Różanopalca jutrzenka weszła na niebo od strony Archipelagu.

Zews spędził noc na szczycie Idy[3] – a czy spał, czy nie spał i co tam robił, nikt tego nie wiedział, bo Mgłonośca osłonił się mgłą tak gęstą, że nawet Hera[4] nic przez nią dostrzec nie mogła. Hermes drżał trochę, zbliżając się do ojca bogów i ludzi.

„Słuszność po mojej stronie – myślał – lecz nuż Zews zbudził się gniewny, nuż, nim wysłucha, porwie kolejno każdego za nogę, zakręci nad głową i ciśnie na jakie trzysta staj ateńskich. Jeszcze na Apollina ma on wzgląd jakiś, ale ze mną choć synem jego jestem, nie będzie robił ceremonii."

Lecz płonna była obawa syna Mai. Kronid siedział na ziemi wesół, bo mu noc zeszła wesoło, i w chwale radosnej ogarniał świecącymi oczyma krąg ziemski. Ziemia, uradowana ciężarem ojca bogów i ludzi, rodziła pod nim jasną majową trawkę i młode hiacynty, a on, wspierając się o nią dłońmi, przebierał palcami w kędzierzowym kwieciu i cieszył się w sercu wyniosłym.

Widząc to syn Mai ochłonął i oddawszy pokłon rodzicielowi, śmiało zaczął Promienistego oskarżać – a nie tak gęsto padają płatki śnieżne w czasie zadymki, jak gęsto padały jego słowa wymowne.

---

[1] C e r b e r – pies pilnujący wejścia do Hadesu.

[2] K r o n i d – syn Kronosa, Zeus.

[3] I d a – góra na Krecie poświęcona matce bogów, Cybele.

[4] H e r a – siostra i żona Zeusa.

Gdy skończył, Zews milczał przez chwilę, a potem ozwał się do Apollina:

– Prawdaż to wszystko, Promienisty?

– Prawda, ojcze Kronidzie – odrzekł Apollo – ale jeśli po hańbie, jaka mnie spotkała, jeszcze mi zakład płacić każesz, tedy zstąpię do Hadu i cieniom będę świecił.

Zews zamyślił się znowu i rozważał.

– Więc ta kobieta – spytał na koniec – pozostała głucha na twoją muzykę, na twoją pieśń i odtrąciła cię ze wzgardą?

– Wylała mi dzieżę kwasu na głowę, o Gromowładny!

Zews zmarszczył brwi, a od tego zmarszczenia zadrżała zaraz Ida. Odłamy skał zaczęły się toczyć z hukiem w morze, a lasy pokładły się jak kłos, którym wiatr żenie.

Struchleli obaj bogowie i z bijącymi sercami czekali wyroku.

– Hermesie – rzekł Zews – oszukuj, ile chcesz, ludzi, ludzie chcą być oszukani. Ale bogom daj spokój, albowiem jeżeli gniewem zapłonę i rzucę cię w eter, to spadłszy zanurzysz się tak głęboko w toni Okeanu, że nawet brat mój, Posejdon[1], nie wydobędzie cię stamtąd trójzębem.

Boski strach chwycił Hermesa za gładkie kolana, Zews zaś mówił dalej coraz potężniejszym głosem:

– Kobieta cnotliwa, zwłaszcza gdy kocha innego, może oprzeć się Apollinowi...

...Ale z pewnością i zawsze oprze mu się kobieta głupia...

...Eryfila jest głupia, nie cnotliwa, i dlatego mu się oparła...

...Przetoś ty oszukał Promienistego... i Lampecji mieć nie będziesz... A teraz, idźcie w spokoju!

. . . .

Bogowie odeszli.

Zews został sam w swej chwale radosnej. Przez chwilę patrzył w ślad za odchodzącym Apollinem i mruknął z cicha:

– O tak! Jemu przede wszystkim potrafi się oprzeć kobieta głupia.

I zaraz po tym, ponieważ był niewywczasowan bardzo, skinął na Sen, który siedząc na pobliskim drzewie w postaci krogulca, czekał na rozkazy ojca bogów i ludzi.

---

[1] P o s e j d o n – młodszy brat Zeusa, władca mórz. Symbolem jego władzy był trójząb, którym wzburzał morze i wstrząsał ziemię.

SĄD OZYRYSA[1]

A gdy umarł w Egipcie syn Psunabudesa, Psunabudes[2], wielki minister któregoś tam Tutmesa[3], z którejś dynastii panującej przed napadem Hysków, dwie nieśmiertelne Idee pokłóciły się o jego duszę tak zapalczywie i napełniły takim hałasem nieskończone przestworza cichej wieczności, iż wszechmocny Ozyrys kazał im stanąć przed sobą i zapytał:

– Kto wy jesteście, o duchy, kto jest ten grzesznik, którego me jastrzębie oko dostrzega między wami, i dlaczego w krainie Ciszy kłócicie się jak dwie przekupki z Memfis[4]?

A na to tak odpowiedział pierwszy z duchów:

– Ja, panie, jestem nieśmiertelna Głupota. Opiekowałam się tu obecnym Ekscelencją Psunabudesem jak kochająca matka. Dyktowałam mu wszystkie jego słowa, byłam mu przewodniczką we wszystkich czynach. Nie odstępowałam go ani na chwilę, a ponieważ i on trzymał się mojej szaty stale i wiernie, ponieważ całe życie był, wedle egipskiego przysłowia, głupi jak stołowe nogi, przeto chcę zabrać teraz jego duszę i umieścić ją w tej zaziemskiej krainie, którą ja władam, a która przeznaczona jest na wiekuiste siedlisko durniów.

Ozyrys zwrócił się do drugiego ducha:

– Mów ty teraz – rzekł, biorąc w ręce wagi, na których ważył wszelkie myśli, słowa i uczynki.

– Ja, o panie, jestem nieśmiertelna Niegodziwość. Nie przeczę wcale, że Jego Ekscelencja Psunabudes popełniał często na swym wysokim stanowisku

---

[1] O z y r y s – najwyższy bóg w starożytnym Egipcie, władca nieba, ziemi i piekła.
[2] P s u n a b u d e s – pod tym wymownym nazwiskiem przedstawił Sienkiewicz głośnego polityka carskiego, Konstantego Pobiednoscewa (1827–1907), który przez ćwierć wieku, za panowania Aleksandra III oraz jego następcy, Mikołaja II, wywierał decydujący, złowrogi wpływ na wewnętrzną politykę caratu. Pobiednoscew był największym reakcjonistą swoich czasów; był wrogiem wszelkiego postępu i instytucji demokratycznych, swobody prasy, niezawisłości sądów itp. Dopiero rewolucja roku 1905 zmusiła go do ustąpienia.
[3] K t ó r e g o ś t a m T u t m e s a – liczby porządkowe, nieczytelne (przyp. autora). Zarówno imię króla egipskiego Tutmesa, jak i dalsza wzmianka o najeździe Hysków na Egipt (w historii było to około r. 1700 p.n.e.) zostały wprowadzone dla zmylenia cenzury carskiej, natomiast czytelnicy doskonale orientowali się, że autor ma na myśli stosunki w carskiej Rosji.
[4] M e m f i s – jedna ze stolic starożytnego Egiptu.

---

błędy godne osła, ale twierdzę, że przede wszystkim był szubrawcem. Jeśli pozwolisz, panie, przytoczę ci na to tysiączne dowody, których Głupota, choćby dlatego, że jest Głupotą, nie potrafi nigdy obalić.

– Głupota – przerwał Jastrzębiooki, podnosząc do góry swój opatrznościowy palec – nie umie budować, często natomiast umie obalać, co powiedziawszy nawiasem, pytam się następnie, czego żądasz?

– Chcę, panie, zabrać tę duszę i umieścić ją w tej zaziemskiej krainie, którą ja władam, a która przeznaczona jest na pośmiertne wiekuiste siedlisko dla łotrów.

To mówiąc, chwyciła za rękę Psunabudesa, ale w tej samej chwli Głupota chwyciła go za drugą i obie, tamując dech w piersiach, czekały na wyrok Sprawiedliwego.

A Sprawiedliwy wpił swój ptasi wzrok w Psunabudesa i przypatrywał mu się przez czas dłuższy, a wreszcie rzekł:

– Widzę, że obie macie do niego prawo, więc chętnie bym was wysłuchał i rozsądził, ale zaprawdę położenie jest dziwne. Oto twoje dowody, o Głupoto, będą głupie, a twoje, o Niegodziwości, niegodziwe. Wobec tego nie mogę ich rozważać, a zatem żadnej z was nie mogę udzielić głosu. Jakaż więc na to jest rada? Oto zawołam Mądrości, która wszystko przenika, i rozkażę jej, aby mi przedstawiła w krótkich a mądrych słowach i żywot Jego Ekscelencji, i waszą sprawę.

– O panie – szepnęła Głupota – Mądrość jest moją osobistą nieprzyjaciółką.

Sprawiedliwy podniósł znów w górę swój opatrznościowy palec.

– Wierz mi, Głupoto, że prawdziwa Mądrość jest zarówno nieprzyjaciółką Niegodziwości, jak i twoją.

I w tejże chwili przywołał Mądrość, a ta stawiła się natychmiast i spojrzawszy na Psunabudesa, nie zdziwiła się wprawdzie, albowiem Mądrość niczemu się nie dziwi, ale uśmiechnęła się jakby z pewnym zadowoleniem i rzekła:

– Ach, to Jego Ekscelencja, który tajnym okólnikiem do gubernatorów zabronił mi pobytu w Egipcie!...

– Dla dobra państwa, słowo uczciwości... – począł się tłumaczyć Psunabudes.

Lecz Ozyrys nakazał mu milczenie, sam zaś zapytał:

– Powiedz mi, Mądrości, czy ten zakaz był bardziej głupi, czy niegodziwy?

– Jednakowo, zupełnie jednakowo! – odpowiedziała Mądrość.

Więc Sprawiedliwy położył równe ciężarki na szalach, opartych o stopień jego tronu.

– Mów dalej – rzekł – aby się stało wreszcie wiadomo, który z tych dwóch duchów ma pomyśleć o najwłaściwszym dla Ekscelencji osiedleniu.

Więc Mądrość poczęła streszczać całe życie Psunabudesa, od wczesnej młodości aż do ostatniej chwili jego ziemskiej podróży. Wspomniała, jak w akademii, w stubramnych Tebach[1], był zaciekłym liberałem, jak wstąpiwszy następnie do urzędu, zapisał się niebawem do działaczy państwowych i drwił z zasad, które za studenckich czasów wygłaszał, jak pod hasłem ,,Egipt dla Egipcjan!", pracował nad zjednoczeniem państwa pod władzą memfickiej biurokracji, jak wreszcie w ciągu długiego swego zawodu ustawicznie kogoś podejrzewał, coś wietrzył, przeciwko komuś wysyłał raporty, przed czymś ostrzegał, czegoś nie dopuszczał, coś zamykał, coś ukracał – i zamiast rozszerzać ludzką działalność i ludzkie życie, ustawicznie je krępował i ograniczał.

– Czy nie sądzisz, że to są szelmostwa – przerwał Ozyrys, dorzucając ciężaru na szalę niegodziwości.

– Nie przeczę, o Wszechtreściwy – odrzekła Mądrość – ale pozwolę sobie zauważyć, że była w tym i głupota, tak wielka jak piramida Cheopsa[2], albowiem Psunabudes, pracując niby dla potęgi Egiptu, w gruncie rzeczy go osłabiał, pracując niby dla jego sławy, ostatecznie go zohydzał, pracując niby dla porządku w państwie, wtrącał je w bezład i tworzył mu wewnętrznych nieprzyjaciół, a przy tym nigdy w jego zakutej głowie nie postała ani na chwilę myśl, że cała jego robota może przynieść tylko szkody i klęski.

– Jeśli tak – rzekł Sprawiedliwy – to trzeba dorzucić i na szalę głupoty.

– Trzeba! – powtórzyła Mądrość. – Ale słuchaj mnie, panie, dalej. Został potem Psunabudes gubernatorem prowincji północnej Phath, zamieszkałej przeważnie przez Fenicjan i Greków, i zarówno jednych, jak drugich począł gorliwie przerabiać na Egipcjan. Zabraniał im mówić i pisać na papirusach[3]

---

[1] Teby – starożytne miasto w Górnym Egipcie, przez pewien czas stolica państwa.
[2] Piramida Cheopsa – wielki grobowiec kamienny w kształcie ostrosłupa z kwadratową podstawą, w którym pochowano wybitnego króla Egiptu, Cheopsa, panującego w Memfis ok. 2900–2800 p.n.e. Piramida Cheopsa znajduje się niedaleko Kairu. Obwód podstawy wynosi prawie 1 km, wysokość 146 m. Jest to jedna z największych budowli świata.
[3] Papirus – materiał piśmienny w starożytnym Egipcie, otrzymywany z miąższu rośliny papirus. Cienkie paski miąższu sklejano z drugą warstwą pasków (w poprzek), prasowano i suszono, otrzymując mocny arkusz, na którym można było pisać.

we własnym języku, prześladował ich wiarę i pozamykał ich szkoły, a przede wszystkim kazał im nosić czepki, które jak wiadomo, są narodowym egipskim nakryciem głowy. W jego przekonaniu czepek stanowił Egipcjanina, jakie zaś myśli wrzały w tych głowach, którym narzucił czepki, nad tym nie był zdolny się zastanowić. Ci wszakże, którzy nie chcieli nosić czepków, mogli się od nich uwolnić łapówką, w ten bowiem sposób wzrastał majątek gubernatora.

Ozyrys podniósł po raz trzeci palec do góry i rzekł z powagą: – Łapówki nie dowodzą głupoty.

– Zapewne, panie, ale nie dorzucaj ich na szalę niegodziwości, ponieważ w Egipcie wszyscy dygnitarze uważają łapówki za zwyczaj tak powszechny[1] i tak zgodny ze starą tradycją egipską, że biorą je z zupełnie czystym sumieniem.

– Masz słuszność i jako bóg egipski nie powinienem był o tym zapominać. Nie dorzucę też nic na żadną szalę, póki nie powiesz, jak postępował Psunabudes jako minister Faraona[2].

– Egipt, jak ci wiadomo, Sprawiedliwy, potrzebował wielkich i głębokich reform. Otóż Psunabudes, zostawszy ministrem, postarał się przede wszystkim o to, by te reformy nie były wielkie i głębokie, ale drobne i płytkie. Egipt potrzebował nowych i mądrych ludzi, którzy by byli przyjaciółmi wyżej wspomnianych reform, Psunabudes zaś powierzył ich wykonanie dawnym, głupowatym urzędnikom, którzy byli ich wrogami. Jaka z tego powstała karykatura i jaka szkoda dla Egiptu, to łatwo pojmie nie tylko tak przenikliwy umysł, jak twój, panie, albo jak umysł krokodyla, kota lub ichneumona[3], ale nawet zwykły, miałki rozum człowieczy. Psunabudes był zbyt tępy, by rozumieć, iż państwo musi być od podstaw do szczytu przebudowane, a za mało uczciwy, by przeprowadzić sumiennie nawet te zmiany, których konieczność uznał i zrozumiał sam Faraon.

– Niech mnie ibis[4] kopnie – rzekł Ozyrys, dorzucając na obie szale – jeśli wiem, która w końcu przeważy!

---

[1] Zwyczaj tak powszechny – w carskiej Rosji, o której w rzeczywistości tutaj mowa, łapownictwo było bardzo rozpowszechnione.

[2] Faraon – nazwa królów egipskich.

[3] Ichneumon – ssak drapieżny, zwany również szczurem faraona. W starożytnym Egipcie czczono go jako święte zwierzę i wierzono, że pożera nie tylko jadowite węże, ale nawet krokodyle, do czego ichneumon nie jest zdolny.

[4] Ibis – ptak z rzędu bocianokształtnych, czczony w starożytnym Egipcie.

A słowa Mądrości płynęły dalej:

– Oszukiwał zarówno Faraona, jak i lud. Faraonowi groził buntem ludu, ludowi wszczepił przekonanie, że Faraon chce go utrzymać w niewoli. Poderwał władzę Faraona, a nie rozszerzył wolności. Za jego czasów powiększyły się głody w Egipcie, a kraj napełnił się rozbójnikami.

– Chwała Bogu, to jest, chwała mnie samemu! – zawołał Ozyrys – tu już nie ma przynajmniej wątpliwości, że to są łajdactwa czystej wody!

– O, nie tylko łajdactwa – odpowiedziała łagodnie Mądrość – gdyż Psunabudes okazał przy tym mniej rozumu, niż go posiada pęcherz wielbłąda. Czyny jego były złowrogie, ale on sam był durniem i głupota jego była tym większa, że się uważał za mądrego. Niezdolny był zrozumieć, że gdzie trzeba wielkiej, twórczej polityki, tam szachrajstwo nie może wystarczyć, i szachrował, szachrował bez końca.

– Prawda! Masz słuszność jak zawsze, i tylko tak dokładne wagi jak moje wskazać nam mogą, co z nim uczynić należy.

– Kilka słów muszę jeszcze dodać, o Wszechkulisty! Psunabudes drwił sobie z Egiptu, nie dbał o Faraona, myślał zawsze tylko o sobie, więc można by mniemać, że był tylko szują. Ale zważ jednak, panie, że gdyby Psunabudes rządził mądrze i uczciwie, to zyskałby na tym Egipt, zyskałby Faraon, a on sam nie tylko nic by z własnej korzyści nie uronił, ale stałby się jeszcze potężniejszym i sąd historii wypadłby o nim inaczej.

– Więc znów chcesz powiedzieć, że osioł przeważał w nim jednak nad łotrem?

– Podnieś, o Sprawiedliwy, wagi, a przekonamy się natychmiast.

. . . .

Ozyrys podniósł szale i trzymał je w górze, póki nie uspokoiły się zupełnie. Po czym spojrzał, i zdziwienie, ale zarazem i zmieszanie odbiło się na jego boskim obliczu.

– Na święty ogon Apisa[1]! – zawołał. – Głupota i szelmostwo nie przeważają się nawzajem ani na jeden włos z mej brody. Co teraz robić?!...

Co robić?!...

Jastrzębiooki odrzucił wagi, objął głowę dłońmi i przymknął oczy.

Po chwili jednak twarz rozjaśniła mu się promiennym uśmiechem i zwróciwszy się do Psunabudesa, począł mówić z wolna i uroczyście:

– Ekscelencjo! Żaden z greckich, fenickich ani z tutejszych młodszych

---

[1] A p i s – byk, czczony w Memfisie jako bóg.

bogów nie wiedziałby, co z tobą uczynić, gdyż widzisz, że nawet i Mądrość drapie się w tej chwili w głowę.

...Ale niepróżno zowią mnie bogi i ludzie Wszechmocnym, bo oto wszechmocą moją rozcinam, jak mieczem Faraona, wszelkie trudności i ogłaszam ci wyrok następujący:

...Wróć do życia i wróć na ziemię. Bądź do końca świata ministrem Faraonów i rozmaitych ludów: zabiegaj, kręć, prowadź, prezyduj, rządź...

...A gdy spełnią się wieki, musi się w końcu pokazać, czy jesteś większym łotrem czy osłem...

...Wtedy i ja będę wiedział, który z tych dwóch duchów ma ci przygotować wieczystą rezydencję.

. . . .

To rzekłszy, obrócił Psunabudesa twarzą do niebieskich schodów i nagłym rozmachem swej boskiej stopy przyśpieszył jego powrót na ziemię.

W przepaściach wieczności zapadła głęboka cisza; natomiast Egipt zgotował widocznie owację zmartwychwstałej Ekscelencji, albowiem aż do bram nieba jęły dochodzić chóralne głosy, śpiewające radośnie:

– Psunabudes! O, Psunabudes!...

Mądrość poczęła się śmiać cicho.

SABAŁOWA BAJKA

Siedliśmy wokół ogniska wsłuchani w tę ciszę tatrzańską, która aż w uszach dzwoni. Zbliżała się już i godzina spoczynku, gdy nagle Sabała[1] podniósł swą pomarszczoną twarz, podobną zarazem do głowy starego sępa i do twarzy Miltona[2]. Chwilę popatrzył szklanymi oczyma w ogień – tak zaczął opowiadać:

„Prosem piknie wasych miłości, raz seł chłop ze świdrem i rąbanicą[3] do Nowego Targu na siacie. Jakoś za Poroninem stowarzysyła się z nim stara baba. Chłop, ze był mądry gazda[4], poznał Śmierć i zara myśli, jako się jej pozbyć. Wzion wreście wiercić dziurę do wirby, wiercił, póki nie wywiercił, a potem w nią zagląda.

---

[1] S a b a ł a, właściwie: J a n K r z e p t o w s k i (1809–1894) – słynny przewodnik tatrzański i opowiadacz baśni, legend oraz anegdot góralskich.

[2] J o h n M i l t o n (1603–1674) – wybitny poeta angielski, autor głośnych poematów: *Raj utracony* i *Raj odzyskany*.

[3] R ą b a n i c a – siekiera.

[4] G a z d a – gospodarz.

– Cego patrzys? – pyta Śmierć.

– Chcesz uznać, to sama zaźrzyj.

Zaźrzała Śmierć do dziury, nie widzi nic – a bez ten cas ociosał se chłop rąbanicą bukowy kołek.

– Nie widzę nic – powiada Śmierć.

– Wleź całkiem, to obacys.

Ledwie Śmierć wlazła całkiem, zatkał ci ją chłop – prosem piknie – bukowym kołkiem, przybił kołek obuchem i poseł.

Az tu rok po roku idzie, chłop zyje i zyje; ludziska przestali umierać; zajaziło się[1] od nich w Zakopanem, w Białym Dunajcu, w Chochołowie, wsędy, ze cłek koło cłeka stał, jako smereki[2] stojom w borze. Chłopisko się zestarzało, bieda pocena go gnieść, robić juz nie mogło. Naprzykrzyło mu się w ostatku zyć, poseł i odetkał Śmierć z wirby.

Jak śmierć – prosem piknie – skocy, jak weźmie kosić: w Zakopanem, w Białym Dunajcu, w Kościeliskach, w Chochołowie, to tyla się luda wykopyrtło, ze i chować gdzie nie było. Przychodzi wreście Śmierć do jednej gaździny wdowy – siedmioro sierot u niej – i biere ją. A tu dzieci kiej nie zacnom lamentować:

– Nie bier matki, nie bier matki!

Zlutowała się[3] Śmierć nad dziećmi, idzie do Pana Boga i powieda:

– Panie Boze, jakoze mnie matkę brać, kiej dzieci tak prosom, tak lamentujom, aze mi się luto stało[4].

A Pan Bóg powieda tak:

– Ja w tych rzecach nie gazda, jeno Pan Jezus gazda. Idźze do Pana Jezusa, niech ci ta powie, jako ma być.

Przychodzi Śmierć do Pana Jezusa i powieda:

– Panie Jezu, jakoze mnie gaździnę brać? Siedmioro sierot w chałupie tak prosom, tak lamentujom, aze mi się luto stało.

A Pan Jezus prask Śmierć w pysk.

– Chybaj do morza, przynieś skałkę!

Skocyła Śmierć do morza, na samiusieńkie dno, przyniosła skałkę kwardom, okrągluchnom jako bochenek chleba, a Pan Jezus do niej:

– Gryź!

---

[1] Zajaziło się – zagęściło się, stało się tłoczno.

[2] Smerek – świerk.

[3] Zlutować się – zlitować się.

[4] Stało się luto – stało się żal, ogarnęła litość.

Gryzie Śmierć, gryzie – zębiska ją bolom; zgryzła wreście calusieńkom skałkę – i patrzy: az w środku chrobocek maluśki siedzi.

A Pan Jezus prask Śmierć w pysk.

– Widzis – powieda – to ja i o tym maluśkim chrobocku na dnie morza wiem i pamiętam; a ty myślis, ze ja o sierotach nie będę pamiętał? – Chybaj, bier matkę!

Jan Krzeptowski-Sabała

O STWORZENIU EWY

ak było: Kie[1] prosem pieknie, Paniezus stworzył świat, to sie obeźrał, ośmiał się i tak se pedział:

– Barz[2] ja to syćko[3] dobrze porobieł. Ino nie wiem, cy sie mojemo Jadamowi nie bee[4] kotwić[5], bo je sam, haj[6]. Trza mu końcem sprawić jakom zabawke, coby się ś niom przy czasie zabawił, coby mu się nie kotwiło.

Tak se pedział Paniezus. I dobrze nie barzo, zawołał:

– Jadamie, hybajze[7] haw[8]!

Jadam przyseł, ale mu się straśnie łydki zacyny trząść, bo sie Paniezusa straśnie bał, haj!

– Lygaj![9] – pada mu Paniezus.

Jadam pilno na pościel lóg, ale se pomyślał:

„E, bedzie cosi, bedzie źle!" – i łydki zacyny mu mocniej dygotać.

Paniezus porusał na pościeli ręcami nad nim, toz to pilno usnom. Wyjon pote, prosem pieknie, składek[10] z tórbki i wyrznon mu we śnie ziobro. Ale to było straśnie brzydźkie i masne[11], toz to prasnom[12] na bryzek[13], coby oskło.

---

[1] K i e – kiedy.
[2] B a r z – bardzo.
[3] S y ć k o – wszystko.
[4] N i e b e e – nie będzie.
[5] K o t w i ć – nudzić.
[6] H a j – tak.
[7] H y b a ć – biec.
[8] H a w – tutaj.
[9] L y g a j! – kładź się!
[10] S k ł a d e k l u b s k ł a d a k – nóż składany, kozik.
[11] M a s n y – tłusty.
[12] P r a s n ą ć – rzucić.
[13] B r y z e k – pagórek.

Diascy nadali psa. Zakradła się kanalija, łap ziobro i w uciekaca[1] z nim do dźwierzy raju. Paniezus łap kija i dalej za nim! Ale pies wartki[2], a Paniezus stary i ni móg go dolecieć i hycić, coby mu ziobro wydar.

Lecom, lecom, jaze przylatujom do dźwierzy raju, a pies juz był we dźwierzak. Toz to Paniezus wartko kopnon dźwierze. Dźwierze sie na zaworke zaparły, uciony psu ogón, ale pies uciek, haj!

I dobrze nie barzo, co Paniezus nie robi. Wzion ten ogón pote, obeźrał, zgniewał sie i pedział tak:

– Cekaj ty ino! Ja ci i tak pokazem, zem cosi kajsi[3] wart.

Toz to zgniewał się, złapił ogón i z tego ogóna stworzył babe, haj.

Temu to, prosem pieknie ik Miełości, wielgie panie ogóny nosom u sukniów[4]. Ciągnie ta swój do swego i rad go widzi, haj.

To, pada, i psy som jest bez ogónów, ale nase kudlaki białe, owcarskie, co owce pasujom, to ik majom. Ony sie moze pokocieły przedtem, abo od insyk psów? Cy jako?

---

[1] W u c i e k a c a – w nogi.
[2] W a r t k i – szybki.
[3] K a j s i – gdzieś.
[4] W i e l g i e p a n i e o g ó n y n o s o m u s u k n i ó w – pod koniec XIX wieku były jeszcze w modzie suknie damskie z długimi trenami.

Jędrzej Tylka-Suleja

SABAŁÓW SEN

Wracając pewnego razu z polowania na niedźwiedzie, przyszliśmy z Jasnej Doliny Liptowskiej do Zuberskiej na Synglowiec. Długa podróż przez Rohacze i ich puste doliny zmęczyła nas bardzo, kroplisty pot spływał nam z czoła, usiadłszy więc w lesie pod smolarnią, postanowiliśmy tu przenocować. Noc była jasna, cieplutka, najmniejszy szmer wiatru nie przerywał wieczornej ciszy wśród lasu. Rozłożyliśmy duży ogień. Dokoła leżało pod dostatkiem odłamów drzewa wyschniętego, palącego się więc jak słoma, toteż wkrótce wspaniały, wysoko buchający płomień oświecał dość znaczną przestrzeń lasu.

Spożywszy smacznie wieczerzę, którą Sabała z owsianej mąki w kotliczku raz dwa uwarzył, położyliśmy się na suchym mchu. Stary lubił spać zaraz z wieczora, a że był zmęczony, usnął wnet. Ja zaś nie mogłem jakoś zasnąć i leżałem, rozmyślając o niepowodzeniach dnia ubiegłego.

Sabała chrapie w najlepsze. Naraz zaczyna stękać, jakby lękać się czegoś, i jęczeć. Wypowiedział kilka niezrozumiałych wyrazów i począł w głos płakać. Widząc to wstałem i obszedłem śpiącego wokoło, żeby zobaczyć, czy go przypadkiem jaki gad nie gryzie. Nie widzę nic. Chcąc go więc od siodliska[1] uwolnić, pociągam za wielki palec u nogi. To jednak nie pomaga.

Ogień się dobrze pali, widać dokoła; stoję i patrzę, co dalej będzie. Sabała przestał płakać, zamruczał coś znowu, jakby z kimś gadał, naresznie zaśmiał się, coraz to drobniej i głośniej, potem się zerwał, począł łazić na kolanach, szukając czegoś rękami, i wołał:

– Je, ka zeście tyz, paniusiu?

Roześmiałem się głośno, co ten usłyszawszy widocznie, usiadł tam, gdzie

---

[1] Siodlisko, siodło – według wierzeń ludowych – stwór dziwaczny, który dusił śpiących; zmora.

spał przedtem, przetarł oczy i obejrzawszy się jeszcze raz dokoła siebie, mówi:

– Co ta juz we spaniu mos, to mozes na palcu upiec! Ale miołze ja tyz to fajne śnisko! He! he! he!... Krzesny! Ności, Panie Boze! ności, Panie Boze, hej!

Jescek ocy dobrze nie zamrozył a tu mi się śnije, ze leze doma na pościeli chory, gromnica sie świeci przy mnie, ludzi w izbie pełno! hej! płacom, ze ja umierom. A mnie się tak koniecnie widziało, ze umierom. Hej, kie umrzyć, to umrzyć! Alek wiedzioł, ze mom worek z mąkom i flintom sowany w Bucynowej pod skałom! tego mi jeno żol było, bo worecek nowy i flinta dobrze nosi kule, a półkulki tez, kie je do kłaku owinies. Wtoz to pudzie po nie?

Ale nic. Jo umierom, hej, i umarek, ale mie ta nic nie bolało. Tak mi się widziało w tej śmierzci, ze przelazek z jednego końca na drugi. Widze, jak moje truchłe wiezom na pogrzeb, ludzie idom za niom bez Seligów bór i śpiewajom piosnecki. Ale ja ś nimi nie seł; widziołek ik jeno tak z daleka, jako idom, a stołek na takim jakimsi wysokim brzyzku, ubrany jak do kościoła, hej, w nowej cuze[1], kapelus z kostkami na głowie. Ci sie mi z ocy juz stracili z pogrzebem, a ja stoje, hej!

Jaz kiedy niekiedy patrze zasie i widze piękny dom, dźwirze ozwarte, chodnik ku niemu... Co tu robić? Myślem se: trza iść, cy tam kogo ni mos, hej. Trochę sie i boje: wiem, zek umar, ale ide. Właze do jednej izby, zdrówkom, ni ma nikogo; do drugiej dźwirze zawarte. Boje sie jakosi, ale biere za zaworke, otwierom dźwirze, a tu stoi na jednej stronie pod ścianom stolica wysoko i długo, a na nij siedzi Poniezus w bielućkim prześcieradle odziany, hej! Jasność co cud bije od niego.

Zląkek sie troche, chyciłek z głowy kapelus, klęknonek na kolana i spowiadam się, a bije sie w piersi pięściom jak w kowadło. Godom syćke grzechy, jakie wiem, coby ani jednego nie zataić, bo widzem, ze to sąd boski. Jakek juz syćko wygodoł, zrobiło mi się luto; kie nie weznem płakać! Dopiero Poniezus powiada:

– Wstaj, Jaśku, i nie bój sie nic. Syćkoś dobrze wygodoł przede mnom, niceś nie zatajeł, zodnego grzychu – bedzies zbawiony za to.

Wstołek co tchu, obłapieł Poniezusa za nogi i godom:

– Niek tez ik Miełość bedom dobrzy, a nie dajom mnie do otchłani, bo tam pono sama ćma, a jo tyz juz nie dowidzem dobrze i nic ni mom przy sobie, ani toporziska; mogliby mie jesce zarznoć.

---

[1] C u h a – gunia, czarna lub biała opończa z wełny.

– Nie bój sie, Jaśku! pudzies do nieba – powiado Poniezus, hej! – jeno mi zmów pięć kondycyj[1] świętyk.

Klęknonek co tchu, zmowiłek rzetelnie i wstajem, a zdało mi sie poźreć ku piecu – a za piecem stoi barz ładno panienka, ubrano zwycajnie ładnie, bielućko, młodo jak anioł i ładno. Stoi, wyscyrzo zemby do mnie, śmieje się. „Skorani cie wzieni – myśle se – jesceś tu przysła wyscerzać zemby, cobyk zgrzeszył... Ale Sabała nie taki głupi, coby sie tu śmioł do tobie". – Zmrozył ocy i stoje, a ty sie ta śmiej, nieboze, kie ci sie kce.

Poniezus to widzioł i powiado:

– Pudzies do nieba, hej! Na ziemi miałeś złom babe, starom i brzyćkom, nagryzła cie sie dość niesłuśnie, za to ci tu w niebie dajem za babe tamtom młodom i ładnom, co je za piecem.

– A coz ja tez bede robieł, Ik Miełość, z takim cukierkiem, kie jo juz stary – godom. – Kiebyk se był gęślików nie zabocył doma, to byk był jej groł, bo widze, ze to haj jakiesi plugastwo gładkie, toby ta moze i zatańcyło.

– O to nic, Jaśku – powiado Poniezus – jak mi się jeno bedziesz grzecnie ryktował, to ci tu i po gęśliki poślem. Idź do biołej izby, tam pod jarmicom[2] lezy skóra. Oblec jom, to bedzis zoroz młody, taki jak i ona.

Co byś ta juz godoł, hej! Pobóśkałek[3] Poniezusa w rękę, podziękowałek i ide ku piecu.

– No, pojdze, staro – wołom – pokozes mi, ka ta skora, co sie oblekе.

Panienka hipła[4] zza pieca, jakbyś jom z kroślika[5] wypuścieł, wzieła mnie za rękę, pod pache, i wiedzie do drugiej izby, a godo mi i sepce do ucha:

– Jo wos bede straśnie widziała, a wy mnie tyz.

Jo sie śmieje, bo sie było cemu. Przychodzim do biołej izby, ta mnie ciągnie wartko bez próg, a skace i cosik mi kce do ucha septać. Nachyliłek sie ku niej, prog wysoki – trza było na nim sie utknoć, jazek sie obudził, haj!...

I tego wej tak grabie i sukom koło sobie, ale ni ma nic; ani skory, ani jarmice, ni tej gładkiej kukiołki, cok jom za babe mioł mieć.

A, coz być tyz ta ka co zrobieł bez babe! Ta sie wsędyj wkrąci: Zańdź do karcmy – tam je; w kościele to klęcy jak baba na łokciak i na kolanak; zańdź do nieba – to zaroz zza pieca ku tobie! Je, cie skarani wzieni z babom, hej!

_____

[1] P i ę ć k o n d y c y j – pięć warunków; tu chodzi o pięć warunków dobrej spowiedzi.
[2] J a r m i c a – półka.
[3] P o b ó ś k a ć – pocałować.
[4] H i p n ą ć – skoczyć.
[5] K r o ś l i k – naczynie drewniane na masło czy bryndzę.

Byłbyk se po niebie pochodzieł dłuzej, kieby nie ona! Jo se ta zaroz pomyśloł, jenok uwidzieł: – he! niedługo jo tu z tobą nagazdujem, bo ta nie taki był Jadom, a tyś ta wyjechała na nim!

A drzewiej[1] to i w usypak[2] siedziały boginki, to tez były same baby; bo jo ta nigdy o bogińcarzu nie słyszoł, jeno o boginkak, hej!

---

[1] D r z e w i e j – dawniej.
[2] U s y p y – przepaści.

Jan Kasprowicz

O ŚPIĄCYCH RYCERZACH W TATRACH

Przewędrowałem w życiu wiele świata, góry widziałem niebotyczne, pokryte nie tającymi nigdy lodami, w dywałem rzeki tak szerokie, że trzeba całej niemal godziny, aby łodzią przepłynąć z jednego brzegu na drugi, siadywałem po dolinach tak cudnych, że ziemia wydawała mi się rajem, patrzyłem na tęcze, które tworzą się w rozbitej na drobne pyły fali ogromnych wodospadów, a przecież tęsknota moja nigdzie nie znajdowała takiego ukojenia jak w naszych Tatrach.

Urok posiadają niewypowiedziany te nagie, granitowe szczyty, te ciemne lasy świerkowe, od wieków ludzką nie tknięte siekierą, te kępy kosodrzewiny, rosnące na zielonych upłazach[1], te szumne, głośne siklawice, czyli potoki, po stromych spadające głazach, te turnie[2] w przedziwne poszarpane kształty, te bujne trawy, te stada pasące się latem po halach[3], ci bacowie i juhasi, to jest pasterze i pastuszkowie, strzegący owiec po murawach lub pod wieczór spędzający je do ogrodzisk.

Słońce tu świeci promieniściej, wichry szaleją potężniej, mgły przelewają się kłębami tak potwornymi, że zda się nieraz, jakoby chciały te wszystkie góry naokoło przygnieść, zmiażdżyć wilgotnym ciężarem.

A przy tym pełno tu jest opowieści, których człowiek rad by słuchał bez końca, tak są piękne i tak głęboką myśl nieraz ukrywają w sobie. Zapewne nie ja sam, lecz także wielu innych wędrowców po górach lubi najbardziej Dolinę Kościeliską.

Przed laty zawitawszy do niej po raz pierwszy, stanąłem na moście, rzuconym przez potok, i przyglądałem się rycerzowi wykutemu w szarej skale. W szyszaku na głowie, ze skrzydłami u ramion, z mieczem w ręku, pochylił się ten kamienny bohater i śpi.

Zadumawszy się nad tą postacią, anim spostrzegł, kiedy za mną stanął długowłosy, osiwiały góral i rzekł:

---

[1] U p ł a z – porosła trawą pochyłość góry.
[2] T u r ń – stromy szczyt skalisty.
[3] H a l a – pastwisko w górach.

– Przypatrujecie się, panie, tej postaci, a pewno nie wiecie, co oznacza. Wykuli ją tu na pamiątkę, że w tych skaliskach, w wielkiej by kościół pieczarze, uśpione leży wojsko. Podobnoś polskie, a przywędrowało tu od Krakowa czy gdzieś od Poznania i Gniezna. Przewodził mu król znamienity, przesławny; od naszych dziadów i pradziadów mamy wieści, że nazywał się Chrobry. Za naszej pamięci nikt tego wojska tu nie ujrzał, bośmy jeszcze niegodni, lecz przed wiekami był tu we wsi Kościeliskach czy też Zakopanem mały chłopaczek, który na lato wyganiał stado ojcowskie do tej doliny na pastwisko. Owce szczypały sobie trawę, pilnował ich biały, piękny pies owczarski, a chłopiec, że był zręczny i niesłaby, wspinał się po tych skałach, zrywał szarotki i dzwonki, czasem i korzeń goryczkowy, dobry na leki, spod ziemi wygrzebał, przeróżne też napotykał jaskinie, do których przed nim nikt jeszcze nie dotarł.

Pewnego razu zabłąkał się w ustroń nieznaną, niedostępną, w strasznie czarne urwiska, oślizgłe od wody śniegowej, strzelające ku niebu spośród gęstwi kosodrzewiny, siwych świerków, drobnych żwirów i takich złomów kamienistych, że i sto koni nie ruszyłoby ich z miejsca. Rozejrzał się naokoło. Wszędy pustosz; ani śladu ścieżynki, którą przed chwilą przybył. Z początku przeraził się, ale po chwili pomyślał:

„Kiedym tu doszedł, to i wrócę, jak nie tą, to inną drogą."

I aby dodać sobie odwagi, a może i z uciechy, że z tej wyżyny ujrzał całą dolinę, wartkim przeciętą potokiem, a poza nią wszerz i wzdłuż wszystkie niemal szczyty, jakie są w Tatrach, huknął na góry, na lasy, huknął raz i drugi. Odezwało mu się echo. Huknął po raz trzeci i skamieniał. Zdało mu się, że słyszy organy, które jakby grały wewnątrz turni. Bywał nieraz w kościele w niedalekim Chochołowie albo i w Czarnym Dunajcu – w Zakopanem świątynia Boża wówczas jeszcze nie istniała – ale równie potężnej muzyki nigdy jeszcze nie zasłyszał. Mury rozwaliłyby się od takiego głosu; chyba na dziesięciu albo i na stu zagrano mu organach. W tej samej chwili rozstąpiły się głaźne ściany, z przeraźliwym rozwarły się trzaskiem i łomotem, i przed oczami pastuszka niewidzialne wyrosło zjawisko: olbrzym, cały zakuty w zbroję, z szyszakiem na głowie, ze skrzydłami u ramion, z ogromnym, prostym, szerokim mieczem w dłoni. Stanął ten rycerz w słońcu, jak w złocie, i zawołał: – Kto ośmiela się budzić nas ze snu wiekowego? Czy nadszedł już czas?

Ale chłopiec oniemiały z przerażenia, odpowiedzi żadnej dać nie mógł, bo też i pytania tego jeszcze nie rozumiał. Rycerz zaś, spostrzegłszy jego przestrach, powiada:

– Nie lękaj się; nic złego ci nie uczynię, bom nie zbójnik, tylko wojownik, który krew przelewał za ojczyznę, a potem razem z towarzyszami przyszedł w te skały na sen wiekowy, aby się zbudzić do życia, gdy ludzie staną się tak dobrzy, jak ty – bo widzę, żeś jest dobry – gdy nabiorą takiej wiary i mądrości, że już nie będą mogli znieść jarzma, co ich gniecie. A gdy do tego dojdzie, wówczas zjawi się taki drugi chłopaczek, jak ty, wybrany z tysiąca albo i z miliona, bo musi być najgodniejszy, zapuka do bramy złocistej i wielkim zawoła głosem:

«Wstańcie, rycerze, ze snu wiekowego, wstańcie i spłyńcie w doliny pomiędzy ludzi, którzy stali się już dobrzy i mądrzy i wielką mają wiarę, a pod panowaniem złego żadnym sposobem żyć już nie chcą dłużej! Wstańcie, rycerze skrzydlaci, podobni do aniołów z nieba!»

My to usłyszymy i uwierzymy, gdyż skłamać – on nie skłamie! Rumaki nasze zeprzemy ostrogami i z dobytym mieczem w dłoni popędzimy w świat jak wicher, jak burza. Zerwie się naokoło szum ogromny. Świerki jak rżysko łamać się będą pod kopytami naszych wierzchowców; wielkie głazy polecą ze szczytów jak drobne kamyki. Potoki i jeziora podniosą się ze swych łożysk i lejów, mgły się zakłębią tak, że świata spod nich widać nie będzie. Całe niebo i ziemia zatrzęsie się od grzmotów; błyskawice krzyżować się będą jak miecze ongi zastępów niebieskich, co walczyły z szatanami, pioruny walić będą bez ustanku, przestrach pójdzie po wszystkim, co żyje, lecz potem nastanie spokój. Gromy ucichną, potoki i jeziora ułożą się w błękity, mgły w srebrną przemienią się rosę, błyszczącą na trawach i kwiatach, i iglicach drzew świerkowych, złote na niebie zajaśnieje słońce, a ludzie, zbawieni z niewoli, pieśni radosne zaśpiewają i dziękować będą niebiosom za cudowne zwycięstwo.

Tak mówił rycerz. A pastuszek słuchał tego jakby dziwa: upadł przed nim na kolana i rzecze:

– Udam się między ludzi, pójdę, choćby na krańce świata i obwieszczę im, com słyszał. A chciałbym też zdobyć taką wiarę i taką mądrość, iżbym ich mógł tej wielkiej wiary i tej wielkiej mądrości potrzebnej do wyzwolenia nauczyć.

Podniósł go wojownik z ziemi i rzekł:

– Dostąpisz jeszcze tej łaski, że zobaczysz nas wszystkich razem, abyś do ludzi, braci swojej, zawołał: «Wierzcie mi, bracia moi, bom zbrojnych mężów tych na własne widział oczy».

I z tymi słowy powiódł go do jaskini napełnionej światłością. A jaskinia była tak rozległa, że kilka godzin nie wystarczy, aby ją przejść, stokroć obszerniejsza niż ona grota w Kobylim Wierchu na Spiżu, pod Białą. Ściany powyżłabiane w najdziwniejsze kształty, ni to kwiaty, ni to drzewa, ni to ściekające fale, ni to figury przecudne. Z góry zwieszały się jakby w kamień obrócone złotogłowia, co to ich pełno rośnie w Tatrach, albo paprocie przeróżne i inne zioła; z ziemi wyrastały żółtawe, przejrzyste niby alabaster[1], głaźne pnie jakby jakichś świerków odartych z gałęzi, a tak dźwięczące, że kiedy rycerz, co wędrował z pastuszkiem, dotknął ich przypadkowo, to po całej jaskini rozległo się najgłośniejsze brzmienie organów.

Przebyli kilka krużganków, natrafili na kaplice, na ołtarze ze złocistego głazu, na skamieniałe wodotryski, na błękitne jeziora i stawy, a w niektórych miejscach jakby na nagrobki, rozrzucone po cmentarzysku, aż wreszcie wkroczyli do sali tak wielkiej, że jej okiem nie wymierzysz.

I tutaj ów pastuszek, już ośmielony, ujrzał przed sobą obraz, jakiego ani przedtem, ani potem nigdy w życiu nie oglądał. Nieprzeliczone rzędy rycerzy w hełmach i zbrojach pozłocistych, ze skrzydłami u ramion, z szerokimi mieczami w ręku, na pięknych siedziały rumakach, przyodzianych kosztownymi kobiercami i skórami z lampartów, lwów i tygrysów. Na łbach konie te miały pęki białych piór, a podkowy ze złota.

Na widok rycerza-wartownika przeszło drżenie po szeregach, konie zaparskały, a ona zbrojna husaria poprawiła się na siodłach wysadzanych turkusami; nie odezwał się jednak żaden głos, tylko wszyscy, z wodzem królewskim na czele, pytające w przybyłych wlepili spojrzenie. A gdy rycerz krótkie rzucił hasło: „Jeszcze nie!'', od razu bojowe hufy te skamieniały: przytulone do karków końskich na nowo zasnęły i śpią tak od wieków.

Zasię z chłopaczkiem stało się tak:

Rycerz, nim zasnął, kazał mu tą samą drogą wrócić na świat.

– Nigdy już tutaj – powiedział – nie będziesz, miejsca tego nie szukaj, bo go nie znajdziesz.

Z trzaskiem zawarła się za pastuszkiem złocista brama, zapadła się od razu w ziemię, skały się spoiły, owinięte kosodrzewiną i świerkami, i błyszczały na nich dalej szarotki i drzwonki.

Zeszedłszy ku stadu, które pasło się, strzeżone przez pięknego, białego psa owczarka, pastuszek przemyśliwał nad tym, co widział i słyszał, i naprzód wiadomość o wszystkim dał ojcu, że musi iść między ludzi i uczyć ich wielkiej wiary i wielkiej mądrości, aby wszystko spełniło się, tak jak mu rycerz o tej świętej godzinie wyzwolenia wyprorokował. A ten, ponieważ dobry człowiek był, powiada:

---

[1] A l a b a s t e r – minerał śnieżnobiały, odmiana gipsu.

– Snadź jesteś w łaskach u Boga, boś na własne oczy oglądał i na własne uszy posłyszał, co my tylko ze starodawnej znamy opowieści. Ale jakże ty ludzi będziesz uczył wielkiej wiary i wielkiej mądrości, kiedyś sam tego nieświadomy? Do szkół pójdziesz, oświecenie nabierzesz, a potem głosić będziesz tę cudną prawdę.

I tak było.

Pastuszek wyrósł na mędrca, a że dla siebie nic nie pragnął, jeno chciał żyć dla drugich, udał się w świat, w miasta i wioski i naprawiał ludzi. Siły jednak za mało posiadał, a życie za krótkie, iżby wszystkiego dokonał. Poszły za nim tysiące i pójdą jeszcze tysiące, ale póki wszyscy do ostatniego człowieka nie przejmą się jego nauką, nie spełni się proroctwo o śpiącym wojsku. Myśmy dotąd jeszcze niegodni; nie wiemy na pewno, w której skale cud się ten mieści, lecz mamy nadzieję i ufność, że już niedługo mądrość i wiara w wyzwolenie po świecie się rozkrzewi i że wtedy natchnie Bóg takiego chłopaczka, jak tamten, że chłopaczek ten znajdzie ową jaskinię, do bramy złocistej zapuka i będzie mógł śpiącym rycerzom słowo powiedzieć niekłamliwe:

„Już czas!"

O KRÓLU WĘŻÓW
I O WALECZNYM A CZYSTYM
MŁODZIEŃCU PERŁOWICU

Drzewiej działo się lepiej; ludzie wielką mieli siłę przez to, że za młodu niewinni byli jak lilije, a siły, tej walecznej mocy swojej, używali jeno po to, ażeby ratować bliźnich. Widzicie te Tatry? Milami ciągną się zielonym lasem podszyte. Na chmurnych wierzchołkach ich połyskuje śnieg bielutki jak mleko albo i ruń jagniąt-niewiniątek, we wnętrzu ich piękne, niby pawie oka lśnią się jeziora. Po graniach[1] skaczą kozice, świstaki w dolinach kamienistych poświstują, orzeł poszybuje nad Wołoszynem. Gazdowska chudoba[2] spokojnie po zboczach i upłazach szczypie trawę, głos śpiewających pastuchów rozlega się naokoło, rozciągają go echa po górach, jak najdźwięczniejsze grające organy. Tak oto jest dzisiaj. A że tak jest, stało się to za sprawą pewnego młodzieńca, który przez to, że był niewinny, znamienitej, niezwyczajnej potęgi nabrał i nie tylko swoich, ale i nas wszystkich od srogiego a krwawego ucisku oswobodził.

---

[1] G r a ń – zbocze górskie.
[2] G a z d o w s k a c h u d o b a – zwierzęta gospodarskie.

A szerzył go groźny król wężów, który za czasów niepamiętnych olbrzymim cielskiem swym na skalnych grzbietach tych się wylegiwał, w słońcu się grzał oczekując, aż mu wysłańcy jego, czarni rycerze, łupy zrabowane na pożarcie przyniosą. Rycerze ci co chwila z góry na czarnych rumakach zbiegali, ogromne w całym kraju spustoszenie czynili, tratując nie tylko zbożem posiane łany, wszelki unosząc dobytek, ale nie przepuszczając i ludziom. Niedola zapanowała taka, że jej nie pisać. Pod kopytami trzęsła się ziemia, a powietrze zamgliło się od gęstej piany, bryzgającej w okrąg z ognistych, rozwartych nozdrzy piekielnych bachmatów[1]. We mgle tej chronili się mieszkańcy miast i wsi, gdzie mogli, płacząc i narzekając, włosy sobie z głowy wydzierając. Ale zbrojny hufiec straszliwego gada do najodleglejszych docierał kryjówek, palił po drodze i rabował, gruz i pogorzeliska zostawiał za sobą. Ze szczytów tatrzańskich przyglądał się temu król wężów, przyglądał się bez ruchu, w brylantowej koronie na skroniach, płaszczem z łusek srebrnych przyodziany, po turniach od Murania aż po Osobitą rozlewając się kręgami swymi, niby skrząca się w blaskach lipcowego południa niesłychana jakaś rzeka. A tylko kiedy ze zdobyczą jawili się rycerze, rykiem przeraźliwym, od którego granitowe drżały zręby, zwoływał ku sobie wszelkie płazy, wszelkie dzisiaj już zaginione potwory, żarłoczne, siedmioszyjne smoki i w ich kole biesiadować począł, krwawicy ludzkiej nie żałując ani sobie, ani swym towarzyszom. W kraju nie było żadnej porady[2]. Głód, mór i pożoga wyludniły, zburzyły wsi i miasta. Pola niegdyś kwitnące, miodem i mlekiem płynące w głuchą zamieniły się pustynię. Zdawało się, że trzeba będzie wyrzec się życia na zawsze. Po kościołach, przy krzyżach przydrożnych śpiewano litanie, gorące zanoszono modły, iżby Bóg się ulitował i zbawcę jakiego śród nieszczęśliwych niedobitków obudził.

W pewnej wsi na Podhalu rósł tedy chłopaczek, którego zwano Perłowicem, ponieważ duszę miał czystą jak perła. Owce rodzicielskie wypasywał po łąkach, pociechą dla ojców był, tylko radości żadnej w sercu nie zaznał, bo niemal już od dzieciństwa trapiła go troska, dlaczego takie klęski na ludzi spadają. Spozierał też ku Tatrom, które od Murania aż po Osobitą opanował tajemniczy król wężów, a i nad tym jedynie przemyśliwał, jakby potwora tego sprzątnąć ze świata, jakby jego pomocników, czarnych rycerzy, raz na zawsze pobić i na ziemię rajski, błogosławiony sprowadzić spokój.

Nikt nie zgadnie, jakimi drogami Boże chodzą zamiary, kogo sobie za iarzędzie swe obiorą. Los padł na Perłowica.

---

[1] **B a c h m a t** – rumak, koń bojowy.
[2] **P o r a d a** – rada, sposób zaradzenia złu.

Jednego razu, kiedy tak dumał ze smutkiem a żalem wpatrzony w diamentową koronę i srebrnołuski płaszcz nieprzyjaciela, wystrzelił przed oczyma jego ni stąd, ni zowąd kwiat lilii i niby ludzkim, a jednak nie ludzkim, a raczej anielskim zawołał ku niemu głosem:

– Wiem ci ja dobrze, jedyny mój Perłowicu, o czym marzysz. Bądź czysty i niewinny, jak ja, biała lilia, a spełnią się twe marzenia. Moc poczujesz w sobie nadziemską na ciele i duchu; króla wężów przezwyciężysz i swoich raz na zawsze od jego zbójeckiej władzy wybawisz. I nie trzeba ci będzie żadnej wojennej broni ani miecza, ani strzelby. Chodzącemu w zbroi niewinności i pręt osikowy wystarczy; o ten – widzisz – który leży pod tą skałą.

Perłowic, nie mogący wyjść z podziwu, chce do ręki gibką wziąć gałązkę; daremne jednak wysiłki. Ciężka jak ołów! Nie udźwignął... Zasmucił się, lecz w te tropy ten sam znowu usłyszał głos, niby muzykę zaczarowanych jakichś skrzypiec.

– Przyjdzie czas; udźwigniesz ją – odezwał się głos lilii – udźwigniesz po latach, gdy wypełniając mój rozkaz udowodnisz życiem swoim, żeś pozostał bez grzechu. Przychodź tutaj codziennie i próbuj swej siły.

I tak się też stało. Dzień mijał za dniem, miesiąc za miesiącem, rok za rokiem. Młodzieniec zjawiał się pod skałą, osiczynę do góry podnosić próbował, ale długo, bardzo długo bez skutku. A tymczasem panowanie króla wężów srożyło się jak nigdy. Lud był w rozpaczy; jeden Perłowic nadziei nie tracił i mówił:

– Jakże to ma być, iżby złe trwało bez końca? Nie na próżno wlał Bóg w serce człowieka otuchę.

Za tę wiarę swoją został też wynagrodzony sowicie.

– Próby ciężkie przetrzymałeś – rzekł doń pewnego dnia cudowny kwiat lilii, błysnąwszy mu przed oczyma. – Chwyćże pręt ten do ręki i idź na wroga...

I o dziwo! Pręt był już lekki, a najtwardsze głazy na żwir rozbijał drobniutki. Czuł dorodny Perłowic, że z chłopięcia na nieustraszonego urósł mężczyznę, czuł, że nie ma takiej potęgi, by mu się oparła. Co tchu ruszył ku Tatrom, które od Murania aż po Osobitą przygniatał cielskiem swoim król wężów. Przez gęste, nie tknięte siekierą przedzierał się lasy; zastępowały mu drogę od gromów lub wichrów halnych powalone pnie odwieczne, on je rzucał precz przez siebie, niby lekkie jaworowe listeczki. Z wielkiej radości, że ma się zmagać z śmiertelnym nieprzyjacielem świata, a chcąc przy tym nie stracić pewności, że nie opuściła go moc jego nadziemska, podarunek kwiatu lilii, drzewa niebotyczne wyrywał z korzeniami, niby bajeczny Wyrwidąb, który całe bory pokotem kładł. Drogę zastępowały mu głazy granitowe, mchem obrosłe olbrzymy, a on, jak Waligóra ciskał je precz od siebie i szedł pełen wiary w swój triumf, w triumf dobrej sprawy. Dotarł aż pod samo obrzeże Tatr. Zmęczony był, rad więc zapukał do ukrytej w gąszczach chaty, prosząc o nocleg. Ale w chacie tej mieszkał góral, który jednak nie był góralem, jeno przeraźliwym o ludzkiej postaci smokiem. Strażował on przy wejściu do królestwa, w którym w diamentowej koronie i w srebrnołuski płaszcz odziany władał wszechwładny gad... Chcąc dostać się do jego dziedziny, do wnętrza Tatr, trzeba było uśmiercić smoka. Zamierzył się Perłowic swą laską, potworowi łeb roztrzaskał i ujrzał, jak ten, zdychając, w ogromną zmienił się górę, zwaną dzisiaj Wołoszynem. Uporawszy się z tym dziwem, z tym strażnikiem, kroczył dalej, aż cudne przed sobą zobaczył jezioro: Morskie Oko. Dziwiły się przeróżne poczwary, że między ludźmi znalazł się śmiałek, który wdarł się w te dotychczas niedostępne pustynie i dzikim mieszkańcom zakłócił ich spokój. Widząc jednak, że mocy jego oprzeć się nie zdołają, skamieniały z przerażenia i do dnia dzisiejszego jeżącymi się grzbietami trwożą ludzi wątłej duszy. Nareszcie dognał samego króla i wszczął z nim walkę na śmierć i życie. Walił w niego czarodziejskim prętem, podarunkiem kwiatu lilii, pędząc go poprzez wierchy. Król wężów, krwawy prześladowca plemienia ludzkiego, widząc, że przed nim się nie ostoi, w błagalne uderzył prośby, skarby mu drogocenne przyrzekał, a nawet córkę, nadobną księżniczkę, w małżeństwo dać mu się skłaniał, byleby tylko folgi zaznać od niego. Ale bohater przekupić się nie pozwolił, blichtrem wszelakim pogardził i z królem wężów się mocował patrząc, jak srebrna łuska skóry jego, pod razami oddzielając się od cielska, w błyszczący zmieniała się lód, jak potwór ten, czując wieczną nad sobą przewagę, z wielkiego bólu wrył się w ziemię, zakopał się w miejscu, gdzie dzisiaj Zakopane, ażeby już nigdy w słońcu się nie wygrzewać, poczwar swoich na mordowanie ludzi okolicznych nie wysyłać.

Lotem błyskawicy rozeszła się wieść o zwycięstwie tym po świecie. Z miast i wsi wyruszyły procesje na powitanie Perłowica, wielkie też zwołano wiece, na których uchwalono ogłosić go królem. Ale on godności żadnych przyjąć nie chciał, bo – powiada – nie mnie się należy podzięka, jeno cudownemu kwiatu lilii, który mi świętą powierzył tajemnicę, jak się cudotwórczą zyskuje potęgę, jak się świat wybawia od złego.

Kazimierz Przerwa-Tetmajer

O ZWYRTALE MUZYKANCIE

Zmarł stary Zwyrtała i dusza jego wybrała się do nieba, z bausami[1] na gębie i ze skrzypcami pod pazuchą.

Patrzy: zamknione.

Myśli se: „Burzył na dźwierzak[2] nie bees, bo śpiom." Siadł na słupek pod bramą, siedzi, ale mu się ukotwiło wnet, wyjął skrzypce spod pazuchy, przycisnął zębami kołki, brząknął na strunach, wsparł skrzypce pod lewe ramię, pociągnął smyczkiem. Zrazu cichutko, bo się bał obudzić, ale się zagrał, przycisnął mocniej. A jak sobie przygrał, wspomniał sobie babę, co ostała na ziemi, a jak sobie babę wspomniał, zaraz zaśpiewał:

> Bodaj sie świenciła kawalerska strona!
> Kany[3] sie obeźrem, wsędyl[4] moja zona!...

Jak zaśpiewał, a głośno, usłyszał zza bramy:

– Któż tam?

„Świenty Pieter" – pomyślał Zwyrtała, ale odpowiedział śmiało, bo za cysarki, za Tereski[5] rajtary[6] go do kilysjeruk[7] zabrały i dwenast rók[8] hań słuzeł:

---

[1] B a u s y – wąsy lub bokobrody.
[2] B u r z y ć n a d ź w i e r z a k – łomotać do drzwi.
[3] K a n y – gdzie.
[4] W s ę d y l – wszędzie.
[5] Z a c y s a r k i, z a T e r e s k i – za panowania cesarzowej austriackiej Marii Teresy (1740–1780), która w pierwszym rozbiorze (1772) zagarnęła południową Małopolskę.
[6] R a j t a r – ciężkozbrojny żołnierz konny.
[7] D o k i l y s j e r u k – do kirasjerów, ciężkozbrojnej jazdy.
[8] D w e n a s t r ó k – dwanaście lat.

– Jo!

– Jaki „jo"?

– Zwyrtała.

– Czego się drzesz?

– Nie drem sie nijako, jinok śpiewał.

– Bodaj cię diab... – (urwało się) – z takim śpiewaniem! A coś tak późno przyszedł?

– Jedzek to cosi unieskorzeł[1] alejek dopiero pod odwieczerz umar.

– Pod wieczór?! Toś dopiero w pół drogi powinien być!

– He, świenty Pietrze, jo wartki, górol.

– A skądżeś ty?

– Z gór.

– Od Nowego Targu?

– Haj.

– A z jakiej wsi?

– E, hoć wom powiem, to i tak nie beecie wiedzieć. Cy to hań znocie?

– Ja wszystko znam. Skądeś?

– Z Muru.

– Jako cię to piszą?

– Galica Maciek.

– A jak cię wołają?

– Zwyrtała.

– A do was się jak nazywa[2]?

– Do Sęcka.

– No, to siedźże tam, Sęcku, nim się zrobi dzień. A nie trza hałasić!

– Nie bedem. Miejcie dobrom noc!

– No, no! A cicho!

Usiedział chwilę cichutko Maciek Zwyrtała, ale ku raniu trochę ziąb brał, choć to było w samo lato, znowu przybrząknął na skrzypcach.

A tu jakaś główka jedna, druga, trzecia, znad bramy.

Aniołki.

– Isz, isz – powiada jeden – jak to ładnie gra!

Jak to Zwyrtała usłyszał, jak puści po strunach smyk, jak zabrzęczy na wszystkich czterech naraz marsia:

Hej Madziar pije, hej Madziar płaci!...

---

[1] U n i e s k o r z y ć – spóźnić się.

[2] D o w a s s i ę j a k n a z y w a? – jak się na was woła?

– Ach, jak ślicznie! Jak pięknie! – zawołały aniołki. – Co to za muzyka taka?

– To ze zbójeckiego.

– Ach, ze zbójeckiego, ze zbójeckiego! – zaczęły wołać aniołki i klaskać w rączki. – Ach! Jak to ślicznie!

Wtem klucz zazgrzypiał w zamku, brama się otwarła; klucznik niebieski, święty Piotr, w niej stanął.

– Zwyrtała!

– Haw!

– Pójdź!

– Do nieba nie trza pytać!

Ale się w mig rozniosło po niebie, że przyszedł góral, co gra. I doniosło się do samego Pana Boga, co rano wstawszy, przed gankiem siedział i fajkę palił. Nie robił nic, bo to była niedziela.

I jeszcze Zwyrtały nie zakwaterowali, przyszedł anioł, ale już nie taki mały w białej koszulce z białymi skrzydełkami, tylko duży w zbroi srebrnej i z mieczem z płomienia u boku, a skrzydła miał tęczowe, i powiada:

– Zwyrtała!

– Haw!

– Prawda to, że ty umiesz grać?

– Prowda.

– Zbójeckiego?

– Haj.

– Zagrałbyś?

– Ze cemuzbyk ni mioł zagrać? Przed kim?

– Przed Panem Bogiem.

Skrobnął się Zwyrtała za uchem. Ale tylko raz. Galica był, a Galice wse chłopy były śmiałe.

– Zagrom.

– No, to pojdze! – powiada anioł z góralska.

– Przepytujem tyz bars pięknie, cy tys beli może kie w holak? – zapytał się Zwyrtała grzecznie.

Uśmiechnął się anioł.

– Byłem – powiada.

– Zje kie?[1] Ale prosem przebocyć, co jek telo śmiały.

---

[1] Z j e   k i e – kiedy?

– Jak się Polacy z Tatarami bili w Kościeliskach[1], do pomocy.

Z niedowierzaniem spojrzał Zwyrtała na anioła; młody był – na dwadzieścia lat najwięcej.

Roześmiał się anioł, dorozumiał się, o co chodzi.

– Tu się w niebie nie starze – mówi.

Zawstydził się Zwyrtała i odpowiada:

– Nieg sie nie cudujom. Kazbyś ta sytkiemu noroz w niebie zrozumiał? Na ziemi nie rozumies, a nie dopiero tu!

– No, chodź – rzekł mu anioł i poszedł naprzód.

Idzie ulicą szeroką (ka ta Ludźmirskiej w mieście ku niej! nic nie stoi!), po obu stronach domy srebrne, ka świenci siadajom, aż przyszli przed złoty dom, a przed domem na ganku Pan Bóg. Fajkę pokurzuje.

Pokłonił się Zwyrtała pięknie, kiwnął mu Pan Bóg głową.

A dokoła aniołowie mali, duzi, archaniołowie w złotych zbrojach, święci, święte i ci inni, co w niebie są, chłopy, baby, a bab ćma! Zleciało się to ze syćkik stron na muzykę! Cudecki robiły, tak się jedna przez drugą pchała, te dusze.

– No – ozwał się Pan Bóg – Zwyrtała, graj!

A Zwyrtała znowu się pokłonił Panu Bogu i powiada:

– Kłaniom się najpukorni Ig Miłości Wielkomoznemu Wszechmogącemu Panu, a cy tys nie wiedzom, ni ma tu jakik Podhalańców młodyk w tem niebie?

– Po co?

– Bo kie zatońcy, to się lepsi gro.

Roześmiał się Pan Bóg, dał znak aniołom. Polecieli dwa, ale wrócili z niczym.

– Jest paru, ale starych – melduje jeden.

– To na nic – powiada Zwyrtała. – Kaby ci ta stary tońceł! A kaz som jest ci młodzi? Bo ta przecie i młodemu sie trefi, co umre.

A święty Jerzy powiada:

– W czyścu by ich szukać potrzeba.

---

[1] Jak się Polacy z Tatarami bili w Kościeliskach – według podania miejscowego, zapisanego przez Goszczyńskiego, Polacy mieli walczyć z Tatarami w Dolinie Kościeliskiej w r. 1241, podczas pierwszego najazdu tatarskiego na ziemie polskie. Jednak historia nie potwierdziła tego podania – w r. 1241 Tatarzy nie zapuszczali się w Tatry i wówczas żadnej bitwy z nimi tam nie było.

– Ej, wiera[1]! Terozeście wej[2], panosku, dobrze pedzieli! W cyjscu! – powiada Zwyrtała. – Hań[3] bedom! Bedzie kerdel[4]! Jedyć wiem: Marduła Jasiek, ten, co go zabieł Brzęk spod Łysyńca, przi Howańcowej Brońci, hań; beł złodziej. Matejów Franek hań – obwiesili go w Mikułasie – cysto pieknie śtyry karcymy na Luptowie zrabowął i pozpodpalował, cy ten pote nie bedzie w piekle? Majercyk Pietrzków, co go wóz z rudom na Skupniowym Upłazie prziwaleł, straśnie sie rad bijał – e, kieby ten haw priseł! Nie było nadeń tonecnika na sto wsi dookoła!

Ale Pan Bóg skinął ręką.

– Graj.

– Jakom?

– Zbójeckiego.

– Jak zbójeckiego, to zbójeckiego.

Przykręcił Zwyrtała kołki zębami, dostroił, pociągnął smyczkiem, do ostatka wygrał od:

> Hej Janicku, serdecko,
> kaześ podział piórecko,
> cok ci dała?
>
> A jo jehoł do wojny,
> upadło mi do wody,
> duso moja! –

przez

> Hej baca[5] nas, baca nas,
> dobrych hłopców na zbój mas! –

aż do

> bo hań hamernicy[6] tańcujom! –

wygrał syćko do imentu[7].

Pokiwał Pan Bóg głową, zwidziało się[8] Mu, dopiero święci aniołowie,

---

[1] **Wiera** – zaiste, naprawdę.
[2] **Wej** – oto.
[3] **Hań** – tam.
[4] **Kerdel** – stado.
[5] **Baca** – zwierzchnik pasterzy, czyli juhasów na polanie (hali).
[6] **Hamernik** – hutnik.
[7] **Do imentu** – do końca, zupełnie.
[8] **Zwidziało się** – podobało się.

zbawieni za Nim, e tak wom powiem, to sie juz dość nakwalić nie mogli tego Zwyrtałowego grania! A on straśnie rad był, jaze mu się bausy ziżyły[1].

Hej, ale co! Pan Bóg poszedł do swojego pomieszkania, a tu dopiero święci, święte, janiołowie Zwyrtale pytać[2]:

– Graj! graj! A śpiewać umiesz?

A Zwyrtała nie odpowiedział, tylko zaraz na miętusiańskom nutę:

> Kie jo se zaśpiwom napośród polany,
> teloz by zagrały w kościele organy!... –

a wszyscy na to:

– Ach! Jak ślicznie! Ach! Jak pięknie!...

Tak Zwyrtała gra, śpiewa i co się nie robi! Idzie święty Józef, Panjezusów ociec, bez niebo, a tu słyszy duszę śpiewającą, jakom si dziewecką duse:

> Dopiro mi beło dwanaście miesięcy,
> już hodzili ku mnie hłopcy śpiwający! –

Słucha święty Józef, jeszcze się nie nasłuchał, a tu z drugiej strony jakasi męska dusza, basem:

> Kiebyś ty, dziewcyno, nie była rodzina,
> jo by tego zabił, kogoś byś lubiła!

Jeszcze się święty Józef nie osatał[3], co to, a tu, poznał, z trzeciej strony anielskim tenorem, ale to tak z góry, na moc, jaze hucało po niebie:

> Pobij, Boze, pobij, tego owcaricka,
> co jego owiecki idom do wirsycka!

Złapał się święty Józef za głowę!

– Kiz to sto dziadów?! – pada. – Je coz to takiego?!

Leci ku świętemu Piotrowi, a tu, w tym miejscu, gdzie się dusze zbawione anielskich pieśni uczyć mają, nie archanioł Gabriel pośrodku ze złotą pałeczką i trąbką stoi, tylko Zwyrtała na krześle siedzi i gra, a koło niego dusze męskie, żeńskie, aniołowie już dość zdatnie chórem:

> Podźmy jus du domu – nocka ciemna,
> oby nom nie była nadaremna,
> węgierska ślachta – piniązki mo,
> my śwarne hłopoki, to nom ik do!...

---

[1] Z i ż y ł y – zjeżyły, nastroszyły.
[2] P y t a ć – prosić.
[3] O s a t a ć s i ę – zorientować się, oprzytomnieć.

– Chryste Jezu Panie! – krzyknął święty Józef i do świętego Piotra jeszcze warcej[1] się poniósł: – Co się to robi?

Przychodzi w te razy archanioł Gabriel i powiada, że nie chce nikt w niebie inaczej śpiewać, tylko po góralsku. Nawet święta Cecylia[2].

– Zwyrtała ich uczy – powiada – cud się robi! Nowych pieśni się mieli nauczyć, jutro święto Matki Boskiej Zielnej, nie umie nikt nic!

Przyszła noc, słuchają: stąd i stąd idą góralskie nuty, całe niebo jaz giełcy[3]!

Na rano powiada święty Pieter do archanioła Gabriela:

– Tak nie może być. Nie zawołałby pan tego Zwyrtały?

– A dobrze.

Idzie Zwyrtała, gęśle[4] pod pachą: pokłonił się.

– Zwyrtała! – powiada święty Piotr. – Nie poszedłbyś ty gdzie indziej?

– Z haw stela[5]?

– Tak.

– Z nieba?

– Aha!

– Ze ka[6]?

– Ka? – powtórzył święty Piotr. – Toteż to... – I zamyślił się.

– A bez co tak? – pyta się Zwyrtała. – Dej[7] mie haw po śmierzci posłali.

– Toteż to właśnie...

– Nie krodek, nie zabijał, nie bieł sie.

– Wiem, wiem!

– No to co?

– Ale wszyscy w niebie po góralsku śpiewają, odkądeś ty tu!

– E! To to to?

– Zwyrtała! – powiada święty Piotr (zatrzymał się). – Hm – z nieba, no to gdzie?

A Zwyrtała pomilczał trochę, skrobnął się za uchem i mówi:

---

[1] W a r c e j – szybciej.
[2] Ś w i ę t a C e c y l i a – patronka śpiewu i muzyki.
[3] G i e ł c y ć – rozlegać się.
[4] G ę ś l e – skrzypce góralskie wyżłobione w jednym kawałku drzewa.
[5] Z h a w s t e l a – stąd.
[6] Z e k a? – ale dokąd?
[7] D e j – przecież.

– E, prosem Ig Miłości, o to niek Ig głowa nie boli! Na mnie to ta hojco przistanie[1]! Idem!

– Dokąd?

– Je skondek prziseł.

– Na ziemię?

– Ze ba haj[2].

– Ja cię myślałem na jaką gwiazdę dać...

– Nie pytom! Nijakik gwiazdów nie trza sukać! Idem hań, dołu.

– Z nieba?

– E, moji ślicni piekni, jo i tam niebo nojdem! Beem se hodzieł po lasak, po dolinak grajęcy. Beem strzóg, coby starodawne nuty nie wymarły. Siednie hłopok z gęślami przi owcak – zagrom mu cichućko za turnie[3]. Zaśpiewo dziewce za krowami w upłazie – pomogem jej. Pudom starzy gazdowie w las, drzewo ścinać, zabrzęcem im za usami, jako ojcowie grawali.

A nie bedzie nikogo, to bedzie woda po potokak, bedom stawy zamarź-nione, ka wiater gwizdo lodami, bedzie las, mnie sie hań nie ukotwi ani za niebe nie zacnie[4]. Jo kiek zeł, to nieroz Pana Boga pytał, coby mi po śmierzci jino wiecnie w holak ostać podzwoleł. Jo o inkse niebo nie stojem, anibyk gór na inacy, hojby[5] mi siedem niebów dawali, nie mieniał!

– No, to, Zwyrtała, idź, bobyś nam tu całe niebo zgóralszczył! A nie bedziesz se krzywdował?

A Zwyrtała aż skrzypce ze smyczkiem ku głowie podniósł!

– Mnie hań niebo, ka i serce! – powiada.

I pokłonił się pięknie, i wyszedł za niebieską bramę na gościniec ku Ziemi – noc była. Mleczną Drogą na dół szedł, skrzypce pod pachą niesęcy, a kiedy się już na ślebodzie[6] uczuł, krzyknął: – Hu ha! – i z góry w nutę uderzył:

Górol jo se górol! spopod samyk Tater!
Descyk mnie odkompał, odkołysał wiater!

Krzywaniu, Krzywaniu, coś ty tak osowiał!
Cy cie śnieg przipróseł, cy cie wietrzyk owiał?

---

[1] Hojco – cokolwiek. Na mnie to ta hojco przistanie – mnie cokolwiek wystarczy.

[2] Ze ba haj – ależ tak.

[3] Za turnie – za turnią, za skalistym szczytem.

[4] Mnie sie nie zacnie – nie zatęsknię.

[5] Hojby – choćby.

[6] Na ślebodzie – na swobodzie.

Hej, kozicki, kozicki, wtórędyś hadzajom?
W Dolinie Piotr-zystej tam one bywajom!

Janicku, Janicku, sto hromów do tobie,
po całej dziedzinie idzie hyr[1] o tobie!

Nie wstycie sie, ludzie, macie zbója w rodzie,
zbójnik pudzie w niebo na samiućkim przodzie!...

I szedł dalej Zwyrtała śpiewający Drogą Mleczną w dół, aż zeszedł ku
szczytom na skalne perci[2] i wstąpił w głębinę Tatr.

---

[1] H y r – sława.
[2] P e r ć – ścieżka górska.

Władysław Stanisław Reymont

O NAROWISTYM KONIU

Jeden biedny gospodarz pięciomorgowy miał konia, ale tak narownego i próżniaka jak mało, próżno mu dogadzał, owsem pasł, a nie dogodził, koń robić nie chciał, uprzęże rwał i kopytami bił, że ani dostąpić...

Pewnego razu zeźlił się chłop srodze, założył go do pługa i począł umyślnie orać stary ugór, by go przemęczyć i do pokory nagiąć, ale koń ciągnąć nie chciał, sprał go tedy kozicą, co wlazło, i przymusił; koń robił, jeno że sobie to miał za krzywdę i zapamiętał dobrze, aż i wyczekał na porę sposobną, kiej gospodarz razu jednego schylił się, by mu pęta zdjąć z kulasów, trzasnął go zadnimi kopytami i na miejscu zabił, a sam w cały świat pognał na wolność!

Latem było mu niezgorzej, w cieniach się wylegiwał i w cudzych zbożach wypasał, ale skoro nadeszła zima, spadły śniegi, mróz chwycił, paszy brakło i ziąb przejmował go do kości, to popędził znowu dalej szukać strawy, leciał tak dnie i noce, bo wciąż była zima, śniegi i mrozy, a wilki tuż za nim, że mu już niejeden dobrze boków pazurami zmacał!...

Bieży, bieży, bieży, aż i wyszedł na kraj zimy, w jakąś łąkę, gdzie ciepło było, trawy po kolana, źródełka bełkotały i skrzyły się w słońcu, cienie chłodne chwiały się nad brzegami i wiaterek miły przeciągał, wparł się wnet w trawę i dalej żreć, bo zgłodniały był do cna – ale co chyci zębcami trawy, to ino ostre kamienie przegryza – trawa zniknęła! Wody chciał popić – nie było, ostało jeno błocko śmierdzące; położyć się chciał w cieniu – cienie odlatywały, a słońce żarło żywym ogniem! Cały dzień się tak trudził i na darmo! Chciał już wrócić do borów – borów nie było!

Zarżało konisko boleśnie, odpowiedziały mu jakieś konie z dala, powlókł się za głosem i w końcu dojrzał za łąkami jakiś dwór sielny, jakby cały ze srebra, szyby miał z drogich kamieni, a strzechę kieby z nieba nabitego gwiazdami, ludzie tam jakieś chodzili. Powlókł się do nich, bo już wolał nawet pracować ciężko, niźli z głodu marnie ginąć... Przestojał na skwarze dzień cały, bo nikto z uzdą do niego nie wyszedł, dopiero o wieczornym czasie wychodzi ktosik ku niemu, jakby sam gospodarz! Jezus ci to był, on Gospodarz Przenajświętszy, on Pan Niebieski i rzecze:

– Nic tu po tobie, wałkoniu i zabijaku, jak błogosławić będą ci, co cię teraz przeklinają, każę cię wpuścić do stajni.

– Bił me, tom się bronił!

– Za bicie przede mną sprawa, ale i sprawiedliwość ja w ręce trzymam.

– Takim głodny, takim spragniony, takim obolały! – jęczało konisko.

– Rzekłem swoje, ruszaj precz, wilkom cię każę jeszcze szczuć i poganiać...

To i zawróciło konisko do zimowego kraju i wlekło się o chłodzie i głodzie, a w wielkim strachu, bo wilki, jako te psy Jezusowe, poganiały pilnie, strasząc go wyciem, aż i pewnej nocy zwiesnowej stanął przed wrótniami swojego gospodarza i zarżał, by go przyjęli z powrotem, ale na to wyleciała wdowa z dziećmi, a poznawszy go, choć tak był zbiedzony, nuż go prać, czym popadło, odganiać a wyklinać za krzywdy, bo bez tę śmierć chłopa pobidniała i w wielkiej nędzy żyła wraz z dziećmi.

Nawrócił do borów, bo już nie wiedział, co począć, opadły go zwierzaki, nie bronił się nawet, zarówno mu już była i śmierć, ale one go ino obmacały i starszy powiedział:

– Nie zjemy cię, boś za chudy, skóra i gnaty, szkoda pazurów, ale ulitujem się nad tobą i pomożemy...

Wzięły go między siebie i powiedły rankiem na gospodarzowe pole i założyły do pługa, któren stał na roli, wdowa nim orała wraz z krową i dziećmi.

– Poorzą tobą, podpasą, to jesienią powrócim cię wyprząść! – powiedziały.

O dniu nadeszła wdowa i poznała go naraz, to choć krzyknęła zrazu, że to cud, iż powrócił i stał już w pługu, ale rychło żałośliwość przypominków tak ją objęła, że zaczęła znowu wyklinać i bić, co ino wlazło! Robiła też w niego potem, robiła a odbijała się za krzywdę! Całe lato tak szło, w ciężkiej, cierzpliwej pracy, bo choć koniskowi skóra się odparzała od chomąta, ani zarżał, wiedział, iż cierzpi sprawiedliwie. Dopiero w parę roków, kiej wdowa się dorobiła nowego chłopa i tych morgów, co po sąsiedzku szły wpodle, zmiękła la konia i powiedziała:

– Ukrzywdziłeś nas, ale za twoją sprawą Pan Jezus pobłogosławił, rodziło się, chłop się niezgorszy trafił, rolim przykupiła, to ci już z serca odpuszczam.

I zaraz tej samej nocy, kiej w chałupie chrzciny sprawiali, przyszły Panajezusowe wilki, wyprowadziły konia ze stajni i powiedły do niebieskiej zagrody!

Wacław Sieroszewski

INWALIDZI

Zbliżał się wieczór, deszcz mżył, na czarnej błotnistej drodze było zupełnie pusto. Jedyny przechodzień, wielki żylasty kogut, kroczył po niej niezmiernie wolno, wysoko podnosząc chude nogi nad kałużami wody. Za każdym krokiem wspaniały, ale obwisły grzebień trząsł mu się nad dumnie wzniesionym dziobem; wiatr bawił się poufale z pięknym, ale przerzedzonym ogonem. W ruchach wędrownika poprzez światowe pozory przezierała pewna nieśmiałość i nawet trwoga. Gdy większa kropla deszczu spadała mu niespodzianie na grzbiet, podskakiwał niezgrabnie z groźnym „ko-ko-ko!" po czym znów szedł dalej wytrwale, oglądając się co chwila wokoło. Widać było, że szuka na noc spoczynku. Ale nigdzie, jak okiem sięgnąć, nie było widać najmniejszej drzewiny, krzaczka, nawet żerdki płotu; czarne role, rude rżyska, błotniste pastwiska ciągnęły się daleko, aż hen, do zamglonego i ciemniejącego widnokręgu. Może tam był bór, lecz trudno było rozpoznać to poprzez deszcz i zmierzch.

„Gdyby choć jaki wzgóreczek, jaki kamyk przydrożny, z którego można by obejrzeć okolicę i wyrozumieć, czy jest choć odległa nadzieja przytułku! A to na deszczu, na drodze, po nocy, jak jaki pijaczyna!... Fi! Ko-ko-ko!" – rozmyślał sobie kogut.

Wtem poweselał i nawet zrobił lekki ruch skrzydłami: o kilka kroków na brzegu rowu słabe jego oczy rozpoznały ciemny przedmiot, podobny do kamienia.

„Postoję choć chwilkę albo przysiądę, żeby mi łapy obeschły i ogrzały się!" – pomyślał i zboczył cokolwiek z prostej linii.

Lekko, jak za dawnych, dobrych czasów, podskoczył strzepnąwszy skrzydłami i spadł z wyciągniętymi nogami na kamień.

Ale wtenczas stała się rzecz niesłychana: kamień miauknął, parsknął i skoczył w bok, gdzieś w ciemności, a kogut, ratując się od strasznego upadku, musiał rozpostrzeć całkowicie skrzydła. Mimo to znalazł się w brudnej, cuchnącej wodzie w rowie.

– Kto-kto-kto-kto?! – zagdakał groźnie. – Cóż to za niemądre figle? Udawać kamień przy drodze po nocy i w deszcz! Zabłociłem sobie całe ubranie! W takim stanie ani myśleć o przyzwoitym noclegu... Najmniej wymagająca kura wyrzuci mnie za drzwi! I co to mogło być?... Przecie nie lis, nie kuna ani łasica, gdyż już byłoby po mnie. Było to jednak coś, co skądciś znam! Ciepłe i sierścią porosłe!... W każdym razie żywe stworzenie! Hej, przyjacielu!

– Miau! – odpowiedział cichy głos z ciemności.

– Powtórz głośniej! Nie żałuj gardła! Cóż za dziwny, utrapiony i coraz powszechniejszy obyczaj mamlać nazwisko niewyraźnie pod nosem!

– Miau! – powtórzył głos już bliżej.

– Aha! Zdaje mi się, że poznaję. Wszak to pan Kot!

– Miau!

– A cóż, u licha, waszmość tu robi na drodze o tej porze?! Udajesz kamienie, podróżnych straszysz, godnym osobom nogi wykręcasz!... Koko! Co to jest?

– Robię to, co i pan. Idę przed siebie, a że zmęczyłem się, więc przysiadłem wypocząć na suchym miejscu!

– Gdzież pan podział oczy? Czy nie widziałeś, że idę w tym samym kierunku?!

– Oczy mam, ale zamknąłem je właśnie na chwilkę! A pan dobrodziej nie ma oczu?

– Hm... Owszem... To jest... miałem bardzo dobre... Mogłem jednym oczkiem dojrzeć w niebiosach jastrzębia... a w trawie po małym przebłysku piórek od razu poznawałem moje kury i kurczęta. Teraz pozostał mi jeszcze dobry słuch! Wszak poznałem pana z tak dalekiej odległości jedynie po głosie!

– Nie jestem bardzo daleko. Co najwyżej na wyciągnięcie dwóch łapek – skromnie zauważył kot.

– To nic nie znaczy, zawsze przecie poznałem pana! Więc co pan tu robi?

– Idę, gdzie mnie nogi poniosą. W chwili gdy mi pan spadł na kark, myślałem o tym, jakby dobrze było znaleźć na noc jaki suchy zaciszny kącik.

– O tak! Przydałaby się jaka przestronna komórka z dobrym drążkiem. Nie wie waszmość o czymś takim w pobliżu?

– Nie, nie wiem, na nieszczęście.

– To waszmość nietutejszy?

– Owszem, tutejszy jestem, ale nigdy jeszcze nie zdarzało mi się odejść tak daleko od domu.

– I cóż za nagła potrzeba wypędziła waszmości po nocy i w deszcz na taką odległość od wioski? Możemy iść razem i może pan opowiadać swoje przygody dla skrócenia czasu. Tylko proszę nie żałować gardła, gdyż choć słuch zachowałem wcale niezły, lecz szum wiatru, plusk deszczu i własne nasze kroki będą zapewne utrudniały słuchanie.

– Trudno mi mówić głośno! W dodatku historia wcale nie jest ciekawa – zauważył ostrożnie kot. – Póki byłem młody i zwinny, miałem ostre pazury i zęby, służyłem ludziom. Pilnowałem ich dobytku i zapasów, bawiłem się z ich dziećmi... Teraz, kiedym się zestarzał, kiedy myszy i szczurów łowić po dawnemu nie mogę, wygnali mnie w taką pluchotę, w takie wietrzysko i zimnisko na noc, wygnali mnie! Straciłem posadę!

– To... to samo... ze mną – gdaknął kogut. – Budziłem ich co rano, przepowiadałem pogodę, stróżowałem drób przed napastnikami, upiększałem im moją postawą podwórko! Tyle lat, tyle lat... Już doprawdy sam nie pamiętam, kiedy tego był początek. A teraz muszę tułać się na starość! Czy to odpowiada mojej godności taka podróż w szarugę, w porze kiedy wszystkie porządne kury na całym świecie dawno już śpią?! Nie wiem nawet, gdzie dziś mój dziób przytulę. Jesteśmy, widzę, braćmi w nieszczęściu. W dodatku ja mam niezły słuch, a waszmość, o ile sądzić mogę z blasku twych oczu, masz jeszcze niezgorszy wzrok, będziemy sobie dopomagali! Założymy towarzystwo! Czy zgoda?

– Owszem – odpowiedział kot. – Tym bardziej że żaden z nas nic na tym nie straci!

Poszli razem krawędzią błotnistej drogi. Przodem kroczył, potrząsając grzbietem, kogut, a za nim biegł skulony kot.

Ciemno było, choć oko wykol. Na domiar wiatr i deszcz wzmógł się znacznie i biedne stworzenia, zmokłe i przeziębłe, z rozpaczą myślały, co z nimi będzie.

Wtem kogut zatrzymał się niespodzianie.

– Słuchaj, waszmość, wytęż oczy i przypatrz się dobrze, bo wydaje mi się, że drogą nadjeżdża jakiś wóz albo raczej samochód... Okropne sapanie! Może nas przejechać, jeżeli nieopatrznie odskoczymy w nieodpowiednią stronę.

– Nic nie słyszę, ale i nic nie widzę. A więc nie jest to samochód, skoro ma takie same ślepia jak i ja, tylko duże! – dowodził cichutko kot.

Nie zdążył jednak skończyć, gdy ze strasznym sapaniem i tupotem wtoczyło się na przyjaciół coś czarnego, wielkiego.

– Kto-kto-kto?! – krzyknął kogut podskakując jak piłka do góry, a kot przywarował niziutko przy ziemi, pełen śmiertelnego przerażenia.

– Wrrr! – warknął potwór zatrzymując się i nawet cofając w tył. – Cóż to za rozboje.po drogach?! Proszę się rozejść, bo będę strzelał! Od niejakiego czasu w całej okolicy straszne nieporządki! Nikt ani w domu, ani na drodze nie jest pewien swego mienia i życia. A mimo to są głupcy, którzy wyrzucają z mieszkania wiernych, doświadczonych stróżów!

– Co słyszę?! Kochany Bryś-Brysiński! Dobry znajomy z sąsiedniego podwórka! – ucieszył się kogut. – Cóż to się stało? Gdzie to tak pan pędzi po nocy? Czy może jedzie za panem gospodarz na wozie i zgodzi się nas podwieźć do noclegu?

– Ale!... – roześmiał się gorzko Bryś-Brysiński. – Właśnie dlatego leciałem jak wściekły, że mnie skrzywdzono. Póki byłem młody, trzymano mnie, korzystano z mych usług. Lata całe spałem jednym okiem, niepokojony wciąż rozmaitymi głosami, rozmaitymi zapachami, rozmaitymi widokami, wśród których musiałem rozpoznawać przyjazne dla człowieka lub wrogie mu rzeczy. Więziono mnie na łańcuchu, karmiono byle czym, ale wszystko znosiłem cierpliwie za dobre słowo, za krótką pieszczotę. Myślałem, że mnie kochają. W tej służbie starałem siły, straciłem zęby, ogłuchłem, oślepłem... Przestałem być groźnym Brysiem. Cóż ja temu winien?! A przecie za to właśnie wygnano mnie. Gdzie się obecnie podzieję? Kto mnie weźmie? Nawet nie mam gdzie łba przytulić w taką noc ciemną i zimną... Czy to uczciwie tak postąpić ze starym sługą?

– Słusznie! Słusznie! – gdakał kogut. – Ale trzeba sobie radzić! Założyliśmy tu z panem Kotem towarzystwo wzajemnej pomocy „Nic do Stracenia". Ponieważ jesteś pan w tym samym położeniu, co i my, to może się pan do nas przyłączy.

– Owszem, mogę! – burknął Bryś-Brysiński.

– Bardzo to dla nas pochlebne, tym bardziej że pan o wiele lepiej od nas zna okolicę – miauknął grzecznie kot.

– I zachował pan pewnie niezgorzej choć jeden z pięciu zmysłów? – dodał poważnie kogut.

– Nie powiem – przyznał się szczerze Bryś. – Chyba węch?... Tak, być może, że pozostało mi trochę węchu...

– Doskonale. Interesy towarzystwa na dobrej drodze... Mamy słuch, wzrok, powonienie, smak i dotyk.

,– O, z wielką przyjemnością dotknąłbym się ciepłej pościeli i zjadłbym cośkolwiek! – szczeknął wesoło Bryś-Brysiński.

– O, i ja również! – dodał nieśmiało kot.

– Nie traćmy czasu na próżne gawędy! – gdaknął kogut i ruszył naprzód, wstrząsając dumnie grzebieniem.

Poszli już we trzech po drodze czarnej jak węgiel, w ciemnościach tak głębokich, jak gdyby całkowicie już i na wieki zjadły wszelkie światło. Grzęźli w błotnistych wybojach, potykali się w koleinach, pluskali w kałużach jak kaczki, gdyż nie rozróżniali nic a nic i poznawali zasadzki dopiero z własnych, bolesnych doświadczeń. Coraz to któryś pojękiwał lub stukał się w gwałtownym upadku o sąsiada.

– A to noc!

– Oj! oj! Wrrry!

– Ko-ko-ko!

– Miau!

Mimo to ostre oczy kota i w tym mroku zdołały coś rozpoznać.

– Stójcie, panowie! Przed nami coś stoi... Zdaje się, że to brama. Z boków widzę słupy... górą ciemny dach, a pośrodku prześwieca kwadrat powietrza...

– Cóż u licha! Czyżby to była brama karczmy „Przepadły Grosz"? Niepodobna! Zbyt blisko. Zresztą, albo ja wiem, leciałem jak szalony i nie wiem, jaką przebyłem przestrzeń – warczał Bryś-Brysiński.

– Mnie się zdaje, że obszedłem już pół kuli ziemskiej. Nigdy a nigdy nie chodziłem tak daleko! – bąknął kogut.

– W każdym razie dobry to znak, skoro mamy dach. Schrońmy się pod nim, osuszmy trochę, rozejrzyjmy i naradźmy, co robić dalej – radził przezornie kot.

Schowali się i już radzi byli, że im na głowę nie kapie, gdy nagle Bryś--Brysiński wrzasnął i rzucił się w bok, gniotąc towarzyszy.

– Ojej! Słup się rusza, słup się wali!... Uciekajcie, bo dach nas przydusi!

Prysnęli w popłochu na wszystkie strony, a trwogę ich powiększył straszny ryk, jaki nad ich głowami rozdarł nagle powietrze:

– Ycha! Ycha! Iyacha-cha!

– Dostałem słupem w bok, ale wydaje mi się, że on miał kopyta – miauczał uciekając kot. – Ale co znaczył ten ryk?

– To był trzask walącego się budynku – pouczał kolegę Bryś, mknąc w ciemnościach obok niego.

– Panowie, panowie! Poczekajcie! Wracajcie! Omyłka! To nic złego, to osioł ogrodnika – zawołał za nimi na całe gardło kogut.

– Cóż to pan wybrał sobie taki postój niezwykły pośród przejezdnej drogi? Co pan tu robi? – warczał, wracając, pies.

– Jak pan widzi: stoję sobie – odrzekł flegmatycznie osioł.

– Stoi pan? Po nocy? W deszczu? Sprawa, widzę, bardzo niewyraźna. Bo przecież nie będzie pan w nas wmawiał, że wywabiła go z ciepłej stajenki w taką pogodę chęć obserwacji komety Halleya[1]?... – dogryzał podejrzliwie Bryś.

– Owszem, owszem! To jest bardzo możliwe! Pan Kłapouch zawsze odznaczał się pociągiem do rozmyślań i astronomii. Znam go bardzo dobrze! – bronił osła kogut.

– I nawet nieraz korzystałeś pan z tej mojej namiętności i wyjadałeś mi w czasie moich rozmyślań wszystek owies ze żłoba! – dorzucił dobrodusznie osioł.

– Cha, cha! Zdarzało się! – rozśmiał się wesoło kogut. – Ale bez żartów, czego pan tu po nocy szuka?

– Poprawy swego losu! Dopóki byłem młody, póki mogłem wozić ogromne ciężary, trzymano mnie. Teraz, gdy osłabłem, pożałowano mi tej odrobiny siana i kawałka dachu nad głową. Wypędzono na rozstaje. Jestem bezdomnym włóczęgą...

– Hm! To coś jak my wszyscy – miauknął kot. – W takim razie może by pan przyłączył się do naszego towarzystwa „Nic do Stracenia"? Im więcej członków, tym lepiej!

– Towarzystwo „Nic do Stracenia" – powtórzył osioł. – Pozwólcie mi pomyśleć. Właściwie mam bardzo wiele do stracenia: mam grubą i całą dotychczas skórę i duży brzuch! Ale ponieważ boję się nade wszystko wilków, a tu jest Bryś-Brysiński, o którego odwadze wiele słyszałem, więc gotów jestem przyłączyć się do was!

---

[1] K o m e t a   H a l l e y a – kometa to duże ciało niebieskie, biegnące drogą bardzo wydłużoną wokół Słońca, złożone z gwiazdy i świetlnej smugi, czyli ogona; wielka kometa Halleya jest widziana z Ziemi w określonych odstępach czasu, obliczonych przez słynnego astronoma angielskiego Edmunda Halleya (1656–1742). Halley widział tę kometę w r. 1682, potem zgodnie z jego obliczeniami pojawiła się w r. 1759, 1835 i 1910, właśnie wtedy, kiedy Sieroszewski pisał baśń Inwalidzi.

– Więc zgoda! Czegoż stoimy na miejscu? Nogi mi zupełnie zdrętwiały! Ruszajmy! Co za dziwne upodobanie moknąć na deszczu! – gorączkował się kogut.

Poszli dalej, cisnąc się do osła, który bądź co bądź chronił ich swoją osobą oraz bokami wystającego brzucha od wiatru i nawet od deszczu.

– Łaskawy pan rozumie... że choć towarzystwo nasze nie ma „nic do stracenia", ale każdy doń wniósł coś, bo bez tego nie ma towarzystwa! – gadał grzecznie kot, kręcąc się między nogami osła i zręcznie unikając nadepnięcia jego twardych kopyt.

– Pan Koguciński wniósł wcale niezły słuch, ja – resztki mego wzroku, a pan Bryś-Brysiński – węchu...

– Wcale nie resztki, ale cały, zupełnie jeszcze przyzwoity węch! Wypraszam sobie przekręcanie moich słów! – oburzył się Bryś.

– Nie mówiłem nic podobnego! – bronił się kot.

– Dobrze. Pogodzę was. Ofiaruję wam mój dobry smak – sapnął osioł.

– Cha, cha! Znalazłoby się więcej takich amatorów! – roześmiał się kogut.

– W tym wypadku chodzi nam nie o to – łagodnie wtrącił kot. – Szanowny pan ma o wiele większe, a bardzo pożądane dla naszego towarzystwa zalety! Potężny głos, okazałą figurę, pełne łagodności i powagi zachowanie się. Właściwie nie mieliśmy do tej pory prezesa. Proponuję szanownym członkom pana Kłapoucha naszego przedstawiciela.

– Bardzo mi to pochlebia, ale...

– Żadnych ale! Wybrany jednogłośnie! – zaczęli wołać wszyscy.

Jeszcze się osioł namyślał, jeszcze rozważał strzygąc w ciemnościach ogromnymi uszami, kiedy Bryś już zaszczekał zajadle:

– Przede wszystkim będziesz pan obowiązany czuwać nad naszym bezpieczeństwem i załatwiać wszystkie sprawy z ludźmi i policją.

– A, co najważniejsza, musi pan zaraz obmyślić, jak dostarczyć nam pokarmu i schronienia! To-to! – gdaknął kogut.

– Hm... – mruknął prezes. – Wątpię, aby nam się to udało bez pomocy człowieka. Z czasem może, kiedy przyzwyczaimy się do wolnego życia... ale teraz radzę poszukać człowieka.

– Dawno to mówiłem! Ko-ko! – krzyknął kogut.

– A ponieważ jesteśmy właśnie na krawędzi lasu, więc może poślemy kogo na drzewo, aby rozejrzał się po okolicy – radził kot.

– Racja – zgodzili się wszyscy i skierowali ku pierwszemu z brzegu drzewu, czerniejącemu w ciemnościach.

Ostrożnie przedzierali się przez ciernie, głogi i leszczynowe krzewy leśnego podszycia, gdyż w nocy o wypadek nietrudno. W górze nad nimi szumiały konary wyniosłych sosen, zrobiło się cieplej, ale za to ciemniej. Nawet kot widział już bardzo mało. Była to bardzo niemiła okoliczność. Toteż kiedy idący przodem kogut wrzasnął niespodzianie:

– Kto-tu?! kto-tu?! kto-tu?!

Bryś, niewiele myśląc, rzucił się w tył na drogę, ze skowytem:

– Wilki!

Za nim pomknął z kopyta pan prezes, nad nimi leciał z rozpiętymi skrzydłami i rozwartym dziobem kogut. Kot nie zdążył za nimi, więc skoczył na drzewo i uchwycił się pazurami sęczka. Wilczysko było tuż pod nim, słyszał wyraźnie jego groźne sapanie. Tymczasem zdarte na długoletniej służbie szpony kota ześlizgiwały się z twardego drzewa, stężałe od starości członki mdlały i odmawiały posłuszeństwa. Nieszczęśliwy podróżnik nie tylko nie mógł wyżej się wdrapać, ale przeciwnie, obsuwał się z wolna coraz niżej ku wilczej rozsapanej paszczy. Już dotykał ogonem ziemi i czekał, zmrużywszy z przerażenia oczy, że lada chwila wpiją mu się w grzbiet okrutne kły drapieżnika. Wilk się jednak nie śpieszył. Wtedy kot skoczył ostrożnie w bok i trafiwszy między korzenie przywarował w małym dołeczku. Dołeczek okazał się suchy, miły i gościnny. Kot nabrał otuchy, roztworzył, jak mógł najszerzej, swe samoświecące oczyska i rozejrzał się. Wilka nigdzie nie było, natomiast pod drzewem, wtulony w niewielkiej wypróchniałej w pniu dziupli, spał mały, biednie ubrany chłopczyna. On to tak sapał, pojękiwał i popłakiwał przez sen, że można go było w ciemnościach wziąć nawet za coś gorszego od wilka. Kot zbliżył się, powąchał nieznajomego, wsłuchał się w jego oddech i... usiadł mu na zziębłych kolanach. Chłopak przez sen przytulił go radośnie do siebie.

Tymczasem towarzystwo „Nic do Stracenia" pędziło po drodze z wichrem w zawody. Wreszcie kogut, straciwszy dech, zatrzymał się.

– Czy wszyscy są? Gdzie jest Kot, panie prezesie!

– Ale!... Gadaj zdrów! Co mnie to obchodzi?! – mruczał, brykając dalej, osioł.

– Tak się nie godzi! – wołał kogut czując, że opuszczają go siły. – Porzucić towarzysza na pewną śmierć!... Przecież obiecaliśmy sobie pomagać?!

– Ale nie wobec wilków! Zawsze dbałem o całość mej skóry i mojego żołądka! – dowodził osioł.

– Łatwo żądać tego waćpanu, który w każdej chwili możesz bezpiecznie wznieść się do góry jak aeroplan! – warczał Bryś.

Zatrzymali się jednak i zwrócili mordami pod wiatr.

– Coś nie czuć wilka – bąknął Bryś. – Może się panom wydawało?

– Dobre sobie! A któż to dał pierwszy hasło?

– To nie było hasło, to była tylko przestroga! To był mój obowiązek! A pan pierwszy drapnąłeś. A zresztą myśmy wszyscy obowiązani regulaminem naśladować prezesa! Co? Może nie? – odszczekiwał się Bryś.

– Nie ma się o co kłócić! Stało się! – godził się kogut. – Poradźcie lepiej, co teraz robić.

– Zapewne. Najlepiej, żebyś ty, kogucie, poszedł i zobaczył, co się tam dzieje. A my tu będziemy stali w odwodzie – postanowił osioł.

– I w chwili odpowiedniej pośpieszymy z pomocą – dodał pocieszająco Bryś.

Kogut przeżegnał się nieznacznie prawym skrzydłem, westchnął i ruszył odważnie z powrotem. Prześliznął się cichutko popod krzewami zagajnika i po świecących gwiazdach oczu poznał kota w cieniu grubego pnia.

– To pan? Cóż pan tu siedzisz? Bardzo się niepokoimy o zdrowie pana... a pan tu wysypia się! Znalazł pan dobry kącik! Wilk widocznie uciekł, wystraszony tupotem naszego prezesa.

– Wcale go nie było!

– Cóż więc tak strasznie sapało i ruszało się tutaj?

– Chłopiec. On tutaj śpi pod drzewem. Biedulek, zziąbł strasznie. Ogrzewam mu właśnie kolana.

– Nie masz pan nic lepszego do roboty, i to w chwili, kiedy całe towarzystwo poszukuje stałej i poważnej pracy? Co?!

– Właściwie myślę o tym, jakby i jego przyciągnąć do naszego towarzystwa. Wyobraź sobie, panie Kogucie, co to za wspaniała rzecz: człowiek członkiem towarzystwa „Nic do Stracenia"! Co za interesa będziemy mogli przedsiębrać!...

– O! Tak! Doprawdy! Znakomity interes! Zawsze mówiłem to samo! Idę po tamtych! – gdaknął kogut. – Chodźcie, chodźcie! Znaleźliśmy człowieka!

– Co ty mówisz! – szczeknął pies.

– Ycha-cha-ichu! – ryknął radośnie pan prezes, podążając truchcikiem w stronę koguta.

Ten doprowadził ich pod drzewo. Przy świetle kocich oczu obejrzeli śpiącego chłopca.

– Taki mały!... – wykrzywił się pies. – I wcale nie ma butów, a ubranie w łachmanach.

– Pan byś zaraz chciał bogacza! – oburzył się kogut.

– Bogacze mają twarde serca! – miauknął pojednawczo kot. – Zresztą, nie sypiają w deszcz pod drzewami. Nie znaleźlibyśmy ich więc nigdy. Przypuszczam wszakże, że i tego biedaka byłoby dobrze zjednać dla naszego towarzystwa! Zawsze co człowiek, to człowiek!

– Tak, tak! – mruknął prezes, trącając śpiącego mordą w piersi. – Kto jesteś, chłopcze?

Chłopiec zbudził się i zerwał z lekkim krzykiem. Zrzucony kot spadł na ziemię i potoczył się na psa, który wyszczerzył zęby z przyzwyczajenia i już miał ochotę zrobić burdę.

– Kto jesteś? – powtórzył poważnie osioł.

– Jaś jestem! Jasiek sierota!

– Cóż tu robisz?

– Darujcie, panowie policja, zdrzemnąłem się trochę... Nie wiedziałem, że nie wolno.

– Cha, cha! – rozśmiał się Bryś-Brysiński. – Spać należy w domu.

– Nie jesteśmy policją, ale stowarzyszeniem ,,Nic do Stracenia", które poszukuje dla swych członków uczciwego zajęcia, zarobku, pracy, miejsca lub czegoś podobnego. Może pan wie o jakiejś porządnej posadzie, na przykład dla osła przy ogrodniku?

– Albo dla wielce obowiązkowego, trzeźwego koguta? – wstawił kogut.

– Albo dla wiernego, nieposzlakowanego psa? – dodał Bryś.

– Albo dla niezupełnie jeszcze starego kota? – miauknął kot.

– Jeżeli zaś sam nie masz zajęcia i przytułku, to możesz się do nas przyłączyć – zakończył poważnie osioł.

– Ach, panowie, w samą porę przychodzicie! Do grobu będę wam wdzięczny, gdyż właśnie kowal, u którego byłem w terminie, wypędził mnie – szepnął Jaś.

– Za cóż to? – zapytał ze współczuciem kot.

– Za to, że za mało pracuję. A ja nie mogę więcej. Mówi, że dużo jem, a ja zawsze głodny jestem...

– Dobrze. Jesteś przyjęty, mianuję cię moim sekretarzem! – ryknął osioł. – A teraz, sekretarzu, obmyślij, jak tu dostać ciepły nocleg i pożywną strawę!

Jasiek podrapał się w głowę.

– Myślę, że najlepiej iść... do leśniczówki. Leśniczowa gruba i dobra, może się da ubłagać.

– O tak! Ale leśniczy prędki i nosi nahajkę! Wiem ja coś o tym! – zaskomlał Bryś-Brysiński.

– Nie ma wyboru – rzekł osioł. – A daleko to stąd?

– Nie, niedaleko. Trzeba podsadzić kota na drzewo, niech wypatrzy, w której stronie światełko.

– A może lepiej ja frunę? – ofiarował się Koguciński.

– Machaj! – krzyknął nowy sekretarz, podnosząc do góry koguta.

Na ten głos raźny we wszystkich wstąpiła otucha, a gdy z wierzchołka sosny kogut obwieścił, że widzi mocne światło i wcale niedaleko, ruszyli wesoło we wskazanym kierunku.

I zaraz pogoda odmieniła się, deszcz ustał, wiatr ucichł i na niebie zabłysły gwiazdy.

Wkrótce znaleźli się przed dużym, ciemnym budynkiem, w którego oknach gorzało rzęsiste światło. Zastanowiło ich jednak, że okna były otwarte, a w pokojach widać było kręcące się figury w kapeluszach i czapkach na głowach.

– Co to? – Wesele?!... – spytał kogut.

– Prędzej pogrzeb! – miauknął kot.

Wtem z jednego okna wyleciał wielki węzeł.

– Cicho! To złodzieje!... – szepnął Jasiek.

– Złodzieje? Zaraz będę szczekał! – oburzył się Bryś.

– Ee! Głupiś! Jeszcze cię zastrzelą! Nie widzisz, że mają flinty na ramionach? Wiecie co: ja tak myślę, że my przekonajmy się dobrze, co to jest, bo to może i nie złodzieje, a po prostu pożar... Więc tak zrobimy: ponieważ podmurowanie jest wysokie i wdrapać się na nie trudno, niech pod ścianą stanie osioł, na osła wskoczy pies, na psa kot, na kota kogut. Ten opowie wam wszystko, co zobaczy, a wtedy, jeżeli to są złodzieje, niech na komendę osioł ryknie, ile sił starczy, pies niech szczeka, kot miauczy, a kogut gdacze. Ja zaś będę gwizdał, hukał i wołał „łapaj”! Złodzieje tego nie lubią. Złodzieje nie lubią żadnego hałasu! Ja to wiem, bo nieraz z wytrychami musiałem chodzić otwierać zamki, które oni popsuli.

– Doskonale! – zgodził się osioł. – Ja już stoję!

I zaraz pies przy pomocy Jaśka wdrapał się na osła i stanął na jego chudym grzbiecie, na psie umieścił Jasiek kota, na kota sam frunął kogut! Zajrzał przez szybę, gdyż przez ostrożność podkradli się do zamkniętego okna, i aż przysiadł z przerażenia.

– Ojej! Gwałtu! Tacy zbóje! Jest ich ze sześciu! A między nimi patrzcie, państwo, mój gospodarz! On mnie pozna! Nie będę piał! Nie mogę!

– Musisz! – krzyknął Jasiek z dołu – bo wszyscy zginiemy! Dalej, raz! dwa! trzy! Ile tchu w miechach!

Oślisko natężyło się, wydęło jak beczka i ryknęło jak najgrubsza mosiężna trąba; Bryś rozdziawił pysk jak wrota karczmy; zawył, zaszczekał, jakby stado wilków zoczył; kot miauknął przeraźliwie, chwytając się pazurami kudłów psa, a kogut podskoczył na tej żywej, ruszającej się górze, zatrzepotał skrzydłami i zagdakał ze strachu jak nigdy.

– Bywaj! Łapaj! Tiu-tiu-tiu! – wrzeszczał to grubym, to cienkim głosem, gwizdał i hukał Jasiek.

W domu ucichło, w oknie pojawiła się wąsata twarz. Ale wrzask i łomotanie skrzydeł po szybie powtórzyły się. Naówczas zaczęli złodzieje skakać co prędzej z otwartego okna na dwór jak żaby: hop! hop! hop!

Po chwili cienie ich mignęły przez płot i słychać było tylko w oddali tupot uciekających nóg.

– Cicho teraz! – wstrzymał Jasiek rozochoconych towarzyszy, którzy jeszcze chcieli koncert powtórzyć. – Prędko chodźcie, zamkniemy dom!

Weszli, zamknęli dom, zamknęli drzwi na klucz, pogasili zbyteczne światła, zostawili jedną płonącą świecę. Rozejrzeli się po pokoju, gdzie wszystko było porozrzucane, powywalane z szaf, z komód, z kredensów na podłogę i stołki.

Na stole stały kieliszki, szklanki, flaszka z wódką, flaszki od piwa, leżał pokruszony, połamany chleb, masło, nadgryziona kiełbasa.

– Jest jednak trochę i dla nas! To-to! – gdaknął z zadowoleniem kogut dziobiąc okruszynki. Kot wziął się do masła, Bryś dostał kawał wędliny, a w dodatku znalazł sobie porzuconą kość od pieczeni, z którą zaraz zabrał się do tańca pod stołem i łóżkami. Jaś ukrajał sobie chleba i ułamał kiełbasy. Jeden osiołek patrzył smutno na jedzących, rozwiesiwszy uszy i wysunąwszy dolną wargę.

– Masz tymczasem skórkę od chleba, a potem i dla ciebie coś poszukamy – pocieszał go Jaś.

Gdy sobie podjedli, chłopak zawołał ich na podwórze, kazał pilnować bramy, a sam z wielkim trudem zawlókł wyrzucony węzeł na powrót do domu; z szopy zrzucił wiązkę siana na dół dla osła i na powrót wrócił z towarzyszami do domu. Nie zamykał jednak drzwi, na wypadek gdyby leśniczowie wrócili nad ranem do domu. Tylko psu kazał się w progu położyć.

– Reszta niech kładzie się, gdzie chce! Ale pamiętajcie, że jak gwizdnę, to zaraz do roboty: warczeć, tupać, hałasować, gdakać! A ty, panie prezydencie, wierzgaj!

– Dobrze – zgodziły się zwierzęta.

Kogut frunął na krawędź pieca, kot umieścił się w ciepłym popiele w kominku, pies położył na progu, osiołek wrócił na podwórze i wziął się do chrupania siana koło szopy. Sam Jasiek wyciągnął się w izbie na ławie. Wkrótce wszyscy smacznie spali.

Tymczasem złodzieje nie uciekli daleko. Słysząc, że wrzask urwał się, a pogoni za nimi nie ma, zatrzymali się, zebrali, na gwizdnięcie przywódcy, w gromadkę i zaczęli naradzać.

– Cóż to było?

– A diabeł wie! Jakieś straszydło! Ledwie wyjrzałem, a ono mi hyc do oczu! Dziób krogulczy, wąsiska jak wiechcie... Bije nimi po szybach, rwie się do mnie, aż dryga!... A taki wielki, że choć fundament wysoki, on łbem wyżej podoknia sięgał! O rety! Do tej pory mi serce ze strachu bije – opowiadał jeden.

– A głos! Już gorzej chyba trąba Michała Archanioła nie zabrzmi w dzień sądu! Aż mi się zimno zrobiło!...

– A jednak, patrzcie, teraz cicho i światła pogasły, choć leśnik nie wrócił, bo nie słychać turkotu wozu – zauważył przywódca.

– Ee!... Po próżnicy rzuciliśmy tylko zdobycz, tyle srebra, ubrania dobrego!... A tymczasem, co takiego? Jakiś zwid, mara!... Tfuj! – wtrącił najmłodszy.

– To idź, jeśliś taki zuch. Przynieś choć ten węzeł, cośmy go wyrzucili za okno!

– A bo nie pójdę?! Pójdę! – odgrażał się młodzik. – Ale wy tu na mnie zaczekacie...

– Przecie, że zaczekamy. Tylko się śpiesz, bo leśnika ino patrzeć z powrotem. Już niezadługo świt!

Poszedł złodziej cichutko ku domowi; minął szczęśliwie wrota, obszedł dom szukając węzła. Nie znalazł go, lecz już go opanowała złodziejska ochota, więc zaczął łazić od tyłu, próbować okien i drzwi, czy zamknięte. Drzwi od kuchni poddały się; wśliznął się do sionki, przysłuchał – cicho! Posunął dalej – wciąż cicho. Otworzył drzwi od świetlicy – stamtąd dolatywało jakby lekkie sapanie, ale nic więcej. Potarł złodziej zapałkę, błysnęła i zgasła; potarł drugą, to samo. Zrozumiał, że mu zmokły w lesie w czasie ucieczki przez zadeszczone krzaki. Obejrzał się, widzi: na kominie świecą się węgielki. Podszedł i zapałkę do nich przyłożył. Ale to nie były węgielki, tylko źrenice kota. Gdy go złodziej w oko szturchnął, przestraszył się kot, parsknął, chciał z komina wyskoczyć i spadł w ciemnościach wprost na twarz pochyloną złodzieja. Jednocześnie obudzony kogut załopotał straszliwie skrzydłami, zakwokał najgrubszym swym głosem:

– Kto tu! Kto tu! Kto tu!

Przerażony złodziej z trudem zrzucił z siebie kota i skoczył ku drzwiom, ale we drzwiach Bryś-Brysiński capnął go za łydkę.

– Jezu Chryste, zmiłuj się nade mną!

Wyleciał jak z procy, zupełnie oszołomiony, nieprzytomny, poganiany przez wrzaski zwierząt w izbie i krzyki Jaśka, popędził w stronę przeciwną od bramy i wpadł na osła.

Ten pamiętał dobrze nauki Jaśka i nie żałował kopyt.

– Olaboga! Same piekielniki! – jęczał złodziej, uciekając co siły do lasu.

Towarzysze, słysząc łomotanie niezwykłe w gęstwinie, jęki i krzyki nie ustające w domu, myśleli, że to pościg, i pierzchnęli w różne strony.

Tymczasem leśnik jechał z powrotem do leśniczówki drogą. Spostrzegłszy figury wylatujące z lasu, które na jego widok zawróciły z miejsca, pewny, że to są kłusownicy albo złodzieje drzewa, schwycił za dubeltówkę i zawołał:

– Stój, bo strzelę!

Gdy biegli, strzelił dla postrachu w powietrze. Wtedy ostatni z uciekających zatrzymał się i padł na kolana:

– Darujcie, nigdy nie będę!

– Cóż to ty, Wojtek, po lesie biegasz bez czapki? – spytał leśnik, poznając parobczaka z sąsiedniej wioski. – Siadaj zaraz do bryki.

Chłopak podniósł się i kulejąc podszedł do wozu.

– Niech pan nie jedzie do swojego domu, tam diabeł zamieszkał – wyjąkał z przerażeniem.

– Co ty gadasz? Pomieszało ci się w głowie? Czyś upił się?... Co ty tu robisz? i co to byli za jedni ci, co biegli razem z tobą?

– O, ja nieszczęśliwy sierota!... Dyć ja z nimi źle robił, dobry człowieku!... – jęknął Wojtek. – Za to przyszli diabli i chcieli nas wziąć... Oni uciekli, a mnie zostawili... Posłali raz drugi do tej potwory!... Już ja ledwo żyję... Okulawiła mnie ona, nie uciekłbym i stu kroków dalej!... O, ja nieszczęśliwy... Róbcie ze mną, co chcecie, choć zabijcie... Tylko do waszego domu nie prowadźcie... Tam okropna potwora. Ludzkie oko nie zniesie jej widoku...

– Tfu! Wio! Ho! – sapał leśnik, popędzając konia.

– Zastanów się, co ty gadasz, człowieku! Skąd by się tam potwór wziąć miał?! – miarkowała parobczaka leśniczowa.

– Albo ja wiem!... Może smok wawelski! – jęczał Wojtek.

`Niezadługo wjechali na podwórze, leśnik konie pod szopę nawrócił, a sam niosąc w jednym ręku strzelbę, a drugą prowadząc za kark Wojtka, skierował się do domu.

– Chodź, chodź! – wołał na opierającego się parobczaka. – Sprawa nieczysta! Musisz mi to wszystko przy świetle powtórzyć i wyjaśnić.

Za nimi odważnie szła leśniczowa z wielką warząchwią, kupioną tylko co na jarmarku.

Bryś zwęszył leśnika i pamiętny jego nahajki, usunął mu się pośpiesznie z drogi, kot przycupnął pod ławką pod Jaśkiem, który rozbudzony wejściem ludzi i zapaleniem światła, usiadł i poprawiał lękliwie łachmany. Jeden kogut spał spokojnie na rogu kredensu.

Nareszcie świeca rozgorzała i zdziwionym oczom gospodarza przedstawiły się kupy porozrzucanych, powiązanych w węzły rzeczy, pootwierane szafy, komody i skrzynie, wreszcie dziwaczni, nieproszeni goście. Ale najwięcej zdumiony był Wojtek.

– Wszelki duch Pana Boga chwali! – mruczał, rozglądając się lękliwie po izbie.

– Co to znaczy? Tu byli złodzieje!... Patrzaj, Maryś, wszystko powywracane, moja granatowa czamara podeptana! Co to jest?! – wołał gniewnie leśnik.

– Talerze pobite! Płótno wyciągnięte... O, Jezu, Jezu! Co oni tu narobili? Kiedy ja się czego doszukam... A i przepadło pewnie niemało!

– Jedli, pili, jak w domu! – oburzał się leśnik. – Gadajcie, szelmy, co wy za jedne! Ty pewnie jesteś złodziejski podłazek. Gadaj zaraz, kto tu był?! – zwrócił się czerwieniejąc i błyskając oczami do Jaśka.

– Wcale nie, to nie my! – próbował bronić się chłopczyna.

– A więc kto? A ty kto jesteś? Od kowala! Właśnie z wytrychami przyszedłeś. Znam ja was, próżniaków! Cóż tu robisz? Powiedz no, powiedz, po co przyszedłeś w nocy, tak daleko od kuźni? Gadaj zaraz! I ta twoja cała czereda, te twoje zwierzaki co tu robią?!... Gadaj, bo cię uśmiercę! – srożył się gruby leśnik.

Już pięści zaciskał, a wielkie wąsiska ruszały mu się i stawały dęba jak żmije. Ale go leśniczowa wzięła z tyłu za łokieć.

– Uspokój się, Macieju, poczekaj. Mówię ci! Zamknij ich tymczasem w komorze i Wojtka też z nimi, bo mu brzydko z oczu patrzy... Jutro się wszystkiego dowiemy, a dziś pomóż mi rzeczy i sprzęty pozbierać, policzyć, żeby przekonać się, czego brak, czego szukać. Nie uciekną nam, zamknij ich i drzwi mocno zaryglu, niech siedzą. Jutro sąsiadów zwołamy, wójta i sołtysa, niech zrobią sąd. Czas już tę plagę złodziejską w okolicy wytępić... Dobrze, żeśmy ich złapali.

Jeszcze mówiła, kiedy na dworze rozległ się okropny ryk, od którego biedny Wojtek podbladł jak mara i zatrząsł się jak liść osikowy.

– A co! Osła przyprowadzili z sobą! Wszystko chcieli wygarnąć i wywieźć! – oburzał się leśnik. – No, marsz do ciupy! – krzyknął, zwracając się do Jaśka i jego towarzyszy.

Wojtka też wepchnął niezwłocznie do ciemnej komory, potem Jaśkowi ręką wskazał, za Jaśkiem powlókł się pokornie Bryś, za nimi boczkiem przesunął się kot, w końcu kroczył dumnie kogut potrząsając obwisłym grzebieniem. Na wolności pozostał jedynie osioł, ale i tego leśnik rychło przywiązał na postronku u płota.

Smutno spędzili noc więźniowie w komorze. Wojtek kląkł, płakał, wygrażał się, wreszcie wyciągnął na podłodze i zachrapał, szerząc wokoło zapach wódki i piwa. Jaś cicho przywarował w kąciku, głaskał tulące się do niego zwierzęta i pocieszał je:

– Nie bójcie się. Powiemy sądowi prawdę. Nie mogą nam nic zrobić, bo my nikomu nie zrobiliśmy nic złego.

– Kiedy ja bardzo nabłociłem na szafie leśniczowej... – biadał kogut.

– A kość, kość, którą zawlokłem aż pod łóżko? Nie ujdzie mi to pewnie na sucho! – powątpiewał pies.

– Ludzie czasem i bez powodu umieją grzmotnąć! – miauknął cichutko kot.

– Rozumie się, różnie bywa na świecie, ale zawsze sąd to jest sąd. Zawsze sądowi większy wstyd jest krzywdzić. Będziemy gadać, będziemy się bronić. Pamiętajcie, wszystko mówcie od samego początku.

– Już jak mnie spytają, to ja nic nie opuszczę! – gdaknął kogut.

– Właśnie – powtórzył mu Jasiek. – Będziemy się wspomagać, my przecież towarzystwo!

Przytulili się do siebie i usnęli mocno, znużeni przygodami nocy.

Nie słyszeli ani gwaru ludzi, ani stuku zjeżdżających się wozów, nie widzieli promieni słońca, które niby snop złota wdarły się przez małe okienko do ciemnej komory. Śniły im się sny szczęśliwe. Jasiek widział siebie w całych butach, w ciepłym ubraniu, wędrującego z książką do szkoły. Kogutowi wydało się, że jest znowu młody, że grzebień mu sterczy, że wdzięcznym głosem wita co dzień ranek i nieomylnie zwiastuje pogodę. Psu marzyła się kość wielka jak dom, obrośnięta słodkimi chrząstkami, a kot wyobrażał sobie, że gospodyni znowu go lubi jak za dobrych starych czasów.

Wtem drzwi szeroko otwarły się i buchnęło z nich światło i gorąco.

– No, chodźcie, winowajcy! – zabrzmiał gruby głos leśnika. – Najpierw kogut!

Śmiało wystąpił rycerski ptak rozstawiając szeroko zdobne ostrogami nogi i potrząsając dumnie ogonem. Za stołem pośrodku siedział sędzia gminny, obok ławnicy, dalej reszta chłopów. Starsi gospodarze siedzieli, młodsi stali zwartym półkolem. Nawet dziewczęta i dzieci ciekawie wyglądały spoza pleców matek, ojców i braci; powłaziły na okna, na stołki, wieszały się nawet na szafach. Ciekawa to była rzecz ten sąd na szajkę dokuczliwych złodziei, co dawno już grasowała po okolicy i niejednemu dała się we znaki. Wejście koguta powitane zostało szmerem zdziwienia.

– Uciszcie się! – okrzyknął zebranych woźny sądowy.

– Nazwisko? – poważnie spytał oskarżonego sędzia.

– Ko! Ko! Ko-gu-ciń-ski.

– Ile masz lat, panie Koguciński?

Kogut zerknął niespokojnie w stronę dziewcząt i bab i przestąpił z nogi na nogę.

– Nie tak wiele! Nie tak już bardzo wiele... Ale jeżeli pan sędzia pozwoli, opowiem od początku.

– Owszem, bardzo proszę, tylko krótko!

– Tak, tak! Krótko... Króciuteńko! Więc zacznę od chwili, kiedy po raz pierwszy poczułem, że żyję. Było mi ciasno, skorupka jajka ściskała mi skrzydełka i nóżki, ale głowa swobodnie się ruszała. Uderzyłem dziobem przed sobą i wybiłem dziurkę, uderzyłem powtórnie i wyłamałem duży otwór, przez który błysnęło światło. Wytężyłem wszystkie siły, rozpostarłem skrzydełka. Opadły twarde łupiny wapienne. Byłem wolny. Zimno jednak zmusiło mnie co prędzej ukryć się w ciepłym puchu matki. Po chwili wszakże wysunąłem spod jej skrzydeł głowę i spostrzegłem, że nie jestem sam, że wszędzie wyglądają z matczynych piór małe żółte łebki i ogonki moich braci. Wkrótce przyszła gospodyni, wybrała nas do przetaka i zaniosła do jakiegoś takiego miejsca, gdzie było ciepło i jasno jak w niebie... a na deseczce leżały przed nami białe i żółte okruszynki... Zaczęliśmy ćwierkać z radości, a nasza mamusia zakwokała kilka razy i dziobnęła okruszynki. Zrobiliśmy zaraz to samo. Co to były za słodziutkie okruszynki! To były gotowane jajka!

– Do rzeczy, do rzeczy! Proszę się skracać! – zawołał surowo sędzia.

– Albo to nie do rzeczy, szanowni panowie? – zwrócił się kogut do słuchaczy. – Przecież o sobie opowiadam!

– Tak, ale to nam wcale nie tłumaczy, w jaki sposób znalazłeś się w nocy w taką pogodę w leśniczówce na szafie!

– Powoli dojdziemy i do tego – bronił się kogut.

– Nie mam czasu na „powoli"! Jeszcze dużo osób pozostało do przesłuchania. Proszę się śpieszyć!

– I proszę się uciszyć! – dodał basem woźny w stronę słuchaczy.

– W takim razie – dodał z żalem kogut – w takim razie... cóż mam opowiadać?... Póki byłem młody, póki w ciele miałem czucie, wyśpiewywałem ludziom czas o północy, żeby szli spać, o świcie, żeby wstawali do roboty; piałem na zmianę pogody, uprzedzałem o deszczu, wróżyłem słońce... We dnie strzegłem kur i kurcząt od psów, od jastrzębi, w nocy od kun, od lisów, od tchórzów. Pracowałem sumiennie, ile sił mi starczyło. Głos miałem piękny, ogon pozłocisty. Wszyscy mówili, że wyglądam jak książę, a śpiewam jak organista...

– Do rzeczy, do rzeczy. Jakże znalazłeś się na gościńcu?! – upominał surowo sędzia.

– Zestarzałem się! – gdaknął smutno kogut. – Zaczęło mnie strzykać po kościach nie tylko na zmianę pogody, zacząłem się mylić... Gospodarz zaczął kląć i wygrażać, że mnie każe zarżnąć. Ze strachu jeszcze częściej zacząłem się mylić. Nie sypiałem po nocach i nieraz przywidziało mi się, że to już świt, w głęboką noc... Darłem się najgrubszym moim głosem, aż gospodarz wskakiwał do kurnika i rzucał we mnie ze złością cegłą albo polanem. Od strachu, od guzów, od wymyślania zgłupiałem do reszty, oślepłem od łez. Widziałem, że nie ma dla mnie ratunku, i gotowałem się do rychłej śmierci od okropnego noża... Na szczęście uratowała mnie moja chudość. Gospodyni, schwytawszy mnie i poszczypawszy tu i ówdzie, wyrzuciła mnie za bramę w te słowa: „Wynoś się, chudziaku jakiś! O ciebie i pies zęby złamie! Ino ziarno psujesz bez korzyści!" – A pożal się, Boże, dużo ja tego ziarna potrzebuję?... Panowie, sędziowie, maluchną garsteczkę... malusieńką!... Ale co miałem robić? Tego wieczora przyszedłem jeszcze pod próg, lecz kurnik był zamknięty, izba również, schowałem się na strychu. We dnie wypłoszono mnie nielitościwie, a gospodarz z dziatwą wioskową długo pędził za mną z wrzaskiem, rzucając patyki, kamienie i wygrażając kijem. Zrozumiałem, że po wszystkim, że muszę iść w świat o chlebie żebraczym. Ze zbolałym sercem z wysokości płota spojrzałem raz jeszcze na ojczystą wioskę i ruszyłem drogą przed siebie. Padał deszcz, było zimno, zbliżał się wieczór. Na szczęście, spotkałem pana Kota, potem przyłączył się do nas pan Pies i pan Osioł... Założyliśmy towarzystwo wzajemnej pomocy...

– A to co nowego? A pozwolenie mieliście? – przerwał groźnie otyły wójt. Kogut zmieszał się.

– To ciekawe! Złodziejskie towarzystwo? Co dalej? – spytał przeciągle sędzia.

– A jakże. Widać, że on tu jest największym hersztem! – zaszemrali słuchacze.

Kogut milczał i spoglądał jeno na zebranych to jednym okiem, to drugim.

– Panowie darują, ale więcej nie powiem, gdyż widzę, że mogę narazić moich kolegów! – odpowiedział wreszcie głosem drżącym, ale z wielką godnością.

– Patrzcie go, oskubanego kura! Jeszcze się stawia! – wołali obecni. Sędzia dał znak ręką.

– Uciszcie się! – basem zahuczał woźny.

– Dobrze, dobrze. Możesz nie mówić. Wina twoja jest dość wyraźna. Byłeś leniwy i zuchwały, a kiedy cię za to ukarano, zamiast pracować, wlazłeś na szafę do cudzego mieszkania. Reszty dowiemy się od innych. Odprowadźcie go na stronę i trzymajcie pod silną strażą! Wprowadzić następnego!

Uchylono drzwi od komory i skromnie wysunął się stamtąd kot.

– Miau! Miau! – kłaniał się grzecznie wokoło.

Wtem jedna baba wrzasnęła na całe gardło:

– Patrzcie go! To i on tutaj! Znam tego koczura! On mój! Straszny szkodnik! Wylał mi miskę mleka i zepsuł dzieżę ciasta.

Kot zmartwiał, wytrzeszczył okrągłe oczy i ani się ruszył. Widząc jednak, że go nikt nie bije, z wolna przyszedł do siebie.

– Ile masz lat, gdzieś się urodził, jak się nazywasz? – dopytywał się sędzia. – Opowiedz, jakżeś się znalazł w leśniczówce w nocy w towarzystwie koguta, psa, nicponia Jaśka i złodzieja Wojtka.

– Dopóki byłem młody – zaczął cichutko kot – służyłem ludziom wiernie. Pracowałem, ile sił starczyło, łapałem myszy, wojowałem ze szczurami. Nie byłem wcale leniuchem, powinność moją spełniałem chętnie i nawet bawiłem się z dziećmi gospodarskimi, choć to nie był mój obowiązek, i nieraz śmieszyłem samych gospodarzy moimi skokami i figlami. Był czas, że miałem łaski u gospodyni. Pozwalała mi się wygrzewać na przypiecku, a w zimie nawet włazić na gorący popiół do komina. Dostawałem czasem na spodeczku mleka, co razem ze złapanymi przeze mnie myszami utrzymywało mnie w dobrym stanie; ba, były nawet okresy na wiosnę i w lecie, kiedym się wypasał. Zdarzało się wybrać jakie gniazdo wróbla albo capnąć jakiego nieprzytomnego od śpiewu ptaszka.

– To, to! Wiem ja coś o tym. Nawet jaja spod kur podbierać umiecie! – mruknął wójt.

– Co taić, zdarzało się! Ale mimo to byłem lubiany i dzieciaki gospodyni upędzały się za mną nie gorzej od psów wioskowych. W niełaskę popadłem z zupełnie innych powodów i w ostatnich dopiero czasach. Zaczęły mi nogi tężeć. Niby nie bolą i całe są, a tylko wstać mi ciężko, obrócić się szybko nie mogę i mam wstręt do skoków. Wywiedziały się zaraz o tym myszy i dalej bobrować po domu. Co dzień coś nadgryzione: to w bochenku chleba taka wyjedzona dziura, że kotka z kociętami by się zmieściła, to połeć słoniny nadszarpnięty w spiżarce, to ziarno w zasieku[1] pocięte... pobrudzone... wzięły się nawet, przeklęte, do chomąt gospodarskich i poprzegryzały rzemienie. Dopiero gospodarz wpadł z wielkim hałasem na gospodynię, a ona na mnie! „Leniuchu, darmozjadzie, tylko się wylegujesz, brzuch grzejesz! precz z pieca! precz od ognia!" Zapomniała, ile to lat ochraniałem przed szkodą ich dobytek. Ale cóż robić! Jesteśmy całkowicie we władzy człowieka!

– To tylko w rygorze was trzyma, darmozjady! – zamruczał tłusty wójt.

– Przestała mi dawać mleka. Zacząłem z sił opadać, a że do ognia też mnie nie puszczano, więc sztywność nóg jeszcze bardziej wzrosła i nawet oczy od kataru zaczęły mi łzami napływać. Coraz gorzej i gorzej! Myszy wprost sobie drwiły ze mnie, przechodziły umyślnie tak bliziutko, że aż mnie mdliło od ich zapachu, a skoczę, już ich nie ma... Myk i tyle! Biegnę, tłukę po podłodze tymi moimi twardymi łapami, jakby mi kto na stopach łupiny od orzechów ponaklejał. Po prostu rozpacz! Gospodyni wścieka. Już mnie nigdy nie pogłaszcze, dobrym słowem nie obdarzy, nie pokrzepi. A gospodarz to inaczej mnie nie wita jak uderzeniem buta w brzuch. Uciekam, czaję się po kątach. A kiedy nawet mysz znajdę i zjawię się przed moimi panami, niosąc ją w pyszczku, to nie witają mnie wesołymi żarcikami jak dawniej, tylko wydziwiają: „Patrzcie go, złapał nareszcie! Trafiło się ślepej kurze ziarno!"

– Ko-ko! Co za głupie przysłowie! – przerwał zgryźliwie kogut. – Czy nie lepiej powiedzieć: „Spisał się jak Grabski w tańcu"[2] albo „Wyskoczył jak filip z konopi"[3]?

---

[1] Z a s i e k lub s ą s i e k – przegroda na zboże w stodole.

[2] S p i s a ł   s i ę   j a k   G r a b s k i   w   t a ń c u – przysłowie oznaczające niezgrabne lub nieudane wystąpienie.

[3] W y s k o c z y ł   j a k   f i l i p   z   k o n o p i – dawne przysłowie: wyrwał się jak zając z konopi. Obecnie nie mamy już poczucia, że chodzi o zająca, i przysłowia tego używamy na określenie wyrwania się przez kogoś z czymś niewłaściwym, niestosownym.

– Uciszcie się! – krzyknął basem woźny.

– Nie chciałem kolegi obrazić – usprawiedliwiał się kot. – Będę ciągnął dalej. Działo mi się coraz gorzej i gorzej, od wilgoci i zimna tych kątów, gdzie przesiadywałem, od bicia i niewygód bolały mnie niezmiernie stawy i ścięgna wprost zginać się nie chciały. Z głodu strasznie osłabłem, a od ciągłego strachu przed butami gospodarza straciłem zupełnie dowcip, taki potrzebny w naszym rzemiośle. Było mi tak źle, że w pewnej chwili chciałem się nawet utopić w stągiewce z wodą, ale jakem pomyślał, co ze mną gospodyni zrobi, jak mnie tam znajdzie, tom jednym skokiem znalazł się w najciemniejszym kącie. I nagle poszczęściło mi się, gdyż trafiłem na otwór nory, której szukałem z takim trudem już od tylu tygodni. Stała otwarła, ogromna jak brama zajazdu, a ja takem się męczył, ślepiąc po małych szparkach! Od razu wrócił mi dobry humor. Poczekajcie, odpłacę wam, szkodniki, wszystkie uderzenia butem gospodarza, wszystkie wymysły gospodyni, wyzwiska sąsiadów! Jeszcze złapałem parę myszy i ucichło. Nie widać ich, nie słychać! Gdyby jeszcze gospodarze dziurę założyli szkłem, byłby spokój na czas dłuższy. Ale gospodarze przestali zwracać na myszy uwagę, przyzwyczaili się jeno na mnie wymyślać. Musiałem więc w dalszym ciągu wytężać moje stare nogi, zabiegać, żeby nie osiedliły się w norze nowe szkodniki. Często w nocy budziłem się z niepokoju i słuchałem z bijącym sercem, czy gdzie nie chroboce, czy nie będzie znowu w robocie but gospodarski... I wystaw pan sobie: raz w biały dzień w obecności obojga gospodarzy widzę, że duża szara mysz wspięła się na krawędź dużej misy z mlekiem, a potem przechyliła się i pije. Ogon jej tylko zwisa na zewnątrz. Zawrzało we mnie. Podkradłem się i skoczyłem jak za dobrych czasów. Doskonale wymierzyłem i byłbym mysz, jak Bóg w niebie, złapał, gdyby nie to, że przez wzgląd na sztywność nóg za bardzo się wysiliłem. Tymczasem nogi tym razem dopisały jak na złość i zamiast na mysz wpadłem do misy z mlekiem. Zalała mnie biała śmierć. Miauknąłem rozpaczliwie i w tejże chwili silna ręka gospodarza porwała mnie za skórę na grzbiecie i podniosła wysoko w powietrze. Mimo woli rozcapierzyłem wszystkie cztery łapy, rozwarłem szeroko pełne mleka oczy i pysk, a stuliłem uszy chroniąc je od zaciekłej wilgoci. Co było dalej, nie pamiętam! Zdaje się, że wzleciałem gdzieś wysoko, a potem spadłem gdzieś daleko i wydało mi się, że już nie żyję, że zamieniłem się w worek skóry, pełen pogruchotanych kości. W porównaniu z tym uczuciem kopnięcie butem było doprawdy pieszczotą!

– Ko-ko-ko! – bąknął ze współczuciem kogut.

– Oskarżeni, proszę się nie porozumiewać! – upomniał ich sędzia. –

Zapewne, że obchodzono się z wami surowo, ale to jeszcze nie powód, żebyście włazili po nocy do cudzego mieszkania...

– Myśmy nie chcieli zrobić nic złego! – bronił się kot. – Owszem, myśmy chcieli uratować rzeczy pana leśnika.

– A jakże to było z tą dzieżą ciasta? – spytała się z zaciekawieniem leśniczowa.

– Zawiniłem, istotnie – przyznawał się kot. – Po tym wielkim bíciu z powodu mleka chciałem się trochę wygrzać i wlazłem na deseczkę, jaką przykryta była dzieża zarobionego ciasta, postawiona przed rozpalonym piecem. Robiłem to i przedtem nieraz z dobrym skutkiem, ale tym razem nie dopisały mi pokaleczone nogi, deseczka chybnęła się i wpadłem do ciasta. Utonąłbym niebawem, gdybym w porę nie rozkrzyżował jak najszerzej łapek i nie zaczął miauczeć. Przybiegły dzieci i wyciągnęły mnie. Nie mogłem się ruszać, oblepiony grubo ciastem, leżałem jak wielki klusek na podłodze, czekając śmierci. Ale gospodyni, przyszedłszy i spojrzawszy na mnie, nawet nie uderzyła mnie, tylko siadła na ławie pod oknem i zakrywszy oczy fartuchem, zaczęła zawodzić:

– Co ja, nieszczęśliwa, zrobię? Ostatek mąki ten zbereźnik mi popsuł! Czym teraz dzieci nakarmię? O dolo moja nieszczęśliwa! O dolo!

– Tego było za dużo. Zrozumiałem, że żyć nie warto, że jestem źródłem nieszczęścia tych, których kocham, i postanowiłem się doprawdy utopić. Wyszedłem właśnie szukać głębszej wody, gdy spotkał mnie na drodze pan Kogut i namówił, abym przystąpił do towarzystwa „Nic do Stracenia".

– Aha! – mruczeli zebrani.

Wystraszony kot umilkł.

– A cóżeście robili z tym swoim towarzystwem w leśniczówce? – dopytywał się sędzia.

– W leśniczówce robiliśmy to, co kazał Jaś. On mądry i dobry, przytulił nas i otoczył opieką.

– Dobrze, dobrze! Masz, Cyganie, świadki – mam żonę i dziatki! Dawajcie tutaj cnotliwego Jasia! – wołali chłopi.

– Zaraz, zaraz, jeszcze pies! – przedstawiał im sołtys. – Wprowadźcie psa!

Wszedł Bryś-Brysiński z bardzo hardą miną. Na pytania głośno odszczekiwał i nie przyznawał się do niczego. Nawet na zapytanie, ile ma lat i gdzie się urodził, odpowiedział, że lat wcale nie ma i wcale się nie urodził.

– Mnie, starego stróża bezpieczeństwa, stawiać przed sądem, obwiniać o rozmaite zbrodnie!... – oburzał się szczerząc na wszystkich zęby.

Nie mógł sobie sędzia z nim dać rady, kazał go odprowadzić do osobnego kąta, a wezwać osła.

Pan Kłapouch wysłuchał wszystkich zarzutów z niezmierną powagą i zachowywał się cały czas tak, jak gdyby to on był sędzią zebranych ludzi, a nie oskarżonym.

– Cierpię, bo lubiłem zawsze spokój i filozofię! Gdybym, zamiast ciągnąć, zawsze wierzgał, biegałbym dotychczas po stepach środkowej Azji jako wolny dziki osioł – odrzekł po długim namyśle.

Słuchacze nic nie rozumieli i kazali odprowadzić do kąta głupiego osła, z którym się nigdy nie można dogadać.

– Sprawa się plącze coraz bardziej! – zauważył sędzia. – Tajemnicze towarzystwo... stepy środkowej Azji [1]... dzieża z ciastem... zaciętość Brysia... Ciekawy jestem, co nam powie ten mały hultaj?!

Wprowadzono Jaśka.

– Jaki chudzina! Co by on mógł wziąć? – użaliła się nad nim leśniczowa.

– Dlatego pewnie wziął sobie do pomocy zwierzęta! – zauważył chmurno leśnik.

– Nazywam się Jaś, a wiele lat mam, nie wiem, i gdzie urodziłem się, też nie wiem, bo jestem sierota. Ani matki, ani ojca nie mam, odumarli mnie małego. Chowali mnie byle jak dobrzy ludzie, tak samo biedni jak ja, dawali, co mieli: i kątem dzielili się, i chlebem. Aż wziął mnie kowal. Samemu kowalowi też się nie przelewa, od tego jest wciąż zły, o byle co gniewa się i bije.

Sam jest mocny i nie miarkuje, że ja podołać nie mogę. Zaraz mówi: „Hultaju, leniuchu!" – i szturcha. Co rano muszę przed innymi wstać, w piecu napalić, izbę i warsztat podmieść, wody nanieść, drew nałupać... A jak co zapomnę, zaraz majstrowa za włosy mnie cap! „A ty, taki, owaki! Darmozjadzie!" – Potem dzień cały przy miechach stać, dymać muszę, żelazo grzać. Spalę, majster tym samym żelazem bije, nie dogrzeję – trzonkiem od młota mnie po plecach katuje. Pod wieczór ledwie na nogach stoję. A trzeba jeszcze narzędzia złożyć, ognisko wyczyścić, do sklepiku polecieć... Majster

---

[1] T a j e m n i c z e   t o w a r z y s t w o...   s t e p y   ś r o d k o w e j   A z j i – jest to kpina z chorobliwego węszenia przez carską policję spisków przeciw caratowi na polskich ziemiach. Uważając prawie wszystkich Polaków za spiskowców, policja carska gotowa była wierzyć w najbardziej nieprawdopodobne rozgałęzienie takich sprzysiężeń, a więc i w konspiracyjną współpracę Polaków z ciemiężonymi także przez carat narodami na terenach środkowej Azji.

dawno już umyty siedzi za stołem, a ja muszę harować, śmiecie wynosić, kubły wylewać. Oj, ludzie, ludzie, ciężko sierocie na świecie! Raz w niedzielę po mszy opowiadały mi pod kościołem w miasteczku dzieci ze szkoły, że jest taki kraj, gdzie wszystkie dzieci, ładnie ubrane, uczesane, umyte, po śniadaniu idą do szkoły, a po szkole bawią się do wieczora w ślicznych ogrodach: że tam każdy z maleńkości ma wszystko, a dopiero jak wyrośnie i wyuczy się, odrabia za to ludziom. Kiedy potem zaspałem trochę i majster mnie bardzo zbił, wybrałem się w świat do tego cudnego kraju. W drodze zaskoczył mnie deszcz, pluchota i noc. Wcisnąłem się do dziupli w drzewie i usnąłem. Obudził mnie ten oto osioł z towarzyszami i poprosił, abym im pomógł odszukać na noc przytułek. Poradziłem im udać się do leśniczówki, gdzie może leśniczowa puści nas do izby. Wiedziałem, że była dobra, bo nieraz w kuźni, przyszedłszy po robocie, wtykała mi obwarzanek i gładziła po głowie. W leśniczówce okna znaleźliśmy otwarte, węzły z rzeczami powyrzucane na dwór. Domyśliliśmy się, że to złodzieje, ustawiliśmy się pod oknem i urządziliśmy im taką muzykę, że uciekli. Sami nic nie wzięliśmy, tylko trochę chleba i kiełbasy zjedliśmy, bo byliśmy ogromnie głodni, za co panią leśniczową bardzo przepraszamy.

– Nic nie szkodzi! – odrzekła dobra kobieta.

– I to prawda, że nic nie wzięli! – potwierdził leśnik.

– Zobaczymy, co powie Wojtek! Wołać go! – rozkazał sędzia.

Wtoczył się rozczochrany i zapłakany Wojtek i zaraz bęc! na kolana pośrodku świetlicy:

– Darujcie, dobrzy ludziska, i wy, prześwietny sądzie! Zgrzeszyłem, ale nigdy już nie będę! Kradłem, ale już się poprawię. Namówili mnie źli ludzie: Grzela, Bartek, Józek z Lipowa... Oni mnie też posłali do tych diabłów, od których ledwie z duszą uciekłem... Ryczało to, piszczało, wyło jak tuzin szatanów... Stało za oknem wielkie od ziemi po sam dach.. Zamiast nosa miało dziób... Oczyska jak węgle... Cielsko kosmate i cztery nogi... Uciekaliśmy wszyscy od tego wrzasku i od tego widoku. Dopiero w lesie żal mi się zrobiło srebrnych łyżek, sukman sukiennych, butów podbijanych, pasów z klamrami, jakie widziałem u pana leśnika, i powiedziałem towarzyszom, że wrócę. Ci mię jeszcze do tego podmówili zamiast wstrzymać. Ledwiem wszedł, ledwiem zapałkę do węgielków w kominie przytknął, nagle mi kosmata potwora na głowę spadła... Jak zacznie wrzeszczeć: ,,Kto-tu?! Kto--tu?!" Ja do drzwi, a już drugi diabeł mnie widłami w nogi źga... Otrząsam się, bez przytomności lecę. Ale gdzie tam, na dobitkę, jak mię maczugą jeszcze z tyłu trzaśnie... Do tej pory zgiąć się nie mogę.

– He, he! – roześmiał się osioł. – Nie taki już do niczego jestem, jak to twierdził pan ogrodnik!

– Uciszcie się! – zahuczał woźny.

– Więc to wyście kradli u leśnika? – spytał sędzia.

– A my!...

– Cóż wy na to, leśniku?

– Ano, chyba żem się maleńko co do tych biednych stworzeń pomylił – mruknął markotnie leśnik.

– Ale zawsze jest coś w tym ich zabronionym towarzystwie! – zauważył tłusty wójt.

– Wcale to nie było zabronione towarzystwo, a tylko spółka, żeby sobie wzajem pomagać! – bronił się Jasiek.

– A jakeście się porozumiewali?... – spytał podejrzliwie sędzia.

– To pan sędzia nie słyszał? Przecież tyle czasu gadamy! My sobie mruczymy, piszczymy, warczymy... Kiwamy na siebie głowami, pomagamy łapkami, mrugami oczkami, ruszamy ogonkami – objaśniał Jasiek. – Chce pan sędzia, to zaraz panu pokażę! Cip! cip! cip! Kici! kici! kici! Pójdź tu do nogi! Rusz się, panie Ośle! – zawołał głośno.

I natychmiast podbiegł kogut i wskoczył mu na ramię, a na drugim ramieniu umieścił się kot. Bryś przysiadł u jego nóg, a Kłapouch wsunął mordę pod ramię chłopca.

– Wiesz co, stary, weźmy my tego chłopaka za syna! Dzieci nie mamy... – szepnęła leśniczowa do męża.

– Ano, chyba! Pójdziesz, chłopaku, do nas za syna? – spytał się leśnik łagodnie Jaśka.

– Dobrzyście ludzie, ale ja towarzyszy opuścić nie mogę... – odpowiedział chłopiec, głaszcząc tulące się doń zwierzęta.

– Niechże i one zostaną! – szepnęła leśniczowa do ucha męża. – Bardzo nas nie skrzywdzą. Osioł będzie po lesie chodził, chwasty wyjadał, kogutowi coś tam przy moim drobiu kapnie. Bryś z twoimi psami w psiarni będzie sypiał, a miseczka mleka dla kota też nas nie zuboży. Weź ich!

– Ano, niech zostaną. I to prawda, żeśmy ich o mało nie skrzywdzili; gdyby nie Wojtek, toby ich sądzono.

– I Wojtkowi daruj! Głupie chłopaczyska, nastraszone teraz, poprawią się. Co ich tam karać. Wstydu im tylko narobić i zapowiedzieć, że na drugi raz im nie darujemy – radziła leśniczowa.

Tak też zrobili.

Jasiek z towarzyszami zamieszkali wśród pięknego lasu w leśniczówce u dobrych leśników. Dobrze mu było jak w raju. Wyrósł, zmężniał, do szkoły zaczął chodzić. Uczył się pilnie i marzył, że jak dorośnie, to zrobi z tej Polski taki kraj, w którym dzieci od małości mają wszystko, co potrzeba, uczą się, rosną, sił nabierają, aby jak przyjdzie czas, mogli odrobić wszystko ludziom z nadmiarem.

Marzył o tym, aby w tej Polsce starzy ludzie i nawet stare, spracowane zwierzęta miały na koniec życia po trudach wygodę i wypoczynek.

Ignacy Matuszewski

O LENIWYM PAROBKU LEGACIE[1]

Był sobie w jednej wsi chłop, którego ludzie nazwali Legatem, bo był okropnie leniwy i nic cały dzień nie robił, tylko się wylegiwał na słońcu.

W tej samej wsi mieszkała także dziewczyna, co od rana do wieczora nie usiadła ani na chwilę, tylko ciągle pracowała i ruszała się a kręciła żwawo jak fryga, dlatego też ją sąsiedzi przez żart nazywali Frygą. Grunta tego parobka i tej dziewuchy dotykały prawie do siebie, a na miedzy rosła duża grusza.

Otóż pewnego dnia Fryga poszła na pole trząść gnój, a Legat położył się do góry brzuchem pod gruszą, rozdziawił gębę od ucha do ucha i czekał, żeby mu gruszki same do gardła leciały, bo mu się ich rwać nie chciało.

A zdarzyło się, że Pan Jezus ze świętym Piotrem szli sobie tą miedzą. Święty Piotr spostrzegł Legata i powiada:

– Panie, czego ten człowiek tak usta roztworzył?

– A bo – odrzekł Pan Jezus – on jest taki leniwy, że nie chce mu się podnieść i urwać gruszek, tylko pragnie, żeby mu owoce same do ust wpadały.

Dziwował się święty Piotr takiemu lenistwu, ale rzuciwszy okiem na drugą stronę miedzy zobaczył Frygę, jak trzęsła gnój, aż jej pot po czole spływał.

– Panie – powiada do Pana Jezusa – tamten leży pod gruszką i nic nie robi, a ta dziewucha tak z całej siły gnój rwie, że jej prawie tchu braknie. Czy to sprawiedliwie?

– Nie, mój Piotrze – rzekł Pan Jezus – to nie jest sprawiedliwie, dlatego też każdy próżniak i leniuch będzie podwójnie karany: raz za to, że sam nic nie robił, a po wtóre i za to, że za niego inni musieli się mordować nad miarę, to co potrzeba bowiem, musi być na świecie zrobione.

---

[1] Pomysłu do tej bajki dostarczyła mi gadka ludowa, podana w Bibliotece „Wisły" (przyp. autora).

– To i ten chłop, co leży pod gruszą, dostanie swoją karę? – zapytał święty Piotr.

– A tak – odpowiedział Pan Jezus – jeżeli się nie poprawi.

Odpocząwszy jeszcze chwilę – a było to już blisko południa – Pan Jezus ze świętym Piotrem wstali i poszli sobie miedzą ku wsi. Podniósł się także i Legat, bo mu głód zaczął doskwierać, i idzie za nimi. Ale Pan Jezus upuścił przed nim bochenek chleba. Chłop – cap! za bochen, a bochen – myk! – i ucieka. Legat, któremu się coraz bardziej jeść chciało, goni, co sił starczy, za chlebem, ale go złapać nie może, bo chleb ciągle mu się z rąk wysuwa i coraz dalej się toczy. Trwało to chwilę, aż święty Piotr, zdjęty litością, powiada:

– Panie, niech ten bochenek się zatrzyma!

– Nie – rzecze Pan Jezus – nie zatrzyma się, aż nań chłop zapracuje, bo każdy człowiek wtedy tylko powinien jeść, jak zarobi na to.

I tak gonił Legat za chlebem z pół mili wkoło, dopiero jak się tak zgrzał, że mu z każdego włoska kapało, Pan Jezus zatrzymał bochenek, chłop go podniósł i posilił się, a Pan Jezus rzekł do niego:

– Nigdy się nie leń, chłopie! Widziałem, jak leżałeś tam pod drzewem i chciałeś, żeby ci same gruszki w zęby leciały – to bardzo brzydko i grzesznie, bo słyszałeś przecie w kościele, że „pracującej ręki chwała najmilszą się Bogu zdała". Pracuj więc, jeśli dbasz o swoją duszę!

Chłop się zawstydził i stał drapiąc się po głowie i nie wiedząc, co mówić, a Pan Jezus tak dalej rzecz prowadził:

– Widzisz tę oto dziewuchę, jak ona pracuje, weź no garścią ziemi z jej roli i zobacz, co trzymasz w ręku.

Chłop uczynił, jak mu rozkazano, a Pan Jezus dotknął palcem jego oczu i Legat ujrzał, że miał na dłoni nie szary proch, lecz żółciuteńkie, błyszczące jak słońce dukaty z wizerunkiem Matki Boskiej.

– Widzisz – rzecze Pan Jezus – w co się zamienia z woli bożej uczciwa praca ludzka! Dziewucha ta będzie kiedyś bogata i szczęśliwa, bo Bóg lubi pomagać tym, co sami sobie pomagają. A wiesz, jakie owoce wydaje próżniactwo? Chwyć no garścią ziemi ze swojej zaniedbanej i zachwaszczonej roli!

Legat zanurzył rękę w grunt i wyjął ją całą zakrwawioną. Przeląkł się tedy okrutnie, a Pan Jezus mu powiada:

– Z próżniactwa przyjdziesz do nędzy, a głód i nędza przywiodą cię powoli do występku. Sam nic nie mając, będziesz zazdrościł innym i zapragniesz dojść do tego, do czego uczciwi ludzie dochodzą pracą, przez krwawą zbrodnię. Oto twój los, jeśli się nie poprawisz!

Legatowi aż pociemniało w oczach ze strachu, domyślił się bowiem, że ma do czynienia nie ze zwyczajnym człowiekiem. Upadł przed Panem Jezusem na kolana, objął Go za nogi i prosił o pomoc i radę.

– Zabierz się zaraz gorliwie do pracy, dbaj o swoją rolę, a możesz jeszcze być dobrym i szczęśliwym człowiekiem.

Powiedziawszy to Pan Jezus pobłogosławił jeszcze rolę i pracę poczciwej Frygi i zniknął wraz ze świętym Piotrem, Legat zaś postanowił w tej chwili odmienić życie.

I rzeczywiście zrobił się z niego staranny i zabiegliwy gospodarz. Po paru latach ożenił się ze żwawą, pracowitą Frygą i oboje dorobili się uczciwą pracą dużego majątku i wychowali swoje dzieci na zacnych ludzi, co swoją rodzinną ziemię kochali i uprawiali gorliwie.

Artur Oppman (Or-Ot)

O CHCIWYM MACIEJU,
KUSYM NIEMCZYKU
I ZAKLĘTYCH SKARBACH
NA ZAKLĘTEJ GÓRZE

N a wysokiej i spadzistej górze pod Rawą stał dawno, bardzo dawno, ogromny zamek. Dwie wieżyce, sterczące po bokach zamczyska, wznosiły się wysoko, a na każdej z nich ponuro szumiała na wietrze czarna chorągiew. Rów głęboki, napełniony wodą, i wał usypany z ziemi otaczały zamek i wnijścia do niego broniły. Strasznie wyglądała ta budowla, zwłaszcza kiedy zachodzące słońce promienie swe na nią rzucało. Wtedy czerwone cegły świeciły jaskrawo i cały zamek wyglądał jakby w krwi skąpany.

W zamku tym mieszkał straszliwy zbójca z drużyną sobie podobnych bandytów. Nic dla nich świętego nie było. Co dzień gromada rabusiów wyjeżdżała z zamku po zwodzonym moście i co dzień z obfitym wracała łupem. Pobliskie wsie i miasteczka drżały na wspomnienie zamczyska i jego okrutnych mieszkańców. Klątwy i złorzeczenia, jęki i prośby mało obchodziły chciwego krwi i złota zbója. Śmiał się jeno szydersko i liczył zdobyte skarby.

A skarbów tych była w lochach zamczyska moc nieprzebrana. W czterech wielkich piwnicach stały kadzie pełne złotych dukatów i beczki z srebrnymi talarami. Zrabowane po dworach misy, dzbany złociste, a z kościołów i klasztorów świętokradzką zabrane ręką wota i monstrancje drogimi kamieniami sadzone – piętrzyły się w olbrzymie stosy. Często przychodził tu herszt zbójecki bandy i nasycając się widokiem krwią poplamionych klejnotów, powtarzał:

– Tylko jeden diabeł mógłby mi to odebrać!

Jakoż stało się tak pewnej nocy, gdy gromada rabusiów, wróciwszy z wyprawy, sutą raczyła się ucztą, gdy konwie pełne wina i półmiski z rozlicznym mięsiwem obciążały dębowe stoły – zerwała się nad zamkiem ogromna burza. Pioruny biły bezustannie i błyskawice raz po raz rozświetlały sinym blaskiem wielką, sklepioną komnatę, gdzie odbywała się biesiada. Światła w komnacie pogasły i nagle zbójów zdjął strach ogromny. W sinym świetle błyskawic twarze wyglądały jak trupie, a trwoga wykrzywiała je szkaradnie. Wtem wicher zawył jak zgraja potępieńców, śmiech okropny, przejmujący do szpiku kości rozległ się nad zamkiem, ogień siarczysty spadł z nieba i gmach cały zapłonął. I wtedy widać było wyraźnie, jak banda szatanów uwija się w płomieniach, porywając oszalałych z bojaźni zbójów.

Nazajutrz po zamczysku nie było ani śladu. Na wierzchołku góry wytworzyło się wgłębienie i widać było drzwi żelazne, do piwnic ze skarbami wiodące. W piwnicach zamieszkał diabeł, zbójeckich, skrwawionych łupów pilnując. Z czasem ziemia zasypała drzwi żelazne, ale skarby są w lochach dotąd, tylko dostać się do nich nie można, bo szatan przystępu broni zazdrośnie.

*

Sławetny pan Maciej Kukawka, mieszczanin rawski, siedział na drewnianej ławie przed swoim domkiem i myślał o czymś, skrzywiony cudacznie.

Raz po raz drapał się po łbie, muskał czuprynę i żółte wąsy targał, snadź kłopot jakiś niemały miał na karku i dumał, jakby się z niego wywikłać.

Ba! Gorsza rzecz niż największe kłopoty pana Macieja: zalęgły mu się w sercu dwie żmije zjadliwe – zazdrość i chciwość.

Miał pan Kukawka fortunkę dostatnią, miał żonę poczciwą i dziatki dobre, mógłby tedy żyć wygodnie, Pana Boga chwaląc, ale cóż, kiedy owe dwa węże zakradły się doń i duszę mu wiodły na manowce.

Odkąd przyjaciel jego, pan Baltazar Kogut, odziedziczył spadek bogaty po jakimś dalekim a nie znanym krewniaku, odkąd za otrzymane pieniądze najpiękniejszy dom w mieście zakupił i co dzień przednie wino razem z samym burmistrzem – za pan brat z nim żyjąc – pijał, odtąd pan Maciej nie miał jednej chwili spokojnej. Wciąż świdrowała mu głowę jedna myśl uparta, jakby się tu zbogacić i Koguta zakasować.

Ot i teraz, zamiast pójść na nieszpór do kościoła, siedzi oto i duma, a targa się za wąsy i czuprynę muska.

Wieczór się zbliżał, szarzało z wolna, uliczka była pusta i głucha. Wtem podniósł głowę pan Maciej Kukawka i mruknął półgłosem:

– Żeby to tak z diabłem się zetknąć... Łacno by on złotem i srebrem zapłacił, byleby mu duszę zaprzedać. A no, cóż... Niechby tu stanął. Może byśmy targu dobili...

Ledwo to wyrzekł, aliści zjawia się przed nim nie wiadomo skąd wędrowny Niemczyk, figura cudaczna, o kusym fraczku, z harbajtlem[1], w pończochach i w trzyrożnym kapeluszu na głowie. Z zezowatych ślepków niezbyt mu dobrze patrzało i jakoś kapelusz nie chciał się trzymać na łbie baniastym, jakby mu co przeszkadzało.

– A czego to waści potrzeba? – zapytał zdziwiony pan Maciej, patrząc na kręcącego i nastającego nogami Niemczyka.

– Widzi waść – ów rzeknie – widzi waść, ja po świecie wędruję i dobrym ludziom pomagam, a takie znam rzemiosło, że kogo zechcę – zbogacę. Ot, zaszedłem i tutaj, choć mi nie po drodze, bom dużo słyszał o waści i rad bym z wami pewien interes załatwić.

– I jakież to rzemiosło, co to się przy nim tak łatwo na bogacza wykierować można? – zapytał ciekawie Kukawka.

– A oto, widzisz waść, jeden czarownik z Egiptu nauczył mnie sposobu wydobywania zaklętych skarbów. Mam takie ziółko, kwiat paproci, co gdy je w usta włożę, to wszystkie skarby pod ziemią ukryte widzę jak na dłoni – ba! mógłbym je co do grosza przeliczyć.

– Hm!... – mruknął pan Maciej. – A nie wiesze waść, czy tu w tych stronach jakiego złota zakopanego nie ma?

– Owszem, jest! – Niemczyk na to. – Jest, i tyle go, że dwa czterokonne wozy można by nim wyładować i jeszcze by kilkanaście korcy zostało.

– A gdzie? A gdzie? – zakrzyknął chciwie Kukawka. – Rzeknij waść jeno i pomóż. Ja za poradę dobrze zapłacę.

– Powiem, dlaczego nie! I pomogę. Ale trzy rzeczy są potrzebne do wydobycia skarbu. Jeśli waść je mieć możesz, to złoto twoje – jeśli nie, to skarb w ziemi zostanie.

– I jakież to trzy rzeczy? – zagadnie pan Maciej.

– A to złoty rydel, złota motyka i złoty oskard. Kiedy je waść mieć będziesz, to przyjdź jeno w piątek przed północkiem na górę zamkową, a znajdziesz

---

[1] **Harbajtel** (z niem.) – woreczek na warkocz, noszony przez mężczyzn łącznie z peruką w wiekach XVII i XVIII. Frak, krótkie spodnie i pończochy, trzyrożny kapelusz oraz peruka z harbajtlem należały do modnego stroju cudzoziemskiego. W takim właśnie stroju występuje w polskich podaniach i baśniach pogardliwie traktowany diabeł. Natomiast diabeł „polski”, Boruta, był przedstawiany w stroju szlacheckim.

mnie tam na pewno. Skarb we dwóch odkopiem, a burmistrz i jegomość pan Kogut skisną z zazdrości.

Kukawka potraktował gościa czarną kawą i fajką. Ten, zjadłszy i wypiwszy, zniknął bez śladu, zostawiając pana Macieja Kukawkę w srogim zamyśleniu.

*

Następnego zaraz dnia pan Maciej, wstawszy z łoża po nie przespanej nocy, oświadczył żonie, że domek, grunt i dobytek cały sprzedaje.

Próżno zatrwożona niewiasta dopytywała się, czemu to czyni, próżno płakała i błagała pana Macieja na klęczkach, by nie marnował spuścizny po rodzicach. Kukawka nic jej powiedzieć nie chciał i od zamiaru nie odstąpił. Na chudobę pana Macieja rychło się znalazł nabywca, gotówką należność wypłacił i do domku się wprowadził. Zamieszkał tedy Kukawka wraz z całą swoją rodziną w najętej izbie pod miastem.

Za otrzymane pieniądze zamówił u złotnika, zastrzegłszy dochowanie tajemnicy, owe trzy złote narzędzia, o których Niemczyk wspomniał. Po tygodniu rydel, oskard i motyka były gotowe. Pan Maciej zaniósł je nocą do domu i ukrył w zamczystym kufrze.

Najbliższy piątek przypadał właśnie nazajutrz.

*

Noc była ponura i ciemna i wicher wył straszliwie, kiedy pan Maciej, otulony obszernym płaszczem, niosąc trzy złote narzędzia pod pachą, szedł ku zamkowej górze.

Na wieży kościelnej wybiła jedenasta. Dźwięk zegara rozległ się daleko i doleciał do uszu pana Macieja. A razem z dźwiękiem tym przyfrunął doń głos jakiś, głos cichy, ale wyraźny.

– Wróć się, wróć się – szeptał. – Wróć się, chciwcze i zazdrośniku! Co ci po skarbach? Dla marnego złota duszę chcesz zaprzepaścić i zgubić na wieki? Wróć się, póki czas jeszcze!

Był to głos Anioła Stróża, który nad panem Kukawką ulatał zasmucony i chciał w nim zbudzić przytłumioną żądzą bogactw duszę. Ale pan Maciej na głos ten nie zważał. Otulił się jeno szczelniej, jakby go zimno przejęło, i sporszym krokiem począł iść ku zaklętemu miejscu, aż wreszcie zmęczony i potem oblany stanął u stóp góry.

Gdy odpocząwszy nieco, przedzierał się Kukawka przez gęste krzaki leszczyny, na górze rosnące, ozwał się nagle tuż przy nim głos znajomy:

– A jesteś waść? Kłaniam, kłaniam pokornie i skarbów winszuję, bo wiem, że masz potrzebne narzędzia. A gdy już będziesz miał złota po uszy, to nie zapomnijże i o mnie, panie Macieju!

Wzdrygnął się jakoś pan Maciej i spojrzał na stronę. W ponurym blasku księżyca mignęła mu twarz Niemczyka. Straszna ona była, skrzywiona szyderskim uśmiechem.

– No, weźmy się do roboty! – rzekł Niemczyk. – Za godzinę skarby będą nasze.

I jęli pracować złotymi narzędziami – kopali i odrzucali ziemię.

Po godzinie roboty ukazały się drzwi żelazne. Niemczyk uderzył w nie oskardem i drzwi otworzyły się z łoskotem, z otworu buchnęły blaski złota i drogich kamieni. Zachwycony, oszołomiony widokiem takich bogactw, pan Maciej chciał skoczyć do czeluści – wtem na farze rawskiej wybiła dwunasta.

Błysło, zagrzmiało, Niemczyk rozśmiał się okropnie i skoczył do jaskini. Maciejowi włosy dęba stanęły na głowie, gdy spojrzał na Niemczyka. Jakże on się zmienił straszliwie. Koźle miał kopyta, krowie rogi i ogon długi na dwa łokcie. Jednym słowem, był to diabeł w swojej własnej osobie.

Pan Kukawka struchlał, jak się rzekło, a tymczasem skarby i diabeł zapadały się coraz głębiej i głębiej, aż znikły spod oczu chciwca.

Gdy się pan Maciej ocknął z omdlenia, słońce już świeciło na niebie i ptaki wesoło śpiewały.

Chwiejnym krokiem, ze spuszczoną głową wrócił nieszczęsny człowiek do Rawy. Zrujnowany był zupełnie, gdyż diabeł złote narzędzia zabrał ze sobą do jaskini.

Rodzina chciwca wpadła w ostatnią nędzę, a on sam zginął gdzieś w dalekim świecie, chodząc po żebraninie.

Ostatni raz widziano pana Macieja Kukawkę w sąsiednim dworze, gdzie otrzymał skromne wsparcie w postaci kukiełki chleba, którą schował do torby.

Odtąd ową górę zamkową nazywają Górą Diabelską.

Włodzimierz Perzyński

O SZCZUPAKU,
KTÓRY UMIAŁ TAŃCZYĆ

Był pewien Grajek, który chodził po ulicach i po podwórzach i grał
na skrzypcach. Grał bardzo ładnie, toteż ludzie dość chętnie rzucali mu
miedziaki, ale ponieważ Grajek miał żonę i czworo dzieci, więc to wszystko,
co mógł uzbierać, nie wystarczało mu na życie. Żona Grajka była chora i nie
mogła zarabiać, dzieci były małe i wciąż w domu głód panował. Przyszedł taki
tydzień, że Grajek, choć wygrywał całymi dniami od rana do wieczora, od
nikogo ani grosza nie dostał. W końcu ze złości tak zaczął walić smyczkiem
po skrzypcach, że mu wszystkie struny popękały. Przez to stracił już zupełnie
możność zarabiania i z rozpaczy postanowił się utopić. Poszedł nad rzekę,
stanął nad samym brzegiem wody, przymknął oczy, powiedział: „Raz, dwa,
trzy!" – i nie skoczył, bo mu w ostatniej chwili zabrakło odwagi. Ale myślał, że
mu jeszcze odwaga przyjdzie. Powiedział sobie: „Do trzech to za mało, trzeba
policzyć do dziesięciu". Przymknął oczy, zaczął liczyć, policzył do dziesięciu
i znów nie skoczył. Wtedy powiedział sobie: „I do dziesięciu za mało, trzeba
policzyć do stu". Trzeci raz przymknął oczy i zaczął liczyć. Kiedy doliczył do
pięćdziesięciu, usłyszał nagle, jak go ktoś pyta:

– Co pan tak rachuje?

Grajek otworzył oczy i zobaczył obok siebie Rybaka, który stał i ze zdziwieniem mu się przyglądał. Rybak w ręce trzymał wędkę, a na plecach miał
kosz, w którym było pełno ryb. Grajkowi na widok ryb aż się oczy zaiskrzyły.
Wyobraził sobie, co by to była za radość w domu, gdyby tak przyniósł żonie i
dzieciom trochę ryb na kolację. Zdjął kapelusz i pokornym głosem poprosił
Rybaka:

– Niech mi pan podaruje kilka tych ryb.

Ale Rybak wzruszył ramionami i roześmiał się drwiąco.

– Jak kto chce mieć ryby – odparł – to je powinien złowić.

– Ja bym łowił – powiedział Grajek – ale nie mam wędki. Pan teraz idzie do
domu – dodał spoglądając błagalnie na Rybaka – niech mi pan pożyczy swojej

wędki; jak pan wróci, to ją panu oddam, a może uda mi się przez ten czas choć kilka ryb ułowić.

– Jeszcze czego! – oburzył się Rybak. – Nowiuteńka wędka i będę ją jakiemuś obdartusowi pożyczał.

Popatrzył z pogardą na Grajka i powiedział:

– Mam starą wędkę, jeśli chcesz, to ci ją mogę sprzedać.

Grajek tak nędznie wyglądał, że Rybak przestał mu już mówić „panie".

– Nie mam pieniędzy – szepnął cicho Grajek.

– To co mi głowę zawracasz – odparł gburowato Rybak.

Odwrócił się i odszedł. Grajek za młodu był strasznie hardy, za nic w świecie nikogo by o nic nie prosił, ale potem pod wpływem nędzy i głodu strasznie spokorniał, jak to się nieraz ludziom zdarza. Pobiegł za Rybakiem i zaczął mu opowiadać o swojej niedoli, o głodnej żonie i dzieciach, myśląc, że go tym wzruszy. Ale Rybak już go nawet nie słuchał, szedł i pogwizdywał. W końcu Grajkowi przyszło na myśl, żeby zaproponować Rybakowi zamianę starej wędki na skrzypce. Wprawdzie skrzypce nie miały strun, ale Rybaka stać było na to, żeby nowe struny kupić, a zresztą skrzypce i bez strun więcej były warte od wędki. Jednak Grajek długo się wahał, nim to powiedział. Strasznie był przywiązany do swoich skrzypiec. Ale ryby, które Rybak miał w koszu, wyglądały tak apetycznie, że Grajek nie mógł się oprzeć pokusie i postanowił wszystko poświęcić, byle tylko móc sobie kilka takich ryb ułowić. Drżącym głosem, tak jak gdyby mu wstyd było przed samym sobą, że coś podobnego mógł mówić, zaproponował Rybakowi zamianę.

Rybaka zaciekawiła widocznie ta propozycja, bo przystanął i raczył spojrzeć wreszcie na Grajka.

– Ano, pokaż te skrzypce – powiedział.

Ale kiedy zobaczył, że skrzypce nie miały strun, ogarnęła go taka złość, że wyrżnął Grajka z całej siły skrzypcami w głowę.

– Na to tylko twoje skrzypce się zdały! – krzyknął.

Grajkowi od tego uderzenia spadł kapelusz z głowy. Miał on kapelusz cały w dziurach. Rybak, spojrzawszy na dziurawy kapelusz Grajka, roześmiał się drwiąco, kopnął kapelusz nogą i powiedział:

– Zrób sobie z tego kapelusza sieć i łap ryby.

I odszedł.

Grajkowi z bólu i ze wstydu łzy popłynęły z oczu. Podniósł kapelusz, otrzepał go z kurzu, wrócił nad rzekę i usiadł nad samym brzegiem wody. Przez chwilę siedział ponuro zamyślony i wreszcie krzyknął:

– Ach, żeby mi Pan Bóg dodał odwagi do utopienia się w tej wodzie!
Zaraz jednak zdał sobie sprawę, że powiedział wielkie głupstwo, bo przecież Pan Bóg nie mógł mu dodać odwagi do popełnienia grzechu.

Po chwili więc krzyknął inaczej:
– Ach, żeby diabeł dodał mi odwagi do utopienia się w tej wodzie!

Ale diabłu nie zależało widocznie na mizernej duszy Grajka, a może się
spodziewał, że i tak ją będzie miał za inne grzechy w piekle, bo nie pokwapił
się na to wezwanie z pomocą. Grajek obejrzał się za siebie i zobaczył długi
sznurek, który leżał na ziemi. Wziął ten sznurek i przywiązał go do kapelusza.
Utkwiły mu w głowie słowa Rybaka: ,,Zrób z tego kapelusza sieć i łap ryby", a
ponieważ ze zmartwienia już stracił rozum zupełnie, więc postanowił
naprawdę łowić ryby w kapelusz. Cisnął kapelusz w wodę i czekał.

Nie bardzo w to wierzył co prawda, aby mógł co w kapelusz ułowić, ale
siedział, bo nic lepszego nie miał do roboty. Aż tu naraz, jak nie szarpnie za
sznurek... Grajek o mało do wody nie wleciał. Szczęściem, na brzegu był pal
wbity w ziemię, do którego przewoźnicy przywiązywali łódki. Grajek zaha-
czył o pal nogą i dzięki temu udało mu się na brzegu utrzymać. Gdyby nie ten
pal, na pewno byłoby go wciągnęło do wody. Przewrócił się na wznak, oparł
się jedną nogą o pal, drugą o ziemię i z całej siły zaczął ciągnąć za sznur.

Wyciągnął swój dziurawy kapelusz i aż osłupiał ze zdumienia. W kapeluszu siedział ogromny Szczupak. Na brzegu Szczupak wyskoczył z kapelusza,
stanął na ogonie i powiedział ludzkim głosem:
– Mój dobry Grajku, nie każ mi się smażyć na patelni, to ci pięknie
zatańczę.

I od razu zaczął tańczyć przed Grajkiem, przy czym sam sobie gwizdał, i to
właśnie te same wszystkie melodie, które Grajek zwykle grał na skrzypcach.
Grajek raz i drugi przetarł oczy, tak jakby nie chciał wierzyć temu, na co
patrzył. Potem przyszło mu na myśl, że może zdrzemnął się nad wodą i to
wszystko śniło mu się tylko. Więc żeby się upewnić, że to nie było snem,
uszczypnął się w nogę. Uszczypnął się tak mocno, że aż krzyknął z bólu.
Szczupak przestał tańczyć, stanął przed Grajkiem, roześmiał się i powiedział:
– Nie dziw się, Grajku, ja naprawdę umiem tańczyć. Zagraj mi na skrzypcach, to jeszcze piękniej zatańczę.
– Kiedy nie mam strun – odpowiedział Grajek. Nareszcie musiał już w to
wierzyć, że udało mu się wyłowić takiego niezwykłego Szczupaka, który
naprawdę umiał tańczyć.

Szczupak machnął lekceważąco płetwą.

– Jak kto umie grać – odpowiedział – to na wszystkim zagra. Zrób sobie struny ze sznurka.

Grajek pomyślał, że skoro działy się tak dziwne rzeczy, że Szczupak mówił ludzkim głosem i tańczył, to można było równie spróbować zagrać na sznurku. Odwiązał sznurek od kapelusza, pokrajał go kozikiem i porobił struny. Pociągnął smyczkiem po strunach i skrzypce zagrały jeszcze piękniej niż dawniej, kiedy miały prawdziwe struny.

– Zagraj mi walca! – krzyknął Szczupak.

Grajek zagrał, a Szczupak zaczął tańczyć. Tańczył do upadłego, i to naprawdę do upadłego, bo w końcu wywrócił się na piasek i zaczął głośno sapać ze zmęczenia.

Bardzo szybko jednak wypoczął i znów wyprostował się na ogonie.

– Teraz mi polkę zagraj! – krzyknął.

Ale Grajek schował pod palto skrzypce i odpowiedział:

– Dość!

Nie chciał, żeby się Szczupak zanadto męczył, bo postanowił zaprowadzić go do miasta i pokazywać ludziom. Pewien był, że za takie widowisko zbierze dużo pieniędzy.

– Chodź – powiedział do Szczupaka – pójdziemy do miasta.

Ale Szczupak strasznie się na to skrzywił i odparł, że on woli tańczyć nad rzeką. Na próżno Grajek prosił go i tłumaczył mu, że obaj staną się sławni i zarobią dużo pieniędzy. Szczupakowi pieniądze na nic nie były potrzebne, a sława także go nie nęciła. Grajek widząc, że po dobroci nic ze Szczupakiem nie wskóra, zirytował się w końcu, wziął resztę sznurka, zrobił pętlę, zarzucił Szczupakowi na głowę i pociągnął go za sobą. Szczupak rad nierad musiał iść za Grajkiem. Po drodze przyśpiewywał cienkim głosem:

– Niedobry Grajek, niedobry Grajek, niedobry Grajek...

Grajek nie zwracał na to uwagi i przyśpieszał kroku, żeby jak najprędzej znaleźć się na dużym placu w mieście i dać przedstawienie. Kiedy przyszedł na plac, zobaczył tłum ludzi i usłyszał muzykę. Był tam Cygan, który pokazywał tańczącego Niedźwiedzia. Grajek schował Szczupaka pod palto, przepchnął się przez tłum i stanąwszy koło Cygana, krzyknął:

– Nie patrzcie na Niedźwiedzia, ja wam coś ciekawszego pokażę!

Wypuścił Szczupaka i zaczął grać na skrzypcach. A Szczupak zatańczył. Było to tak dziwne widowisko, że nawet Niedźwiedź rozwarł szeroko paszczę i z podziwem patrzył na Szczupaka. Cygan zbladł z zazdrości, bo widział, że jego tańczący Niedźwiedź już nie zaciekawiał nikogo. Szczupak przetańczył

POCHWYCIŁ DIABEŁ KONIA, DŹWIGNĄŁ NA BARKI, W KIL-
KA MINUT OBNIÓSŁ NAOKOŁO I STANĄŁ PRZED KMIOTKIEM
ZDYSZANY, A POT Z NIEGO KROPLAMI KAPAŁ.--OJ TY NIEDOŁĘ-
GO- RZEKŁ KMIOTEK-

polkę, walca, mazura, potem podskoczył na ogonie i ukłonił się ładnie widzom. To się tak wszystkim podobało, że zaczęto rzucać Grajkowi już nie tylko miedziaki, ale srebrne i złote monety. Pewien bogaty człowiek, który stał w tłumie i przypatrywał się tańcom Szczupaka, chciał go od razu od Grajka kupić. Ofiarowywał mu cały worek złota. Ale Grajek odparł, że za nic w świecie Szczupaka nie sprzeda.

Cygan mienił się na twarzy. Z bladego zrobił się szary, z szarego zielony, wszystko z zazdrości. Potem odciągnął na bok swego Niedźwiedzia, szepnął mu coś do ucha i nagle Niedźwiedź ze strasznym rykiem rzucił się na Szczupaka. Ale Szczupak skakał tak zręcznie i tak wysoko, że wciąż przeskakiwał Niedźwiedziowi przez łeb i Niedźwiedź nic mu nie mógł zrobić.

– Zagraj, Grajku! – krzyknął Szczupak. – Ja będę gwizdał, a ty to samo graj!

I Szczupak zagwizdał taką melodię, że Niedźwiedź od razu się uspokoił i zaczął tańczyć. A Szczupak tańczył naprzeciwko niego. I to było tak niesłychane widowisko, że wszyscy ludzie, którzy na to patrzyli, o mało nie poszaleli z radości. Grajek znów zebrał dużo pieniędzy.

– Słuchaj, Cyganie – powiedział wtedy do Cygana – ja od ciebie tego Niedźwiedzia kupię. Dam ci to wszystko, co mam, i jeszcze drugie tyle.

Cygan podrapał się w głowę, zastanowił się chwilę i zgodził się sprzedać Niedźwiedzia. Miał zamiar wziąć pieniądze, a potem zacząć śledzić Grajka i wypatrzywszy odpowiednią chwilę, ukraść mu i Niedźwiedzia, i Szczupaka.

Grajek tego samego dnia dał jeszcze dwa przedstawienia i zebrał tyle pieniędzy, że mógł i Cygana zapłacić, i kupić sobie nowe ubranie. Ludzie całym tłumem chodzili za nim po ulicach i Grajek stał się od razu najsławniejszym człowiekiem w mieście.

Bardzo często tak bywa, że powodzenie przewraca ludziom w głowach. Otóż i z Grajkiem tak się stało. Mimo że w domu czekała na niego głodna żona i dzieci, Grajek nie myślał już wcale o tym, żeby do nich wrócić. Co innego zaświtało mu w mózgu. Niedaleko miasta mieszkał we wspaniałym zamku książę, który miał córkę słynącą z urody, ale strasznie kapryśną. Nazywano ją „Ziewającą Księżniczką”, bo zawsze była ze wszystkiego niezadowolona, nic jej się nie podobało i z nudów całymi dniami tylko ziewała. O rękę Księżniczki starało się wielu urodziwych i bogatych młodzieńców, ale ona wszystkich odpalała. Zapowiedziała w końcu, że tylko za takiego człowieka za mąż wyjdzie, który jej potrafi pokazać sztukę, jakiej jeszcze nie było na świecie. Grajek pomyślał sobie, że tego, żeby Szczupak tańczył z Niedźwiedziem, jeszcze nikt na świecie nie widział, choć widziano podobno, jak tańcowała ryba z rakiem, a pietruszka z pasternakiem, i postanowił starać się o rękę Księżniczki.

Spędził noc w najpiękniejszym hotelu w mieście, w którym wynajął trzy pokoje, jeden dla siebie, jeden dla Szczupaka i jeden dla Niedźwiedzia, i na drugi dzień od samego rana wybrał się do książęcego zamku. Z początku służba nie chciała go wpuścić. Stary, siwy kamerdyner był nawet dla niego bardzo niegrzeczny. Dopiero kiedy Grajek zagrał i Szczupak zatańczył z Niedźwiedziem, olśniony kamerdyner pędem puścił się do Księżniczki, żeby jej zameldować o przybyciu niezwykłych tancerzy.

Księżniczka, która leżała na kanapie i ziewała z nudów, ogromnie się z tego ucieszyła, że będzie miała ciekawe widowisko. Kazała Grajkowi iść ze Szczupakiem i z Niedźwiedziem do ogrodu i niebawem zjawiła się sama.

Grajek, ujrzawszy ją, oniemiał z podziwu. I nie tyle go zadziwiła nadzwyczajna uroda Księżniczki, co jej włosy. Trzeba wiedzieć, że Księżniczka z nudów malowała sobie każdy włos na inny kolor i wskutek tego miała na głowie włosy wszystkich kolorów, jakie są na świecie.

Grajek, który w nowym ubraniu, wystrzyżony, umyty, ogolony i uperfumowany bardzo pięknie wyglądał, ogromnie się podobał Księżniczce. Uśmiechnęła się do niego przyjaźnie i powiedziała:

– Bardzo się cieszę, że pan przyszedł mi pokazać tak niezwykłe widowisko.

Księżniczka powiedziała tak przez grzeczność, bo przez tę krótką chwilkę, gdy szła ze swego pokoju do ogrodu, już ją ogarnęła nuda i straciła chęć do zabawy. Ale kiedy Szczupak zaczął tańczyć z Niedźwiedziem, wpadła w zachwyt, śmiała się do rozpuku, klaskała w dłonie i kazała im tańczyć raz po raz. W końcu Niedźwiedź i Szczupak tak się pomęczyli, że razem wywrócili się na trawę i leżeli jeden obok drugiego głośno sapiąc.

– Cudowne widowisko! – wykrzyknęła Księżniczka. – Jeszcze nigdy w życiu nic podobnego nie widziałam.

I zgodziła się zostać żoną Grajka. Ślub miał się odbyć za tydzień. Grajek naglił, bo jak najprędzej chciał zostać mężem Księżniczki. Przez tydzień Księżniczka wciąż się przyglądała tańcom Szczupaka i Niedźwiedzia, ale po tygodniu już jej się to znudziło i powiedziała do Grajka:

– Obrzydli mi już ten Szczupak i ten Niedźwiedź. Każę ich pozabijać i przyrządzić na weselną ucztę.

Grajek zgodził się na to, bo już był pewien, że zostanie mężem Księżniczki, i nie zależało mu na Szczupaku i Niedźwiedziu.

Na drugi dzień w kaplicy zamkowej odbył się ślub Grajka z Księżniczką, a potem miała być weselna uczta. Sproszono mnóstwo gości i zastawiono stoły w największej sali zamkowej. Dla Szczupaka znalazł się półmisek, ale żeby podać Niedźwiedzia, trzeba było zrobić nowy, olbrzymi półmisek, i na rozkaz Księcia dziesięciu jubilerów pracowało nad tym półmiskiem przez całą noc.

Olbrzymi Niedźwiedź na srebrnym półmisku budził podziw wszystkich gości. Ale bardziej jeszcze dziwiło ich to, że obok Niedźwiedzia leżały na półmisku skrzypce ze strunami ze sznurków. Księżniczce przyszedł do głowy taki żart i kazała położyć obok Niedźwiedzia skrzypce.

Jedna z pań podniosła skrzypce i obejrzawszy je, powiedziała:

– Na takich skrzypcach grać nie można.

– Można! – krzyknął Grajek. I chcąc przekonać wszystkich, że mówił prawdę, chwycił w jedną rękę skrzypce, w drugą smyczek, uderzył nim po strunach i zaczął grać.

I co się stało? Ledwo rozległy się pierwsze takty melodii, Niedźwiedź i Szczupak zerwali się z półmisków i zaczęli tańczyć. Goście przerazili się najokropniej i tłumnie zaczęli uciekać, a pierwsi uciekali Grajek i Księżniczka.

Ale nie zdążyli uciec, bo Niedźwiedź rzucił się za nimi, jedną łapą przytrzymał Grajka, drugą – Księżniczkę. Potem Niedźwiedź i Szczupak zasiedli w pustej sali przy stole i tymi samymi nożami i widelcami, którymi ich miano kłuć i krajać, pokłuli i pokrajali Grajka i Księżniczkę – i zjedli.

GAŁGANIARZ I PATYCZEK

Mały Antek miał sześć lat, kiedy stracił oboje rodziców i został zupełnie sam jeden na świecie. Był on taki mały i chudy, że nikt nie wołał do niego po imieniu, tylko wszyscy nazywali go „Patyczek". I on sam tak się do tego przyzwyczaił, że gdy go się kto pytał, jak się nazywał, to odpowiadał: „Patyczek". Po śmierci ojca zaopiekowała się nim pewna kobieta, żona Gałganiarza z tego samego domu. Ci Gałganiarze byli także bardzo biedni ludzie, tak że nawet nie mieli własnego mieszkania i musieli się gnieździć kątem w suterenie. Było tam ciemno, brudno i ciasno, ale Patyczek był taki mały, że mu niewiele miejsca było potrzeba. Usiadł sobie w kąciku przy oknie i cicho płakał, a potem usnął. I przyśniło mu się, że do suteryny weszła nagle jego matka zadyszana, jakby się strasznie śpieszyła, pogłaskała go po głowie i powiedziała:

– Mój Patyczku, wyrwałam się na chwilę z nieba, bo mi strasznie tęskno było za tobą, ale teraz muszę wracać, żeby nie zobaczono, żem uciekła. I tak nie wiem, co by tu wymyślić, jakby się Pan Bóg dowiedział!

Patyczek zastanowił się chwilę i nagle krzyknął wesoło:

– Niech mama powie, że straż ogniowa jechała i że mama przystanęła, żeby popatrzeć!

Tak mówił, bo sam najlepiej lubił patrzeć, jak straż jechała do ognia. Ale matka uśmiechnęła się na to i odrzekła, że tak w niebie tłumaczyć się nie można. Potem wyjęła małe zawiniątko z kieszeni i podała Patyczkowi.

– Masz – powiedziała – przyniosłam ci to, abyś miał się czym bawić.

Patyczek rozwinął paczuszkę i zobaczył kilkanaście błyszczących kamyków, które tak świeciły, że w całej suterenie od razu zrobiło się jasno i jeszcze blask bił na podwórze. Patyczek spojrzał z zaciekawieniem na matkę, a matka mu wytłumaczyła, że to były kawałki jednej gwiazdy, która się odluzowała, spadła i potłukła.

– To już w niebie niepotrzebna! – krzyknął Patyczek.

Matka podrapała się w głowę i odparła:

– Można by to jeszcze posklejać i zrobić z tego inną gwiazdę, ale ponieważ nikt tego nie podniósł, więc ja zabrałam i przyniosłam ci do zabawy.

Patyczek niesłychanie się ucieszył, bo wyobrażał sobie, jak mu wszystkie dzieci na podwórzu będą takiej gwiazdy zazdrościły, ale nagle się obudził i zobaczywszy brudną suterenę, przekonał się ze smutkiem, że to wszystko było tylko snem.

W tej samej chwili na schodach, prowadzących z podwórza do suteren, rozległy się ciężkie kroki i ochrypły śpiew. Ten śpiew, choć bardzo wesoły, nic dobrego nie wróżył, bo oznaczał, że Gałganiarz wracał do domu pijany. Gałganiarz po pijanemu miał dobry humor, śmiał się i wyśpiewywał, ale dotąd, dopóki był za drzwiami. W mieszkaniu zaraz mu się humor zmieniał, robił żonie awantury i czasem bił ją nawet. Toteż Gałganiarka najokropniej się przestraszyła.

– Schowaj się! – krzyknęła do Patyczka, ale już było za późno.

Gałganiarz, dowiedziawszy się, że jego żona chciała przygarnąć Patyczka, zaczął się złościć i tupać nogami.

– Sami nie mamy co jeść – wykrzykiwał – a ty tu będziesz jeszcze jakichś przybłędów zbierała. Wyrzuć mi go zaraz!

Patyczek zaczął strasznie płakać i prosić, żeby mu przynajmniej do jutra rana pozwolono zostać i nie wyrzucano na noc po ciemku, ale Gałganiarz ani słyszeć o tym nie chciał. Wziął Patyczka za kołnierz jednym palcem, bo był duży i mocny, a Patyczek leciutki jak piórko, podniósł go do góry, otworzył okno i wyrzucił na podwórze. Potem – trzask – zamknął okno i zaczął się śmiać ochrypłym głosem, bo po pijanemu zdawało mu się, że to, co zrobił, było bardzo zabawne. Działo się to na jesieni, kilka razy już nawet śnieg przepadywał i noce były bardzo chłodne. Przez tę jednak chwilę, kiedy okno było otwarte, naleciało zimna do sutereny. Gałganiarka, przerażona, wybuchnęła głośnym płaczem i powiedziała:

– Zobaczysz, że cię Pan Bóg skarze.

Ale pijany Gałganiarz nic sobie z tego nie robił. Zaczął się rozbierać, żeby pójść spać. Kiedy ściągnął buty, rozległo się nagle ciche pukanie do okna. To Patyczek pukał myśląc, że Gałganiarz się jeszcze ulituje i wpuści go z powrotem do mieszkania. Na podwórzu było tak ciemno, że Patyczkowi z zimna i ze strachu zęby szczękały jak w febrze. Ale, ma się rozumieć, pukał do okna na próżno. Gałganiarz nie tylko mu nie otworzył, ale jeszcze zagroził żonie, że jeśli nie przestanie płakać i wstawiać się za Patyczkiem, to i ją wyrzuci na dwór. Inni ludzie, którzy mieszkali w tej samej suterenie, nie ujmowali się za Patyczkiem, bo się bali Gałganiarza.

Gałganiarka miała dobre serce i z żalu nie mogła zasnąć. Wiedziała, że jej mąż na drugi dzień będzie spał przynajmniej do południa, więc czekała tylko, żeby zasnął, bo postanowiła wyjść wtedy na podwórze i przyprowadzić z powrotem Patyczka. Jak na złość jednak Gałganiarz nie zasypiał, kręcił się, mruczał, podśpiewywał coś pod nosem i uciszył się dopiero wtedy, gdy się wszyscy pobudzili i zaczęli mu wymyślać i grozić, że jak nie przestanie hałasować, to się razem do niego zabiorą, obiją i wyrzucą za drzwi. Ale to zajęło dużo czasu, że dwie godziny, i Gałganiarka myślała z przerażeniem, że przez ten czas Patyczek marznie na podwórzu. Wreszcie Gałganiarz zaczął chrapać – na przemian cienko i grubo, grubo i cienko – a chrapał straszliwie, zupełnie tak, jak gdyby diabeł grał na popsutej trąbie. Kiedy Gałganiarz tak chrapał, że już go można było szarpać, szturchać, nawet zimną wodą oblewać – nic go nie obudziło. Gałganiarka ubrała się szybko i wybiegła na podwórze. Przez ten czas wiatr porozpędzał chmury, na niebo wypłynął wielki, srebrny księżyc i zrobiła się prześliczna, jasna noc. Ale mimo to, choć całe podwórze widać było jak na dłoni, Gałganiarka nigdzie nie mogła wypatrzeć Patyczka. Przyszło jej na myśl, że może się schował przed zimnem do bramy albo gdzie na schody, obiegła więc cały dom aż po sam strych, zajrzała nawet do jednej piwnicy, która była otwarta, ale nigdzie nie mogła znaleźć Patyczka. Nazajutrz od samego rana poszła pytać się stróża, czy on nie wyrzucił Patyczka za bramę, bo stróż był także zły człowiek, zupełnie wart Gałganiarza, ale stróż wzruszył tylko ramionami i odpowiedział, że wcale Patyczka nie widział. I tak Patyczek zginął, jakby pod ziemię się zapadł.

*

O Patyczka tak nikt nie dbał, że w domu nie zauważono wcale tego, że zginął. Tylko Gałganiarce strasznie go żal było. Ale nie mogła o tym mówić mężowi, bo kiedy raz wspomniała o Patyczku, Gałganiarz wpadł w straszny gniew i tak się zaczął awanturować, że Gałganiarka przerażona umilkła, przykucnęła za łóżkiem i tak cały wieczór przesiedziała.

Gałganiarz był strasznie zły, bo chciało mu się pić, a nie miał ani grosza. Ma się rozumieć, jak się Gałganiarzowi chciało pić, to nie wody, tylko wódki, za którą trzeba płacić. Skrzyczawszy żonę, wyszedł z domu i ledwo przestąpił próg bramy, znalazł złotówkę na chodniku. Złotówkę tę w oczach Gałganiarza zgubił jakiś starszy pan, który przechodził zamyślony. Inny człowiek, uczciwy, byłby staruszka dogonił i oddał mu zgubę, ale Gałganiarz wcale nie myślał tego robić. Ucieszył się, że będzie miał pieniądze na wódkę.

Poszedł do najbliższego szynku i kazał sobie podać duży kieliszek wódki za całą złotówkę. Wypił, zapłacił i bardzo smutno mu się zrobiło, że nie miał pieniędzy na drugi. Zaproponował szynkarzowi, żeby mu dał jeszcze jeden kieliszek na kredyt, obiecując, że następnego dnia zapłaci, ale szynkarz, który znał Gałganiarza, nie chciał się na to zgodzić.

Gałganiarz zaklął pod nosem i zabierając się do odejścia, machinalnie wsadził rękę w kieszeń. I o mało nie oszalał z radości. Namacał palcami w kieszeni jeszcze jedną złotówkę. Ponieważ nie miał ani grosza, o czym wiedział dobrze, bo dziesięć razy przed wyjściem z domu całe ubranie przetrząsnął, więc było to bardzo dziwne, jakim sposobem jeszcze jedna złotówka mogła mu się znaleźć w kieszeni; ale Gałganiarz rozstrzygnięcie tej tajemnicy pozostawił na później, a na razie był tylko strasznie rad, że mógł się jeszcze jeden kieliszek wódki napić. Gdy go wychylił, włożył rękę w kieszeń i znów znalazł złotówkę. I to powtarzało się za każdym razem. Co wydał złotówkę, to wnet odnajdował nową w kieszeni.

Szynkarz patrzał na niego zdziwiony, aż wreszcie odezwał się podejrzliwie:

– Skąd wy, Gałganiarzu, macie tyle pieniędzy?

– Wygrałem na loterii – odparł Gałganiarz.

– Dużo?

– Wielki los.

Gałganiarz skłamał tak, bo nie chciał mówić szynkarzowi prawdy, ale sam od razu się domyślił, że ta złotówka, którą znalazł, był to inkluz, czyli taki zaczarowany pieniądz, który zawsze, gdy go wydać, wraca z powrotem do kieszeni. Gałganiarz taką sobie ucztę wyprawił, jakiej jeszcze nigdy w życiu nie miał. Kazał sobie usmażyć pięć kotletów baranich, potem dziesięć kotletów cielęcych, a na dokładkę zjadł jeszcze dużą pieczeń wołową z kapustą i kartoflami i wypił pół antałka piwa. Ma się rozumieć, gdy się tak objadł i opił, już ani ruszyć nie mógł się z miejsca. Sen go morzył, zaczął się kiwać na krześle, potem się zsunął pod stół, wyciągnął się jak długi na podłodze i zaczął chrapać po swojemu, na przemian cienko i grubo, grubo i cienko. Szynkarz czekał tylko na tę chwilę. Wiedząc, że Gałganiarz ma pieniądze, postanowił go okraść. W szynku nikogo już nie było, bo wszyscy inni goście dawno się rozeszli. Szynkarz pozamykał drzwi, pochylił się nad Gałganiarzem i obrewidował go starannie. Ale znalazł przy nim tylko jedną złotówkę. Łatwo sobie wyobrazić, w jaką wpadł wściekłość. Myślał, że Gałganiarz go oszukał, i darować sobie nie mógł, że tak od razu uwierzył w opowiadanie o wygranej na loterii i nie kazał sobie z góry pokazać pieniędzy. Ze złości chwycił konewkę wody i wylał ją Gałganiarzowi na głowę. Ale Gałganiarz miał taki twardy sen, że i to go nie obudziło. Więc szynkarz całą noc musiał nad nim siedzieć i czuwać, bo się bał, żeby Gałganiarz mu nie umknął. Rano Gałganiarz ziewnął przeraźliwie, przeciągnął się i otworzył jedno oko. Wtedy szynkarz porwał się i zaczął mu wymyślać:

– Ty oszuście! Mówiłeś, żeś wygrał wielki los na loterii, a masz tylko jedną złotówkę! Ja cię zaraz każę zaaresztować i zamknąć do więzienia!

Ale Gałganiarz wcale się tej groźby nie przestraszył. Spojrzał pogardliwie na szynkarza i powiedział dumnym tonem:

– Ile ci się należy?

Szynkarz wymienił dużą sumę.

– Masz – powiedział Gałganiarz. I zaczął jedną po drugiej wyjmować złotówki z kieszeni. Ułożył cały stos na stole, aż się zebrała cała suma, jaką był winien. Szynkarz zgłupiał zupełnie. Patrzył osłupiałym wzrokiem to na Gałganiarza, to na pieniądze. Gałganiarzowi śmiać się z niego chciało, ale udawał nachmurzonego. Potem, uderzywszy z całej siły pięścią w stół, krzyknął:

– Chciałeś mnie okraść i plądrowałeś mi po kieszeniach. Teraz ja cię każę w więzieniu zamknąć!

Szynkarz przestraszył się najokropniej i zaczął Gałganiarza przepraszać. Łatwo udało mu się go udobruchać, bo naprawdę Gałganiarz nie był zły, tylko udawał, żeby nastraszyć szynkarza. W końcu, kiedy rozchmurzył czoło, szynkarz odezwał się pokornym głosem.

– Przepraszam was, panie Gałganiarzu, dlaczego wy macie same złotówki?

– Bo taka jest moja fantazja – odrzekł Gałganiarz. – Kazałem sobie całą wygraną samymi złotówkami wypłacić.

I wyszedł, ogromnie dumny z tego, że mu się szynkarz kłaniał. Wróciwszy do domu, Gałganiarz spojrzał z drwiącym uśmiechem na żonę i powiedział:

– Mówiłaś, że mnie Pan Bóg skarze za to, że wyrzuciłem Patyczka, a tymczasem widzisz, jak mi się poszczęściło. Znalazłem zaczarowany pieniądz.

I zaczął rozrzucać złotówki po podłodze. Gałganiarka ogromnie się ucieszyła, ale niedługo trwała jej radość, bo tego samego dnia mąż od niej uciekł.

Gałganiarz stał się najbogatszym człowiekiem w Warszawie. Sprawił sobie wielkie futro z wielkim bobrowym kołnierzem, lśniący cylinder, laskę z ogromną złotą gałką i całymi dniami spacerował po Nowym Świecie i Krakowskim Przedmieściu, od placu Zamkowego do Alei Ujazdowskich i z powrotem.

Po pewnym czasie wszyscy ludzie znali go z widzenia, pokazywali go sobie palcami na ulicy i mówili:

– To jest ten bogaty dziwak, który za wszystko płaci samymi złotówkami.

A Gałganiarzowi to jedno psuło humor, że nigdy nie miał przy sobie więcej pieniędzy niż złotówkę. Wskutek tego musiał na kupowanie kosztownych rzeczy tracić bardzo dużo czasu. Raz zobaczył u jubilera olbrzymi brylant. Brylant kosztował kilkadziesiąt tysięcy; aby tę sumę samymi złotówkami zapłacić, potrzeba było dwóch dni i dwóch nocy czasu. Jubiler, który był słaby człowiek, po otrzymaniu ostatniej złotówki zemdlał z głodu i wycieńczenia.

Dla tej samej przyczyny Gałganiarz nie mógł zamieszkać we własnym domu, który sobie upatrzył i kupił. Gospodarz, podejrzliwy człowiek, nie chciał mu go oddać przed otrzymaniem całej sumy. Codziennie po południu Gałganiarz przychodził do gospodarza i układał mu złotówki na stole. Gospodarz nie mógł się wydziwić, jakim sposobem Gałganiarz mógł zmieścić tyle złotówek w kieszeni. Nie domyślał się oczywiście, że to była zaczarowana złotówka, a Gałganiarz nie chciał się do posiadania inkluza przyznawać, bo się bał, że jakby się wiadomość o tym po mieście rozeszła, to wnet znaleźliby się zbóje, którzy by go chcieli obrabować. Ale wreszcie po miesiącu dom stał się własnością Gałganiarza. Gałganiarz wybrał sobie najpiękniejszy apartament na pierwszym piętrze i tego samego dnia się wprowadził.

Spać mu się chciało i wcześnie poszedł do łóżka. Co to było za łóżko! Z najkosztowniejszego zamorskiego drzewa z ozdobami ze złota i z kości słoniowej. Poduszki były wypchane łabędzim puchem. Gałganiarz wyciągnął się na posłaniu, otulił kołdrą i uśmiechnął się z rozkoszą. Tak wygodnie, ciepło i miękko jeszcze nigdy w życiu nie spał. Przymknął oczy i już miał zasypiać, gdy nagle rozległo się ciche pukanie do okna. Zupełnie tak samo jak wtedy, kiedy Patyczek pukał do okna w suterenie.

W pierwszej chwili wydało się Gałganiarzowi, że to było tylko urojenie, ale strach go wziął i nasunął kołdrę na głowę. Długo tak jednak leżeć nie mógł, bo pod ciężką kołdrą tchu mu brakło i zaczynał się dusić. A przy tym – i to było najdziwniejsze – mimo że kołdra była bardzo gruba i że w dodatku Gałganiarz zatykał sobie uszy palcami, to jednak wciąż słyszał pukanie do okna. I pukanie to stawało się coraz głośniejsze i coraz niecierpliwsze. Szyba zaczęła już brzęczeć, tak jak gdyby lada chwila miała pęknąć.

Przez całą noc Gałganiarz ani oka nie mógł zmrużyć. Bał się wstać i wyjrzeć przez okno. Nad ranem, kiedy już zaczęło szarzeć, pukanie nagle umilkło.

„Nareszcie będę mógł się przespać" – pomyślał Gałganiarz, ledwo żywy ze zmęczenia. Wyciągnął się, przymknął oczy, ale w tej samej chwili – drr... drr... drr... – szyba znów zaczęła brzęczeć. Pukanie to nie było głośne, ale miało w sobie coś tak dręczącego, że niepodobna było zasnąć. Rozwścieklony Gałganiarz zerwał się z łóżka, dał takiego susa, że od razu znalazł się przy oknie, podniósł roletę i zdrętwiał z przerażenia.

Na rynnie przed oknem stał patyk, najzwyklejszy patyk, mało co większy od ołówka. I to ten patyk jednym końcem stukał w szybę. Kiedy Gałganiarz podniósł roletę, patyk przestał stukać i zaczął tańczyć po rynnie, jakby z uciechy, że zobaczył Gałganiarza.

Gałganiarz zemdlał z przerażenia. Kiedy odzyskał przytomność, był już jasny dzień. Gałganiarz kucnął przy oknie, ostrożniuteńko uchylił rolety i wyjrzał. Patyka na rynnie już nie było.

„Teraz mógłbym się przespać" – pomyślał Gałganiarz, ale już nie miał odwagi kłaść się do łóżka, bo się bał, że jakby się położył, to patyk znów by zaczął pukać. Ubrał się prędko, wyszedł i już nie chciał do tego mieszkania wracać. Przeprowadził się na szóste piętro, bo mu się zdawało, że tak wysoko będzie bezpieczniejszy. Przez cały dzień chodził po mieście, aby być jak najbardziej zmęczonym na wieczór, a wieczorem upił się strasznie, tak że go nieprzytomnego odniesiono do domu. Dawniej, gdy Gałganiarz się tak upił, to miał strasznie twardy sen. Dziesięciu ludzi mogło było grać mu nad uszami na wielkich trąbach i bić w bębny i nie obudziliby go na pewno. Ale tym razem, gdy go tylko służba pozostawiła samego w sypialni, obudził się od razu. I obudził się tak trzeźwy, jakby ani jednego kieliszka nie wypił.

„Zaraz zacznie stukać" – pomyślał i ze strachu zimny pot go oblał. W tej samej chwili rozległo się ciche pukanie do okna.

Gałganiarz wychylił spod kołdry głowę i spostrzegł, że służba zapomniała zapuścić rolety. Była bardzo jasna, księżycowa noc i Gałganiarz doskonale widział z łóżka patyk, który kiwał się na rynnie i miarowo pukał w szybę. Gałganiarz czuł, że patyk chce wnijść do pokoju. Przyszło mu na myśl, że jak mu otworzy, to może go tym udobrucha. Wstał więc i otworzył okno. A patyk w tej chwili zmienił się w wielki drąg, wskoczył do pokoju i jak nie zacznie łoić Gałganiarza! W ćwierć sekundy nabił mu cztery wielkie guzy na czole.

Gałganiarz ze strasznym krzykiem zaczął uciekać po pokojach, ale drąg gonił za nim wszędzie. Podskakiwał do góry i z impetem opadał Gałganiarzowi na głowę i na plecy. Gałganiarz rzucał się jak oszalały, przycupnął pod stołem, wśliznął się pod kanapę, potem wdrapał się na szafę, ale to wszystko na nic się nie zdało. Drąg wciąż go potrafił dosięgnąć. W końcu udało się Gałganiarzowi wymknąć do łazienki. Zamknął drzwi za sobą na klucz i myślał, że jest bezpieczny. Ciężko dysząc, usiadł na brzeżku wanny. Od tego bicia tak spuchł, że się zrobił cztery razy grubszy, niż był.

Przesiedział chwilę i nagle znów usłyszał ciche pukanie do drzwi. Ale nie miał najmniejszego zamiaru otwierać. Postanowił przeczekać w łazience do rana, potem zawołać przez okno ludzi, kazać przynieść wysoką drabinę i po niej uciec. Tak mu się ten pomysł spodobał, że chciał zatrzeć ręce z uciechy, ale takie miał obolałe, że nie mógł nimi ruszyć. Patyk pukał, pukał i przestał pukać.

– Znudziło ci się – roześmiał się Gałganiarz. Ale w tej samej chwili klucz w zamku zaczął się ruszać i nagle wypadł z brzękiem na kamienną posadzkę, a przez dziurkę od klucza do łazienki wśliznął się patyk. I znów od razu zmienił się w wielki drąg.

Nie widząc już dla siebie ratunku, Gałganiarz chciał się oknem rzucić na bruk. Ale kiedy wskoczył na okno, zobaczył, że sąsiednie okno od sieni było otwarte. Strach dodał mu sił i zręczności i po gzymsie Gałganiarz uciekł do sieni. Ale drąg podążył za nim tą samą drogą.

Z przeraźliwym krzykiem: „Ratujcie, ratujcie!" Gałganiarz zbiegł po schodach na podwórze. Ma się rozumieć, cały dom się obudził, wszyscy pozrywali się na równe nogi, pootwierali okna i myśleli, że Gałganiarz oszalał, bo tak było, że widzieli tylko jego, jak skakał i krzyczał, a drąg był niewidzialny. Stróż, chcąc się pozbyć wariata, otworzył bramę. Gałganiarz wypadł na ulicę, drąg za nim i waląc wciąż Gałganiarza, popędził go aż do Wisły. Tam Gałganiarz skoczył z mostu w wodę i utonął.

PRZYGODY CHUDEGO PATYCZKA

Tak marnie zakończył swoje życie Gałganiarz i dobrze się stało, przecież na nic lepszego nie zasługiwał. Nikt nie wiedział, gdzie przepadł i co się działo z Patyczkiem, a Patyczek miał tymczasem niesłychanie dziwne przygody.

Przypominacie sobie, że kiedy go Gałganiarz wyrzucił na podwórze, Patyczek pukał jeszcze do okna myśląc, że Gałganiarz się ulituje i wpuści go z powrotem do sutereny. Noc była zimna i ponura, na podwórzu paliła się tylko jedna latarnia, wiatr miotał płomieniem na wszystkie strony i tak to wyglądało, jak gdyby jaka okropna twarz, zawieszona w powietrzu, oblizywała się długim, żółtym językiem. Ma się rozumieć, że taka jedna latarnia nie oświetlała podwórza, toteż było tak ciemno, że nawet koty, które widzą po ciemku, tej nocy niewiele by zobaczyły na pewno. Patyczek, który miał na sobie liche ubranie, pełne dziur, skostniał od razu z zimna, a jeszcze bardziej ze strachu, bo okropnie bał się ciemności. Żeby mu było raźniej, poszedł do bramy, usiadł na ziemi w kącie, skulił się jak mógł, i zaczął się modlić. Mimo że mu było bardzo zimno, sen zmorzył go powoli, przymknął oczy i już, już byłby może zasnął, gdy nagle do bramy zadzwoniono gwałtownie. Stróż spał tak mocno, że go ten jeden dzwonek nie mógł obudzić, a może i obudził, tylko nie chciało mu się na zimno wychodzić z mieszkania. Więc ten ktoś, kto był za bramą, zadzwonił drugi raz, trzeci, czwarty; dzwonił tak, że mało dzwonka nie urwał, a gdy i to nie pomagało, zaczął kopać i bić pięściami w bramę. I to nareszcie obudziło stróża. Wyszedł z mieszkania, okutany w ogromny kożuch z podniesionym kołnierzem, tak że mu wcale głowy nie było widać, i zdawało się, że kożuch sam szedł po ziemi. Trzeba było trafu, że stróżowi się śniło, że mu Patyczek się sprzeciwiał, a ponieważ wyszedł do bramy strasznie rozespany, więc jeszcze myśli ze snu błąkały mu się po głowie i idąc mruczał ochrypłym głosem:

– Niech ja tego Patyczka złapię, to mu kości poprzetrącam.

Patyczek to usłyszał i tak się przeraził, że zerwał się ze swego kąta, po cichutku na palcach przemknął się wzdłuż ściany i kiedy stróż otworzył bramę, wypadł na ulicę. Było tak ciemno, że ani rozespany stróż, ani ten pan, który wracał, nie zauważyli jego ucieczki. Stróż zatrzasnął bramę, przekręcił klucz w zamku i Patyczek został na ulicy sam.

W pierwszej chwili myślał, że umrze ze strachu, i zresztą chciał umrzeć, bo zdawało mu się, że to już lepiej niż się tak strasznie bać. Wyciągnął się na wznak na chodniku, zamknął oczy, złożył ręce na piersiach w krzyż i żeby mu się nie nudziło przed śmiercią, zaczął rachować do dziesięciu, bo dalej nie umiał. Przeliczył tak z kilkadziesiąt razy z rzędu, coraz twardziej i zimniej było mu leżeć na kamieniach, a śmierć nie przychodziła. W końcu znudziło mu się tak leżeć z zamkniętymi oczami, otworzył powoli jedno oko i zobaczył ogromny księżyc, który tymczasem wyszedł spoza chmur i oświetlił ulicę.

Ta jasność dodała Patyczkowi otuchy. Zerwał się z ziemi i żeby się rozgrzać, zaczął biegać i bić rękami po bokach, tak jak to często w zimie robią dorożkarze. Potem przyszło mu na myśl, żeby pójść poszukać dobrych ludzi, którzy by go przygarnęli na noc. Bardzo często zdarza się tak w życiu, że człowiek, któremu grozi jakieś niebezpieczeństwo, póty się boi, póki wie, że ktoś mu może pomóc i ulitować się nad nim, potem, kiedy się przekona, że tylko na własne siły może liczyć, odzyskuje od razu odwagę. Tak samo było z Patyczkiem. Powiedział sobie, że nie wszyscy ludzie byli tacy źli, jak Gałganiarz i stróż, i ruszył raźno naprzód.

I ledwo uszedł kilkanaście kroków, zobaczył przed sobą dwóch przechodniów, którzy wyszli z bocznej ulicy i zdążali w jego stronę. Jeden był już stary, bardzo wysoki i bardzo chudy i miał siwą spiczastą bródkę, drugi młodszy, niski, krępy, z czarnymi wąsikami. Ten młodszy niósł w ręce niewielką skórzaną walizkę.

Kiedy Patyczek zrównał się z nimi, starszy przechodzień spojrzał na niego ze zdziwieniem i zawołał:

– Cóż ty się tak sam włóczysz po nocy?

– Bo nie mam się gdzie podziać – odparł Patyczek.

Wtedy obaj przechodnie przystanęli i zaczęli go się wypytywać, kim był i co robił. Patyczek opowiedział im całą swoją historię i w końcu poprosił, żeby go wzięli ze sobą do domu i przenocowali.

– Jak ci na imię? – odezwał się starzec ze spiczastą siwą brodą.
– Patyczek – odpowiedział Patyczek.

To się obu przechodniom ogromnie podobało. Młodszy zaczął się strasznie śmiać, a potem powiedział:

– Bardzo dobrze się nazywasz, bo jeszcze nigdy w życiu takiego chudego dzieciaka nie widziałem.

Poszeptał coś z towarzyszem i powiedział do Patyczka:

– Dobrze, weźmiemy cię ze sobą, bo się nam przydasz, ale musisz wszystko robić, co ci każę.

Patyczek tak był ucieszony, że znalazł dobrych ludzi, którzy go chcieli zabrać ze sobą, że ma się rozumieć bez wahania przyrzekł im posłuszeństwo. Nie wiedział, że ci dwaj ludzie to byli niebezpieczni zbóje, którzy szli właśnie obrabować bogatego zegarmistrza. Młodszy miał w walizce zbójeckie narzędzia. Szli dość długo, skręcając z jednej ulicy w drugą, a ponieważ mieli długie nogi, więc stawiali ogromne kroki i Patyczek, żeby za nimi nadążyć, musiał biec. Wreszcie zatrzymali się przed wysokim domem, starszy zbój rozejrzał się po ulicy, a młodszy wyjął z kieszeni wytrych i otworzył bramę. Wtedy Patyczek domyślił się, że wpadł w ręce zbójów, chciał uciec, ale już było za późno. Młodszy bandyta chwycił go za ramię i wepchnął do bramy. Z bramy weszli do pustego sklepu, który sąsiadował ze sklepem zegarmistrza. Okazało się, że tam już była przygotowana dziura w ścianie, ale za mała, żeby bandyci mogli przez nią przeleźć, a nie chciało im się jej rozszerzać, bo to była długa i żmudna robota. Postanowili więc posłać do sklepu Patyczka. Był on taki mały, że mógł się przez tę dziurę przesunąć. Zbóje myśleli sobie przy tym, że gdyby zegarmistrz się obudził i wybiegł do sklepu, to złapałby Patyczka, a oni zdążyliby uciec. Nad wywierceniem tej dziury w ścianie zbójcy pracowali już co noc od tygodnia. Na dzień zakładali ją tak zręcznie cegłami, że wcale jej nie było widać. Młodszy zbój wyjął z walizki elektryczną latarkę i świecąc sobie nią, zaczął wyjmować cegły. Dopiero przy świetle latarki Patyczek mógł się zbójom dobrze przyjrzeć. Obaj mieli straszne miny. Starszy był zezowaty, a młodszy ospowaty. Przez ten czas, kiedy młodszy zbój wyjmował cegły z dziury, starszy zabrał się do jedzenia. Wydobył z walizki dużą papierową torbę, w której była wódka, chleb i kiełbasa. Przytknął butelkę do ust i tak pił, aż mu gulgotało w gardle, potem ukrajał sobie chleb i ogromny kawał kiełbasy. Patyczkowi, kiedy patrzył na chleb i kiełbasę, ślinka szła do ust, bo strasznie był głodny, ale ani słowa nie powiedział, bo nie chciał jeść zbójeckiego jedzenia.

Młodszy zbój pracował powoli, bo musiał cegły wyjmować ostrożnie, żeby nie upadły na ziemię i nie narobiły hałasu. Wreszcie, kiedy otwór był gotów, powiedział do Patyczka:

– Wejdziesz do sklepu i będziesz nam przez tę dziurę podawał zegarki. Tylko sprawuj się cicho, bo jakby zegarmistrz się obudził, toby cię zabił.

Patyczek strasznie się przeraził na samą myśl, że mógłby dopomagać zbójom do kradzieży. Niestety, był za słaby, żeby im uciec, a wiedział, że gdyby nie chciał słuchać, toby go zbóje zabili. Popatrzył na dziurę i powiedział:

– Ja się w tę dziurę nie zmieszczę. Musicie wywiercić większą.

Chciał przez to zyskać na czasie, bo miał nadzieję, że może zegarmistrz się obudzi i spłoszy zbójów. Zbóje jednak nie dali się tak łatwo wywieść w pole. Starszy zbój, który dotychczas nic nie mówił, tylko złym okiem patrzył na Patyczka, usłyszawszy jego odpowiedź, wpadł w straszny gniew, chwycił Patyczka za szyję i zasyczał stłumionym głosem:

– Doskonale się zmieścisz! Sam cię przepchnę. A jak nie będziesz chciał wejść, to cię zaduszę!

I mówiąc to, tak mocno ściskał Patyczka kościstymi palcami za gardło, że Patyczek już oddech tracił.

– Pójdę – jęknął czując, że nie było już innego ratunku.

Wtedy zbój przestał go dusić i ujął go wpół, żeby go przepchać przez dziurę. A Patyczkowi w tej ostatniej chwili przyszła bardzo szczęśliwa myśl do głowy. Odwrócił się i powiedział:

– Dajcie mi tę papierową torbę.

– Na co ci? – zdziwił się zbój.

– A bo jakby zegarmistrz wszedł do sklepu, to ją włożę na głowę, żeby mnie nie poznał.

Obu zbójom ogromnie się to podobało. Zaczęli się śmiać, młodszy zbój, klepiąc Patyczka po ramieniu, powiedział:

– Chytry z ciebie dzieciak, wyrośniesz na porządnego zbója.

I dali mu torbę.

Patyczek nie włożył jej na głowę, tylko starannie wygładził i ukrył na piersiach. Starszy zbój wziął Patyczka wpół, kazał mu ręce wyciągnąć przed siebie i tak go przepchnął na drugą stronę. Potem podali mu przez otwór latarkę, żeby mógł sobie poświecić, bo w sklepie było zupełnie ciemno. Patyczek nacisnął guzik i kiedy latarka się zapaliła, aż osłupiał ze zdumienia. Nigdy w życiu jeszcze nie widział tylu zegarów. Na wszystkich stołach leżały prześliczne złote zegarki, na ścianach, aż do samego sufitu, wisiały zegary i wszystkie szły, i tykotały miarowo. Patyczek sam się nie znał na zegarku, zdawało mu się, że to okropnie trudna rzecz, toteż pomyślał sobie, że taki zegarmistrz, który się znał na tych wszystkich zegarach, musiał być najmądrzejszym człowiekiem na świecie. Oczywiście wcale nie myślał podawać zbójom zegarków. Chodził sobie i oglądał sklep. Zbóje zaczęli się niecierpliwić. Starszy zbój pochylił się do dziury w ścianie i krzyknął przyciszonym głosem:

– Spiesz się!

Patyczek nakierował na dziurę latarkę i zobaczył wielkie zezowate oko. Ale już sobie nic ze zbójów nie robił. Zgasił latarkę, chwilę przeczekał, potem wziął torbę, przytknął do ust, nadmuchał w nią powietrza i... strzelił.

Możecie sobie wyobrazić, jak huknęło, aż się cały dom zatrząsł. Zbóje myśleli, że to zegarmistrz się obudził i wypalił z rewolweru, i przerażeni uciekli.

*

Drzwi, wiodące ze sklepu do mieszkania zegarmistrza, otworzyły się gwałtownie i w progu ukazał się zegarmistrz. W jednej ręce trzymał lampę, a w drugiej szczotkę do zamiatania podłogi. Nie była to broń bardzo groźna, ale zegarmistrz nie posiadał innej i chwycił to, co miał pod ręką. W pierwszej chwili zegarmistrz nie zobaczył Patyczka, ponieważ lampa niedostatecznie oświetlała sklep, a zresztą Patyczka zasłaniało krzesło. Zegarmistrz był wystraszony i widocznie nie bardzo miał odwagę zapuszczać się do sklepu. Zatrzymawszy się w progu, zaczął wołać przeraźliwym głosem:

– Małgosiu! Małgosiu!

Patyczek wolał mu się nie pokazywać, bo się bał, że a nuż zegarmistrz, nie wdając się z nim w rozmowy, wyrżnie go szczotką w głowę. Przykucnął więc za krzesłem i siedział jak trusia. Ze swego ukrycia mógł się dobrze zegarmistrzowi przyjrzeć. Zegarmistrz był sam do zegara podobny, bo miał dużą okrągłą twarz i długie, czarne, bardzo sztywne i bardzo cienkie wąsy, z których jeden szedł prosto spod nosa w bok, a drugi sterczał do góry, aż pod samo oko, tak że to wyglądało jak wskazówki na zegarze. Patyczek był pewien, że mu zegarmistrz podziękuje i jeszcze nagrodzi może nawet za wypłoszenie zbójów ze sklepu, tylko nie wiedział, jak zacząć o tym mówić. Zegarmistrz wciąż trzymał szczotkę podniesioną do góry i Patyczek się bał, że nim pierwsze słowo zdąży powiedzieć, to już tą szczotką dostanie przez głowę. W końcu przyszło mu na myśl, żeby mówić spod krzesła. I krzyknął:

– Proszę pana zegarmistrza, to ja strzeliłem z papierowej torby, żeby spłoszyć zbójów, którzy przyszli okraść sklep!

Zegarmistrz poznał po głosie, że to mówił mały chłopiec, i przestał się bać.

– Zuch jesteś – odpowiedział. – Chodźże tu i pokaż mi się.

Patyczek wstał, ale w tej chwili zobaczył coś tak strasznego, że od razu ukrył się z powrotem za krzesłem. Do sklepu wbiegła Papuga. Samej Papugi Patyczek, ma się rozumieć, by się nie przestraszył. W tym domu, gdzie mieszkał, jedni państwo mieli papugę w klatce i Patyczek wciąż się jej z podwórza przyglądał. Ale ta Papuga, która wbiegła do sklepu, miała takie wielkie nogi, że była wyższa od zegarmistrza. Zaczęła strasznie trzepotać skrzydłami i krzyczeć chrapliwym głosem:

– Co to jest?! Co to jest?! Co to jest?! Co to jest?!

I biegała po całym sklepie zaglądając do każdego kącika.

Zegarmistrz postawił lampę na stole, szczotkę rzucił na podłogę i biegał za Papugą. Po chwili Papuga znalazła pod krzesłem Patyczka.

– To on! To on! To on! To on! – krzyknęła, zamierzyła się haczykowatym dziobem na Patyczka i już, już byłaby go palnęła w głowę i na pewno zabiła na miejscu, ale na szczęście zegarmistrz zdążył ją chwycić za nogę i odciągnąć w tył.

– Małgosiu, Małgosiu, uspokój się – krzyczał przeraźliwym głosem. – To poczciwy chłopiec, on spłoszył zbójców, którzy nas przyszli okraść.

Ale Papuga strasznie była zajadła. Skakała na jednej nodze i koniecznie starała się dosięgnąć dziobem Patyczka, który wyślizgnął się spod krzesła i ukrył za stołem.

– Uciekaj, chłopcze, do mieszkania i zamknij się w ostatnim pokoju na klucz! – krzyknął zegarmistrz.

Jednym susem Patyczek uciekł ze sklepu do mieszkania. W mieszkaniu było ciemno, ale Patyczek miał na szczęście elektryczną latarkę, którą mu dali zbóje. Świecąc sobie nią, łatwo znalazł ostatni pokój. Przełożył klucz z jednej strony na drugą i zamknął się na dwa spusty.

Pokój, w którym się Patyczek ukrył, służył zegarmistrzowi za pracownię. Sprzętów było tam niewiele, tylko kanapa i stół, cały zarzucony najrozmaitszymi dziwnymi narzędziami, kółkami, kółeczkami, śrubkami i śrubeczkami. Patyczek zaświecił latarkę i z zaciekawieniem się temu wszystkiemu przyglądał, ale nic nie dotykał, nie chcąc zegarmistrzowi przewracać na stole.

Po chwili z sąsiedniego pokoju usłyszał przez drzwi krzyki Papugi:

– Bronisz zbója! Bronisz zbója! Bronisz zbója! Bronisz zbója! – wymyślała

Papuga zegarmistrzowi i zaczęła z całej siły walić dziobem w drzwi, ale Patyczek już się nie bał, bo wiedział, że Papuga drzwi nie wybije. Papuga widocznie sama zdała sobie z tego sprawę, bo przestała dziobać. Mruczała coś jeszcze za drzwiami przyciszonym głosem. Zegarmistrz jej odpowiadał, ale oddzielnych wyrazów Patyczek już nie rozumiał. Zresztą tak był zmęczony po tych wszystkich przejściach, że ledwo siedział. Oczy same zamykały mu się do snu i głowa opadała na piersi. Wyciągnął się na kanapie i od razu zasnął.

Kiedy się obudził, już był jasny dzień. Patyczek ze zdziwieniem spostrzegł, że ktoś go w nocy rozebrał, wsunął mu pod głowę białą, miękką, czyściuteńką poduszkę i nakrył go kołdrą. Patyczek spał tak mocno, że nie czuł tego wszystkiego. Jeszcze nigdy w życiu nie zdarzyło mu się spać tak miękko i wygodnie, toteż żal mu się było budzić. Rozejrzał się po pokoju i przymknął z powrotem oczy, chcąc spać jak najdłużej, ale w tej chwili drzwi skrzypnęły i do pokoju wszedł zegarmisrz. Patyczek z przerażeniem zauważył, że zegarmistrz nie miał jednego wąsa.

– To ta obrzydliwa Papuga panu wąs oberwała! – wykrzyknął..

– Tak – odparł smutnym głosem zegarmistrz. Usiadł przy stoliku, wyjął z szuflady małe lusterko i pudełko z farbami, nalał w szklankę wody, umoczył w wodzie pędzelek, rozrobił farbę i domalował sobie długi, czarny wąs. Potem przejrzał się jeszcze raz w lusterku i z zadowoleniem zatarł ręce.

– Jakoś to będzie, póki mi prawdziwy nie odrośnie – powiedział.

Po tym można już było poznać, że zegarmistrz był dobry i mądry człowiek, który umiał radzić sobie w życiu.

Patyczek od razu zegarmistrza polubił. I nie mógł wyjść z podziwu, że zegarmistrz trzymał u siebie w domu papugę, która go dziobała i odrywała mu wąsy.

– Przepraszam pana – odezwał się nieśmiało. – Czy ja się mogę o coś zapytać?

– Zapytaj się – odpowiedział zegarmistrz.

– Dlaczego pan tej obrzydliwej Papugi nie zabije?

Zegarmistrz zmarszczył brwi, jak gdyby to pytanie było dla niego nieprzyjemne, i po chwili dopiero odpowiedział:

– Bo to jest moja żona.

Pierwszy raz w życiu zdarzyło się Patyczkowi słyszeć, żeby ktoś miał papugę za żonę. Nie śmiał się pytać, dlaczego zegarmistrz ożenił się z Papugą, ale zegarmistrz sam się domyślił, że Patyczek musiał się strasznie zdziwić, uśmiechnął się z lekka i powiedział:

– Zaraz ci wszystko wytłumaczę, tylko przedtem ty mi opowiedz całą twoją historię.

Patyczek opowiedział zegarmistrzowi po kolei wszystkie przygody: o śmierci matki, o tym, jak go Gałganiarka chciała przygarnąć, a Gałganiarz za okno wyrzucił, i wreszcie, jak go zbóje spotkali na ulicy i przyprowadzili ze sobą do sklepu. Zegarmistrz słuchał z ogromnym zaciekawieniem. Kiedy Patyczek opowiadał o Gałganiarzu, zegarmistrz zmarszczył brwi, uderzył pięścią w stół i krzyknął;

– A to łajdak!

Potem pogłaskał Patyczka po głowie i powiedział:

– Mój Patyczku, jesteś dzielny chłopiec, uratowałeś mi cały majątek. Ponieważ nie masz nikogo na świecie, więc ja się tobą zajmę, będziesz u mnie mieszkał i uczył się zegarmistrzostwa. Chcesz u mnie zostać?

– Dobrze! – krzyknął radośnie Patyczek, ale zaraz zmarkotniał, bo przyszło mu na myśl, że będzie musiał mieszkać pod jednym dachem ze złą Papugą.

Zegarmistrz wyczytał mu tę obawę z oczu i zaczął go uspokajać.

– Mojej żony nie potrzebujesz się obawiać – powiedział. – Ja ci nic złego nie dam zrobić.

I z fantazją chciał podkręcić wąsa. Sięgnął ręką, ale z tej strony właśnie, gdzie prawdziwego wąsa nie miał, tylko domalowany. Patyczek pomyślał sobie, że nie bardzo mógł być tego pewien, czy zegarmistrz naprawdę potrafi go bronić przed złością Papugi. A ponieważ za drzwiami rozległ się jakiś szmer, więc zerwał się z kanapy i ze strachem rozejrzał się po pokoju, bo nie było się tam gdzie schować.

– Nie bój się – powiedział zegarmistrz – mojej żony nie ma w domu.

– A czy pani Papuga na ulicy ludzi nie dziobie? – zapytał Patyczek.

– Moja żona – odparł zegarmistrz – na ulicy jest kobietą. Dopiero w domu zamienia się w Papugę.

I opowiedział Patyczkowi, jak to było. Przed trzema laty przyszedł do zegarmistrza pewien staruszek i zażądał, żeby mu zegarmistrz zrobił taki zegar, który by nigdy nie pokazywał północy, tylko zaraz po jedenastej pierwszą. Zegarmistrz odpowiedział, że takiego zegara nie zrobi, bo to byłoby oszukiwanie czasu. Staruszek prosił go, błagał, zaklinał, obiecywał mu hojną zapłatę, ale zegarmistrz nie dał się skusić, bo bardziej cenił zegarmistrzowski swój honor niż pieniądze. Otóż ten staruszek był to czarownik, który posiadał tajemniczą moc robienia różnych nadzwyczajnych rzeczy. Ale przez dwie godziny co wieczór, właśnie od jedenastej do pierwszej w nocy, czarownik tracił całą swoją moc i stawał się zupełnie bezsilny. W ciągu tych dwóch godzin nawet małe dziecko mogło go było zabić. Taki urok rzuciła na niego pewna Dobra Wróżka, za to, że całej swojej czarodziejskiej władzy używał on tylko na robienie złych rzeczy. Czarownik strasznie się bał co wieczór, zamykał się w mieszkaniu, zaryglowywał wszystkie drzwi i kiedy leżał przez dwie godziny na kanapie, drżał wciąż ze strachu i za lada szmerem zimny pot go oblewał. W końcu wpadł na taki pomysł, żeby sprawić sobie oszukany zegar, bo zdawało mu się, że w ten sposób uda mu się urok zmylić. Powiedziano mu, że był tylko jeden zegarmistrz w całym kraju, który taki zegar potrafiłby zrobić – właśnie ten, który przygarnął Patyczka. Czarownik przez złość, że zegarmistrz nie chciał przystać na jego propozycję, zaczarował mu żonę tak, że w domu zmieniała się w papugę. Kobiecą postać mogła odzyskiwać tylko wtedy, kiedy wychodziła na miasto. Zegarmistrz mówił, że było to ulubione zajęcie czarownika i że wielu ludziom pozaklinał żony w ten sposób. W końcu wytłumaczył Patyczkowi, że Pan Bóg na to stworzył papugi, żeby pokazać ludziom, że można mówić ludzkim głosem i być nierozumnym stworzeniem, podczas gdy wielu ludzi sądzi, że dlatego tylko, że umieją mówić po ludzku, już są rozumnymi stworzeniami.

Patyczek się ubrał i poszedł z zegarmistrzem do sklepu. Zegarmistrz zaczął nakręcać zegary, a Patyczek stanął przy drzwiach i wyglądał przez szybę na ulicę.

– O, idzie moja żona – odezwał się nagle zegarmistrz.

Patyczek zobaczył bardzo ładną panią, która przechodziła przez środek ulicy w kierunku sklepu. Ta pani była wesoła, uśmiechnięta i Patyczkowi w głowie się nie mogło pomieścić, żeby to miała być ta sama straszna Papuga, która go napastowała w nocy. Myślał, że zegarmistrz zażartował sobie z niego po prostu. Ale kiedy pani ujęła za klamkę i otworzywszy drzwi znalazła się na progu sklepu,w jednej chwili w oczach Patyczka zamieniła się w Papugę. Z nosa jej zrobił się haczykowaty dziób, z uszu skrzydła, zatrzepotała strasznie skrzydłami i od razu rzuciła się na Patyczka.

– Czego tu chcesz? Czego tu chcesz? Czego tu chcesz? Czego tu chcesz? – skrzeczała, zamierzając się na niego dziobem.

– Uciekaj, Patyczku! – krzyknął zegarmistrz.

Patyczek znów uciekł do pracowni zegarmistrza i zamknął się na klucz. Był bardzo smutny, bo strasznie chciał u zegarmistrza zostać i uczyć się zegarmistrzostwa, i myślał sobie, jakby to pięknie było, gdyby nie Papuga. Przy tym ogromnie chciało mu się jeść. Po godzinie rozległo się silne pukanie do drzwi. Patyczek bał się otworzyć, bo myślał, że może to Papuga naumyślnie tak podstępnie puka, ale zaraz usłyszał głos zegarmistrza:

– Nie bój się, Patyczku, to ja... Otwórz.

Patyczek otworzył i z przerażeniem zobaczył, że zegarmistrz nie miał już i drugiego wąsa. Papuga znów mu go oberwała. Zegarmistrz przyniósł Patyczkowi obiad. Przez ten czas, kiedy Patyczek jadł, zegarmistrz domalował sobie drugi wąs, tak że oba miał namalowane. Przejrzał się w lustrze i powiedział z zadowoleniem:

– Teraz to nawet lepiej wygląda, bo już się jedna strona od drugiej nie różni.

– Czy pani Papuga zawsze jest w domu taka zła? – zapytał Patyczek.

– Niestety, prawie zawsze – odparł z westchnieniem zegarmistrz. Potem zmarszczył brwi, założył ręce w tył i zaczął zamyślony spacerować po pokoju. Patyczek się nie odzywał, żeby mu nie przeszkodzić. Zegarmistrz długo myślał, raz po raz tarł ręką czoło, aż wreszcie zatrzymał się przed Patyczkiem, popatrzył na niego i powiedział:

– Patyczku, czy ty jesteś odważny?

– Jestem – odparł Patyczek i zadarł głowę do góry.

Zegarmistrz, widząc chudziutkiego Patyczka, który się tak nasrożył, uśmiechnął się mimo woli.

– Mam taki plan – rzekł. – Czarownik chciał, żebym mu zrobił oszukany zegar. Otóż ja powiem, że mu taki zegar zrobiłem. Poślę mu duży zegar, a ty się schowasz we środku. Pomiędzy jedenastą a pierwszą, kiedy czarownik będzie zupełnie bezsilny, wyjdziesz i zagrozisz mu, że go zabijesz, jeśli nie odczaruje mojej żony. Wtedy on ją odczaruje na pewno.

Patyczek chętnie się na to zgodził. Zegarmistrz zawiadomił od razu czarownika, że udało mu się zrobić taki zegar, który nigdy nie pokazywał północy. Czarownik odpisał w tej chwili, strasznie zegarmistrzowi dziękował i kazał sobie zegar jeszcze tego samego dnia przed wieczorem przysłać. Zegarmistrz poszedł z Patyczkiem do sklepu, wybrali duży, szafkowy zegar i Patyczek schował się w środku. Zegarmistrz dał mu ostry nóż na obronę i torbę z jedzeniem, w której były bułki, szynka, czekoladki, ciastka i owoce. Przedtem jeszcze zegarmistrz przełożył zamek w szafce tak, że można ją było otworzyć tylko od środka. Patyczek zamknął się na klucz i zaraz potem uczuł, że go razem z zegarem podnoszono w górę. I usłyszał, jak zegarmistrz mówił do posłańców:

– Tylko nieście bardzo ostrożnie, bo to jest niesłychanie cenny zegar.

Posłańcy szli bardzo wolno, odpoczywali po drodze. Skarżyli się, że jeszcze nigdy w życiu nie zdarzyło im się nosić tak ciężkiego zegara. Wreszcie przynieśli zegar do czarownika. Czarownik kazał go ustawić pod ścianą. Ledwo posłańcy odeszli, od razu próbował otworzyć szafkę. Patyczek zdrętwiał z przerażenia.

– Ostatnia moja godzina wybiła! – pomyślał. Ścisnął nóż w ręce, ale cóż by taki chudziutki Patyczek potrafił czarownikowi zrobić. Na szczęście czarownik, zobaczywszy, że w zamku nie było kluczyka, mruknął tylko:

– Osioł zegarmistrz nie przysłał mi kluczyka, musi mi jutro przysłać.

I odszedł. Prawdę powiedziawszy, czarownikowi tak na tym zegarze zależało, że bał go się ruszać, żeby go nie popsuć. Patyczek odetchnął z ulgą. I zaczęło się strasznie męczące wyczekiwanie. Godziny płynęły wolno. Patyczkowi oczy kleiły się do snu, ale bał się zdrzemnąć, żeby nie przespał północy. Zjadł szynkę, ciastka, czekoladki i owoce i nie mógł się jedenastej doczekać.

Wreszcie zegar zaczął wydzwaniać jedenastą.

Kiedy ostatnie uderzenie umilkło, Patyczek otworzył szafkę i wyskoczył do pokoju. W pokoju ciemno było zupełnie, ale Patyczek miał ze sobą elektryczną latarkę, którą dali mu zbóje, kiedy chcieli, żeby razem z nimi obrabował sklep zegarmistrza. Patyczek nacisnął guzik i długi promień światła padł wprost na czarownika, który leżał bezsilny na kanapie.

Na twarzy czarownika odmalowało się straszne przerażenie. Wszystkie włosy ze strachu stanęły mu na głowie, a ponieważ miał długie włosy, więc sterczały mu aż poza kanapę.

– Nie zabijaj mnie – jęknął cichym głosem.

– Odczaruj żonę zegarmistrza! – krzyknął Patyczek.

Czarownik nic na to nie odpowiedział. Przymknął oczy i zaczął udawać umarłego. W pierwszej chwili Patyczek pomyślał, że czarownik umarł naprawdę i strasznie się przestraszył, bo w takim razie żona zegarmistrza już by na zawsze została Papugą. Na szczęście jednak Patyczkowi zaraz przyszło na myśl, że chytry czarownik mógł tylko udawać. Postanowił to sprawdzić. Wyrwał czarownikowi z głowy jeden włos i tym włosem zaczął mu kręcić w nosie. Czarownik po chwili kichnął strasznie.

– Odczaruj żonę zegarmistrza! – krzyknął Patyczek.

I ponieważ czarownik znów nic nie odpowiedział, zaczął mu kręcić w drugiej dziurce od nosa. I tak dalej na przemian, to w jednej, to w drugiej. Kiedy czarownik kichnął z dziesięć razy, tak że mu od tego kichania łzy ciurkiem leciały z oczu, odezwał się wreszcie:

– Dobrze.

Ale Patyczek tak na słowo mu nie uwierzył. Wyjął nóż i przytknął mu do gardła. Wtedy przerażony czarownik, widząc, że to nie przelewki, oddał Patyczkowi pierścień, z którego czerpał czarodziejską siłę.

Patyczek wrócił do domu i odczarował żonę zegarmistrza. Potem odszukał i ukarał Gałganiarza. I w tej samej chwili, kiedy Gałganiarz utopił się w Wiśle, Patyczkowi znikł pierścień z kieszeni. Na palcu Patyczek nie mógł go nosić, bo pierścień był dla niego za duży, musiałby cztery palce razem włożyć, żeby mu się utrzymał. Patyczek myślał z początku, że pierścień zgubił, strasznie się zmartwił i szukał go wszędzie, ale na próżno. Pierścień rozsypał się w proch, bo czarodziejska jego siła była już na ukończeniu i starczyło jej tylko jeszcze na dwa czary.

Żona zegarmistrza, przez wdzięczność za to, że Patyczek ją odczarował, pokochała go jak rodzone dziecko. Znalazłszy dobrych ludzi, którzy nim się zaopiekowali, Patyczek mógł skończyć szkoły, wychodząc na porządnego człowieka, i żyć szczęśliwie bez pomocy czarów.

Kornel Makuszyński

P

SZEWC KOPYTKO I KACZOR KWAK

osłuchajcie moi drodzy, co się raz wydarzyło i co widziałem na własne oczy sto pięćdziesiąt lat temu.

W wielkim mieście, tak wielkim, że w nim była nawet panorama [1], a raz nawet przyjechała menażeria, żył mały szewc Kopytko, taki śmieszny, że patrzeć nie było można na niego, żeby się nie śmiać. Ponieważ ciągle stroił figle, zamiast dobrze uszyć buty, więc jego majster Szymon Dratwa ciągnął wciąż za uszy, które wreszcie stały się takie wielkie jak uszy słonia. Ale mały Kopytko myślał sobie, że porządny szewc powinien mieć takie uszy, jakie ma wielki but, przeto się tym nie martwił i nawet był bardzo zadowolony, gdyż w wielkich swoich uszach mógł zrobić cały magazyn, i to, co inni chłopcy chowają do kieszeni, Kopytko wszystko chował do ucha. W prawym uchu miał scyzoryk, guziki, kasztany i szpulkę od nici, a w lewym dratwę, trochę smoły, katapultę [2] i dwadzieścia kamieni. Widać więc od razu, że to był niedobry chłopak, gdyż nikt inny nie strzela z katapulty. Raz nawet szewczyk Kopytko strzelił tak wysoko, że trafił kamieniem w twarz księżyca, który właśnie wschodził, i wybił mu dwa przednie zęby. Biedny księżyc schował się zaraz za chmury, a na drugi dzień ukazał się na niebie cały czerwony, z podwiązaną twarzą i już nie tak uśmiechnięty, jak zawsze.

Rozmaite czynił psoty szewczyk Kopytko.

Innym razem miał zrobić buty takiemu panu, który się zawsze spieszył. I wiecie, co mu urządził? Zrobił tak buty, że tam, gdzie miały być nosy buta,

---

[1] P a n o r a m a – obraz dużych rozmiarów, przedstawiający najczęściej bitwę, wypełniający całkowicie wewnętrzne ściany okrągłego budynku. Tutaj mowa o głośnej *Panoramie Racławickiej*, która do II wojny światowej znajdowała się we Lwowie.

[2] K a t a p u l t a – machina wojenna, używana w starożytności do rzucania ciężkich kamieni i innych przedmiotów służących do burzenia murów oraz podpalania budynków; tu mowa o procy.

tam przybił obcasy... Wdział ten pan prędko nowe buty i chce iść, bo jest bardzo głodny, ale co chce zrobić krok naprzód, cofa się o krok w tył. On idzie naprzód, a buty w tył. Nie mógł się tak ruszyć z miejsca dwa tygodnie i umarł z głodu.

Szewczyk Kopytko śmiał się z tego tak bardzo, że mu się uszy trzęsły. Nie był to ostatni figiel szewca Kopytko.

Innym razem, kiedy w kasynie[1] było amatorskie przedstawienie dla grzecznych dzieci, przyszedł Kopytko, stanął sobie naprzeciw sceny i zaczął gryźć strasznie kwaśne jabłka i tak się zaczął wykrzywiać, jakby go wszystkie zęby bolały; kiedy to zobaczyli ci, co mówili na scenie wierszyki, zaczęli się tak samo wykrzywiać, bo tak jest zawsze: jeżeli widzisz, że ktoś je cytrynę albo kwaśne jabłko, zaraz ci się zdaje, że to ty jesz, i robi ci się w ustach strasznie cierpko.

Był to bardzo brzydki figiel, który się wszystkim bardzo nie podobał; ani ten, ani inny.

Kopytko był to zły chłopiec, choć szewc; za karę też dostawał na obiad zamiast leguminy[2] kawałek smoły, a zamiast lodów musiał jeść czernidło od butów, bo więcej nie był wart. Za mała jednak to była kara za to, co zrobił jednemu dobremu panu; ten pan przyszedł, aby mu wzięto miarę na buciki, a ponieważ ten pan miał bardzo dużą nogę, więc majster Szymon Dratwa i dwunastu jego pomocników zajęci byli braniem miary z nogi, którą właśnie mierzyli takim długim drutem, jakim się mierzy ulice. Kopytko widząc, że nikt na niego nie patrzy, wsadził temu dobremu panu do kieszeni raka.

Wkłada ten pan rękę do kieszeni i jak nie krzyknie – strach! Rak tymczasem zjadł w kieszeni chustkę do nosa, rękawiczki i gazetę, którą dobry pan miał w kieszeni, teraz złapał go za palec i ścisnął tak przeraźliwie, że majster Szymon Dratwa począł uciekać i biegł przez dwa lata. Kiedy ochłonął i obejrzał się, pokazało się, że zabiegł w przestrachu aż do Ameryki, i ani zobaczył, kiedy przepłynął przez morze.

Kopytko został teraz bez pana i musiał sobie pójść precz. Figle mu były ciągle w głowie, więc się o nic nie troszczył, zabrał z sobą szydło, dratwę i trochę smoły i poszedł w świat.

Idzie, idzie i wszędzie zrobi coś złego.

Tam, gdzie się drogi rozchodzą, stoi zawsze słup, do którego ludzie przybijają drewnianą rękę, aby wskazywała drogę; zobaczył taką rękę Kopytko,

---

[1] Kasyno – dom gry i zabaw; klub wojskowy.
[2] Legumina – słodka potrawa, podawana jako deser.

oderwał ją i tak przybił z powrotem, że pokazywała na niebo. Przyszedł biedny człowiek, który zabłądził, aż tu patrzy: stoi słup z drewnianą ręką. Zdziwiło go to bardzo, że nie wskazywał ani na prawo, ani na lewo, tylko do góry, ale myślał, że tak jest pewnie dobrze i że należy iść w stronę nieba. Wdrapał się więc na słup i począł iść do góry, i tak idzie biedaczysko aż do tego czasu, bo niebo jest bez końca.

A Kopytko ciągle wędrował. Raz koło jednej wsi spotkał wielkiego kaczora, który się zataczał idąc przez pole.

– Jak się nazywasz? – rzekł szewc.

– Wojciech Kwak! – rzekł kaczor.

– A czemu się zataczasz?

– Bo jestem pijany! – rzekł kaczor i zaczął tańczyć.

Szewczyk pomyślał sobie, że ten kaczor to jest taki sam nicpoń, jak i on; więc mu powiedział:

– Chodź ze mną, będzie nam weselej!

– A dokąd ty idziesz? – spytał kaczor.

– Ja – rzekł szewczyk – idę tam, gdzie żyje jeden szewc, co ma buty[1].

– W takim razie to bardzo daleko! – rzekł kaczor. – Ale pójdę z tobą, bo masz takie uszy, jakich jeszcze nie widziałem.

Szli odtąd razem i bardzo im było wesoło; pokazało się, że kaczor był to może większy jeszcze łobuz niż szewczyk i obaj stroili takie figle, że ludzie przed nimi uciekali.

Idą tak sobie, idą, aż tu patrzą, śpi w lesie człowiek bardzo stary i pewnie okropnie miły i dobry, bo się przez sen uśmiecha. Spostrzegli go zaraz i od razu już myślą, jakiego by mu spłatać figla.

– Kwaknę mu nad uchem! – rzekł cicho kaczor.

– Nie można, bo się zaraz dowie, jak się nazywasz – rzekł szewczyk.

– Więc co zrobimy?

– Najlepiej będzie – mówił szewczyk – jeśli mu zrobię tak, żeby się złościł.

Podszedł po cichutku do staruszka i ściągnął mu buty z nóg, potem te buty uwiązał do długiego sznurka, sznurek przerzucił przez wysoko rosnącą gałąź, a wreszcie ukrył się z kaczorem za pniakiem drzewa. Czekają tak cicho, aż tu staruszek się budzi; musiał być bardzo biedny, bo się ogromnie zasmucił ujrzawszy, że mu ktoś ukradł buty.

---

[1] S z e w c, c o m a b u t y – żartobliwa aluzja do przysłowia, które głosi, że szewc chodzi bez butów.

Jakież było jego zdziwienie, kiedy nagle ujrzał buty wiszące w powietrzu; twarz mu się rozjaśniła i podniósł rękę, aby wziąć buty. W tej chwili one, jak zaczarowane, uciekły szybko w górę.

Staruszek zdziwił się jeszcze bardziej i znowu je chciał schwytać, bo się nagle zniżyły, w tej chwili jednakże z powrotem podleciały w górę. Zmęczył się staruszek, wreszcie usiadł na ziemi i począł gorzko płakać, gdyż nie wiedział, że to Kopytko na sznurku przez psotę podciągał buty w górę.

Łzy biegły po twarzy staruszka. Szewc Kopytko rzekł wtedy cicho do kaczora:

– Panie Kwak! Co się jemu stało z oczyma?

– Nie wiem – odpowiedział kaczor – ale to widzę, że są zupełnie mokre.

– To dziwne – szepnął szewczyk. – Pierwszy raz to widzę.

Taka go zdjęła ciekawość, że zapomniał o butach, wyszedł spoza drzewa i zbliżył się do staruszka. Ten, ujrzawszy go, wykrzyknął:

– Nieszczęście, nieszczęście!

– Co ci się stało, staruszku? – zapytał szewc.

Staruszek odrzekł:

– Buty moje uciekły, a drugich nigdy już mieć nie będę.

Wtedy rzekł szewczyk:

– Przyniosę ci twoje buty, jeśli mi powiesz, co to jest, co biegnie z twoich oczu?

– To? – rzekł staruszek. – To łzy.

– Cóż to jest?

Staruszek się zdziwił i zapytał:

– To ty nigdy nie płakałeś?

– Nie wiem, jak to się robi! – odpowiedział szewczyk.

– A śmiać się umiesz?

– O, i jak jeszcze.

Pobiegł i wrócił za chwilę z butami; za nim, kołysząc się, biegł zdyszany kaczor, Wojciech Kwak. Wołał szewczyk już z daleka:

– Masz tu swoje buty, staruszku!

Staruszek się zdumiał, spojrzał na niego i uważnie pyta:

– To ty mi je zabrałeś?

– Ja – rzekł szewczyk.

– A dlaczego? Czy chciałeś je wziąć?

– Nie!

– Więc powiedz mi, dlaczego?

– Aby ci zrobić przykrość, przez psotę – rzekł Kopytko.

– A czy ty wiesz – rzekł staruszek – że ja płakałem dlatego?

– Nie! – rzekł szewczyk. – A czy łzy bolą?

– Bardzo bolą i bardzo pieką, dlatego nigdy nikogo nie należy przyprawiać o łzy. Zbliż się do mnie!

– Oho! – krzyknął szewczyk. – Pewnie mnie chcesz nabić za to, żem ci wypłatał figla.

Staruszek posmutniał i powiada:

– Chcę cię uścisnąć i prosić, abyś nigdy nie robił psot, więc zbliż się do mnie.

Szewczyk zbliżył się nieśmiało, a wtedy staruszek pogłaskał go po głowie i ucałował.

– Co to jest? – rzekł cichutko szewczyk i otarł ręką oczy.

– To nic – rzekł staruszek – to łzy, więc i ty poznałeś, co to znaczy płakać.

– Ale – rzekł szewczyk – to być nie może, bo przecież mówiłeś, że łzy pieką i bolą, a to jest bardzo przyjemne.

– Bo są i takie, jeśli człowiek jest szczęśliwy. Niech ci Pan Bóg da takich łez jak najwięcej. Więc nie rób już nigdy takich psot, które ludzi przyprawiają o gniew albo o ból. Czy zawsze robiłeś psoty?

– Zawsze – rzekł szewczyk – bo ja jestem szewc i muszę być wesoły; tylko stolarze są smutni, bo robią trumny.

– Więc jeśli już jesteś taki wesoły – rzekł staruszek wciąż gładząc mu rozwichrzoną głowę – to cię nauczę jeszcze jednej rzeczy. Słuchaj, moje dziecko: bardzo to jest dobrze, jeśli się znajdzie na świecie wesoły człowiek, bo może zrobić dużo dobrego.

– To dziwne! – rzekł szewczyk. – Bo dotąd zawsze mnie bili, kiedy dokazywałem.

– Boś to źle robił, szewczyku – rzekł staruszek. – Byłeś wesoły cudzym kosztem i dlatego, gdy ty byłeś wesoły, to wszyscy byli smutni. Bądź odtąd wesoły, ale tak miło, żeby nikt od ciebie nie uciekał, lecz żeby wszyscy przychodzili do ciebie z radością. Każdy przyjdzie rozweselić się twoją radością. Czyń tak, abyś wesołością pocieszał smutnych.

– A czy ja to potrafię? – spytał szewczyk.

– Potrafisz! Potrafisz! Rób, jak umiesz, a zobaczysz, jak ci będzie dobrze. Niech cię Pan Bóg prowadzi!

I zniknął.

– Kwak! Kwak! – krzyknął głośno kaczor. – Ten staruszek mi się podoba. Zupełnie się nie gniewał! To ciekawe.

I poszli dalej.

Szewczyk gwizdał sobie wesoło i tańczył. Kaczor Kwak był także w doskonałym humorze i wyśpiewywał tak śmieszne piosenki, że wiewiórka, która go usłyszała, złapała się za brzuszek ze śmiechu. Szewczykowi było tak lekko na duszy, jak jeszcze nigdy.

Idą tak, idą, aż tu widzą w lesie dwoje dzieci, które się zabłąkały. Siadły pod drzewem i tak płaczą, że się serce kraje.

– Zróbmy im figla! – zawołał kaczor.

Wtedy szewczyk rzekł:

– Jesteś głupi jak kura. Zrób natychmiast to, co ci każę! Zbliż się do dzieci i zatańcz na jednej nodze, ja tymczasem stanę na głowie i będę fikał nogami.

Jak nie zacznie kaczor tańczyć, ojej! A szewczyk jak nie fiknie nogami, tak że mu pantofel zleciał z nogi i zawiesił się na szczycie najwyższej sosny.

Dzieci patrzą przez łzy i patrzą, a potem jak nie pisną z uciechy, jak się nie zaczną śmiać, ojej!

Szewczyk z kaczorem zabawiali ich tak do wieczora, a wieczór przyszli rodzice i ujrzawszy, co się stało, ucałowali serdecznie szewczyka i uściskali kaczora, który był z tego niezmiernie dumny.

Idą dalej, idą nic do siebie nie mówią, tylko czują, że im jest bardzo dobrze; patrzą, aż tu żebrak siedzi pod krzyżem i stęka.

– Co ci jest? – pyta szewczyk.

– Głodny jestem – mówi żebrak – i nieszczęśliwy. Dajcie co łaska.

Zadumał się szewczyk i począł szukać! najpierw po kieszeniach, potem w uchu, najpierw w prawym, potem w lewym, i nic nie znalazł prócz smoły. Więc myśli długo, potem powiada:

– Czy bardzo jesteś smutny?

– O, bardzo! – jęknął żebrak.

– Nic ci dać nie możemy, ale chcemy cię pocieszyć. Panie Kwak! – krzyknął do kaczora. – Niech pan zatańczy krakowiaka!

Kaczor się jedną łapą pod bok ujął i zatoczył koło w tak uciesznych podskokach, że umarły by się roześmiał.

– Ojej! – krzyknął żebrak śmiejąc się.

Ale to nic jeszcze, bo nagle kaczor przystanął i zaśpiewał fałszywym głosem:

Wielkie ma zmartwienie
Pani Kaczorowa,
Bo pan Kwak się upił
I boli go głowa! Oj-da-na!

– Ojej! – śmiał się żebrak tak głośno, że aż wszystkie wrony zerwały się z pobliskiego drzewa.

Potem powiedział:

– Niech wam Bóg zapłaci! Już nie jestem głodny.

Poszli sobie, a kaczor rzekł po drodze do szewczyka:

– To dziwne, ale mi się wydaje, że żebrak najadł się śmiechem. Czy śmiech można jeść?

– Musi być nawet bardzo zdrowy! – rzekł Kopytko.

Szli tak we dwójkę przez całe tygodnie i miesiące; a gdy się tylko dowiedzieli, że ktoś w jakimś mieście lub jakiejś wsi jest zmartwiony, szli tam czym prędzej i rozweselali ludzi. Niezadługo sławni się stali w całym kraju i wszędzie ich błogosławiono. Kaczor Kwak przestał pić i całe dnie przemyśliwał nad tym, co by wesołego wymyślić, aby rozradować smutnych ludzi.

I obaj byli szczęśliwi. Ale to jeszcze nic.

Siedzą oni sobie w lesie i wyśpiewują, aż tu nagle ktoś jedzie na koniu. Był to goniec króla Powidło, który był tak bogaty, że mógł jeść obiad dwanaście razy dziennie i w nocy budził się trzydzieści sześć razy, aby pójść spać na inne łóżko, kiedy mu się jedno znudziło; powiadają nawet, że pił piwo zamiast wody, a butów nigdy nie dawał naprawiać, gdyż miał aż trzy pary. Goniec króla Powidło, ujrzawszy szewczyka i kaczora, spadł z konia z szacunku, a kiedy się podniósł, zbliżył się do nich i bardzo nisko ukłonił.

– On się mnie tak kłania – szepnął kaczor.

– Głupiś pan, panie Kwak! – rzekł szewczyk.

A goniec rzekł:

– Jestem ministrem króla Powidło, najmądrzejszym na jego dworze. Powiedzcie mi, który z panów jest szewc Kopytko, a który kaczor Kwak?

Kaczor aż się złapał za boki ze śmiechu, pomyślawszy sobie, że najmądrzejszy minister nie umie odróżnić szewca od kaczora.

– Jestem Kopytko – rzekł szewc.

– A ja jestem pan Kwak! – rzekł kaczor, który zawsze o sobie mówił „pan".

– W takim razie mam wam powiedzieć, abyście natychmiast przyszli do pałacu króla Powidło, który jest bardzo chory i smutny.

– Oho! – zawołał kaczor.

– Idziemy! – rzekł Kopytko. – Powiedz nam, którędy się idzie.

Na to goniec odpowiedział:

– Pójdziecie do wielkiego dębu, a tam się obrócicie tysiąc razy w prawą stronę, a potem pójdziecie dziesięć kroków od dębu na lewo, gdyż tam jest pałac.

– Kwa! kwa! – zdumiał się kaczor. – To po co się mamy obracać tysiąc razy na prawo?

– Bo taka jest etykieta [1] – rzekł minister – aby trudniej było trafić. Ale spieszcie się z obracaniem, gdyż król Powidło może umrzeć tymczasem.

Poszli więc czym prędzej, obrócili się tysiąc razy i trafili od razu do pałacu.

Król Powidło stękał bardzo i jęczał, a królewna Marysia płakała tak strasznie, że się koło pałacu uczyniła sadzawka i od tak dawnego czasu, że się w tej sadzawce zjawiły złote żaby.

Kopytko skłonił się królowi i zapytał:

– Czy dawno jesteś chory, panie królu?

– Od stu siedmiu lat! – stęknął król. – Wtedy jadłem ostatni obiad. Wtedy także zgubiłem moją koronę.

– Kwa! – krzyknął kaczor.

– Co on mówi? – przeraziła się królewna. – Czy on kąsa?

– Nie, królewno – odpowiedział szewczyk. – On się cieszy, że król będzie zdrów.

Kopytko szepnął coś kaczorowi, potem obaj poczęli przed królem wyprawiać takie figle, a kaczor począł wywracać takie koziołki, że król musiał się roześmiać, a królewna czym prędzej wykręciła z chustki wilgoć łez i powiesiła chustkę na słońcu, aby wyschła.

Ojej! Co się działo! Kaczor wyśpiewywał takie krakowiaki, że się wszyscy brali za boki ze śmiechu.

Aż tu nagle nieszczęście! Szewczyk począł robić ogromnie śmieszne grymasy, a król Powidło tak się począł śmiać, że aż pękł ze śmiechu. Przestraszyli się wszyscy, patrzą, aż tu królowi z brzucha wypadła jego złota korona. Kiedy przed stu siedmiu laty jadł obiad, spadła mu z głowy do talerza, a on, że był łakomy, zjadł koronę z rosołem i dlatego był chory.

---

[1] E t y k i e t a – ściśle przestrzegana forma zachowania się na dworze królewskim.

Kopytko nie stracił głowy, chwycił szybko szydło, smołę i dratwę i nuż zszywać brzuch królowi. Zeszył zgrabnie, a król się jeszcze śmieje. Śmiał się tak przez pięć tygodni, a kiedy wreszcie ustał, dał szewczykowi córkę swoją za żonę, a jego zrobił księciem i dał mu herb, w którym były długie uszy i szydło. Kaczora mianował szlachcicem i dał mu order ze złotego papieru.

Żyli szczęśliwie, tylko kaczor, słynny Wojciech Kwak, żył niedługo, gdyż go jednej nocy ukradł minister królewski, kazał zarżnąć i zjadł.

O TYM, JAK KRAWIEC PAN NITECZKA ZOSTAŁ KRÓLEM

W miasteczku Tajdarajda mieszkał krawiec, pan Józef Niteczka. Miał bródkę taką jak cap i wciąż był wesoły. Chudy był bardzo. Każdy krawiec na świecie jest chudy, bo tak już jest, gdyż krawiec przypominać musi igłę i nitkę. Ale pan Niteczka był tak chudy, że umiał przeleźć przez uszko igły, którą sam trzymał w ręku. Nie mógł jeść nic innego, tylko makaron, bo nic innego nie chciało mu przeleźć przez gardło. Dobry był to człowiek i zawsze uśmiechnięty. W brodzie miał sto trzydzieści sześć włosów i czasem w święto zaplatał ją sobie w warkoczyki. Ogromnie był wtedy przystojny.

Byłby sobie żył szczęśliwie, gdyby nie jedna Cyganka. Zraniła się ona w nogę, a rana była bardzo wielka. Niteczka ślicznie jej zacerował skórę, tak że nic nie było widać. Z wdzięczności wróżyła mu ona z ręki i powiedziała tak:

– Jeżeli wyjdziesz w niedzielę z tego miasta i będziesz szedł wciąż na zachód, zajdziesz wreszcie tam, gdzie cię obiorą królem.

Niteczka bardzo się z tego śmiał. Ale tej nocy śniło mu się, że w istocie został królem i z wielkiego dobrobytu tak utył, że wyglądał jak ogromna beczka. Zbudził się i myśli:

„A może to i prawda? Kto wie? Wstawaj no, panie Niteczka, i idź na zachód!"

Wziął zawiniątko, sto igieł i tysiąc kilometrów nici. Wziął naparstek, żelazko, nożyce bardzo wielkie i poszedł między ludzi pytać, jak to się idzie na zachód. Nikt tego nie wiedział w miasteczku Tajdarajda, aż jeden stary człowiek, który miał sto sześć lat, pomyślał i powiada:

– Zachód to pewnie jest tam, gdzie słońce zachodzi.

Zaraz było widać, że to jest mądrze powiedziane, więc pan krawiec Niteczka poszedł w tę stronę. Niedaleko uszedł, aż tu zrywa się wiatr w polu, nawet bardzo niewielki, ale ponieważ pan Niteczka był niezmiernie chudy, więc go wiatr porwał.

Leciał tak pan Niteczka przez powietrze i bardzo się śmiał z takiej jazdy. Ale i wiatr się zmęczył i puścił krawczyka na ziemię. Zakręciło mu się w oczach i nie wiedział, co się z nim stało. Poczuł tylko, że upadł w czyjeś ramiona, bo ktoś gniewnie krzyknął:

– Co to jest za napaść?

Patrzy pan Niteczka i widzi, że jest wśród zboża i że go wiatr rzucił w ramiona Stracha na wróble. Pan Strach był bardzo elegancki, miał trochę tylko podarte spodnie, zieloną kurtkę i połamany cylinder. Miał dwie nogi z patyków i z takich też patyków dwie ręce.

Niteczka zdjął czapeczkę, skłonił się nisko i powiada cienkim głosikiem:

– Moje uszanowanie szanownemu panu. Przepraszam, jeślim panu nastąpił na nogę. Jestem pan Niteczka, krawiec

– Bardzo mi przyjemnie – odrzekł Strach na wróble – poznać tak miłego człowieka. Ja jestem hrabia Strach, herbu Cztery Patyki. Uważam tu, aby wróble nie kradły pszenicy, ale mało się nimi zajmuję. Jestem niezmiernie odważny i chciałbym walczyć tylko z lwami i tygrysami, ale one tego roku rzadko przychodzą jeść pszenicę. A dokąd to pan idzie, panie Niteczka?

Pan Niteczka znów się ukłonił i podskoczył trzy razy, bo był bardzo uprzejmy i wiedział, że wielcy panowie tak się sobie kłaniają.

– Dokąd ja idę, panie hrabio? Idę tam, gdzie zostanę królem.

– Czy być może?

– A jakże! Ja się urodziłem na króla. A może pan, panie hrabio, pójdzie ze mną, będzie nam weselej?

– Dobrze – odrzekł Strach na wróble. – Już mi się sprzykrzyło. Ale niech pan, panie Niteczka, troszkę mi poprawi i pozaszywa ubranie, bo chciałbym się gdzieś po drodze ożenić, więc muszę być przystojny.

– Z miłą chęcią! – rzekł Niteczka.

Wziął się do pracy i za godzinę Strach na wróble miał śliczne ubranie i cylinder prawie jak nowy. Trochę się z niego wróble z całego pola poczęły naśmiewać, ale on na to nie zważał, tylko z wielką godnością poszedł z Niteczką. Rozmawiali sobie po drodze bardzo miło i bardzo się pokochali, a szli wciąż na zachód. Spali zwykle w pszenicy, a na noc przywiązywał się krawiec nitką do Stracha, który był cięższy, aby pana Niteczki znów jaki wiatr nie porwał. A kiedy ich psy opadły, wtedy Strach, który był z powodu swego rzemiosła bardzo mężny, wyrywał własną nogę i ciskał nią za psami. Potem ją znowu sobie sznurkiem przywiązywał do tułowia.

Raz pod wieczór patrzą, a w lesie widać jakieś światełko.

– Chodźmy tam, może nas przenocują! – rzekł Niteczka.

– Zróbmy im ten zaszczyt! – odpowiedział pan hrabia Strach.

Patrzą, dom jakiś dziwny, bo może chodzić. Stoi na jakichś czterech łapach i wciąż się obraca.

– Właściciel tego domu musi być wesoły człowiek – szepnął Niteczka. – Ciągle sobie tańczy.

Poczekali, aż drzwi przyszły do nich, i weszli do domu. Bardzo to był dziwny dom. Chociaż to było lato, na kominie paliły się ogromne kłody drzewa, a na ogniu siedział jakiś szlachcic i grzał się. Czasem nabierał w dłoń żarzących się węgli i połykał je z wielkim smakiem. Ujrzawszy podróżnych, podszedł do nich, skłonił się i powiada:

– Zdaje się, że pan Niteczka i pan hrabia Strach?

Zdumieli się, że ich zna, ale nie rzekli nic, tylko Niteczka podskoczył trzy razy, a Strach zdjął cylinder. On zaś mówił:

– Zostańcie u mnie na wieczerzy, a jutro pójdziecie dalej. Zaraz zawołam żonę, córkę i krewnych.

Klasnął w dłonie i nagle zjawiło się wielkie towarzystwo. Córka tego gospodarza była bardzo piękna, lecz kiedy się śmiała, to tak jakby koń rżał na łące. Bardzo się jej podobał pan Niteczka, więc powiedziała mu, że bardzo chciałaby mieć takiego męża. Siedli potem do wieczerzy, pan Niteczka i Strach na ławie, a wszyscy inni na żelaznych garnkach z rozżarzonymi węglami, co gości wielkim przejęło zdumieniem.

Wtedy im gospodarz rzekł:

– Nie dziwcie się, wielmożni panowie, że tak siedzimy, ale naszej rodzinie zawsze jest bardzo zimno.

Podali zupę w ogromnym kotle i już Niteczka podniósł łyżkę do ust, kiedy Strach pociągnął go za połę i szepnął:

– Panie Niteczka, nie jedz, bo to gorąca smoła!

Więc potajemnie, udając, że im zupa smakuje, wylali ją pod stół. Potem przyniósł jakiś dziwny służący nowe danie: były to szczury w dzikim sosie; potem podali szarańczę¹ smażoną, dżdżownicę z parmezańskim serem, jak

---

¹ S z a r a ń c z a – owady, które na terenach Europy południowo-wschodniej i środkowej Azji wyrządzały ogromne szkody. Niezliczone masy szarańczy atakowały roślinność i zboża i .upełnie je niszczyły na trasie swego pochodu.

makaron, a na deser zgniłe jaja. Wszystko to oni rzucali pod stół i przerazili się bardzo. Nagle rzekł gospodarz:

– Czy pan wie, panie Niteczka, że król umarł w Pacanowie?

– A gdzie ten Pacanów, daleko? – spytał krawiec.

– Zarżnięty kogut biegnie stąd do tego miasta dwa dni. A czy pan wie, że tam szukają króla i że ten tam zostanie królem, kto się ożeni z moją córką?

Dzieweczka zarżała w tej chwili z radości jak stary koń i zarzuciła Niteczce ręce na szyję.

– Uciekajmy! – szepnął Strach.

– Kiedy nie wiem, gdzie są drzwi. Nie ma rady!

Cała rodzina zaczęła być wesoła, a gospodarz rzekł nagle:

– Napijemy się wina za wasze zdrowie i zaśpiewamy sobie wesoło. Panie Niteczka, może pan zna jaką piosenkę?

– I owszem – mówił Niteczka – bardzo nawet piękną.

Mówiąc to mrugnął na Stracha i szepnął:

– Uważaj, bracie, i kiedy drzwi będą za nami, wtedy krzyknij!

Potem powstał, zdjął czapkę i cieniutkim głosem zaczął śpiewać jedyną pieśń, jaką umiał:

– „Zacznijcie, wargi nasze, chwalić Pannę Świętą, zacznijcie opowiadać cześć Jej niepojętą!"

Coś strasznego się stało w tej chwili. Cała rodzina porwała się na nogi i poczęła wyć i piszczeć, i skakać, i złorzeczyć. A pan Niteczka, nic, tylko śpiewał dalej. Czuje, że dom z nimi gdzieś ucieka przed tą pieśnią, więc Niteczka oddechu w płuca nabrał i śpiewał jak najcieńsza piszczałka w organach. Ukończył pieśń i znowu na nowo rozpoczął. A w tej chwili wszystko zniknęło, dom się rozpadł w proch i tylko straszliwy wiatr się zerwał.

Patrzą oni, przerażeni, i widzą, że stoją na łące. Podziękowali Bogu za ocalenie i Niteczka powiada:

– Straszne to były diabły, aleśmy ich zmogli!

– To mnie się tak przestraszyli! – rzekł Strach.

I idą dalej. Niteczka dowiedział się od starego diabła, że król umarł w Pacanowie. Więc skierowali się do tego wspaniałego miasta, w którym są słynni kowale, co kują kozy. Wędrowali siedem dni wśród rozmaitych przygód, wreszcie ujrzeli miasto i poznali, że to właśnie to sławne. Ale zdumieli się bardzo i aż przystanęli z podziwu: na całym świecie była pogoda, tylko nad tym miastem okropny padał deszcz i z nieba lało się jak z cebra.

– Ja tam nie pójdę – powiada Strach – bo mi cylinder zmoknie.

– A ja nie chcę być nawet królem w takiej wilgoci! – mówił krawiec.

Lecz z miasta już ich dojrzeli i tłum ludzi wybiegł do nich. Burmistrz przyjechał na podkutej kozie i wszyscy w płacz przed nimi:

– Panowie wielmożni! Może wy nas poratujecie!

– A cóż wam się stało? – pyta Niteczka.

– Potop nam grozi i zagłada! Król nasz umarł tydzień temu i od tej chwili straszliwy deszcz pada na nasze wspaniałe miasto. Nie można nawet ogniska rozpalić w domu, bo tyle wody leci przez komin. Zginiemy, wielmożni panowie!

– To źle! – rzekł bardzo mądrze pan Niteczka.

– O, i bardzo źle! A najwięcej to nam żal córki nieboszczyka króla, bo się biedna w płaczu utulić nie może, wskutek czego jeszcze więcej jest wody.

– To jeszcze gorzej! – rzekł jeszcze mądrzej Niteczka.

– O panie wielmożny! – zawołał burmistrz. – Ratujcie nas, ratujcie! A wiecie wy, jaką niezmierną nagrodę obiecała królewna temu, co ten deszcz zatrzyma? Obiecała, że za mąż za tego wyjdzie i królem ten zostanie.

– O – woła Niteczka – naprawdę! Panie Strach, chodźmy do miasta. Trzeba spróbować.

Zawiedli ich w wielkim deszczu do córki nieboszczyka króla, ona zaś, ujrzawszy Niteczkę, zawołała:

– Ach, co za przystojny młodzieniec!

On podskoczył trzy razy bardzo wysoko i rzekł:

– Czy prawdą jest, królewno, że wyjdziesz za mąż za tego, co deszcz zatrzyma?

– Tak przysięgłam.

– A gdybym ja to zrobił?

– Dotrzymam przysięgi.

– I królem zostanę? – pytał Niteczka.

– Zostaniesz, piękny młodzianie.

– Dobrze! – zawołał krawiec. – Idę zatrzymać deszcz.

Mrugnął na hrabiego Stracha i poszli. Całe miasto, pełne nadziei, wyległo chcąc zobaczyć ten wielki czyn.

A Niteczka szedł pod parasolem ze Strachem i tak sobie mówili:

– Słuchaj, Strachu, jak to zrobić, żeby ten deszcz przestał padać?

– Trzeba zrobić pogodę.

– Ale jak?

– Ha! Pomyślmy!

Myśleli trzy dni, a deszcz leje i leje, i leje!

Nagle pan Niteczka uderzył się w czoło, beknął z radości jak koza i zawołał:

– Wiem, skąd ten deszcz pochodzi!

– Skąd?

– Z nieba!

– Ech! – mruknął Strach. – Taki mądry to ja też jestem. Pewnie, że nie pada z dołu do góry, tylko odwrotnie.

– Tak – rzekł Niteczka – ale dlaczego on pada tylko na miasto, a gdzie indziej nie pada?

– Bo gdzie indziej jest pogoda!

– Głupiś, panie hrabio! – rzekł krawiec. – Ale powiedz mi, od jakiego czasu pada ten deszcz?

– Powiadają, że od czasu, kiedy król umarł.

– A widzisz! Ja już wiem wszystko! I sprawa jest taka: król był tak wielki i potężny, że kiedy on umarł, to się w niebie zrobiła dziura.

– Oj! Oj! Prawda!

– Z tej dziury lunął deszcz i tak będzie padał do skończenia świata, jeżeli się dziury nie zaszyje.

Pan Strach szeroko otworzył oczy i rzekł:

– W życiu moim nie widziałem tak mądrego krawca.

Ucieszyli się bardzo, poszli do burmistrza i kazali ogłosić, że pan Niteczka, obywatel miasta Tajdarajda, obiecuje, że deszcz przestanie padać.

– Niech żyje pan Niteczka! Niech żyje! – krzyknęło całe miasto.

Wtedy Niteczka kazał przynieść wszystkie drabiny, jakie tylko były w mieście, razem je związać i przystawić je do nieba. Sam wziął sto igieł i szpulkę nici, co miała sto mil, i polazł z tym na drabinę, a hrabia Strach rozwijał nici na dole. Wylazł na samą górę i widzi, że w niebie jest wielka dziura, taka wielka, jak miasto; oddarty kawał nieba zwisł w dół, a przez otwór płynęła deszczowa woda. Wziął się więc do pracy i szył, i szył przez dwa dni. Palce mu mdlały od roboty, ale nie ustawał, żelazkiem potem wygładził niebo i bardzo zmęczony złazi z drabiny.

A w mieście pogoda śliczna! Hrabia Strach mało że nie zwariował z radości, tak jak i wszyscy mieszkańcy miasta. Królewna otarła oczy, które już były prawie do połowy wypłakane, i rzuciwszy się na szyję Niteczce, ucałowała go serdecznie.

Niteczka był szczęśliwy, aż patrzy, a tu burmistrz i rajca niosą mu złote berło i koronę wspaniałą i wołają:

– Niech żyje król Niteczka!

– Niech żyje, niech żyje! I niech będzie mężem królewny, i niech panuje szczęśliwie!

Toteż panował długo wesoły ten król, a w państwie jego nigdy deszcz nie padał. Zaś przyjaciela swego mianował Wielkim Strażnikiem państwa, aby odpędzał wróble od królewskiej głowy.

Zuzanna Rabska

G HELSKIE DZWONY

dy przed wiekami wspaniałe miasto Hel pochłonęło morze, powstała nie opodal, na cyplu piaszczystym, skromna wioszczyna, przez ubogich zamieszkała rybaków.

Cicho tam było i pusto jak na odludziu, a przecież wioska miała serce jak każda żyjąca istota. Tym sercem wioski były jej dzwony.

Zawieszone wysoko na dzwonnicy kościelnej biły ludziom na radość i na trwogę. Głos ich rozlegał się po całym półwyspie, aż do Pucka, a gdy nie było wichru, przelatywał przez zatokę i nawet w Gdyni po drugiej stronie małego morza było go słychać.

Dzwonów żelaznych było siedem: dwa wielkie, niby rodzice, i pięć małych jak dziatki. Gdy dzwonnik Bartłomiej dzwony w ruch wprawiał, powstawała cudna melodia. Każdy dzwon miał swój głos, a gdy naraz dzwoniły wszystkie, to słychać było w biciu tych dzwonów szum morza i szelest liści bukowych z helskiego boru, i śpiew ptaków, a nawet głosy dobrych ludzi.

Rybacy bardzo kochali swoje dzwony i nie wyobrażali sobie, jak by to być mogło bez nich na Helu.

Jakież było ich przerażenie, gdy któregoś dnia stary kościół stanął w płomieniach! Był wybudowany z suchego sosnowego drzewa, więc spłonął, nim ludzie ochłonęli ze zgrozy i pomyśleli o ratunku. Dzwony, ulane z żelaza, nie miały czasu się stopić, i można je było w całości uratować ze zgliszcz.

Bardzo prędko po spaleniu starego wybudowano na innym miejscu nowy kościół z czerwonej cegły i Bartłomiejowi polecono powiesić na nowej dzwonnicy stare dzwony. Dopomagała mu w tym mała sierotka Joasia. Była to bardzo nieszczęśliwa dziewczynka, głucha od urodzenia. Nie mogła się w szkółce uczyć, bo nie słyszała tego, co mówił do niej nauczyciel. Więc pasła kozy na łące i na polach leśnych kryła się, jak mogła, przed innymi dziećmi, które jej dokuczały.

Joasia miała dwanaście lat, ale wyglądała na znacznie młodszą dziewczynkę. Miała wielkie oczy, które, jak mówili ludzie, „starczyły jej za uszy", bo gdy ktoś do niej się odzywał, ona słuchała tymi oczami i wydawało się, że wszystko rozumie.

Ale Joasia nie słyszała, bo słyszeć przez swoje kalectwo nie mogła żadnego dźwięku. Nie miało dla niej głosu ani morze, ani bór, ani stary opiekun Bartłomiej. Spełniała jednak gorliwie swe obowiązki, była dobra, posłuszna i pobożna, a działo się tak dlatego, że słuchała głosu swego serca. Serce człowieka ma głos tak donośny, że można go zawsze słyszeć, bo w nim dźwięczy sama prawda. Nigdy nikogo jeszcze nie zawiódł głos serca.

Ale co było najdziwniejsze, to że Joasia, prócz głosu swego serca, słyszała także głos helskich dzwonów!...

Milczał dla niej bór i milczało morze, ale gdy na Anioł Pański zadzwoniły dzwony poruszane ręką Bartłomieja, Joasia przystawała na polanie leśnej, gdzie kozy szczypały mizerną trawkę i nadsłuchiwała z palcem na ustach.

– Jo-an-na! Jo-an-na! – dzwoniły basem dwa wielkie dzwony, a pięć małych do wtóru ciszej nieco: – Jo-a-siu! Jo-a-siu!

Słyszała to dzwonienie wyraźnie. Skradało się ku niej poprzez las, choć się nieraz oddaliła daleko, w stronę Boru i Jastarni!

„O, Bartłomiej dzwoni... – myślała. – Trzeba wracać, bo niedługo już noc zapadnie".

I zasłuchana w dźwięki dzwonów mała, głucha Joasia wracała przez las ku chacie dzwonnika, który ją przygarnął.

*

Stała się raz na Helu rzecz dziwna i niespodziewana. Najstarsi rybacy, którzy w młodości żeglowali po dalekich morzach i zwiedzili kawał świata, wytłumaczyć sobie tego nie umieli. Zbici w gromadki naradzali się już od paru dni i zachodzili w głowę. Kobiety lamentowały i załamywały ręce.

Oto z dzwonnicy znikło naraz siedem dzwonów. Jak kamień w wodę! Ani śladu po nich!

Jeszcze w niedzielę zwoływały na nabożeństwo rybaków z całego półwyspu i aż w Jastarni było je słychać. Dzwoniły tak radośnie, jakby to było jakie wesele. Bo też stary Bartłomiej cieszył się, że synowie do chaty wrócili z bogatym połowem węgorzy i fląder, a on zawsze radość swą i smutek kładł w uderzenia dzwonów.

Naraz – cisza...

Pierwsza tę ciszę zauważyła Joasia. Zbliżała się godzina, gdy Bartłomiej dzwonił na Anioł Pański. Zwiastowało ją żawsze zapadające za morzem słońce.

Czekała stojąc na wybrzeżu, zapomniała o kózkach, które beczały żałośnie, bo nie było na piasku nawet mizernej trawki, prócz ostów i czarnej morszczyny. Czekała Joasia, aż zawołają jej imię żelazne dzwony na dzwonnicy, takie zawsze dla niej dobre, jakby to byli bracia i siostry. Ale cisza była w lesie i na morzu. Doskonale rozumiała, choć słyszeć nie mogła, że dokoła niej była cisza.

„Co by to mogło znaczyć?" – pomyślała przerażona.

I pobiegła pędem z kózkami do wsi.

Rybacy, wyciągający z morza sieci, nie zauważyli nawet braku dzwonów, tak byli swoją pracą zajęci. Ale zauważył to Bartłomiej.

Z całej siły pociągnął za sznur, jak to zwykł był czynić licząc na ciężar dzwonów, ale tym razem sznur nie stawił żadnego oporu. Stary Bartłomiej zatoczył się i omal nie upadł na ziemię.

– Ludzie, słuchajcie! A co się też mogło stać z naszymi dzwonami? – wołał w przerażeniu biegnąc ku rybakom, którzy opodal naprawiali sieci.

Ten i ów obejrzał się i zaraz powrócił do pracy.

Rybacy jeszcze nie zrozumieli, o co chodzi, i roześmieli się ze starego dzwonnika, któremu się widocznie rozum pomieszał.

– A gdzieżby to dzwony miały uciec? Alboż to dzwony mają nogi, czy co?

A stary Bartłomiej wszedł tymczasem z Joasią, która właśnie nadbiegła, na sam szczyt dzwonnicy i powrócił blady z trzęsącymi się rękami.

– Nie ma dzwonów! Powiadam wam, nie ma naszych dzwonów! – wołał z rozpaczą.

– Jak sobie poszły, tak samo do nas i wrócą! – powiedział jakiś rybak, znany z tego, że lubił w karczmie popijać.

Mimo wszystko ludzi ogarniać począł lęk.

– Dlaczego opuściły nas dzwony? – myśleli ze strachem.

Ten i ów przypominał sobie, co się stało z kwitnącym niegdyś miastem Hel, gdy zaczęły się w nim występki i próżniactwo, i przeraził się, że ubogą wioskę może spotkać los ten sam.

Zaczęli więc przetrząsać swoje sumienia.

Alboż to oni żyli uczciwie, tak jak dobry Bóg im przykazał?

Czyż nie obmawiali jedni drugich, nie oszukiwali się wzajemnie, nie kradli owiec i kóz z pastwiska, a towarów z łodzi?

Widziały to wszystko dzwony zawieszone wysoko na dzwonnicy i widocznie, nie mogąc znieść dłużej widoku złych uczynków ludzkich, skryły się gdzieś pod ziemię. Kto je teraz odnajdzie? Kto powróci wiosce dzwony utracone?

*

Smutek zaległ cały Hel. Ludzie zrobili się markotni i choć każdy powrócił do codziennych zajęć, nie przestawał myśleć o dzwonach.

Bartłomiej nie miał teraz nic do roboty i cały dzień siedział przed swą checzą [1] pykając z fajki. Nie mógł się pogodzić z tą myślą, że na dzwonnicy dzwonów już nie ma.

Ale najwięcej ze wszystkich martwiła się ucieczką dzwonów Joasia.

Dźwięk ich był to jedyny głos, który się do jej biednej duszyczki ze świata przedostawał, jedyny głos, który ją z tym światem łączył.

Siedząc na polanie leśnej i bacząc na kozy, dumała o tym, gdzie się to mogły podziać te wielkie dzwoniska, i kiedy powrócą na dzwonnicę? Była bowiem pewna, że kiedyś wrócą.

Kozy beczały, skubiąc na wydmie piaszczystą trawkę mizerną, a ona nadsłuchiwała.

W porze gdy Bartłomiej dzwonił na Anioł Pański, stawała się czujniejsza. Nieraz jej się wydawało, że słyszy głosy swych braci i sióstr (bo tak zawsze nazywała w myśli dzwony helskie), ale przekonywała się po chwili, że to była omyłka. Otaczała ją cisza, wielka cisza lasu i morza. Biedna Joasia nie słyszała przecież ani szmeru fal, ani szeptów liści... ani żadnego głosu na ziemi...

*

Pewnego dnia Bartłomiejowa posłała Joasię z masłem na targ do Jastarni. Dziewczyna szła przez bór i nie wiedzieć czemu, ciągle się jej wydawało, że ktoś na nią woła z gęstwiny. Gdy przechodziła obok zgliszcz starego kościoła, usłyszała nagle w trawie ciche dzwonienie. „Co by to być mogło? – pomyślała. – Czy to dzwonią tak dzwoneczki, zawieszone na szyi moich kóz? a może leśne, liliowe dzwonki, których tyle kwitnie w lesie?" I za przyczyną jakiejś

---

[1] C h e c z a – chata rybacka.

łaski słyszy ona ten głos, skoro żaden dźwięk nigdy do jej uszu nie dochodzi?

Zaczęła się dokoła rozglądać, rozgarniać trawy i gałęzie i nagle zauważyła, że coś przebłyskuje wśród wrzosów. Podbiegła do tego miejsca i stanęła jak wryta.

W trawie leżał jeden z dwóch największych dzwonów z helskiej dzwonnicy.

Joasia przeżegnała się, uklękła na mchu, objęła dzwon rączkami tak, jak się mateczkę kochaną obejmuje za szyję i nagle rozpłakała się z wielkiej radości.

Bo nie tylko, że znalazła wielki dzwon, a obok niego ukrytych w trawie i sześć innych, ale przytknąwszy ucho do zimnego żelaza, usłyszała wyraźnie, jak bije serce dzwonu – jak bije dla niej, dla małej, głuchej Joasi-sieroty.

Co prędzej biec chciała do wioski z dobrą nowiną, że odnalazły się dzwony, rzucić się na szyję Bartłomiejowi, który tak za nimi tęsknił i wciąż o nich rozmyślał, i zawołać:

– Ojcze, nie martw się już! Są dzwony! Znalazłam je! Zaraz ci pokażę, gdzie są ukryte.

Ale wkrótce przyszła jej inna myśl do głowy. Jakby to było dobrze zabrać je z sobą od razu! A nuż dzwonom przyśni się zmienić miejsce i zmylić ślad, tak aby ich odnaleźć nie mogła? Spsociły raz, może i po raz drugi przyjść im chętka do psoty! Bo one we wszystkim, co robią, mają jakiś cel, im jedynie wiadomy. To jasne!

Więc Joasia niewiele myśląc zawija rękawy sukienki i chce udźwignąć dzwon najmniejszy. Ciężko jej to przychodzi, krople potu błyszczą na jej skroniach, mały dzwon wrósł w ziemię, nie sposób go z miejsca ruszyć.

Rozpłakała się Joasia, bo wieczór już zapadł, w lesie zrobiło się ciemno. Co pomyśli Bartłomiej i jego żona, co synowie Bartłomieja, gdy wrócą z połowu i jej nie zastaną? Trzeba się spieszyć, by choć jeden dzwon zanieść do wioski przed nocą. Gdy będzie miała w swych rękach jeden, tamte nie uciekną, bo brata swego nie będą chciały opuścić.

Ale dzwon robił wciąż na przekór dziewczynce i coraz głębiej w ziemię się zagłębiał. Próżny był cały jej trud i wysiłek.

Gdy tak stała z załamanymi rączkami namyślając się, co począć, nie mogąc ani wracać, ani pozostać, usłyszała w trawie, wśród wrzosów ciche dzwonienie.

– Jo-a-siu! Jo-a-siu! – odezwał się duży dzwon, ten, którego zobaczyła najpierwej.

Przybliżyła się do niego z bijącym sercem.

– Czemu mnie wołasz? Czy masz mi co do powiedzenia? – zapytała nieśmiało.

I czekała, drżąc z niepokoju, na odpowiedź dzwonu.

A dzwon cichuteńko, jakby to był świerszcz w trawie ukryty, a nie wielki, żelazny dzwon, zwołujący rybaków z całego półwyspu na modlitwę, w takt zwykłej melodii, która dawniej płynęła ze szczytu dzwonnicy, zadźwięczał:

> Bim! Bam! Bum!
> Weź mnie wpierw! Weź mnie wpierw!
> Jestem ojcem małych dzwonów,
> A za ojcem idą dzieci!
> Bim! Bam! Bum!

Melodia ucichła, Joasia przeżegnała się i objęła obiema rączkami wielki dzwon, wytężając wszystkie swe siły, by go unieść w górę.

A tymczasem dzwon zrobił się tak lekki, jakby to był istotnie liliowy dzwoneczek, których tyle rośnie na Helu w lesie wśród mchu, i pozwolił się podnieść bez oporu.

Joasia wyszła z nim na leśną drogę i obejrzawszy się za siebie, zobaczyła toczące się za nią posłusznie mniejsze dzwony, razem ze swoją matką. Szły parami przez las podzwaniając z cicha:

> Bim! Bam! Bum!
> Jo-a-siu! Jo-a-siu!

I tak cała gromadka, z Joasią na czele, doszła do wioski.

Noc już zapadła i ludzie spali po chałupach, tylko świeciło się jeszcze w chatce dzwonnika obok nowego kościoła.

To Bartłomiej i jego żona, niespokojni o Joasię, nie chcieli się spać położyć i czuwali w nadziei, że dziewczynka powrócić może z lasu.

Namyślała się przez chwilę, czy wejść z dzwonami do chaty, ale zbyt wielką miała ochotę powiesić je chyłkiem na dzwonnicy, póki jeszcze były lekkie jak dzwoneczki leśne.

Pan Bóg jej w tym dopomógł, bo bez żadnego trudu powiesiła na nowej dzwonnicy wszystkie siedem dzwonów.

Gdy wracała do checzy Bartłomieja, świt już zarumienił morze i niebo. Przyrzekła sobie w duszy, że do następnego dnia nikomu nie wyjawi radosnej tajemnicy.

*

Nazajutrz była niedziela. Już od samego rana schodzić się poczęli ludzie do kościoła na nabożeństwo, choć dzwon ich nie wzywał. Ale właśnie może dlatego, od czasu gdy dzwony znikły z dzwonnicy helskiej, stali się czujniejsi i już się nie spóźniali na mszę jak dawniej.

Joasia stała obok Bartłomieja i co chwila podnosiła oczy w górę, ku szczytowi dzwonnicy. Dziwił się stary dzwonnik i dziwili się ludzie. Czego też Joasia szuka w górze, gdzie wisiały niegdyś zgubione dzwony, a gdzie obecnie mewy tylko obijały o pustą dzwonnicę swoje skrzydła?

Dopiero gdy już wszyscy weszli do kościoła i ksiądz jął mszę odprawiać, Joasia, nie zauważona przez nikogo, weszła do dzwonnicy i jęła z całej siły ciągnąć za sznur.

– Jo-an-na! Jo-an-na! – zadzwoniły wszystkie naraz dzwony. I gdy je raz zahuśtała, dzwoniły same głośno i donośnie. Dźwięk ich niósł się przez cały Hel aż do Pucka i przez małe morze płynął ku Gdyni.

–Jo-an-na! Jo-an-na!

Ludzie w kościele oniemieli ze dziwienia. Stary Bartłomiej padł krzyżem przed ołtarzem, zanosząc modlitwę dziękczynną do Boga.

Nikt zrazu nie wiedział, za czyją przyczyną powróciły dzwony, ale wkrótce one same wyznały wszystko.

Nie na darmo powtarzały:

–Jo-an-na! Jo-an-na!

Najwyraźniej przecie w dźwięku helskich dzwonów dźwięczy po dziś dzień imię małej pastuszki kóz.

Dźwięczy ono wśród ciszy i z szumem wichrów, wiejących od spienionego morza.

Wtedy rybacy z całego półwyspu przypominają sobie Joasię.

Przystają i modlą się żarliwie, aby Bóg odwrócił od nich zło i pokusę i aby nigdy już ukochane dzwony ze zgrozy kryć się nie potrzebowały w gąszcze liliowych wrzosowisk.

WESELE KARCZMARKI JAGUNI

W edle Olkusza, przy drodze, stała karczma, a w niej szynkowała piwo i miody szynkareczka Jagunia. Młoda była i rumiana, a tak harda i niedostępna, iż kto ją ujrzał, powiadał:

– Głaz z niej, a nie dziewczyna.

Kilku młodych panoszów zabiegało na próżno o jej względy, to samo czynili synowie mieszczan i cechowi mistrze, a nawet kupiec Balcerek zapragnął ją pojąć za żonę. Lecz Jagunia odpalała wszystkich niemiłosiernie, mówiąc:

– Nie takiego będę miała męża!

I szeptano cicho, iż Jaga pragnie się wydać za królewicza z Wawelu.

Gościła go raz i poiła, gdy znużony łowami zatrzymał się w gospodzie na odpoczynek. A królewicz zamiast jednej nocy cały tydzień spędził w oberży, smakując w napitkach i Jagusinych ustach. A gdy potem odjechał, zostawiając jej na pamiątkę złoty pierścień, wydało się głupiej dziewce, iż jest królewną z Wawelu i posłuch się jej należy i wielkie uważanie.

Śmiali się z tego ludzie i pytali:

– Kiedyż, Jagusiu, wstąpisz na tron?

A dziewka zła odpowiadała:

– Czekajcie, ale gdy to się stanie, pozazdrościcie mi wszyscy.

I wypatrywała dziewczyna oczy, czy na krakowskim trakcie nie ukaże się wawelski królewicz, aby ją poślubić. Patrzyła jeden miesiąc, drugi, czekała od zimy do lata. Daremnie! A gdy zagwizdały wiatry styczniowe i ciemne noce rozłożyły się po świecie, cierpliwość jej przebrała miarę. Siostry zaś szydziły:

– Chciałybyśmy potańczyć w dniu twych imienin na lustrzanej sali, a tu już jutro świętej Agnieszki, kawaler zaś dotąd nie przyjechał.

– Drużkami mi będziecie, a gdy się nie wydam za królewicza, diabłu przysięgnę wierność i zostanę jego żoną!

I ledwie wyrzekła te słowa, zadudniło na gościńcu i układny młodzieniec wszedł do izby.

Struchlało serce w Baśce i w Marynie, precz uciekły, zostawiając siostrę sam na sam z przybyszem.

– W swaty przyjechałem, mościa panno, jestem posłem jaśnie oświeconego wojewody Boruty.

– Za mało mi województwa i mogąc być królewną, nie chcę zostać wojewodziną – odpowiedziała dziewczyna. – Jeśli wyswatasz mnie za Lucyfera, godzę się na zamęście.

Markotno było wracać posłowi z rekuzą [1], więc jął tłumaczyć, jakie ją czekają zbytki i w jakim pałacu będzie panią:

> Na wysokiej górze,
> W fioletowej chmurze
> Stoi zamek wielki.
> Dach ma pozłacany,
> I ze srebra ściany,
> A z bursztynów belki.

Lucyfer-król, najmocniejszy z wszystkich cesarzy, panuje nad księżycem i planetami, i w każdym kraju, i na każdej gwieździe ma swego namiestnika. Niektóre światy już mu uległy i zapchane są po brzegi jego poddanymi, a w wielu krajach możne jego władztwo.

Tylko w Polsce idzie diabłowi kulawo, więc kryć się musi po gąszczach i wertepach, aby stamtąd napadać na ludzi jak rzezimieszek.

Ale na pewno będzie inaczej, gdy Boruta się ożeni i ustatkuje. Szałaowiła jest bowiem i hulaka; aż strach pomyśleć, jaki z niego lichy namiestnik. Nie posyła żadnych dusz do piekła, kościoły się w Polsce mnożą, cnotliwych coraz więcej przybywa i diabły nie mają żadnej pociechy z Polaków. Więc Lucyfer postanowił ożenić Borutę, aby się ustatkował i dostawszy babę, myślał więcej o urzędzie niż o hulankach.

Tak wymownie prawił poseł, pobrzękując kiesą ognistych dukatów, iż zmiękło na poły serce Jaguni, a gdy wysypał sznur korali, płonących jak jarzębiny, sięgła po nie dziewczyna.

Lecz korale rozwiały się w mgłę za dotknięciem jej ręki, a poseł czytając z oczu dziewczyny pragnienie posiadania bogactw, wyrzekł uśmiechnięty:

> Hola, mościa panno,
> Wolne takie żarty,

---

[1] R e k u z a – odmowa.

Nie dają podarków
Darmo nawet czarty.

– Więc powiedz panu twemu, iż go czekam, i niech mnie bierze – wybełkotała na pół przytomna szynkareczka.

Rozparł się Boruta w kolasie, strojny w jedwabny żupan i rysi kołpak. Cztery karosze śmigają poprzez pola. Miotają z pyska ognistą parę, a z bicza strzela Kusy, wierny pacholik wojewody. Pysk ma nieco szpetny, więc nasunął na twarz wilczurę, a wymachując nogami cienkimi jak badyle, przyśpiewuje uciesznie:

> Jedzie diabeł, jedzie
> Na swoje wesele,
> Kontusz ma jedwabny,
> Złotą karabelę.

Hop! To koło zawadziło o granicę, aż jęknął resor, a Kusy podskoczył na trzy łokcie w górę. Zaśmiał się i nucił dalej:

> Weźmie sobie pannę
> O ślicznej gębusi,
> Szkoda, że ją w smole
> Zaraz skąpać musi.

Deń! To karoca nachyliła się w prawo, aż gibnął się Boruta, a Kusy zarył nosem w błocie. Otarł pysk rękawem i śpiewał znowu:

> Na nockę jej nigdy
> Od siebie nie puści,
> Ale na dzień zamknie
> W piekielnej czeluści.

Zit! To pojazd śmignął przez rzekę, nurzając w wodzie Kusego, który nie zauważył przeszkody, składając piosenki. Parsknął pacholik z chłodu i przerażenia, podciął karosze i stanął przed karczmą.

Co to było za wesele!

Trzysta białych kaczorów, trzysta czarnych kogutów, trzysta cieląt i trzysta baranów zabito na ucztę weselną. Stado wołów i wieprzów padło pod nożami rzeźników, a pijatyka była tak straszna, że sam Lucyfer spadł pod stół, a diabliska potraciły rozumy z opilstwa i obżarstwa.

Tej pamiętnej nocy nie zabłądził żaden człowiek na bezdroże, nikogo nie przeraził rechot diabli w pustkowiu i cicho było i spokojnie na świecie.

Tylko na Łysej Górze trwały hałasy i trzęsła się ziemia od muzyki i łomotu czartowskich kopyt.

A gdy diabły posnęły, przysunął się pan młody do Jaguni i przemówił najdelikatniejszym głosem:

– Jaguś, może byś chciała odpocząć? Tam wedle czeka na nasze przybycie ustrojona komnata.

A szynkarka spoglądnęła zimno na męża i odrzekła:

– Nie chce mi się spać!

– Jaguniu, serce moje, rad bym cię pocałować – szeptał czule Boruta, pochylając się nad małżonką. I byłby ją mlasnął w same usta, lecz odtrąciła go Jagunia, spluwając z obrzydzeniem, gdyż przypomniała sobie pocałunki królewicza.

Żachnął się piekielny wojewoda i chwycił ją wpół, chcąc siłą zmusić do całowania.

Odskoczyła i okręciwszy się na pięcie rzekła:

– Nie chcę!

Więc diabeł w perswazje, nuż obiecywać, nakłaniać, grozić, zachęcać, a Jagunia ciągle powtarzała z uporem:

– Nie chcę!

Rozeźlił się strasznie Boruta, gdyż żadna dotąd dziewka nie stawiała mu takiego oporu, i huknął aż zagrzmiało:

– Musisz być posłuszna!

– Nie chcę! – odpowiedziała Jagunia.

I już świt dobrze wyjrzał na niebo, a nowożeńcy certolili się jeszcze bez ustanku. A gdy jasne weszło słońce, diabły w śmiech. Tłuką się ogonami po bokach i wyją z radości, że Boruta tak pokpił sprawę z dziewką. I dalej w kpiny ze swego brata, aż go wstyd jął, zawołał Kusego i cichcem wyjechał do Łęczycy, zostawiając gości i żonę.

A diabły w radę: co robić z Jagą, czy wypędzić ją do karczmy, skąd przyszła, czy porwać żywcem do piekła i usmażyć w smole, czy też pozostawić na Łysej Górze?

Zabierali głos najmędrsi i najuczeńsi w piśmie doktorzy i kauzyperdy i uchwalili:

– Nie ma rady, Jagunia jest małżonką Boruty, więc nie należy jej ani wypędzać, ani też wtrącać do piekła. Należą się jej honory i względy przystojne małżonce wysokiego dostojnika. Niech przeto pozostanie, gdzie jest, sześciu pacholików trzeba jej dać do posługi i otoczyć fraucymerem, aby nie robić pieklu wstydu. Może się wreszcie namyśli i zaniecha fochów. Wojewodziną jest, i basta!

Często przypomina sobie Boruta, że ma na Łysej Górze małżonkę, i próbuje zalotów.

Dawniej, gdy był młodszy, raz w raz zjawiał się pod Łysą Górą i wzdychał, płakał, zaklinał, tłukł łbem o głazy, ale zawsze odchodził z niczym.

A teraz, gdy się postarzał, raz w rok, w rocznicę swego wesela, która przypada w imieniny Jaguni, śmiga karocą do swej żony w nadziei, iż ją ucałuje i przyhołubi. Pędzi pojazd na przełaj po polach i drogach, a Kusy trzaska z bicza i podśpiewuje żałośnie:

> Kłopotu miał diabeł mało,
> Nigdy nie bolał go łeb,
> Żony mu naraz się chciało
> I z czarta zrobił się kiep.
> Ojej!...

A diabelski jęk słyszą ludzie i wcale im się serce nie kraje, lecz mówią:
– Dobrze mu tak!

OPOWIEŚĆ O NIEPRZYJEMNYM DIABLE ROKICIE

Długi czas Boruta wystarczał na całą Polskę. Młody był, zwinny, jeszcze się nie zapijał i niewiele miał koligacji pośród szlachty.

Ale diabeł chociaż nie umiera, jednak się starzeje, i co kiedyś mógł zdziałać za młodu, później już nie może. Ot, na przykład:

Wojewodzina Ściborowa miała tak liczny dwór, iż nawet cesarzowa niemiecka nie mogła się podobnym pochwalić. Dwieście panien występowało w jej orszaku, a każda tak dobranej urody i wdzięku, iż kto je raz widział, nie mógł nigdy zapomnieć.

Panny nie były zbyt twarde, lecz wojewodzina trzymała je żelazną ręką, albowiem zagarniała sobie wszystkich mężczyzn, mając fraucymer niby przynętę na szczupaki. Połknął niejeden rybkę, z gardła mu ją wydarła i łakomca zabierała dla siebie.

Boruta wpadł w oko Ściborowej, pozwała go więc na biesiadę i wcale nie myślała wypuścić. Gościła tydzień, miesiąc, kwartał; aż dziwiły się panny, że patronka ich, jakoby druga nimfa Kalipso[1], więzi męża na swym dworze.

Gdyby innemu diabłu przytrafiła się taka gratka, zgubiłby dwieście dusz od razu. Boruta zaś wtrącił w piekło zaledwie dwanaście duszyczek, i to już tych najuporczywszych, które dopominały się tego koniecznie.

W piekle patrzono z wielkim politowaniem na wojewodę łęczyckiego. Widziano, jak się pocił, ociągał i wymawiał to humorami, które mu stąpają do głowy, to dźganiem w łopatkach i zimnicą.

Zauważono zaś, że Boruta nie pociągnął za sobą ani jednej dziewki pośledniejszej kondycji, choć były bardziej rumiane i urodziwsze od wielu szlachcianek.

I zaraz czart Axabel, który jest rachmistrzem diabelskim i prowadzi rejestr dusz potępionych, zabrał się do sprawdzania ksiąg i zameldował Lucyferowi:

– W ogóle niewielu Polaków smaży się w smole piekielnej, a jeśli jest ich trocha, to przeważnie dobrze urodzeni, pospólstwa zaś i chłopstwa prawie nie widać.

Spochmurniał wielki Lucyfer, a wiadomo, co się dzieje, gdy diabeł nad diabły zmarszczy oblicze. Piekło całe staje w ogniu, a krzyk dusz zatraconych napełnia przestwory. Wtedy ludzie słyszą wichry i tumaniec, a wtajemniczeni w mowę niebios i ziemi pobożnie znaczą piersi krzyżem świętym.

Gdyby tak zbłaźnił się wojewoda niemiecki, francuski lub żydowski, złożyłby go Lucyfer z urzędu i kazał mu za karę drwa rąbać lub zamiatać piekło.

Dla Boruty jednak ma książę piekieł osobliwsze względy. Raz że są spokrewnieni przez Kossobudzkich, gdyż ciotka babki Boruty wyszła za mąż za syna Lucyferowego, a po wtóre, Boruta położył wielkie zasługi dla piekieł, o których wiedzą wszyscy diabli.

Czartowska rada postanowiła przeto nie odwoływać z ziemi wojewody łęczyckiego, lecz przeznaczyła mu pomocnika, który by go wyręczał w sprawach trudnych dla starszego wieku.

Kogo jednak wysłać do Polski?

Najpierw książę ciemności ofiarował ten wysoki urząd członkom Rady Piekielnej. Wszyscy jednak po kolei wymówili się od tego zaszczytu. Robon,

---

[1] Nimfa Kalipso – boginka z *Odysei* Homera, która zakochawszy się w Odysie, przetrzymywała go długo u siebie.

westchnąwszy ciężko, usprawiedliwiał się ciężkością w nogach; Mojsur nie mógł się rozstać z jadłem piekielnym, bo każde inne mu nie służyło; Bobon nie znosił zapachu ziemi, a Kurdela zdrzemnął się nieco podczas obrad, więc Lucyfer nie pytał go nawet o zdanie.

Ponieważ Polski nie można było zostawić w takim opuszczeniu, więc doradcy księcia ciemności postanowili czym prędzej wyszukać Borucie pomocnika.

Długie by to było na pewno szukanie, gdyby nie przyszedł z pomocą faktor Berek, który, choć niedawno bawił w piekle, wiedział już, co wart każdy diabeł. Owóż Berek, zauważywszy zmartwienie Robona, przemówił w te słowa:

– Po co ten kłopot, kiedy można mu zaraz zaradzić. Znam akuratnie takiego czarta, który jest w sam raz do tego interesu.

– Powiedz, powiedz, drogi Berku, gdzie on jest i jak się nazywa? – zawołał ucieszony Robon.

– Ciężką miałem sprawę, zanim go wynalazłem – mówił faktor.

– Sto lat będziesz wolny od smażenia w smole.

– Sto lat za taki brylant?

– Dwieście – zawołał Robon.

– Ani za tysiąc nie mogę – odrzekł Berek, zabierając się do odejścia.

– Niech będzie tysiąc – obiecywał radca piekielny.

– Na piśmie i z podpisem Lucyfera – dopominał się faktor – inaczej tę bagatelkę załatwi wielebny pan Robon lub Mojsur, a może nawet Kurdela. Pochwali ich za to książę, pochwali...

Robon zgodził się na warunki, a Berek rzekł:

– Rokita...

– Co za Rokita?

– Wielebny pan ławnik go nie zna? Ten cham, który wozi wodę na umywanie statków piekielnych. Bardzo nieprzyjemny diabeł, ale dla Polski akurat.

Robon kazał przywołać Rokitę, a czart zjawił się na rozkaz. Wysoki, zwalisty, w ręku trzymał bat, a odziewał się w kożuch i długie buty, chociaż w piekle aż syczało z gorąca. Szedł ciężkim krokiem i pogwizdywał sprośne piosenki, których nauczył się na ziemi, jeżdżąc tam co dzień po wodę. Widno, iż trzymał kompanię z ludźmi, bo zepsuł sobie mowę diabelską i klął, że aż skóra cierpła. Na Berka zaś spoglądał z nie tajoną złością i gdyby nie respekt dla ławnika, pogadałbym z nim po swojemu.

Oczekiwał tego faktor, bo trzymał się w przyzwoitej odległości od Rokity.

Robon, obejrzawszy woziwodę od czubka głowy aż do stóp, zapytał:

– Mocny jesteś?

– Nie bardzo.

– Jak to nie bardzo? – wmieszał się Berek. – Onegdaj przewrócił jednym palcem murowany dom rabina w Rozdole.

– Dobrze, a kobiety lubisz? – pyta ławnik.

Rokicie aż zsiniała gęba z radości i wybuchnął śmiechem.

– On tak lubi – dogadywał faktor – iż nie ma nawet czasu jeździć po wodę do Jordanu, lecz czerpie ją, skąd popadnie, bo w drodze zatrzymuje się zawsze u jakiejś kobiety.

– Łżesz! – krzyknął diabeł.

– Albo łżę, albo nie łżę – odpowiedział Berek, odsuwając się dalej od rozsierdzonego Rokity, który zamierzał się już batem, aby prasnąć zdrajcę.

Robon nie zwrócił uwagi na ten dyskurs [1], albowiem pisał już list do Boruty i za wolą Lucyfera polecał mu dzielnego pomocnika.

*

Aż za Mławę wysłał wojewoda kolasę, którą miał przybyć Rokita do Łęczycy. Kusy oporządził, jak się należy, konie i uprząż, a sam ubrał paradny kubrak i nową czapę, aby się godnie pokazać wielkiemu urzędnikowi.

Punktualnie o dwunastej w nocy wylazł Rokita z dziury wedle krzywego mostu i cmoknął z zadowoleniem, widząc tak świetny pojazd i wystrojonego stangreta. Początkowo myślał, iż sam wojewoda powozi końmi, więc zdjął nisko czapkę i nie śmiał przemówić pierwszy. Kusy zaś, trzymając czapę przy ziemi, trwał w milczeniu, aby nie uchybić służbie i nie odzywać się nie pytany. Tak dwa diabły świadczyły sobie grzeczności. Po dłuższej dopiero chwili odezwał się Rokita:

– Dobrze pasieta konie, bo nie chcą ustać na miejscu – i klapnąwszy Kusego po ramieniu, począł się gramolić na kozioł.

– Jaśnie panie, wygodniej będzie na tylnym siedzeniu – zagadnął woźnica.

---

[1] D y s k u r s – rozmowa.

– Wygodniej, mówisz – odrzekł Rokita. – A cóż ty sobie myślisz, świńskie ucho, na zad twój będę patrzył i kudły twoje liczył? Sam siadaj w tyle i daj mi lejce! Jak żyję, nie widziałem takich koni, chcę je wypróbować.

Kusy zdziwił się mowie urzędnika, ale wiedząc, że panowie mają kaprysy, wlazł na tylne siedzenie, rozłożył się wygodnie na poduszkach i wdział wojewodzińską szubę.

Rokita zaś mówił:

– Dyszlowy psa wart, widzi mi się narowisty, a za tę parę na przodku nie oddałbym mej gniadej kobyły. Co to za szkapa! Tylko jej szepnąć było do ucha, dokąd chcesz, a spać mogłeś wygodnie, gdyż nigdy nie chybiła drogi. Nie tak jak twoje przodkowe, których nie wolno spuszczać z oka, bo rozniosą taradajkę [1]. Ho, ho, znam się, brachu, na szkapach i nie dam się zagadać! – To mówiąc klasnął Rokita batem, a konie ruszyły jak opętane. Strach było patrzeć, gdy zerwały się z miejsca i pognały galopem.

Kusy aż zamknął oczy i owinął się cały szubą wiedząc, iż nic dobrego nie wypadnie z tej jazdy. Nie cieszyło go nawet, iż wszędzie po drodze pozdrawiali ich diabli i ludzie, a niektórzy odzywali się z przekąsem:

– Patrzcie no, patrzcie, jak Kusy się panoszy. Wiadomo. Zausznik pański zawsze dochrapie się znaczenia. Jak zaraz zhardział, łeb wsunął w futro i znajomych nie poznaje.

O uszy Kusego odbijały się te słowa, nie zastanawiał się jednak nad ich znaczeniem, gdyż każdej chwili spodziewał się skręcić kark.

Pędzili już tak godzinę, a konie coraz sroższy brały impet, prześcigając ptaki w powietrzu i wiatry na wygonach. Naraz – k r a c h! – pękło koło, a Kusy wyleciał jak z procy.

Ponieważ przygotowany był na tę przygodę, więc wywinął trzy kozły i padł na miękką ziemię. Gruba szuba ochroniła go od potłuczenia, mógł więc stanąć zaraz na równe nogi i spojrzeć, co się dzieje z kolasą, końmi i Rokitą.

Wspaniały pojazd rozszarpywały szalone rumaki, tłukąc nim o wyrwy i kamienie, a nieszczęśliwy woźnica leżał półmartwy w rowie. Krew zalewała mu twarz i ręce, a w palcach trzymał kawał zerwanych lejców i złamany bat. Kusy pożałował gościa, lecz większy żal było mu koni, które pędziły na zatracenie, wprost przed siebie.

Puścił się pędem za nimi. Chociaż był diabłem, nie zdołał jednak dognać

---

[1] T a r a d a j k a – prosta bryczka.

rumaków, albowiem nie były to zwyczajne konie, lecz krew miały w sobie piekielną, więc nie sposób było im nadążyć.

Kusy, ubiegłszy milę, zadyszał się potężnie i dał spokój dalszej gonitwie wiedząc, iż jest daremna. Gdy wrócił na miejsce wypadku, Rokita siedział już na szkapie i klął, aż w oczach brzydło. Podnieść się jednak nie mógł, więc o pieszej podróży nie było mowy. Co robić? Siadły więc oba diabły przy drodze i jeden drugiemu przygadywał:

– Smoki macie, nie konie i wozicie nimi gości, aby ich rozbijać po drodze – rezonował Rokita, trąc pazurami krzyże, które mu sprawiały ból.

– Jaśnie pan zanadto ciął batem – usprawiedliwiał się Kusy.

– Jak ciąć, to ciąć, a nie baraszkować! – ryczał gość z piekła. – Gdybym cię tak zdzielił po zasmolonej gębie, na pewno byś nie otworzył paszczęki, aby mnie przekonać, że ja zawiniłem, a nie ten stary klekot, który nazywacie kolasą. Umyślnie wybraliście spróchniałe koła, aby mi połamać kości. Nie udało się jednak, całe mam gnaty, choć trochę potłuczone. Ale gdy się wyleczę, zabiorę się do porządków.

– Jaśnie pan wąsko siedział na koźle – tłumaczył Kusy.

– A cóż ty, pępku kosmaty, jesteś mamką moją, abyś mnie uczył, jak mam siadać, małoż to się nasiedziałem w kuczki na dyszlu, wożąc wodę do piekieł? – odpowiadał coraz gniewniej Rokita.

I długo tak byliby się przepierali, gdyby nie ukazał się na drodze szmaciarz. Biedny miał wózek, a biedniejszego konia, więc choć Kusy doradzał, aby zaczekać na jakiegoś dziedzica, zwalić go z bryki i odjechać do Łęczycy, Rokita się uparł, iż nie chce innego pojazdu, gdyż kulawa szkapa bardzo mu się spodobała.

Z biedą wsadził Kusy gościa na kopę łachmanów i popychając wraz ze szmaciarzem wózek, powlókł się społem drogą.

*

Niezadowolony był Boruta z przybycia nowego urzędnika, który miał z nim podzielić władzę. Siedział więc smętny przy dzbanie i raz po raz pocierał czuprynę prawą ręką, u której brak było trzech palców.

Odrąbał mu pazury Kalina w pojedynku, gdy jako młody jeszcze diabeł zalecał się do jego żony. Dawne to już czasy. Kamienie mchem porosły, rzeki pozmieniały koryta, a Boruta się postarzał i sam już nie może wydołać wszystkim obowiązkom.

Tym razem jednak zawiniła Ściborowa. Gdyby nie ona, poradziłby sobie z dwustu dziewkami jej fraucymeru, a tak co? – śmiech w piekle i nasłany przez Lucyfera pomocnik.

Niechby tę babę wprzód pochłonęła była ziemia, sto czartów miałoby z niej uciechę, a on jeden, biedaczek, jakoż miał tylu diabłów zakasować?

Już wypróżniał Boruta trzecią beczkę węgrzyna, a jeszcze nie zalał robaka, który kąsał okrutnie jego duszę. Naraz wyjrzał przez okno i parsknął śmiechem.

Na dziedziniec wjeżdżał Rokita, a szelma Kusy wykrzykiwał całym gardłem:

> Uważajcie ludy, jedzie pan bogaty!
> Najpierw woził wodę, potem zbierał szmaty,
> Ojej!

Diabły hurmem wyległy na podwórze, aby przywitać gościa, który zastępować będzie wojewodę. Drżały im łydy ze strachu, lecz gdy ujrzeli wyciągniętą na gnoju postać, otucha wstąpiła w ich serca, a marszałek Pronobis, zebrawszy się na śmiałość, zawołał:

– Zanieś go do chlewa i tam niech rezyduje!

Rokita, chociaż jeszcze cierpiący, podskoczył na równe nogi.

– Dokąd mam iść?

– Tam, gdzie się waści słusznie należy. W takiej przyodziewie i z takimi obyczajami niczego nie zdziałasz w Polsce. Na wstyd nas narażasz, więc łatwo wypłoszyć możesz tych, którzy do nas się garną.

– Do chlewa nie pójdę, ale pokażę wam, pańskie diabły, co mogę i jak sobie poradzę – rzekł urażony Rokita. – Odchodzę zaraz – i mówiąc te słowa, pokusztykał w pole i przepadł wśród ludzkich chałup.

Śmiechem odprowadzały gościa łęczyckie diabły, drwiąc niemiłosiernie z jego grubych obyczajów, z mowy nieokrzesanej i gburowatych ruchów.

A Rokita nasunął czapkę na uszy i klnąc obrzydliwie, oddalał się od czartowskiego gniazda, przysięgając, iż nigdy nie spojrzy w stronę Łęczycy.

Boruta niby nie chwalił swego marszałka i służby za haniebny postępek z wysłannikiem piekła, ale uśmiechał się pod nosem, klepał po ramieniu i nie rzekł ani słowa, gdy bezecne psiarstwo upiło się tego wieczora do nieprzytomności.

Idzie Rokita i myśli: „Cóżem to, pies, głupiec lub niemrawa, abym sobie nie poradził na świecie i nie zakasował tych gałganów z Łęczycy? Spojrzałem tylko przez okno i już wiem, jakie tam kapcaństwo. Blichtr dla zamydlenia oczu i wielkie gęby.

Ale co prawda, to prawda. Tyle wieków woziłem wodę, iż nie miałem czasu przypatrzeć się elegantom i poznać ich zwyczajów. I kapota przez ten czas trochę wypłowiała, a czapa barania wytarta już na poły. Tylko odmienię strój, a na pewno rozkocham w sobie jakąś harabinę, bom chłop na schwał i mogę się podobać. Mówiła mi to niejedna..."

Tak rozumując, dotarł do Zamościa. Z daleka już okrutnie spodobało się Rokicie to miasto, tym bardziej że zasłyszał po drodze, iż mieszka w nim prześliczna hrabianka, z którą rodzice mają niemało kłopotu, gdyż jest bardzo wybierna i odpala każdego konkurenta.

– Na pewno mnie nie odrzuci, tylko się ustroję należycie – mruknął diabeł i przyspieszył kroku.

Do miasta jednak nie chciał wchodzić byle jak ubrany, przeto już na przedmieściu oglądać się począł za krawcem. Co spotkał przechodnia, zapytywał:

– Jegomość, powiedz mi, gdzie tu mieszka hrabski krawiec?

Jedni radzili mu iść do zamku, drudzy wedle kościoła, aż wreszcie trafił się przechodzień, który rzekł:

– Na co ma być hrabski, kiedy może być jeszcze lepszy...

– Prowadź – skinął diabeł, a rudy Aron, podskakując na jednej nodze, zaprowadził go do swego szwagra, Mordki.

– Płacę gotówką, szyj ubranie!

Skoro przyszło do wyboru, Rokita zdecydował się na frak, gdyż słyszał, iż jest to ubiór najmodniejszy, a lepszym chciał być od diabłów łęczyckich, którzy noszą kontusze.

Do rana strój był już gotowy; Rokita wciągnął go na grzbiet i zapłacił, bo diabły różnią się tym od ludzi, iż nigdy nie robią długów i są rzetelne. Jeszcze trochę kłopotu było z pantoflami i kapeluszem, lecz Aron dostarczył wszystkiego.

– Teraz jestem hrabią! – wykrzyknął czart, wepchnął pazury w kieszenie od spodni i splunąwszy przez zęby na dziesięć sążni, wkroczył do Zamościa, aby odszukać hrabiankę.

Wiedział, iż nie należy rozgłaszać swych zamiarów, więc postanowił sam znaleźć pannę, bo osoba tej rangi i piękności nigdy ukryć się nie może.

Tydzień cały bawił w mieście, jadł, pił, spał i zaglądał od chałupy do chałupy, a gdy go pytano, czym się zajmuje, odpowiadał bez namysłu:

– Jestem hrabią!

NIM ROZEDNIAŁO,
WOJSKO GAWŁOWE
ON I WOJEWODO-
-WIE JUŻ BYLI POD
MURAMI STOLICY
GWOŹDZIKA, KTÓRY
SIĘ BYŁ ZAMKNĄŁ W
NIEJ I LUDZI MIAŁ MA-
ŁO, I JUŻ NIE WIEDZIAŁ CO
POCZĄĆ.

GAWEŁ ZAŚ PO ODNIESIE-
-NIU ZWYCIĘSTWA POD MU-
RAMI STOLICY KRÓLA GWOŹ

CO
SIĘ TAM
DZIAŁO OPO-
WIEDZIEĆ
TRUDNO; DO-
SYĆ POWIE-
-DZIEĆ ŻE JAK
ZAJRZEĆ, POLA
POKRYŁY SIĘ
TRUPAMI *

DZIKA POŁOŻYŁ SIĘ
OBOZEM I TRZECH
SWOICH WOJE -
WODÓW WY-
-SŁAŁ W POSEL-
STWIE Z POZ-
-DROWIENIEM
DOPOMINAJĄC
SIĘ KRÓLEWNY +
MARAMUSZKI
W MAŁŻEŃSTWO.

Dla dodania sobie większego znaczenia patrzył przez ramię na mieszczuchów i z byle kim nie wdawał się w gawędę.

Siódmego dnia stanął diabeł wedle rynku, zadarł nos do góry i spoglądał, kiedy się pojawi hrabianka, miał bowiem przeczucie, iż na pewno ją dzisiaj ujrzy i pozyska.

Jakoż niedługo czekał. Z kościoła walił tłum ludzi, a wśród ślicznych panien wypatrzył Rokita najśliczniejszą.

Zauważył nawet, iż uśmiechnęła się na jego widok, więc nie tracąc czasu, uszczypnął ją w podbródek i zawołał:

– Podobasz mi się!

Wymawiając zaś te słowa, pociągnął dziewczynę z całej siły i pocałował ją w usta raz, drugi i trzeci.

Zaledwie to jednak uczynił, poczuł ból we łbie i krzyżach, a ze wszystkich stron posypały się pałki, bębniąc po skórze diabła jak po grochowinie.

– Co to jest? Co się dzieje? Hrabia jestem! – krzyknął diabeł, oszołomiony razami.

– Oszust, włóczęga – wołali mieszczanie, a młocka na plecach nie ustawała.

Wtedy jeden z litościwszych widząc, iż franta zakatrupią, przemówił do współbraci:

– Jeśli jest hrabią, zna parle franse [1], a wtedy po rycersku odpowie za zniewagę mieszczańskiej dziewczyny.

Więc zaraz wysunął się z tłumu bakałarz [2] Mroczek i podając diabłu książkę, odezwał się:

– Czytaj!

Rokita spojrzał na karty, a ponieważ nie znał się na piśmie, odpowiedział:

– Oczy mi zamroczyło i miesza mi się w głowie, gdy odsapnę, przeczytam wam z dołu, z góry i na poprzek, bo nie sprawia mi to żadnej różnicy, tak jestem wyćwiczony w literach.

W głębi duszy zaś mamrotał:

– Słusznie mawiał Lucyfer: „Głupi czart niewart nawet krowiego ogona. I nic piekłu po takim ciemiędze".

---

[1] Zna parle franse – umie mówić po francusku. Do końca XIX wieku arystokracja najchętniej rozmawiała po francusku, pogardzając językiem ojczystym.

[2] Bakałarz – dawny niższy stopień naukowy; nauczyciel.

– Okuć szelmę w dyby! – wołali mieszczanie – a jeśli nie udowodni swojego hrabiostwa, obwiesić go na rynku!

Założono diabłu łańcuchy na ręce oraz na nogi i zawleczono go do lochu.

Rokita jednak nie byłby czartem, gdyby dał się dręczyć ludziom. Skoro się uciszyło na rynku, zerwał okowy, wyważył drzwi i znalazł się na wolności.

„Hrabią być nie mogę – pomyślał – choć modny mam ubiór, bo nie umiem po francusku, natomiast zostanę szlachcicem i zamieszkam w pięknym dworze".

O dwa dni drogi za Zamościem ciągnęły się obszerne pola, mało jeszcze zamieszkałe, tam więc udał się Rokita, aby osiąść na stałe. Upatrzył sobie wcale obszerny pagórek, wybudował dom, który przypominał kształtem psią budę, chociaż był znacznie obszerniejszy, i naspędzał z okolicy chłopów, aby mu orali i obsiewali pole.

Twarda była służba u diabła. Skoro świt, gnał czart chłopów w pole, mało im dawał jadła i smalił batem, gdy ustawali w pracy. Często srożył się Rokita nad pomyślenie. Wszystko było mu złe, wszędzie coś znalazł nie po swojej myśli i tak się sierdził, że piana wypływała mu na gębę.

Nie wiadomo, jak długo znosiliby chłopi to ciemięstwo, gdyby nie Antoniowa. Mąż jej, chociaż nie ułomek, aż stękał od trudu, a gdy noc przyszła, padał niby kłoda na posłanie i żadna siła nie mogła go poruszyć.

„Źle jest z chłopem – dumała baba – ten czart go zamorduje, lecz niedoczekanie jego!"

I zmartwienie swe zwierzyła Sikorowej i Czubaczce, a obie kobiety potwierdziły, iż z ich mężami to samo się dzieje. Rada w radę, postanowiono nauczyć diabła rozumu.

Nazajutrz rano wstał Rokita szczęśliwy i uśmiechnięty, do kobiet szczerzył zęby, a chłopów wesoło popędzał batem, iż zasapali się okrutnie, chociaż do południa było jeszcze daleko.

A gdy słońce najjaśniej rozgrzewało, parząc aż do krwi grzbiety, omdlała szkapa u pługa.

– Babę zaprząc na jej miejsce! – wołał diabeł i próbował zarzucić chomąto na Sikorową.

Cwana baba niby pozwalała, niby wypraszała się od zaprzęgu, upatrywała jednak, aby diabeł się zagapił. A gdy czart na chwilę stracił uwagę, zarzuciła mu kantar na pysk, ochełstała bestię i dzierżąc go silnie przy wędzidle, włożyła na łeb chomąto.

Nie opatrzył się nawet Rokita, gdy zaprzężono go do pługa: Czubaczka z lewej strony, Sikorowa z prawej popędzały czarta miotłami, a Antoniowa trzymała pług za kijce, aby brał jak najgłębszą skibę. Słońce już zaszło, a baby jeszcze orały w diabła, aż padł z umęczenia.

Gdy przyszedł do siebie, głęboko się zastanowił: „Szlachcicem nie będę, psia to robota, wolę zostać chłopem. Sam sobie ze wszystkim dam radę i tyle obsieję, ile zjem."

Szedł więc diabeł trzy dni, aż zaszedł w błota poleskie i upatrzył sobie piękną miejscowość, i został Poleszukiem.

Na gospodarstwie jednak całkiem mu się nie wiodło. Posiał ziemniaki, a owies posadził, i nic mu się nie urodziło.

– Lichą wybrałem ziemię, pójdę gdzie indziej – rzekł diabeł i wyniósł się w inne strony. Ludzie zaś nazywali zaraz Rokiciem to miejsce, w którym czart gospodarzył.

Trzysta lat mija, a diabeł szuka ciągle odpowiedniego dla siebie gospodarstwa. Miał ich bez liku, lecz na żadnym nie mógł wyjść na swoje. Teraz darmo już ziemi dostać nie może, bo mało jej na świecie, chodzi więc po jarmarkach, wypytuje się i targuje, płaci wódkę i piwo, a gdy kupna nie ubije, mści się na chłopach.

Jednego wepchnie w bagno, innemu gnaty przetrąci w sprzeczce, są tacy, na których spuści taki tuman, iż błądzą po ostępach i nie mogą trafić do domu. Niejednemu upuścił krwi lub zamroził na zimnie, i tak czyniąc łajdactwa, raduje piekło i gubi dusze ludzkie.

Pańskich diabłów nie znosi, a gdy czasem go zagadną, wykręca się do nich zadem i takie brzydkie słowa mówi, iż lepiej nie słuchać.

DIABELSKA MIŁOŚĆ

Długi czas nie wiedział Lucyfer, co się dzieje, że diabły wodzą się za czuby, wymyślają sobie wzajemnie i jeden na drugiego spogląda jak bazyliszek[1]. Niby się uśmiecha, niby czuli, w gruncie zaś rzeczy przydeptałby ochotnie ogon przyjaciela lub wbił mu w piersi sztylet.

Jak piekło piekłem nigdy tego dotychczas nie bywało!

Zmartwił się więc książę ciemności wiedząc, iż niezgoda rujnuje najzamożniejsze królestwa, przeto i jego może zrujnować.

---

[1] B a z y l i s z e k – legendarny potwór, olbrzymi kogut z ogonem węża, który jednym spojrzeniem potrafił uśmiercać.

Co tu gadać, trzeba było radzić, bo diabły stawały się coraz bardziej zadzierżyste, rozbijały sobie paszczęki, przetrącały gnaty, a honorniejsze między nimi wyzywały się na broń sieczną lub palną, z czego przychodziło do ciężkich poranień, a nawet kalectwa.

Najbardziej zaś szalał Iskrzycki. Niewielka to była sztuka, ale tak czupurna, iż nawet potężny Lewiatan ustępował mu z drogi i gdy go kiedy przypadkiem napotkał, choć w niczym nie zawinił, mówił „przepraszam", ażeby na wszelki wypadek zabezpieczyć się od obrazy.

Iskrzycki wałęsał się cały dzień po piekle i dochodził swych krzywd. Pięćdziesięciu diabłom już porąbał pyski szerpentyną[1], bo był znakomitym fechmistrzem, pięćdziesiąt uszu obciął, pięćdziesięciu czartów postrzelił, a drugie tyle, a może nawet i więcej miał nie załatwionych porachunków.

Choć Lucyfer nie lubił, żeby się diabły wadziły, szanował Iskrzyckiego i często o nim mówił:

– Uczy on przynajmniej moresu gburów i nieokrzesańców, lepsze zatem obyczaje panują w piekle, a czarty są grzeczne i uprzejme.

Lecz co za wiele, to za wiele!

Zawołał przeto Lucyfer Iskrzyckiego i tak mu powiada:

– Zwariowałeś, diabłów siekasz jak cielęcinę, stu pięćdziesięciu już naznaczyłeś i jeszcze ci nie dosyć...

– Nie mogę, najciemniejszy panie, nie mogę darować. Korzę się posłusznie przed twym majestatem, ale obrażać się nie pozwolę.

– Co u licha! – zawołał Lucyfer. – Kto by śmiał zaczynać z takim hałaburdą?...

– Nikomu dotąd nie wadziłem, utrzymywałem w porządku szpikulce na grzeszników. Gdyś wyraził życzenie, najciemniejszy panie, obchodziłem nocą straże i nikomu nie przepuściłem. Coś kazał, czyniłem, ale honor mam i nikt mi go nie odbierze.

Widzi Lucyfer, że nie przelewki, bo diabeł bardzo rozżalony i omal mu łzy nie kapią z oczu, więc zaczyna inaczej:

– Kochany Iskrzycki, dobry z ciebie kmotr, powiedz, co ci dolega?

– Mówią, że mogę zostać rogaczem. Raczej bym zniósł, żebyś mnie, najciemniejszy panie, kazał łamać kołem lub kąpać w lodzie, niż gdybym miał istotnie zasłużyć na podobną obelgę. Błagam przeto, pozwól, niech odejdę na ziemię, abym uciekł z tego piekła, gdzie mnie ranią tak boleśnie.

– Wstrętne pudło! – zawołał Lucyfer – tyle z nią kłopotu, a to wszystko z

---

[1] S z e r p e n t y n a – szabla.

winy tego głupca, Orfidona, który grywa na gitarze. Nie może, bestia, wygrywać bykom ognistym lub salamandrom, tylko zachciało mu się Sabiny.

Wszystkie inne diablice powyrzucałem już na ziemię, aby tam gospodarowały, a tę tylko jedną zostawiłem w piekle, bo mi wytłumaczyli przyjaciele, że muzykus bez niej żyć nie może. Ot, i co? Wszystkie diabły tracą dla niej łby, swarzą się i rozbijają, a głupi Orfidon zżera się zazdrością, lamentuje i boleje, aby wszystko to potem wybrzdąkać na gitarze.

Prawda, pięknie brzdąka, aż mnie samego nieraz przejmują dreszcze.

– Przysięgła – mówi Iskrzycki – iż tylko ze mną pragnie pędzić życie, bo nikt jej tak nie rozumie jak ja, i nie ma przyjemniejszego diabła ode mnie.

Lucyfer zaśmiał się pod wąsem, lecz nie śmiał powiększać bólu rozżalonemu czartowi, więc przygryzł wargi i słuchał dalej narzekań.

– Cudnie się wszystko zapowiadało... Orfidon wymyślał coraz nowe melodie, a Sabina odbywała ze mną dalekie przechadzki!... Ażeby jak najdalej umknąć od znajomych, zabrałem nietoperzowi skrzydła i tak długo przymierzałem je i próbowałem, aż nauczyłem się latać. Sadzałem więc codziennie Sabinę na barach i rwałem z nią przez powietrze do cichych ustroni... Ach, jak nam było dobrze!... – Iskrzycki ryknął bekiem, a Lucyfer, pożałowawszy diabła, odezwał się wzruszony:

– Widzę, że jesteś zgubiony. Odejdź więc na ziemię, a gdy się opamiętasz, przywołam cię z powrotem do piekła...

– Lecz Sabinę pozwól z sobą zabrać! Siędzie na mnie jak na koniu i ani się obejrzy, gdy będziemy na ziemi wolni od diabłów, które jej depcą po piętach.

– Czyś zwariował, Iskrzycki?! – perswadował Lucyfer. – Alboż tam na ziemi mało masz bab? I to jakich! Co ci po takiej starej klaczy?

Rozkochany jednak diabeł ryczał jak bawół i błagał, że Sabina jest najmilszą ze wszystkich i poza nią nie widzi świata. Zaś muzykus, Orfidon, tak bardzo za nią nie przepada, bo więcej myśli o pieśniach niż o kochance.

– A zatem spróbujemy, lecz gdyby nasz grajek miał oniemieć z powodu utraty diablicy, odwołam Sabinę natychmiast, a ty sobie radź, jak chcesz – rozstrzygnął Lucyfer.

– Nie ma obawy, nie ma obawy! – zawołał uradowany Iskrzycki. Cmoknął księcia w ogon i poleciał w odległą czeluść piekieł, gdzie spodziewał się odnaleźć diablicę.

*

Dla swej ukochanej urządził czart prawdziwy raj na ziemi. Własnymi pazurami wydłubał obszerną dziuplę w drzewie. Obsadził wokoło pachnące róże i zwabił słowiki, aby wyśpiewywały rzewne trele.

Sabina spoczywała na miękuchnej podściółce z mchu, a diabeł przynosił jej same przysmaki: to słodki owoc, to plaster miodu lub puchar rosy porannej; nie zbywało jej też na cukrach i piernikach, a gdy zapragnęła jakiejś ozdoby, już ją miała... Choćby spod ziemi, ale wydostał ją Iskrzycki.

Pewnego poranka wyszła Sabina, aby zobaczyć, jak wygląda świat, bo dotąd go nie widziała. Wprawdzie dochodziły ją słuchy, rozszerzane przez wypędzone z piekieł diablice, iż na ziemi jest rozkosznie, lecz jakaż kobieta dałaby wiarę drugiej kobiecie, która coś bardzo wychwala.

Pierwsze kroki rozczarowały Sabinę i pomyślała sobie, co za wściekłe nudy muszą panować na ziemi. Nic, tylko drzewa i bagna, czasem mignie polana i trochę zieleni, a poza tym przerażająca pustka.

Nie wiedziała tego diablica, iż osadził ją Iskrzycki w głębi olbrzymiego boru, dokąd nie zbłądziła ludzka noga. Tak bowiem był zazdrosny o swą ukochaną, że nie chciał, aby poznała ludzi.

Wprawdzie diabeł znaczy więcej od człowieka, lecz nie wiadomo, czy Sabinie właśnie nie spodobają się chłopcy, tak jak się spodobali innym diablicom, że łańcuchami nie ściągnąłby ich teraz do piekła.

Razu pewnego, gdy zakochana para przechadzała się po lesie, rozległ się nagle łoskot, jakby w pobliżu zwalono drzewo. Oboje drgnęli. Iskrzycki z przerażenia, Sabina z ciekawości. Diabeł zawrócił natychmiast do domu, ale Sabina chciała biec w kierunku, skąd dochodził łomot siekiery.

– Wracajmy natychmiast! – wołał Iskrzycki.

– Zobaczymy, co to takiego – prosiła diablica. I tak długo przymilała się i łasiła, aż kochanek ustąpił i poszedł tam, gdzie chciała.

Na skraju polany stał drwal, niechlujny i kudłaty, podobny raczej do zwierza niż do człowieka. Jedno jego oko powlekało bielmo, a drugie patrzyło zezem, uśmiechnął się sam do siebie bezzębnymi ustami, a obrzękła twarz miała barwę buraka.

Sabina aż zachłysnęła się z zachwytu. Pełna szczerego podziwu spoglądała na drwala, aż w końcu wyszeptała:

– Ach, jakiż on piękny!

– Małpa! – ryknął diabeł.

– Piękniejszy od ciebie, mój najdroższy!

– Wygląda jak kosmaty niedźwiedź.

– Lecz co za wzrost, co za budowa! – dowodziła diablica.

– Głupi jak stołowe nogi – syczał diabeł.

– Ale jaką musi mieć siłę, skoro obala takie dęby! Nie potrafiłbyś tego, mój Iskruniu...

– Dziesięć takich dębów wyrwałbym z korzeniami.

– Sądząc z tej strony, z której cię znam, powątpiewam – odpaliła diablica.

I nie czekając, co odpowie kochanek, pędem puściła się w stronę drwala i objęła go za szyję.

Iskrzycki oniemiał z oburzenia i stał w miejscu nieruchomy. Gdyby mógł, zabiłby drwala, lecz prawa diabelskie wzbraniają diabłom podnosić rękę na ludzi, skomlał więc tylko z wściekłości i sypał z oczu takie złe spojrzenia, że skrami jarzyły.

Drwal jednak nie ulękł się tej grozy, lecz wzgardliwie splunąwszy w stronę licha, zajął się Sabiną.

*

Chłop wyprowadził diablicę z puszczy na świat, lecz niedługo cieszył się posiadaniem kochanki.

Zaraz w najbliższej karczmie musiał zostawić pas rzemienny i siekierę, bo Sabinie zachciało się obwarzanków i piwa, a gdy drwal nie mógł jej kupić chustki, którą zobaczyła w kramie w miasteczku, opuściła go niewierna i przyplątała się do kupca.

Ale i kupiec nie mógł nastarczyć kaprysom diablicy, więc zostawiwszy go w wypróżnionym sklepie, zarzuciła ramiona na szyję bezwstydnego draba i wraz z nim poszła w świat używać wszelkich uciech i radości.

Straszliwa to była para. Dotąd trwa jeszcze pamięć tych zbrodni, jakich dopuścił się kochanek diablicy, przez nią podżegany.

Sabinie wszystkiego było mało, a gdy drab ofiarowywał jej pełne szkatuły złota i banknotów, przyjmowała je lekceważąco i robiła wymówki, iż tylko tyle odważył się jej przynieść. Kochanek rozbijał i mordował, a diablica szydziła z jego niedołęstwa, doradzając mu coraz to większe łotrostwa i zbrodnie. Nie mógł wreszcie drab wytrzymać, sam się wydał w ręce sędziów i pozwolił się powiesić.

Sabina nie zapłakała nad stratą kochanka, lecz rzuciła się w inne objęcia, a ciągle żarłoczna i nienasycona przechodziła z rąk do rąk, domagając się kosztownych bachanalii [1], marmurowych pałaców, drogich klejnotów, przedziwnych pachnideł i pieszczot dla uszu, smaku, oczu i dotyku.

Widział to wszystko Iskrzycki i rozmyślał, skąd tyle złości w jednej diablicy, iż świat cały przewraca do góry nogami. W piekle tak dokazywać nie mogła! Rozbijały sobie o nią diabły łby, to prawda, ale wnet nabierały rozsądku. Nawet Orfidon – muzykant, o którym wszyscy wiedzą, iż jest delikatnego serca, umiałby ją utrzymać w ryzach, gdyby ciągle nie brzdąkał i więcej zwracał na nią uwagi. Iskrzycki doskonale radził sobie w piekle z diablicą, na ziemi zaś jest wobec niej bezsilny i tylko na skrzydłach nietoperza przelatuje z jednego końca świata na drugi i wszędy jest, albowiem chce wypatrzeć chwilę, w której Sabina będzie sama. Wie dobrze, co by jej wówczas powiedział. Wcale by nie płakał i nie prosił, jak to czynił Orfidon, ale zarzuciłby ją taką hurmą przekleństw i złorzeczeń, żeby się spod ich ciężaru nie zdołała wydobyć.

Cóż, kiedy jej nigdy sam na sam spotkać nie może. A często nie wie nawet, gdzie przebywa. Już sto lat nie widział zdrajczyni, przeto krąży nad domami ludzkimi, przepatruje podwórka, zaziera w okna i kołuje koło drzwi. A kwili przy tym i pohukuje, odgraża się i złorzeczy tak straszliwie, że trwożą się dusze ludzkie, przeczuwając mór, śmierć lub klęskę.

Czyni to zaś nocami, gdyż światło dzienne go oślepia i łatwo mógłby rozpoznać człowiek, iż nie jest ptakiem, lecz diabłem. A kiedy osłabnie, siada na wierzchołku wieży, starej lipy lub topoli i spogląda w dal iskrzącymi oczami, a ludzie widząc te ognie mówią, iż Iskrzycki czuwa i grzesznych wypatruje.

Gdy pewnego dnia znużył się diabeł lotem, żalem i skomleniem, zawrócił do piekła i stanął przed Lucyferem.

– Najciemniejszy panie, każ mi spełniać przy sobie najpośledniejsze posługi, a będę czuł się szczęśliwym – odezwał się Iskrzycki. – Nakaż tylko Sabinie, aby opuściła ziemię i wróciła znów do Orfidona. Niech mnie już zwą w piekle rogaczem i głupcem, godzę się na wszystko i ani razu nie wydobędę z pochwy szerpentyny, choćby mnie diabły jeszcze gorzej obrażały.

Książę ciemności bardzo spochmurniał na te słowa, a Iskrzycki ciągnął dalej:

– Ludziom zadawała okrutnica tak srogie męki, iż chociaż diabłem jestem, przejmowała mnie litość. Niesprawiedliwie przeto, aby człowiek cierpiał już za życia, skoro pokutować będzie całą wieczność.

---

[1] B a c h a n a l i a – szaleńcza uczta, rozpustna hulanka.

– Głupi jesteś! – wrzasnął Lucyfer.

– Wiem o tym – odpowiedział pokornie Iskrzycki – bo gdybym miał trochę oleju w głowie, nigdy bym się nie domagał, abyś mi pozwolił, najciemniejszy panie, odejść na ziemię.

– Jak chciałeś, tak się stało, a w piekle nie ma już miejsca dla ciebie, albowiem zajęte są już wszystkie posady.

Diabeł jęknął i padł na kolana przed majestatem, błagając:

– Zmiłuj się, wodzu piekielny!

Lucyfer kopnął go pogardliwie w brzuch i nie chcąc słuchać jęków, odszedł w inną stronę królestwa. Po drodze zaś przemówił do zawsze uśmiechniętego Bobona:

– Po końcu świata szczególnie honorowe miejsce przeznaczyć musimy Sabinie, albowiem zakasowała wszystkich diabłów razem i wiekopomne zasługi oddała piekłu. Orfidon po jej stracie stał się natchnionym śpiewakiem i nigdy tak pięknie nie wygrywał jak teraz, Iskrzycki zionie taką złością i nienawiścią, iż niszczyć będzie i burzyć każdy ład i porządek, a ludzie wymyślają dla Sabiny różne uciechy, aby ją zabawić i uweselić.

W tej chwili doszedł do uszu diabelskich dźwięk odległej muzyki, strzelanie korków i hałas zabawy. Lucyfer nastroszył słuch i przejął tony wściekłego tańca i wrzaski pijanej hulatyki. Sabina szalała i zjednywała dusze dla piekła.

Książę ciemności przechylił się przez balustradę, aby ujrzeć wyraźniej rozhulanę grono, i wśród ścisku ludzkiego spostrzegł postać diablicy. Szkliła srebrem i brylantami, uśmiechała się czarownie, sunąc w dygach i podskokach.

Lucyfer długo się wpatrywał, a potem oboma rękami uderzył – b r a w o!

Bolesław Leśmian

MAJKA

Działo się na pierwszy dzień Zielonych Świątek. W maju ów dzień wypadł.

Marcin Dziura nie po bożemu go spędził, bo w karczmie. Milczał i pił, pił i milczał. Trudno nawet powiedzieć, czego mu więcej było potrzeba – picia czy milczenia. Jedno i drugie zarówno było niezbędne.

Inni gawędą stosowną wódkę zabarwiali, a on siedział odludnie wpodle ściany i pił sam do siebie, jakby się przed chwilą dopiero ze sobą samym pokumał czy pobratał.

Tęsknota go jakaś bezimienna opadła i do samotności niewoliła.

Nie umiałby nawet opowiedzieć, jak owa tęsknota na oko wygląda, po co przyszła, czego chce i ku czemu się garnie.

Wiedział jeno, że mu serce w piersi coś tak sparło, jak czasem dech w gardle spiera.

Już od tygodnia czuł, że mu czegoś braknie, a określić braku nie potrafił.

– Niech sobie – powiada – i nadal w swym nieokreśleniu przebywa, jeśli mu tam dobrze i wygodnie.

Na próżno młynarzowa, rok temu jeszcze owdowiawszy, gdy Dziura przed tygodniem o tym braku i o tej tęsknocie jej prawił, stan jego bezżenny mimochodem skarciła.

Nie słuchał jej Dziura, a brak tymczasem coraz się zwiększał, jakby rósł na drożdżach za piecem. I teraz oto, w karczmie siedząc i poczucie onego braku rozważając, wymiarkował, że mu właśnie wódki zabrakło.

Ale nadaremno wódką brak ów starannie wypełniał. Przeklęte poczucie trwało nadal. Dzień cały Dziura w karczmie przetrwał, a nocą, gdy właśnie inne na dobre schodzić się zaczęli, karczmę nagle opuścił.

Wyszedł ze wsi w pole, pszenicą przesłonięte.

Noc księżycowa z równią kłosów pszenicznych zetknięta, w miejscu onego zetknięcia dymiła światłem błękitnawym, rozwidniając odmienne cokolwiek, bo srebrzyście wybiegłe tu i ówdzie ponad równią kłosy samotne, dorywczo wybujałe, które to zazwyczaj stróżami przezywają.

W powietrzu pachniało jak we młynie.

Idąc brzegiem pszenicy, Dziura dłoń płazem sunął po jej grzbietach posłusznie falujących, bo mu przyjemnie było za pomocą dłoni porozumiewać się z ich gładkością i ochłodą, jakby właśnie tą dłonią światło księżycowe zgarniał.

Zgarniał je kęs czasu, aż tu nagle dłoń na jakąś przegrodę natrafiła, i nie na zwykłą przegrodę, jeno na żywą, bo czuł Dziura, że ona przegroda czy to postronić się[1], czy to umknąć usiłuje.

Zanurzył dłoń głębiej w pszenicy i niezwłocznie pochwycił coś, niby sznur jedwabny.

Pociągnął za sznur i widzi, że to nie sznur, lecz warkocz złocisty.

Pociągnął tedy za warkocz, a tuż za warkoczem głowa się czyjaś z pszenicy wychyla.

Głowa dziewczęcia, a w ślad za głową – szyja biała, a w ślad za szyją – ramiona młode, obcisłe...

Zaniechał Dziura dalszego pociągania.

„Dość mi na tym, com po ramiona obejrzeć zdołał – pomyślał nie bez słuszności. – Tyle się tego z pszenicy wyłoniło, że już można z tym wyłoniątkiem i pogawędzić, i o rodowód zapytać. Wystarczy!"

Pochylił się nieco i warkocza z rąk nie wypuszczając, zajrzał do oczu błękitnych, ponad pszenicą jako dwa świetlaki[2] jaśniejących.

– Domyślam się, coś za jedna! – powiedział. – Majka[3] jesteś, i basta! W pszenicy w noc Zielonych Świątek rusałkujesz, czatując pewnikiem na przechodniów urodziwych, brakiem czegoś nieokreślonego niby pokusą dotkniętych.

– Puść mnie! – jęknęła Majka, gdyż ona to była we własnej osobie.

– A jak puszczę, to co? – zapytał ciekawie Dziura.

– To nic – odrzekła Majka po krótkim namyśle.

– Nie głupim! – odparł Dziura. – Nie puszczę!

Wiatr łanem pszenicznym kolejno i stopniowo zakołysał, i kołysanie owo z nieznacznym opóźnieniem udzieliło się mży błękitnej, którą księżyc ponad łanem rozetlił.

---

[1] Postronić się – uchylić się.

[2] Świetlak lub świetlik – błędny ognik.

[3] Majka – według wierzeń ludowych jedna z odmian rusałek, to jest boginek wodnych, które zwabiają ludzi nad wodę, by ich tam utopić.

Zdawało się, iż te łany, aż do zawrotu głowy falowaniem objęte, mają dno tak samo chwiejne i niestałe jak powierzchnię.

– Nie puszczę! – powtórzył Dziura, zgrubiałymi od pracy palcami wyczuwając miękkość i bezbronność jedwabistego i zwilżonego rosą warkocza, który w tym miejscu, gdzie go ucisk dłoni zdławił, zagrzał się i od zagrzewku parował wonią ziół polnych.

Majka z wolna po pas się wynurzyła z pszenicy.

Dziura w te pędy poprzez źdźbła pszeniczne zerknął ukosem do głębi i ujrzał resztę jej ukrytego ciała.

Była to reszta łuską szczelnie pokryta i ogonem rybim zręcznie zakończona.

– Trzebaż ci było tak trafnie się zacząć, tak szpetnie zakończyć? – spytał nie bez żalu. – Do pasa rzetelnie i uczciwie, wedle wszelkiej stosowności, jako ten sprzęt boży uciosana, a od pasa – obraza oczu ludzkich i pośmiewisko, niebu i ziemi postronne [1]!

– Tegom się bała nasrożej, że do pasa mnie uznasz i przygarniesz, a od pasa – nie uznasz i postronisz – szepnęła boleśnie Majka. – Czekałam na ciebie w pszenicy, jak się czeka w alkowie, zewsząd na oścież rozwartej. Nie zgotowałam twym dłoniom innej przegrody prócz tego oto warkocza, który trzymasz tak groźnie, jakby był zbiegiem, dlatego tylko, że dotąd w twych dłoniach nie bywał... Myślałam o tobie i myślałam tak nieustannie, że się we mnie coś jeszcze, okrom tych myśli, samo przez się zadumało i nie mogę tego ani łzami rozwikłać, ani rąk nagłym załamaniem rozstrzygnąć! Bo cóż ja wiem o tobie? Wiem jeno, że podarki lubisz, więc ci podarek przyniosłam.

Zerknął Dziura spode łba, aby podarek wspomniany przed otrzymaniem jeszcze na odległość wzrokiem pogłaskać i ocenić, i stwierdził nie bez zakłopotania, iż Majka trzyma w ręku księgę, której dotąd nie zauważył.

Księga była w mech zielony oprawna i klamrą koralową spięta.

Dziura wprawdzie ani czytać, ani pisać nie umiał, ale wstydził się wyznać przed Majką, że jest nieczytelny i niepiśmienny. Z dumą tedy i godnością wręczoną księgę sobie przyswoił i uczynił przy tym osobliwy ruch ręką, który, jak mu się zdawało, był nieomylną oznaką umiejętności dość biegłego czytania.

– W tej księdze – mówiła tymczasem Majka – w tej księdze przeczytasz o tym, co się pod wodą działo, dzieje i dziać będzie. Przeczytasz tam i o mnie, i o

---

[1] Postronne – obce.

siostrach moich, i o innych pokrewnych nam, chociaż odmiennych mieszkankach jezior, rzek, strumieni i ruczajów.

– A jużci, że jak zacznę czytać, to i w końcu przeczytam wszystko, bom nauczny – podchwycił w czas Dziura, lecz warkocza z rąk jakoś nie wypuszczał.

– Nie ściskaj tak mego warkocza, bo ci w ręku zemrze jak wąż zdeptany! – zawołała Majka. – Zbyteczna jest twoja surowość i płonne twoje obawy. Choćbyś mię nawet z rąk na wolność moją rusałczaną wypuścił, nie ujdę ci i nie umknę, bo kocham!

Na dźwięk tego wyrazu Dziura gębę rozwarł jak do okrzyku i palce, w warkoczu zanurzone, rozluźnił.

Warkocz opadł na pszenicę, gromadząc się na jej powierzchni we złote wzgórze, którego lekkość widoczniała w miarę, jak wiatr, rozczesując, objętości mu przydawał.

Majka trwała nadal bez ruchu, jakby na wolność wypuszczona, nie chciała się pozbyć swej uwięzi.

A Dziura, księgę dzierżąc pod pachą, ponad łanem pszenicznym w osłupieniu górował i nie uszczuplał gębie rozwarcia przysporzonego zdziwieniem.

Nie to go zdziwiło, że wybredna snadź Majka upodobała sobie jego urodę niezaprzeczoną, jeno to, że obarczona tak nieznośnym i rybim ogonem, w same oczy miłość mu nagle wyznała, a on tego wyznania nie tylko nie odpycha, lecz – najwidoczniej – przyjmuje i z duszą własną ze względu na ów ogon jakieś układy potajemnie zawiera.

I nie dziwota, że mu natrętna obecność rybiego ogona psuła uroczyste powaby zdarzonego szczęścia, marnując to szczęście od tej właśnie strony, kędy niegodny przywłaszczenia ogon przebywać raczył.

Gdybyś beczkę miodu kroplą smoły zanieczyścił, mniej byś ją uszkodził i mniej byś jej ubliżył, niźli krasie dziewiczej taki ogon niespełna rozumu przydając.

Toteż czuł się Dziura tak, jakby mu kto szczerozłotego dukata do rąk na własność dawszy, przedzierzgnął onego dukata sztuką diabelską w drzazgę albo i – nie daj Boże – w gorszą jeszcze bezpożyteczność.

Lecz mimo tych uczuć słusznych a mitrężnych [1] zawrzała w nim radość niestrudzona, jakby go po duszy snopem dojrzałego zboża pogłaskano na znak, że wiosna mu sprzyja i rok nadchodzi urodzajny.

---

[1] Mitrężny – żmudny, uciążliwy.

Dawna tęsknota i poczucie braku nieokreślonego, jeśli nie znikły bez śladu, pochowały swe łby uparte w jakiejś norze ciemnej, dokąd człek uczciwy nie zagląda, ciemnością ową zgoła pogardzając.

A natomiast uczuł Dziura, że dusza jego, dotąd połowiczna, uzupełniła się snem niespodzianym, który i ciało pokrzepił, i oczom udzielił niebywałego połysku. Czarowała go, widać, Majka, a on – człek śmiertelny – poddawał się tym czarom nieodpartym.

Poddawał się ochoczo i wprawnie, jak się chłop wszelkiemu jarzmu na tym tu świecie poddaje.

– Kocham! – szepnęła znowu Majka, przygarniając do się warkocz, na pszenicy w bezładzie złocistym poległy.

Nic jej na to Dziura nie odpowiedział, a i ona już odtąd żadnym się szeptem ku niemu nie ozwała.

Oboje bowiem nie mogli od pewnej chwili na mowę ludzką się zdobyć, milczeniem, które przyszło, pilnie zajęci.

I tak milcząc przetrwali i przestali w pszenicy noc całą aż do przedświtu, wpatrzeni w siebie nawzajem i do miejsc swoich przykuci – on zadumany i nieczytelny, z księgą pod pachą, a ona wiotka i smukła ze światłem księżyca na obnażonych ramionach.

Dopiero o samym przedświcie Majka pierwsza otrząsnęła się z drętwoty całonocnej i rzekła:

– Czas mi już od ciebie, jak był czas do ciebie. Odchodzę, ale pamiętaj w niedzielę następną przyjść do lasu nad jezioro. Będę tam na ciebie czekała.

Zanim zdążył się Dziura opamiętać i oniemiałym językiem słowo jakiekolwiek z gęby wygarnąć, Majka dała nura do pszenicy i z oczu mu znikła.

Ujrzał tylko, jak się równia pszeniczna bruździ i jak się po niej koła niby po wodzie, rozchodzą, znacząc pewną drogę Majki, która się spodem pszenicy wpław przemyka.

Świt się już na widnokresie rozniecał i rozdmuchiwał, pierwszym swym pobrzaskiem zielonym dzieląc ziemię od niebiosów. Wiatr poranny zakrzątnął się w powietrzu i łanom pszenicznym tu i ówdzie powierzchni z lekka nadłamał. Pył biały uniósł się po drodze i – pachnąc – w słońcu zaprzejrzyściał.

Dziura westchnął, księgę przed wzrokiem ludzkim ukrył w zanadrze i do domu kroki od zadumy zbytniej osowiałe leniwie skierował.

Świt tymczasem rozwidnił się na dobre.

Wieś się ocknęła.

Powietrze, wypoczęte i nocną ciszą pokrzepione, chciwie zdawało się chłonąć żałosny skrzyp wozów drabiniastych i miarowe odgłosy dalekiego młota, które się, nie chcąc, spóźniały do własnych, dobywających je skądsiś uderzeń – i zapamiętały, ani tchu, ani żadnych odstępów czasu nie znający poświst piły, która, jak gryzoń piekielny, wżerała się w drzewo podatne – i niechlujny a śpiewny pobrzęk pustych wiader, które się chwiały jeszcze na niewidzialnych już plecach znikłej na zakręcie ulicy dziewczyny.

Dziura rozruchał się nieco i oprzytomniał po nocy, w dziwnym a rozszalałym milczeniu i bezruchu spędzonej.

Czuł się teraz dobrze i odświętnie, jak wybraniec, któremu nie lada los się wydarzył.

Przechodził właśnie koło niecałkowitej, jak przybudówek, chałupy skleconej z kilkunastu rozmaitych odcieni desek, jakby na prędce i dla chwilowego użytku, a przeznaczonej na stały pobyt zagnieżdżonego w niej mieszkańca.

Mieszkańcem tym był krawczyk-popsujko, któremu już od niepamiętnych czasów uprzykrzyło się na tej ziemi wszystko prócz jego własnej wiary żydowskiej.

Chałupa, jeśli to była chałupa, okien nie miała, jakby się urodziła niewidoma i ślepa na to, co się poza nią na tym świecie doczesnym dzieje.

Wszakże czy to dla ozdoby, czy to w drodze ustępstwa obyczajom ludzkim, miała na jednej ścianie podobiznę okna, błękitnym konturem dość trafnie wymalowanego.

Ilekroć krawczyk-popsujko gwoli rozwidnienia swej ciasnej izdebki okna zapotrzebował, tylekroć drzwi otwierał i zawsze skutek osiągał.

I teraz właśnie siedział we drzwiach otwartach na progu i gwałtownie w sobie skulony łatał z obojętnością nic warte portki sąsiada Sikory, które to portki, od dawna swej osnowy pierwotnej wyzbyte, stały się jeno umówionym miejscem spotkania łat czerniawych i białawych, żeś z dala mógł je wziąć za szachownicę, Bóg wie czemu kształt dwóch nogawek potwornych przybierającą figlarnie.

Dziura zbliżył się doń i zamiast powitać postał chwilę w milczeniu, dając w ten sposób do zrozumienia, że wita, i pomówić pragnie.

Krawczyk-popsujko, oczy od roboty nie odrywając, jął jeno szybciej igłą portki sąsiada Sikory w upatrzonym miejscu nakłuwać, jakby tam nagle prześlepiony dotąd niedobór zauważył.

– Widzę ja – rzekł nie patrząc na Dziurę – widzę ja dobrze, że pan Dziura ma do mnie jakiś pośpiech i zapotrzebowanie.

– Mam – potwierdził Dziura dumnie i z zadowoleniem; poprawiając się w ramionach.

– A czym ja mogę panu Dziurze dogodzić? – spytał znowu krawczyk i uniósłszy nagle portek wzwyż ku słońcu, spojrzał w nie ze znawstwem i z taką lubością, jakby się w najczystszym zwierciadle przeglądał.

– Ubranie mi potrzebne – odpowiedział Dziura ze stanowczością i umilkł z zakłopotaniem.

Krawczyk obrzucił teraz Dziurę od stóp do głów wzrokiem przymglonym, jakby zeń miarę już to na kożuch, już to zgoła na trumnę zdejmował.

– Zrobimy panu Dziurze ubranie tak dopasowane, że jak w nie wlezie, to i wyleźć nie potrafi – rzekł bez namysłu i językiem cmoknął nagle dla zachęty.

– Nie dla mnie ubranie, jeno dla dziewczyny – zauważył niby nieznacznie Dziura i westchnął, wspominając niezbyt obyczajną nagość Majki.

– Jak dla dziewczyny, to i dla dziewczyny – rzekł obojętnie krawczyk i natychmiast dodał domyślnie: – Czy na miarę, czy na oko?

– Bez miary – na oko – odparł pośpiesznie Dziura, czując pewną ulgę z powodu, że rozmowa dobiegła wreszcie właściwego celu.

. – A jakaż jest na oko wysokość dziewczyny? – spytał krawczyk.

– Do ramienia mi dostaje, gdy kibić prostując, głowę na karku wygodnie osadzi – wytłumaczył Dziura.

– A, za przeproszeniem, szerokość? – pytał dalej krawczyk.

– Szerokość? – zamyślił się Dziura. – Tyleż miejsca w pszenicy wyżłobi, co ta przepiórka, gdy skrzydłami zatrzepoce.

Powiedział to i gębę, jak furtę popsutą, zatrzasnął, ale za późno.

– W pszenicy? – powtórzył krawczyk, nie tyle przyłapując Dziurę na słowie nieoględnym, ile zastanawiając się poważnie nad wspomnianą szerokością.

– Dla przykładu jeno wziąłem pszenicę – rzekł wymijająco Dziura. – Sam nie wiem, czemu mi ta pszenica do łba się napatoczyła, jakby ją kto posiał tam na wiosnę. Ale już słowo rzekłem, więc go nie cofnę, bo nie mogę. Mogę jeno dla przykładu pszenicę owsem albo i koniczyną zastąpić.

– Nie potrzeba – zapewnił usłużnie krawczyk. – Już ja wiem, jak ta dziewczyna wygląda! Ładna dziewczyna, zgrabna dziewczyna! Jakbym ją na własne oczy widział!

Mówiąc to zmrużył domyślnie oczy i zakołysał z zachwytem głową, luźnie zatkwioną na cienkiej jak zwątlony dzierżak szyi, na ukos żyłą nabrzmiałą przekreślonej.

Dziura spojrzał machinalnie na tę szyję i w tę zmrużkę oczu przeciw słońcu, które przedostając się z nieba ku samemu wnętrzu wsi, jaskrawiło po drodze dym, z pobliskiego komina wytchnięty, i czub brzozy, stojącej opodal w takim pochyleniu, jakby przed chwilą wiadra pełne wody na ziemi właśnie ustawiła.

Pochlebiła mu domyślność krawczyka.

– A któż by się tam za byle jaką dziewką uganiał? – rzekł z samowitą [1] brawurą w głosie i w spojrzeniu. – Niczego jej nie brak, prócz chyba kilku drobiazgów, grzesznej powłoce ludzkiej niezbędnych. Przede wszystkim tedy uszyjesz mi koszulę z płótna cienkiego.

– Koszulę – zakarbował w pamięci krawczyk.

– A jakże – potwierdził Dziura. – Od koszuli robotę zaczniesz, bo ciału najbliższa. Potem letniczek fiołkowy sporządzisz.

– Fiołkowy – powtórzył znowu krawczyk, barwie wybranej kiwnięciem głowy przytakując.

– A na końcu kacabejkę [2] watowaną, barchanem suto podszytą, zmajstrujesz, bo choć wiosna, aleć i wiosną, jeśli kto chce, chłodu się doszukać może – zawyrokował w zadumie Dziura, mając na względzie nieustanny pobyt Majki w wodzie jeziornej.

– Już ja jestem pewien, że się panu Dziurze moja robota spodoba, bo będę dla pana Dziury robił tak, jak dla siebie samego – rzekł krawczyk ze szczerym postanowieniem w głosie.

– Rób, jak chcesz, czy tak, jak dla mnie, czy tak, jak dla siebie samego, bylebyś zrobił uczciwie i bylebyś wszystko do przyszłej niedzieli wykończył.

– Będzie pan Dziura miał na przyszłą niedzielę jeno kłopot od samego oglądania gotowej roboty – zdążył jeszcze wtrącić w czas krawczyk, zanim Dziura ruszył w dalszą drogę ku swej chałupie.

Przechodząc koło młyna, zauważył pęczniejącą w ramie górnego okna twarz młynarzowej, na której policzkach, zbryzganych świeżymi rumieńcami, krwawiło się słońce poranne.

Uśmiechnęła mu się z góry, a on jej z dołu mimochodem się odśmiechnął.

Wszedłszy do chałupy, stanął w pośrodku izby, wyjął z zanadrza księgę, w mech oprawną, roztworzył ją i ciekawie zajrzał do jej tajemniczego wnętrza.

---

[1] Samowita – naturalna, prawdziwa.
[2] Kacabejka – kobiecy kaftan watowany.

Szkoda doprawdy, że Dziura czytać nie umiał, bo naczytałby się takich cudów, o jakich nikt dokładniej niż ta księga nie mógł go powiadomić. Stało w tej księdze po kolei o tym, co się pod wodą dzieje.

Stało tam o rusałkach, które się z mórz wyłaniają i tak cudownym śpiewem nęcą przechodnia, że – zasłuchany – zapada się w sen i nie postrzega nawet, jak sen jego, na pozór chwilowy, przeobraża się z wolna w sen wiekuisty. Snem wiekuistym zaskoczony, nie potrafi nawet śmierci od śpiewu odróżnić, a nicości od swego zasłuchania. Rusałki mówią o nim: z a s ł u c h a n y, a ludzie mówią: u m a r ł y.

Prócz rusałek są jeszcze Memozyny, które zwabionego samotnika na śmierć mogą białymi palcami załechtać, a śmiech konającego długo jeszcze po skonaniu trwa i błąka się w powietrzu, strasząc podróżnych i zakłócając ciszę leśną.

Prócz Memozyn są jeszcze Syroidy, co mają jedną rękę, jedną nogę i jedno tylko oko, a na domiar złego wszystko – lewe, nie wyłączając oka, tak że dla nich świat cały i Bóg, co go stworzył, po lewej stronie się znajduje, i z tego powodu, jak się raz w lesie zbłąkają, nigdy już wybłąkać się nie mogą, bo takie to niedołężne, że czy trzeba, czy nie trzeba – wciąż jeno na lewo i na lewo bez ustanku skręca. A wolno tym Syroidom przez całe życie jedno tylko słowo powiedzieć. Po wygłoszeniu tego słowa w pianę się rozpływają i giną bez śladu, jeno wir na wodzie pozostawiając po sobie. Łatwo ten wir od innego wiru rozróżnić, bo ma zawsze lewy kierunek. Syroidy człowieka nad brzegiem stojącego lewicą chwytną do wody ściągają i dopóty na dnie go trzymają, dopóki dusza jego wodą się nie zachłyśnie, a ciało do reszty nie zesztywnieje. Wówczas każda swemu topielcowi szepce do ucha słowo jedyne, które wyszeptać jej dano, i natychmiast w pianę się rozpierzcha. Wtedy topielec, z jej uścisków wyzwolony, zazwyczaj na powierzchnię wypływa. Ale nie wiadomo, co za słowo Syroida do ucha topielcowi szepcze. Słowa tego nikt nie zna. Aby je znać i wyszeptać należycie, trzeba mieć jedną rękę, jedną nogę i jedno tylko oko, i w dodatku wszystko, nie wyłączając oka – lewe.

Prócz Syroid są jeszcze Majki, ze wszystkich wodnic najpiękniejsze. Można je często przyłapać w lesie, gdy splątanym warkoczem zawadziwszy o gałęzie, wiszą bezradnie, wyczekując pomocy ludzkiej. Częstokroć też i w zbożu nurkują, szczególniej w czasie Zielonych Świątek, bo jest to pora, gdy najwięcej wodnic po świecie się roi i błąka, czyhając na samotnych przechodniów. Majki umieją kochać ludzi i lubią miłość wyznawać.

O wielu jeszcze innych rodzajach mieszkanek wodnych wspominała księga, którą ciekawie oglądał nieczytelny Dziura.

Bóg wiedzieć raczy, jakie myśli w tej chwili mitrężyły mu głowę, to tylko pewna, że o czymś myślał. Myślał tak długo, aż postanowił księgę spalić, aby jej obecność w chałupie nie zdradziła przed ludźmi jego z Majką znajomości.

Kilka szczap smolnych w kominie roznięcił i księgę na szczapach odpowiednio umieścił. Zaledwie ogień, smołą wonnie i żarliwie sycony, dotknął mchów aksamitnych, księga spłonęła w okamgnieniu, nie pozostawiając po sobie ani węgla, ani popiołu. Spłonęła bez śladu – nie czytana i może nawet tym nieczytaniem z lekka urażona.

Dziura uczuł wyraźną ulgę na duszy, jakby mu kto ujął zbytecznego wysiłku zgłębiania tej księgi, której wszakże zgłębiać nie zamierzał. Myśl jednak, iż jest jej bezpośrednim posiadaczem, dręczyła go na kształt narzuconego przeciw własnej woli grzechu, którego wolał nie popełniać.

Uśmiechnął się z zadowoleniem, jakby znalazł przebiegłe a trafne wyjście z trudnego położenia.

„Niech raczej ta księga zawczasu spłonie, niżbym miał poniewczasie sam w ogniu czyśćcowym ku własnemu obrzydzeniu, jak to sadło zjełczałe, skwierczeć – pomyślał rozsądnie. – Bóg mię, widać, natchnął, żem się tej drukiem popstrzonej niestosowności pozbył.”

Pomimo iż Majce jakoś nie dowierzał, wyczekiwał wszakże Dziura umówionej niedzieli.

Wyczekiwał cierpliwie i spokojnie, z owym ładem w sercu, który zawsze postanowieniom jego tak gospodarczym, jak miłosnym towarzyszył.

Bał się jeno, że krawczyk-popsujko zamówionej roboty na czas nie wykona. Wszakże krawczyk słowa dotrzymał. Uszył, jak umiał, ale uszył.

Wprawdzie koszula miała wszystkie pozory przestronnej wsypy na pierze, a kacabejka od upchania watą i podszycia sztywnym barchanem była tak twarda i tęga, że uderzeniem młota nie pozbawiłbyś jej upartego, raz na zawsze przyswojonego, zgoła przypadkowego kształtu, lecz za to letniczek był zgodnie z umową naprawdę fiołkowy.

Dziura do wspomnianych nabytków dołączył jeszcze kupione na jarmarku pończochy białe, trzewiki skórkowe, pierścionek z granatem i trzy bicze barwistych dętek.

Wszystko to związał gruntownie w jeden ścisły tobołek i skoro noc umówiona zapadła, udał się w drogę do lasu. A noc mu właśnie sprzyjała.

Gwiazdy na czystym niebie i sporsze się zdawały, i liczniejsze niż zazwyczaj. Wielka Niedźwiedzica aż się w oczy zewsząd rzucała, to dyszlem srebrnym, to płomienną resztą swego wozu skrząc się migotliwie. A Droga

Mleczna napuszyła się wypukle i tak wezbrała swym rozpowietrzonym srebrem, jakby z niej za chwilę nadmiar tego srebra miał się na ziemię rosą kroplistą przelać.

Dziura bez pośpiechu wszedł do głębiny lasu.

Zaskoczył go natychmiastowy mrok leśny i pełna wonnej ciepłoty parność zapartego w bujnym wnętrzu powietrza, które się pracowicie wsysało w kwiaty i w zioła przyziemne. Słychać je było, jak dysząc ociężale i mozolnie, lgnie do mchów napęczniałych, do sęków gąbczastych i do sapowatej kory dębów wilgotnych.

Pomimo ciemności czułeś naokół zatajoną obecność świeżej, majowej zieleni, z wesołym pośpiechem gromadzącej się co chwila w tym lesie, niby w spichrzu wonnym a nienasyconym.

Dziura wolnym a nieprzymuszonym krokiem zbliżył się wreszcie do jeziora i stanął tuż ponad brzegiem, pieczołowicie ściskając pod pachą swój drogocenny tobołek.

Majki jeszcze nie było.

Dziura był pewien, że go na zawód nie narazi, a opóźnienia za złe jej nie brał.

„Pewno musi się opóźnić, jeśli się opóźnia" – pomyślał.

Na jeziorze trwała ruchliwa i krzątliwa pustka, to błyskiem nagłym, to zdążaniem donikąd spłoszonej znienacka fali zapełniana, pustka, która się nigdy oku nie uprzykrzy, a która zawsze ma coś do ukazania i coś do odmienienia w swym układzie i obrębie.

Księżyc się właśnie wytoczył na niebiosy i utkwił nad jeziorem, jakby je szukał i znalazł.

Wydłużonym odbiciem zajaśniał w wodzie pod brzegiem przeciwległym i jął się tam dwoić i troić, i swe luźne szczątki skupiać znowu w całość pierwotną, do odwróconego wierzchołka odbitej sosny chwilowo przytwierdzoną.

W tym właśnie czasie od owej strony, kędy jezioro skręcając w gęstwinie leśnej swój dalszy ciąg zatracało, doleciał Dziurę śpiew młody, własną łatwością i swobodą rozzuchwalony.

Poznał Dziura Majkę po głosie.

Śpiew jej rozlegał się niewzbronnie w soczystym, ziołami nasiąkłym powietrzu, jakby się w tym powietrzu niewidzialne okna na oścież porozwierały, aby śpiewowi temu dać ujście i przestwór niezbędny.

Dziura, tym śpiewem zachęcony, dobył ze dna kosmatej piersi narownego nieco głosu i w takt melodii tobołek pod pachą, niby kobzę ¹ posłuszną, naciskając, zawtórował basem tak starannie, że mu grdyka, od natężenia nabrzmiawszy, jęła z nuty na nutę podrygiwać sprężyście a skocznie.

Z umysłu śpiewał gorzej i ciszej, niżby potrafił, bo wiedział, że rusałki mszczą się na tych, którzy je w powabach śpiewu prześcigną. A wiedział ponadto, że piołunu się boją, więc na wszelki wypadek, dla większego bezpieczeństwa, zaopatrzył się w suty zapas piołunu, który w zanadrzu ukrył, jeszcze przed niedzielą uzbierawszy go w polu – popod lasem.

Czuł się tedy dobrze i z tym śpiewem na ustach, i z tym tobołkiem pod pachą, i z tym piołunem w zanadrzu.

Wszystko było w porządku i na miejscu.

Śpiew Majki coraz się zbliżał, jakby do skrzypki grającej ucho coraz mocniej przykładał.

Wciąż jeszcze wtórowaniem zajęty, spojrzał Dziura na zaprószony księżycem zakręt jeziora, kędy sitowie rozwidnione jaśniało tą barwą, która po nocy zieleń zastępuje, spojrzał i uśmiechnął się radośnie, aż mu od tego uśmiechu głos, niechcący, na nucie przygodnej w poryk nieproszony załamał.

Na zakręcie jeziora ukazała się wiotka i ku księżycowi wyprostowana postać Majki, płynącej ku niemu na jakimś przedmiocie, którego Dziura z dala określić nie umiał.

Ani łódź to była, ani tratwa.

Inny to miało bieg po wodzie i odmienne na fali rozpostarcie. Majka wciąż śpiewała, a i Dziura wtóru swego nie zaniedbywał.

Gdy się zbliżyła na takie dosiężenie oka, że można ją było spojrzeniem z jeziora wprost do duszy przenieść, stwierdził Dziura, iż zamiast łodzi ma pod sobą łąkę pływającą.

Księżyc tę łąkę oświetlał, wyodrębniając niemal każde źdźbło trawy bujnej, każdy kwiat, chwiejnym kielichem puszyście zawieszony. Wrzało na niej życie migotliwe i ruch ze światłem skrzętnie przemieszany, bo roiła się od motyli, od ważek i od świerszczyków, których śpiew z sypkich a pospiesznych dźwięków sklecony, dolatywał już do brzegu i nabierał w ciszy nocnej doniosłości chóralnego a nierozwikłanego wrzasku.

Zamilkł zdumiony Dziura i zamilkła Majka, która do brzegu wraz z łąką pływającą dotarła.

---

¹ K o b z a – ludowy instrument muzyczny, składający się z kilku piszczałek i mieszka, trzymanego pod pachą; dudy.

Popatrzyli na siebie przez chwilę, jakby dawną znajomość raz jeszcze zawierali i umacniali.

Pierwsza przemówiła Majka.

– Spiesz się! Noc krótka, zawsze za krótka! Skocz no z brzegu na moją łąkę, a popłyniemy razem dalej!

Nieśpieszno jakoś było Dziurze do udzielonego mu przez Majkę prawa przeskoku z brzegu na łąkę niebywałą.

– Skoczyłbym – odpowiedział z niepewną w głosie obietnicą – ale nie wiem, co tam na owej łące będę miał do roboty. Nigdym jeszcze takiej łąki ani deptał, ani kosił.

– Twoja to łąka, twoja własność, gdyż odtąd wszystko, co posiadam, do ciebie należy – rzekła Majka, dłonią cały obszar łąki wskazując.

Podobały się Dziurze te słowa szczodre i rozumne.

– Toć pewno, że mógłbym od biedy i na tej łące jakoś się zagospodarować – rzekł w zadumie, oceniając okiem bujność trawy i żyzność ziemi. – Lękam się jeno, że masz względem mnie zamiary inne, prócz tych, którym się odwzajemnić z całego serca pragnę.

– Kocham! – zawołała Majka i dłonie obydwie wyciągnęła ku niemu z takim zaparciem się tych dłoni, jakby mu wraz z nimi głowę pod nóż oddać pragnęła.

Słowo to, z mocą powtórzone, uspokoiło Dziurę.

– Niech się dzieje wola Boża! – krzyknął nagle wniebogłosy, przeskakując z brzegu na łąkę. – Może ta sama wola Boża dzieje się i w tych dłoniach, co się ku mnie całe – bez reszty wyciągnęły, jakby nic sobie ze swego czasu zostawić na własność nie chciały!

– Ta sama... ta sama... – uspokajała go Majka.

– A jeśli nie ta sama, moja w tym wina, żem je od Bożej dla zbyt wielkiego podobieństwa nie rozróżnił! – zawołał ugruntowując się na łące i rozpaczliwie miażdżąc pod pachą wypchany sowicie tobołek.

– Odbijam od brzegu – uprzedziła nieśmiało Majka, wyczekując przyzwolenia.

– Odbijaj, a z całych sił, pókim jeszcze na brzeg z powrotem ku własnemu wstydowi nie wyskoczył! – odpowiedział z zamkniętymi oczami Dziura, macając nieznacznie dłonią ukryty w zanadrzu zapas uzbieranego piołunu.

Popłynęli.

Zakołysała się łąka, zachwiały się kwiaty, zaroiły się motyle, zadzwoniły świerszcze niestrudzone.

Dziura oczy, dotąd zamknięte, rozwarł powoli.

– Jesteś przy mnie? – zapytał.

– Jestem! – ozwała się Majka z pobliża.

– A i ja jestem przy tobie – zauważył Dziura. – Zdawało mi się, że nim oczy otworzę, czar mię jakiś w nicość rozwieje. Nie rozwiał.

Uśmiechnęła się na to Majka, lecz nic nie odrzekła.

Dziura tymczasem po jeziorze bacznie się rozejrzał.

Zmieniło się tak, że go nie poznał i do dawnego w żaden sposób pamięcią dopasować nie mógł.

Poszerzyło się i wydłużyło, i rozlało hen – bez krańców, niby morze. Gdziekolwiek okiem wprawnym rzucił – nieskończoność wodna, jakby nic na świecie prócz tego jeziora nigdy nie istniało.

Brzegów ani śladu, a księżyc na powierzchni nieogarnionej płachtę srebrną ściele, usuwając ją w dal, w miarę tego, jak łąka pływająca ku niej się zbliża.

– Zmieniło się nieco jezioro – zauważył z niezadowoleniem Dziura i na Majkę ukosem zerknął.

– Zawsze ono w mych oczach takie, a nie inne – odrzekła Majka z prostotą.

– Chciałam, żebyś na nie moimi oczyma spojrzał.

– I spojrzałem? – spytał Dziura ciekawie.

– Spojrzałeś – potwierdziła Majka poważnie.

Dziura zrozumiał, czemu tego pragnęła.

– Będę się zawsze odtąd na to jezioro twymi oczyma patrzył – przyobiecał w słodkim poczuciu jakiegoś radosnego ustępstwa.

Niepochwytny bieg łąki w dookolną, wodami polśnioną nieskończoność wyczuwał Dziura nie zanym mu dotąd a nieustannym zapodziewaniem się ciała w chłonącej je co chwila przestrzeni.

Nie wiedział wszakże, czy mu wyczucie owo przykrzy się, czy też przyjemność osobliwą sprawia.

Majka jeno od czasu do czasu wskazywała dłonią zamierzony kierunek, a łąka, posłuszna skinieniu, bieg swój ku stronie wskazanej zwracała.

Dziwował się Dziura temu biegowi, a przede wszystkim tej okoliczności, że skoro o sobie samym pomyślał, srebrniał we własnych myślach od księżyca i – cały srebrny, lotem porwany – pierzchał co chwila w nieskończoność.

Właśnie podczas jednego z takich pierzchnięć, gdy mocniej i rzęsiściej sobie samemu w myślach własnych zasrebrniał, przypomniało mu się, że Majki potrafią człeka najpoważniejszego na śmierć białymi palcami załechtać.

Prawiła mu o tym nieraz młynarzowej swojaczka, z którą się często na jarmarku spotykał.

Na myśl o tym doznał dokuczliwego pod pachami niepokoju, jakby się tam mucha jakaś bzykając do lotu zerwała.

Z nieufnością spojrzał znowu na Majkę.

– Umiesz ty człowieka na śmierć załechtać? – spytał badawczo zasępiając czoło.

– Umiem – odparła Majka.

– A mnie na ten przykład – mogłabyś taką krzywdę palcami białymi wyrządzić?

– Od twego to rozkazu zależy – odrzekła Majka pokornie.

– Gdzieżbym ja tam takie rozkazy wydawał! – zaniepokoił się Dziura, wzgardliwie wzruszając ramionami. – I łechtliwy jestem, i nie po to mam duszę, abym ją spod pachy Panu Bogu obelżywie oddawał, jeno po to, abym ją po ludzku w godzinie ostatniej wyzionął.

Pomilczeli oboje, jeno łąka na skinienie Majki wzmogła swój bieg coraz niecierpliwszy, jakby jej śpieszno było do zaocznej w srebrnych oddalach bezpowrotności.

Dopiero teraz przypomniał sobie Dziura, że ma tobołek pod pachą.

Uśmiechnął się obiecująco i rzekł:

– Podarunek przyniosłem.

– Pamiętałeś o mnie? – szepnęła uradowana Majka.

– Pamiętałem – potwierdził Dziura, czując doniosłość swego potwierdzenia.

– Pokaż! – szepnęła Majka, pragnąc zapewne bezgraniczną i ślepą ciekawością zawczasu ów podarek godnie uczcić.

Dziura rozwinął tobołek powoli, z widoczną czcią dla zawartych w nim przedmiotów.

Wyjmował je kolejno i każdy z osobna trzymał w świetle księżycowym, aby Majka mogła nacieszyć się ich widokiem.

Majka cieszyła się i klaskała w dłonie z radości, lecz zbladła nagle i zmalała w sobie, gdy Dziura ze dna spłaszczonego tobołka wyciągnął w końcu z dumą na światło księżycowe białe pończochy i skórkowe trzewiki.

Nic nie rzekła na to, jeno znów dłonią skinęła, nagląc łąkę do biegu.

– Nie zabraknie ci teraz przyodziewku – ozwał się tymczasem Dziura. – Pomyślałem ja o tym, że wypada to ciało nagie, do grzechu lgnące, ogarnąć jakoś i osłonić, aby się nie czuło na tym świecie tak, jakby je kto z pierza oskubał. A i ogrzać je trzeba, bo woda je ziębi nieustannie.

– Nie wiem, jak się to wszystko wdziewa i w jakim porządku – zauważyła Majka, spod rzęs na własne ciało się bocząc.

– Sam cię wystroję, bo rąk mi nie brak – rzekł Dziura i zabrał się do roboty.

Wdział najpierw koszulę, potem letniczek fiołkowy, potem kacabejkę watowaną. Zachowywał przy tym całkowitą w swej postawie nieruchomość, pracując jeno rękami, jakby końmi narownymi to z góry w dół, to odwrotnie powoził.

Majka wystrojona głaskała dłonią kacabejkę, odstającą sztywnie od jej smukłej kibici na kształt dzwonu, którym wiatr z lekka zachwiewał.

Krawczyk-popsujko miał, po prawdzie mówiąc, krój niezbyt zręczny, lecz niezręczność tego kroju i obcość nie dopasowanego ubrania wzmagały jeno niezależny od nich i niedostępny ich ujęciu czar postaci rusałczanej, jakby w kojcu kanarka uwięził.

Dziura dętkami barwistymi szyję jej okolił i spojrzał z zachwytem.

– Tak teraz po bożemu wyglądasz, że można cię choćby i do wnętrza chaty wprowadzić, i na ławie usadowić, i czy to o jarmarku, czy to o innych sprawach ludzkich pogawędzić. Niech no ja jeszcze pończoch twym nóżkom bosym przysporzę i trzewikami jak od święta obciążę, a będę mógł bez wstydu nawet i na kobiercu ślubnym z tobą stanąć, aby cię nie tylko z rąk twoich białych, lecz i z rąk Boga samego na własność dozgonną przyjąć.

I Dziura pochwycił w dłonie trzewiki i pończochy, aby stroju Majki dokończyć, lecz nagle jedne i drugie z rąk mu na kwiaty i na trawy bujne wypadły, płosząc roje motyli i ważek, skrzydłami ze sobą pogmatwanych.

Ogon rybi w całej okazałości stanął mu nagle przed oczyma.

Majka skłoniła głowę na piersi, jakby w bezradnym poczuciu winy niepoprawnej.

– Coś mi się, widać, we łbie pomąciło, gdym te pończochy i trzewiki nabywał – rzekł ze smutkiem Dziura. – Możem zapomniał, a może i pamiętać nie chciałem, aby pamięci tam ogonem rybim zbytnio nie turbować.

– Nie uznasz mnie? – spytała lękliwie Majka.

– Nie uznam – odparł z godnością.

– Nie prześlepisz miłością kalectwa mego? - spytała znowu.

– Nie prześlepię! – odrzekł z mocą.

– I nie nawykniesz nigdy?

– Nigdy!

Majka spojrzała na pierścień z granatem, którym Dziura uprzednio palec jej niemal dziecięcy ozdobił.

Łąka płynęła teraz tak szybko, że płachta, którą księżyc wzdłuż po niej rozesłał, z błyskawicznym pośpiechem usuwała się spod niej i zdawała się zwijać ku niebu.

Dziura uczuł nagle nieodpartą tęsknotę do brzegu, do lądu, do gruntu stałego.

Zauważyła to Majka i zbliżyła się do niego.

Dziura nie cofnął się, jeno tęsknota do brzegu zwiększała się w nim i dolegała mu nieznośnie. Piołun w zanadrzu zagrzał mu się i rozparzył.

Majka ruchliwymi nozdrzami zwęszyła zapach piołunu.

– Piołun pachnie – szepnęła zatrwożona.

Dziura spojrzał na nię spode łba, utkwił spojrzenie w ziemi i przemilczał odpowiedź.

– Masz go na piersi, w zanadrzu – mówiła Majka. – Boją się rusałki tego ziela, bo jego woń zatruwa je i niszczy. Wyjmij piołun z zanadrza i wyrzuć do jeziora.

– Niech sobie leży tam, gdzie dotąd leżał – odrzekł Dziura wymijająco. – Zawsze to bezpieczniej i zaradniej z piołunem na piersi do rusałki się zbliżyć. Albo ja wiem, co by mi się przytrafiło, gdybym bez tego piołunu porozumiewał się z tobą? Może nie tyle przez złą wolę, ile z nałogu i z przyrodzenia samego ściągnęłabyś mnie do jeziora, aby mnie w topielca zamienić.

Oczy Majki zapłonęły ogniem niezwykłym.

– Topielec czaruje nas, rusałki, swą bladością, bo my słabe i kruche, a on pieszczotom naszym bezoporny – szepnęła nagle, wdychając jadowitą dla niej woń piołunu.

– Chciałabyś, aby swój opór w śmierci zatracił? – spytał nieco chełpliwie Dziura, dziękując w duszy sobie samemu za uciułany zapobiegliwie zapas piołunu.

– Chciałabym – odrzekła z prostotą Majka.

– Toteż wolę piołunem się od ciebie przegrodzić, niż wszelką przegrodę usunąwszy, ze śmiercią się spotkać w twych objęciach – zauważył Dziura czując, że mu dreszcz po karku przebiega i ni to straszy, ni to kusi.

– A skąd ty wiesz, z którym dziwem w objęciach mych się spotkasz? – szepnęła Majka. – Usuń przegrodę, bo czas!

– Nie usunę! – odparł Dziura stanowczo i szeroką dłonią uderzył się w pierś, w to miejsce, gdzie piołun się znajdował.

– Zamieszkaj razem ze mną na dnie jeziora! – zawołała Majka z rozpaczliwą prośbą w głosie.

– Żywcem? – spytał Dziura.

– Żywcem albo śmiertelnie – odrzekła Majka. – Jak postanowisz, tak się stanie. Mówię do ciebie po rusałczanemu, bo nie umiem inaczej i nie mogę, a ty te słowa moje z lękiem odpychasz, że nie ludzkie, nie twoje, ziemią nie spylone i strzechy nad sobą nie mające... Dlatego się boisz tych słów i nie chcesz ich ramieniem ku sobie, jak sierpem, przygarnąć. Pomyśl sam: czy wierzysz w to, że ci coś złego pragnę uczynić?

– Jak pomyślę, to wierzę – odparł Dziura – a jak nie pomyślę, to i myśl taka do głowy mi nie przychodzi.

Powiedział to i dorzucił natychmiast:

– Ot, już i pomyślałem niechcący...

Majka bezsilnie opuściła dłonie i cofnęła się ku kwiatom.

Woń piołunu i ciężar watowanej kacabejki zmęczyły ją i zniewoliły do milczenia.

A w duszy Dziury tęsknota do stałego gruntu, a dokładniej mówiąc, do onej popielatki, którą przez całe życie uprawiał, tak się rozrosła i rozpanoszyła, że chętnie by się, podróżą strudzony, i do snu wiekuistego ułożył, byleby mu w tej popielatce dół motyką wykopali.

– Pilno ci do brzegu? – spytała Majka.

– Jużci, że pilno – odpowiedział.

– Czy zaraz chcesz wracać?

– Upraszałbym, jeśli łaska – rzekł Dziura z nagłą pokorą w zmienionym nieco głosie.

Majka skinęła dłonią i zanim Dziura zdążył cokolwiek zmiarkować, ujrzał tuż przed sobą brzeg upragniony.

Co tchu z łąki na brzeg wyskoczył.

– Przyjdź w następną niedzielę, będę czekała – rzekła Majka głosem zmęczonym i bezsilnym.

Dziura się odwrócił, aby ją pożegnać, lecz nie było już ani Majki, ani łąki pływającej.

Jezioro zmalało, ułożywszy się po dawnemu w swym zwykłym, drzewami zaznaczonym obrębie.

Zdążył jeszcze Dziura postrzec, jak się jezioro cudotwórczo nabytego bezmiaru pośpiesznie wyzbywa i jak, gospodarnie uprzątając kędyś spłoszone resztki zaklętego ogromu, stara się wysiłkiem wód rozpasanych nacichnąć i znieruchomieć w swym przyrodzonym ograniczeniu.

Księżyc na jego pomarszczonej nocym powiewem równi rozmnożył się teraz w niepodzielną, a do upatrzonego miejsca luźnie przytwierdzoną gromadę paciorów srebrnych, które wyłuskując się nawzajem ze siebie, zdawały się nie przekraczać w swych jednoczesnych zanikach i narodzinach umówionej raz na zawsze liczby.

Tę liczbę bezimienną mając mimo woli w oku, westchnął Dziura zawzięcie i poczuł w sercu ulgę z powodu, iż pod stopami miał grunt stały, a naokół zwykły porządek śmiertelnych a drogich mu rzeczy.

„Zachciało się duszy na wywczasie pogrzeszyć, a Bóg jej ani czarów nie poskąpił, ani jej powrozami na bezdrożach nie skrępował, bo nie chciał jej, widać, wolnej woli ująć, jako tej darowizny szczupłej, którą, niby kęs czarnego chleba, od wieków spożywa, a spożyć ani umie, ani może – pomyślał Dziura, głowę na piersi dla tym lepszego myślenia zwieszając. – To tylko pewna, że widział mię Bóg naocznie, gdym na owej łące chyżej tkwił, jak ten groch potyczony, i gdym pokusę własną w kacabejkę watowaną odświętnie wystrajał, i gdym na palec biały, niejednym zapewne grzechem splamiony, pierścień z granatem radośnie wkładał. A i to widział, jak pończochy białe i trzewiki skórkowe, dla nóg ludzkich mozolnie i uczciwie sporządzone, chciałem ogonowi rybiemu niewiadomym sposobem przytroczyć".

Przeżegnał się Dziura i wolnym krokiem wyszedł z lasu na drogę, a drogą do wsi się udał, która z dala migała jednym tylko światełkiem w szybie odosobnionej chaty, bo zresztą od pól daleko jaśniejszych odrzynała się ciemność białym kominem tu i ówdzie, jak chustą na odjezdnym, powiewającą.

Wróciwszy do chałupy, spać się położył.

Skrucha i wiosna tak go rozebrały, że zasnął od razu, zaledwo zdążywszy światu całemu na pożegnanie ziewnąć z przeraźliwym, do gwałtownego szczęknięcia podobnym, hałasem.

Zazwyczaj miewał sen bez widzeń, lecz tej nocy widzenia go dręczyły.

Przyśnił się sam sobie jako topielec, na dnie jeziora rozpostarty. Wiedział, że jest bezbronny i bezoporny pieszczotom rusałczanym, a właśnie ruchliwe mrowie rusałek oblegało na wyprzódki jego zwłoki, krasy dawnej jeszcze nie wyzbyte, które dla pożądliwych warg były snadź strawą wybredną.

Czuł pod pachami łechtania nieznośne białych zimnych palców i śmierć własna, zamiast dać ciału wypoczynek, dolegała mu niby okrutna zaraza.

Pożałował siebie, na dnie jeziornym bez niczyjej opieki samotnie polegającego, a chociaż nigdy na jawie nie płakał, tym razem jął przez sen popłakiwać rzewnie nie swoim, jeno niewieścim zgoła głosem, jakby mu dusza do cna w tym śnie zbabiała.

Ocknął się w końcu, przysłuchując się własnemu, samodzielnie wciąż jeszcze trwającemu płaczowi, rękawem łzy z kątów ślepi rozrzewnionych otarł troskliwie, a jednocześnie gębę po własnej woli szlochającą przyłapał dłonią i stłumił.

Rozejrzał się potem po chacie, przeżegnał się i jak zaczął się bać, tak bał się już do samego rana.

Żadna go siła od tego strachu, jak od roboty w polu, odciągnąć by nie mogła, bo czegokolwiek Dziura się jął, to lubił do końca doprowadzić.

A nie tylko się bał czynów na jeziorze popełnionych i owej niewiadomości, która z nich wynikała, lecz i samego strachu, który go nawiedził, a którego siedlisko było nie w nim, lecz gdzieś poza nim – w ciemności.

Siadł ten strach na jego duszy, jak kruk na ziemi zoranej, i nic nie mówił, jeno cięgiem siedział, a siedział.

Zrozumiał nagle Dziura, że otumaniła go Majka i czarami uwiodła, aby, grzechem obciążonego, ku sobie zniewolić, a potem śmierć mu podwodną dla swoich zamiarów rusałczanych zgotować.

„Śmierci uniknąłem, alem grzechu nie uszedł! – myślał Dziura, bojaźń bożą gorliwie w duszy rozniecając. – Nie dla mnie te schadzki po księżycu i te dłonie białe, pracą nie tknięte. Tak mi z tym do twarzy, jak kobyle we wianku rucianym! Źle się dzieje, gdy człek nie do swoich rzeczy się kwapi. Po cóż mi było, u licha, jej oczyma na jezioro poglądać i cielskiem nienawykłym tłoczyć się w ową nieskończoność, do której dusza moja ani się przypiąć, ani przylatać nie mogła!"

Postanowił tedy, że już odtąd wszelkich schadzek z Majką poniecha.

I poniechał.

Minęła jedna niedziela i druga, i trzecia, a Dziura do lasu nosa nawet nie wściubił.

Mijały te niedziele tak, jakby mijając gromadziły się nad brzegiem jeziora i wziąwszy się za ręce, patrzyły kędyś w oczekiwaniu i rachowały się nawzajem, że jest ich tyle a tyle.

Dziura bowiem był pewien, że Majka żadnej niedzieli nie opuszcza i wyczekuje go wiernie w umówionym miejscu.

Uczułby nawet urazę i smutek poniektóry, gdyby zawiodła tę wiarę i pewność.

– Niech czeka! – mówił do siebie, uśmiechając się pod wąsem. – Ani się obejrzy, jak wieczność jej na tym czekaniu zejdzie.

Dawny spokój i ład powrócił mu do duszy, gdy nagle pewnej nocy niedzielnej, do snu się właśnie układając, posłyszał w kącie szelest.

Nie chciało mu się głowy od lgnącego do niej snu odrywać.

„Niech no jeszcze raz zaszeleści, a obejrzę się i rozpoznam" – pomyślał.

Zaszeleściło powtórnie.

„Niech no trzeci raz zaszeleści, a już pewnikiem się zniecierplwię i zajrzę" – pomyślał znowu.

Zaszeleściło po raz trzeci.

Spojrzał Dziura w stronę szelestu, a tam na podłodze coś się złoci i porusza.

Nic, jeno porusza się i złoci.

Księżyc właśnie do izby przez szybę wkroczył i skośne odbicie okna wydłużył na podłodze tak, jakby chciał przez to odbicie okienne zobaczyć, co się tam pod podłogą dzieje.

Na tym odbiciu coś się w tej chwili złociło i poruszało.

„Snop żytni czy diabeł z dukatem w gębie?" – pomyślał Dziura i wzroku natężył.

Natężył wzroku i poznał.

Ni mniej, ni więcej, jeno warkocz Majki złocił się w kącie na podłodze i z widocznym wysiłkiem pełznął ku niemu jak żywy.

Zdrętwiał Dziura i wybełkotał jakieś słowo, którego sam zresztą w popłochu nie dosłyszał, a które zapewne określać miało stan jego obecny.

Warkocz, tym bełkotem widać ośmielony, pełznął coraz pośpieszniej.

Przeżegnał się Dziura w pół drogi, ale znak krzyża w poprzek mu nie stanął i zamiarów jego nie pohamował.

Warkocz aż do stóp mu się przyczołgał i tam nieruchomiejąc zwinął się w kłębek jak wąż, snem zimowym zdjęty.

Porwał się Dziura na równe nogi i wybiegł z chaty na świat, rzemień od portek w biegu poprawiając, a warkocz za nim w te pędy, jakby się bał go z oczu, których nie miał, stracić.

Ubiegł Dziura kilka kroków od chaty, lecz widzi, że warkocz go ściga nieodstępnie, pusząc się i złocąc od pośpiechu.

Dziura – na lewo, warkocz – na lewo.

Dziura – na prawo, warkocz – na prawo.

Ani się odczepić od niego, ani mu umknąć, ani go się dobrym słowem pozbyć.

Chwycił Dziura kamień i cisnął.

Kamień w warkocz ugodził.

Zalśnił się warkocz złociściej od tego pocisku i znów do Dziury pełznie.

Kopnął go Dziura nogą, a on u stóp mu się układa i łasi się i waruje jak ten pies wierny, którego ani kopnięciem, ani kamieniem odegnać nie można.

Zawstydził się Dziura swego uczynku i od wstydu złagodniał.

„Łeb mi się pewno snem zbytnio zaprószył, żem się warkocza dziewczęcego ulągł! – pomyślał krzepiąc się na duchu. – Nie bałem go się, gdy głowę Majki zdobił, a zatrwożyłem się teraz, gdy samopas po ziemi, jak robak bezdomny, pełznie. Niech sobie pełznie, jeśli mu przytułku na świecie zabrakło".

I znów wszedł do chaty.

Warkocz za nim.

Dziura tę noc spędził bezsennie, wpatrzony w warkocz, który, złocąc się usilnie, noc całą u stóp jego przeleżał.

Nad ranem dopiero wypełznął z chaty za próg i znikł żywcem, jak żywcem się zjawił.

Do następnej niedzieli nie było jakoś ani szelestu w chacie, ani warkocza.

Miał już Dziura nadzieję, że się ta zjawa nie powtórzy. Mylił się jednak. Skoro niedziela nastała i noc zapadła, warkocz znowu chatę jego nawiedził, aby swe brzemię złote u stóp Dziury pod jednym z nim dachem przenocować.

– Trza będzie do znachora po radę się udać – zawyrokował Dziura.

I poszedł do znachora.

Był wieczór.

Znachor mieszkał za wsią, w małym lipniku [1], którego długie cienie wybiegały daleko poza dany im zakres, co chwila układając się inaczej na murawie niskiej, w świetle wieczornym, każde źdźbło z osobna rozwidniającym.

Zdawało się, że od ruchu tych świateł i cieni ludno jest w lipniku i że panuje tam pośpiech nieokreślony oraz nieustanna zmiana miejsc na murawie, jakby tam szukano kogoś, kto się jednocześnie za wszystkimi drzewami ukrywał.

Szczupła chałupa, wśród lip przejrzyście zatajona, miała dwa kominy. Jeden – do połowy rozwalony, bezczynny i bez żadnego użytku, jeno przez pamięć dla minionych zasług na dawnym miejscu sterczący, a drugi nieco opodal – czynny i wzrostem górujący pierwszemu.

Z drugiego właśnie komina wysnuwała się równa i wiotka struga bezwolnie uchodzącego dymu, który na pewnej wysokości tracił skupioną równowagę i

---

[1] L i p n i k – gaj lipowy.

z lekka opadając rozluźniał się w drobne i zawiłe kędziory, mrowiące się aż do zamku w purpurze wieczornego słońca.

Chałupa miała drzwi tak niskie, że chyba krasnalek albo garbusek mógłby przez nie wnijść swobodnie. Pomimo to właściciel chałupy był niemal olbrzymem i wszystkich mieszkańców wsi wzrostem prześcigał.

Zastał go Dziura stojącego na środku jedynej izby, z głową nieco pochyloną dla uniknięcia zbyt niskiego pułapu.

Tkwił w ciasnocie izby na kształt owego dębu, wokół którego altanę dla sposobności sklecono, biorąc dąb za ośrodek i podporę.

Tkwił w bezruchu, czy to dlatego, że nic innego nie miał na razie do roboty, czy też dlatego, że mu tak było najwygodniej i najzwyczajniej.

Wąs miał siwy, obwisły, dwojgiem sutych strzępów zasłaniający całą dolną część twarzy, jakby ta część była zbyteczna lub zaniedbana. Za to część górna odznaczała się czołem łagodnie szerokim i oczyma piwnymi, które patrzyły surowo, lecz dobrotliwie.

Pomimo siwizny wąsów czuprynę posiadał kruczą jeszcze i bujną.

Znać było, że lubił wygodę, utulność i zadomowienie się drobiazgowo gospodarne, bo miał i ławę, i zydle, i kufer, codziennym czyszczeniem wygładzony, i pościel olśniewająco białą, z doborem poduszek od największej do najmniejszej, i stół, podarunkową zapewne i niezwykle wzorzystą serwetą nakryty, na stole zaś gąsiorek z nalewką wiśniową własnego przyrządzenia.

Po kątach zieleniały wiązki świeżego tataraku, którego woń, zmieszana z jakimś parnym i jakby chlebowym zapachem ścian pobielanych, napełniała wnętrze izby.

Na jednej ścianie barwił się starannie okurzany obraz Matki Boskiej w wieńcu z kwiatów zasuszonych, a obok obrazu wisiało w cienkiej ramie dębowej błogosławieństwo z napisem: „Pokój temu domowi".

Wisiała też, do środka pułapu przytwierdzona, a własnoręcznie przez znachora wystrugana, klatka z kanarkiem, w którą teraz właśnie, stojąc w izbie, patrzył tak, jakby wzrok w dali nieograniczonej utkwił, chociaż miał tę klatkę tuż popod nosem.

Powitał gościa nieznacznym skinieniem brwi i obojętnie, dając do poznania, że chata jego nawykła do tego rodzaju odwiedzin.

Dziura stanął w milczeniu i ze czcią.

Przestępując próg tej chaty, czuł przyjemny zamęt w głowie, za którą teraz inna, wprawniejsza głowa pomyśli, ujmując jej brzemienia i kłopotu.

Znachor milczał uparcie, jakby nagle podwoił swe milczenie.

Dziurze wydało się, że zapomniał o jego obecności, lecz nie śmiał tak wzmożonego milczenia przerywać.

„Potrzebne mu widać to milczenie – pomyślał. – Pewno się do rozmowy przysposabia albo wiedzę w pamięci gromadzi i gruntuje..."

– Przyszedłeś? – spytał nagle znachor w chwili najmniej dla Dziury spodziewanej, lecz oczu od klatki z kanarkiem nie odrywał.

– A jużci – potwierdził Dziura.

– Nie byłeś dotąd u mnie – zauważył znachor ze źle ukrytym żalem i spojrzał na Dziurę tak, jakby go za ową niebytność strofował i karcił.

– Powód się jakoś nie trafiał – odparł Dziura z poczuciem winy nieokreślonej.

– A teraz trafił się? – spytał surowo znachor.

– Trafił się – pochwycił Dziura.

– Po to istnieje na świecie ów powód, aby się ludziom trafiał – rzekł znachor i wskazał dłonią miejsce na ławie popod ścianą.

Dziura usiadł.

„Co to on teraz mi powie?" – pomyślał ciekawie.

Znachor zydel przysunął i też usiadł – na wprost Dziury, aby go spojrzeniem surowym badać uporczywie.

– A wiesz ty – spytał nagle głosem uroczyście jednostajnym – a wiesz ty, że praojciec nasz Adam, zanim grzechem się splamił, miał skórę rogową, której się żadna śmierć nie imała?

– Nie wiedziałem o tym – odparł Dziura, prostując się nieco i sztywniejąc na ławie.

– A wiesz ty – rzekł znowu znachor – że na Ziemi Indyjskiej jest rzeka Dżumna, w której czarownice topią? Woda tej rzeki czarna jest i drzew nadbrzeżnych nie odbija. A kto się tej wody napije, ten nie tylko pragnienia nie ugasi, lecz umrze i po śmierci jeszcze wargi spiekłe jak do picia składa i wargami tymi, w grobie leżąc, wilgoć z ziemi wysysa, aż ziemia w tym miejscu pęka od posuchy. Wiedziałeś o tym?

– I o tym nie wiedziałem – odrzekł Dziura i uczuł, że wiedza znachora poczyna już działać należycie.

– A wiesz ty, że przez wylot sęka w trumnie diabła zobaczyć można? – mówił dalej znachor. – Najlepiej go w Wielki Piątek oglądać i wówczas pisanką tak weń utrafić, aby mu ze łba czapkę niewidomską strącić. Pozbawiony tej czapki, dla wszystkich widzialny się stanie. Widywałeś go kiedykolwiek?

– Gdzieżbym ja go tam widywał! – odrzekł Dziura. – Nieuczony jestem i sposobów nie znam. A jeślim go nawet i widywał, nie wiedziałem pewno, ze to właśnie on, a nie kto inny, bo i czegóż się czasem na tym świecie człek nie dopatrzy!

– Widywałem go nieraz – rzekł znachor ręką niedbale machnąwszy. – I on mnie widywał, straszył, straszył, aż i znikł, sam widać nastraszywszy się czegoś niespodzianie.

Znachor zamilkł.

Nagłe jego milczenie napełniło Dziurę trwogą, tym bardziej że znachor jął się weń wpatrywać coraz mozolniej i nieodparciej. I znowu w chwili, dla Dziury najmniej spodziewanej, ukryte w wąsach wargi znachora poruszyły się jak węże w oczeretach [1], po to tylko, aby tym razem wyszeptać zaklęcia, ze słów dziwnych i niepochwytnych złożone. Słów tych Dziura starał się nie usłyszeć, wiedząc z góry, że ich nie zrozumie i jeno trwogi niepotrzebnie sobie przysporzy.

A znachor mruczał i mruczał, zasypując go wciąż tymi słowami, którym końca, zda się, nie było.

– Jeśli tych słów nie ukróci, głowa mi pewnikiem wniwecz się zamroczy i – nie daj Boże – zdębieje na karku jak ta kapusta, co w kół poszła – pomyślał Dziura, oburącz za ławę się dzierżąc, aby głowie podpory jakiejkolwiek ciszkiem dostarczyć.

Na szczęście znachor przerwał swe zaklęcia.

„Już się przysposobił i ma wszelką radę na pogotowiu"– pomyślał Dziura z ulgą na duszy.

– Powiadaj, co się przytrafiło – spytał nagle znachor, po raz ostatni surowo brwi ściągając, gdy twarz jego przybrała właśnie wyraz dobrotliwy a poufny, jakby chciał się dokładnie i rozumnie wtajemniczyć w niedolę swego gościa, aby tę niedolę odpowiednim lekiem trafnie uzdrowić.

Dziura nabrał tchu i znieruchomiał, aby słowom własnym nie przeszkadzać.

– Tak a tak – zaczął głosem, jaki zazwyczaj na spowiedzi ze siebie dobywał, i opowiedział wszystko od początku do końca – od chwili, gdy Majkę w pszenicy przyłapał, aż do czasu gdy jej warkocz chatę jego nawiedził.

– Nawiedza mię co niedziela, gdy noc nastanie, i spać mi nie daje, niby jakiś dusiołek złoty, którego ani sen ludzki, ani spokój nie obchodzi, jeno to korci, aby się w swojej godzinie zjawił i swą pańszczyznę nocną odrobił – skarżył się Dziura, wzdychając ciężko na słowach najbardziej westchnienia godnych.

---

[1] O c z e r e t y lub s z u w a r y – zarośla nadbrzeżne; trzciny, sitowie.

Znachor słuchał uważnie, miarkując coś i starając się zapewne nieszczęście Dziury ze znanymi mu a skrzętnie w pamięci przechowywanymi wypadkami porównać i ocenić.

Widać było po nim, że Dziury z całego serca żałuje i że chce mu wedle sił dopomóc.

– Próbowałeś go przeżegnać? – zapytał.

– Próbowałem.

– I cóż?

– I nic – odparł Dziura – nie ulągł się znaku krzyża.

– Bywa tak, że się dusiołki znaku krzyża nie boją – zauważył znachor i zadumał się głęboko.

Dziura czekał cierpliwie na radę.

Znachor wreszcie głowę po namyśle odchylił i brwi ku górze podniósł, jakby chciał się Dziurze lepiej przyjrzeć.

– Mam radę – rzekł obrzucając go wzrokiem od stóp do głów – słuchaj uważnie i uczyń wedle słowa rzeczonego. W niedzielę wieczorem wodą święconą palce zwilżyj i żadnego jadła nimi nie tykaj. Gdy się dusiołek w chacie twojej po nocy zazłoci, ujmij go w te palce, wynieś z chaty i po jednym włosku na cztery strony świata rozrzucaj. Rozwieją się te włosy po obszarach ziemskich i już się nigdy w warkocz nie splotą. W ten sposób pozbędziesz się dusiołka, a jeśli i ten sposób nie pomoże, wówczas jedno ci tylko pozostało: przyzwyczaić się do onej zjawy tak, aby swoją obecnością snu twego nie naruszała.

– Możliweż to? – spytał Dziura.

– Możliwe – potwierdził spokojnie znachor. – Niedaleko sięgając, ojciec mój nieboszczyk miał takie najście w swym życiu. Co noc go dusiołek nawiedzał i – łatwo powiedzieć – w kształcie wieprza wędzonego.

– Wędzonego? – spytał Dziura.

– Wędzonego – powtórzył znachor, kładąc dumny nacisk na tej niezwykłej okoliczności. – Czego nieboszczyk nie czynił, aby się od dusiołka odczepić! Nic nie pomogło. Co noc przychodził, koło tapczanu stawał i swym wędzonym mięsiwem pachniał w sam nos łasemu na przysmaki nieboszczykowi, odbierając mu sen owym nieproszonym zapachem. Pewnej nocy uwziął się na niego nieboszczyk. „Poczekaj no, sobako wędzona!" – powiedział czy to w głos do wieprza, czy też nie w głos, jeno w myśli do siebie, już nie pamiętam dokładnie, jak było. „Poczekaj no, sobako wędzona! Nie popsujesz mi snu ani swą osobą, ani zapachem, bo się na przekór twym zamiarom i do osoby, i do zapachu przyzwyczaję!" I jak się zaczął przyzwyczajać, tak się przyzwyczaił.

Odtąd nie tylko spał smacznie pod jednym dachem z dusiołkiem, lecz jeśli wypadkiem dusiołek się opóźnił, nieboszczyk zasnąć nie mógł i wyczekiwał go niecierpliwie. Tak się z tym dusiołkiem zżył i tak go oswoił, że mu ten wieprz zjawiony już to chrząkaniem, już to innym jakim wedle swych sił wędzonych sposobem wdzięczność okazywał. A gdy nieboszczyk umierał, głosem od bliskiej śmierci słabowitym rzekł: „Pewnie, że snu wiekuistego pod jednym dachem z onym dusiołkiem nie spędzę, bo wara mu pod ten dach łeb swój wędzony wściubiać smakowicie! Nie taki to dach, aby mógł być wspólnym dla wszystkich bez wyboru! Obędę się jakoś na tamtym świecie bez mego towarzysza, jeno nie wiem, jak to on beze mnie na tym padole doczesnym sobie poradzi?" I umarł nieboszczyk, lecz po jego śmierci dusiołek już się nie zjawił. Tak to bywa na ziemi, że się czasem człowiek z człowiekiem nie pobrata, a ze zmorą się pokuma i na całe życie zwiąże jak ten dąb z jemiołą. Zastanów się i ty nad tym, czybyś nie potrafił, jeśli rada moja nie poskutkuje, z dusiołkiem swoim jakiegoś pożycia wspólnego zarządzić. Bo, choć ów warkocz rusałczany w twej chacie jak ta kukułka w cudzym gnieździe bezprawnie przebywa, lepszy on na wygląd od innych dusiołków i bardziej ci się udał niż nieboszczykowi – wieprz wędzony. Kto wie, czy po śmierci do zmory własnej nie zatęsknisz, która ci się już w martwych ślepiach nie zazłoci? Wszystko się zdarza i na tym, i na tamtym świecie, bo od tego są te światy rodzone, aby się na nich wszystko wedle możności zdarzało. A łatwo się tęsknocie zdarzyć po śmierci, bo lubi bezpowrotność i nie znosi odszkodowania. Niech się ten warkocz złoci w kącie – na podłodze, a ty śpij spokojnie i nie turbuj duszy tymi złocistościami.

Znachor mówił o zmorach tak, jak się mówi o chwastach, które z ziemi nie zawsze trzeba wyrywać i wśród których są bardziej i mniej szkodliwe, a są nawet i niewinne. Zapewne dusiołka Dziury do niewinnych zaliczał. Po prawdzie rzekłszy, spodobał mu się w głębi duszy ten dusiołek, a w każdym razie nie czuł doń wstrętu ze względu na kształt i barwę, którą przybierał.

Spojrzał teraz badawczo na Dziurę, chcąc sprawdzić, czy go pocieszył i czy dość ulżył jego frasunkowi.

Twarz Dziury nie zdradzała ani ulgi, ani pociechy, ale jednocześnie nie zdradzała żadnych innych uczuć, prócz tego chyba zobojętniałego nieco i milczącego oświadczenia, że jest tą samą, co zawsze, twarzą Macieja Dziury.

Poruszał jeno usilnie szczękami, jakby dogryzał czy dojadał jakąś spożywczą, a ukrytą w gębie skamieniałość. Nadmiar zadumy pobudzał go zapewne do tej mimowolnej pracy szczękami.

Spostrzegł to wszystko znachor i niby mimochodem dorzucił:

– Taka jest rada moja, a nikt ci we wsi trafniejszej nie udzieli. Nie z wypadku jestem znachorem, jeno z przeznaczenia. W poniedziałek się urodziłem i w poniedziałek od piersi mnie odstawiono. Dlatego też znachorem zostałem i w poniedziałek pouczam.

W głosie znachora czuć było wrodzoną mu dobrotliwość i łagodność. Niektórym wszakże słowom nadawał przynależną im osobiście powagę i wymawiał te słowa surowo i jakby napominawczo. Tym razem słowo „poniedziałek" dostąpiło rzeczowego wyróżnienia.

Dziura westchnął, aby tym westchnieniem rozmowę zakończyć, pożegnał znachora i wyszedł.

Zżywać się z dusiołkiem nie chciał. Sama myśl o tym napełniała go wstrętem i odrazą. Nie po to na świat przyszedł, aby się ze zmorą związać i zbratać. Dowiedzą się ludzie o tych noclegach niedzielnych i będą chatę jego omijali jak zarażoną. Cóż to bowiem za chata, w której straszy? I jakaż to dziewka poślubi chłopa, który samowtór z dusiołkiem noc spędza i bezsennością się trapi?

Postanowił tedy Dziura przede wszystkim spróbować doszczętnego rozwiązania warkocza na cztery świata strony.

Doczekał się cierpliwie niedzieli i palce w kościele wodą święconą starannie zwilżył. Żadnego jadła tymi palcami nie dotykał i gdy noc nadeszła, z biciem serca czatował w chacie na zjawienie się warkocza.

Warkocz zjawił się o swojej godzinie i jak zazwyczaj zazłocił się w kącie na podłodze.

Dziura zbliżył się doń ostrożnie, ujął go w palce i wyniósł z chaty.

Noc była gwiaździsta. Wieś spała. Czasem jeno ozwał się z dala pies samotny, który wydłużonym w ciemności a nie wiadomo dokąd skierowanym wyciem tak wszystko naokół pomijał, jakby chciał się wraz i swym bólem odwiecznym całemu światu postronić, nie mogąc go rozpoznać po nocy.

Dziura zabrał się skwapliwie do mitrężnej roboty.

Włos po włosie z warkocza wysnuwał i rzucał na wiatr w cztery świata strony. Świeże powietrze zaprószyło się wkrótce tysiącem nici złocistych, które wirowały w tańcu niepochwytnym, jakby chciały sobie miejsce w tych przestworach wytańczyć.

Przez rozplataną wzwyż gmatwaninę tych nici przeświecały gwiazdy dalekie, przypominając oku obecność nieba poza nimi.

Zdawało się Dziurze, że świat cały, jakby złotym niewodem [1] schwytany, zbłąkał się w tej zamieci i że odtąd na tym świecie inny porządek, a właściwie bezład nastanie.

W końcu już nie widział nawet nici, jeno sam pląs złocisty i samo zatrzęsienie.

Myślał, że mu nocy nie starczy na rozwianie całego warkocza, a tymczasem ani się obejrzał, jak warkocz stopniał w dłoniach i wreszcie do reszty się ulotnił.

Czekał tylko na chwilę, aż wiatr go kędyś uniesie i zatraci.

Lecz pląs złocisty trwał wciąż w powietrzu.

„Nie chce się tym złociuchom tak prędko rozstawać ze sobą – pomyślał. – Jak się rozstaną, już się nie zejdą i nie odnajdą nawzajem. Nie siebie samych im szkoda, jeno warkocza, którego między sobą dojrzeć już nie mogą... Potańczą jeszcze kęs czasu i rozwieją się bezpowrotnie".

Lecz pląs i popłoch złocisty nie ustawał i tak w końcu dokuczył Dziurze, że nie mogąc się upragnionego skutku doczekać, postanowił do chałupy wrócić, byle oczom widoku tej złotej a nieznośnej krzątaniny w powietrzu ująć co prędzej.

Ale zaledwo krok ku chałupie uczynił, nici złociste jęły się pośpiesznie gromadzić i jednoczyć, i po chwili przekonał się Dziura naocznie, że się splotły po dawnemu w warkocz rusałczany.

Zanim Dziura kroku przynaglił, warkocz pełznął już za nim w stronę chałupy. I znów noc bezsenną pod jednym dachem z tym warkoczem spędzić musiał.

Nazajutrz zastanowił się Dziura głęboko nad tym, co mu teraz czynić i jak postąpić należy.

I nagle nawiedziła jego głowę stroskaną myśl, której się chwycił natychmiast, jak pijany wierzby przydrożnej.

A myśl była prosta: ożenek co najskorszy.

„Dręczą mnie zmory korzystając z mego stanu bezżennego – miarkował Dziura nie bez słuszności. – Niech no się ożenię, a z pewnością nie ośmieli się Majka żonatego człeka swym warkoczem po nocy napastować, bo i powaga moja stanie jej na przeszkodzie, i baby w chacie ulękną się, jako niespodzianego sprzętu, nie dla jej wybryków, lecz dla mojej własnej wygody nabytego...

---

[1] N i e w ó d – sieć rybacka.

Po cóż mam dłużej w bezżennym stanie tkwić jak ten gwóźdź w podłodze albo ta kiełbasa na kołku, przez nikogo nie tknięta i nie spróbowana. Niech no się dam spróbować, a wówczas i sam siebie ocenię, i ludzie mi szacunku nie poskąpią".

Z tymi myślami wyszedł z chaty aż hen na drogę i jakby za zrządzeniem bożym ujrzał idącą naprzeciw młynarzową.

Zoczył ją z dala, jak szła, z lekka kołysząc się w biodrach i tęgimi policzkami czerwieniąc się w kurzu, który stopą co chwila nieciła, a nadołkiem spódnicy zagarniała ku sobie.

W miarę zbliżania się urastała w oczach Dziury, któremu – Bóg wie dlaczego – przyszły nagle do głowy bufory nadchodzącego pociągu, gdy, zbliżając się do przystanku, olbrzymieje nieustannie.

Olbrzymiejąc właśnie, zrównała się z nim młynarzowa.

Stanęli obydwoje w pobok siebie, nie mówiąc ani słowa i ·mierząc się nawzajem spojrzeniami.

– Czemuśmy tak stanęli, jakby się nam obojgu droga w tym miejscu skończyła? – spytała młynarzowa zaczepnie i roześmiała się głośno, a śmiech wyżłobił jej w policzkach dwa dołki, w których by się dwie śruciny mogły ukryć bezpiecznie.

– Może nam się i skończyła, a może i zaczęła – odparł dwuznacznie Dziura i spojrzał najpierw w jeden dołek, a potem w drugi, a z drugiego przeniósł wzrok na buty własne, sadłem świeżo polśnione.

– Śpieszniej nam było, widać, do tego stania na drodze niż do innej roboty – rzekła młynarzowa i znów się zaśmiała, ale tym razem ciszej i baczniej, tak że tym śmiechem Dziurę ku sobie, jak sznurem jedwabnym, nagle pociągnęła.

Spocił się Dziura i z nogi na nogę przestąpił.

– A gdybyśmy zamiast na drodze na kobiercu ślubnym stanęli – rzekł z godnością i brwi podniósł.

Młynarzowa, słysząc tę odpowiedź, zarumieniła się i chciała obyczajem dziewczęcym twarz wdowią a zawstydzoną łokciem odpowiednio zagiętym przesłonić. Łokieć wszakże, mimo wysiłku, utkwił w miejscu zbyt odległym i nie mógł dotrzeć do zamierzonego celu.

Spodobała się Dziurze i ta wstydliwość, i ten ruch łokciem.

– No i cóż? – spytał po chwili milczenia. – Zgody wyczekuję, a odmowy spodziewać się nie chcę.

– A czyż to pierwszy lepszy do mnie się zaleca, abym odmówić się ośmieliła? – odparła młynarzowa nie bez urazy w głosie i spoważniała.

„Ma baba słuszność – pomyślał Dziura – przecież naprawdę nie pierwszy lepszy jestem!"

I Dziura wyprostował się z lekka oraz piersi w ramionach poszerzył, aby dać poczuciu własnej wartości większą przestrzenność i swobodę w ciele.

Niebo, przejrzyście zachmurzone, ćmiło się srebrnym, we mgle rozcieńczonym słońcem i młodziło się na deszcz, który, z porania uciułwszy się w świeżym powietrzu, spadł nagle na ziemię z nieprzewidzianym a łatwym pośpiechem. Zabębnił po słomianym kapeluszu Dziury i jasną spódnicę młynarzowej popstrzył z rzadka ciemnymi cętkami.

Młynarzowa ruszyła nagle w dalszą drogę przed siebie, nie tyle deszczowi uchodząc, ile pragnąc przyjrzeć się temu, jak to Dziura teraz w ślad za nią nieodstępnie podąży.

Dziura podążył.

Ona poszła przodem, a on, za nią z tyłu krocząc, zalecał się i gwarzył.

Po pewnym czasie zrównał się z nią i wziąwszy za rękę, postraniał się nieznacznie w chodzie, ukosem zaglądając nie w twarz, którą co chwila odwracała, jeno w tę rękę, którą w swojej trzymał, jakby chciał ją zważyć i brzemię jej ponętne dokładnie oszacować.

Deszcz padał dorywczo, to powściągając dech w powietrzu i szelest po kłosach, to ze zdwojoną mocą wysypując swe ziarna obfite z nieba na ziemię.

Stało się tak, jak Dziura w sobie postanowił. Wkrótce bowiem poślubił młynarzową i od owej chwili zgodnie z jego przewidywaniem warkocz Majki do chaty ani zajrzał.

Bał się widocznie zazłocić bez pytania w oczach baby gospodarnej, która o porządek w chacie dbała wzorowo, albo też nabyta ożenkiem powaga Dziury poskromiła natrętnego dusiołka.

Mówiono wprawdzie we wsi, że już w dwa dni po ślubie nie lubiąca odwłoki baba zaczęła chłopa marudnego bijać i że Dziura takiemu pożyciu nie bardzo się opiera...

Trudno określić dokładnie, ile prawdy było w tych słowach, a ile gadaniny próżnej, gębom ludzkim, jak chleb powszedni, niezbędnej.

Na pewno baba bijała go o połowę mniej, niż ludzie twierdzili, a połowę takiej mitręgi można i znieść, i uznać, i wyrozumieć.

Tak czy owak, sam Dziura naokół wszystkim rozpowiadał, że ustatkował się bardzo i że mu z tym statkiem szczęścia w chałupie przybyło.

Pewnej wszakże niedzieli dokuczyło mu owo szczęście już to swym nadmiarem, już to inną jaką zbytecznością, dość, że wezbrała w nim nagła tęsknota, którą po dawnemu w karczmie sutym poczęstunkiem uczcił.

Łakomie wypita wódka nie ujęła mu przytomności, jeno dodała odwagi i rozanieciła w duszy taką bezgraniczną, na przekór całemu światu, samodzielność, że chłop się nagle bez żadnego powodu rozzuchwalił i pięścią komuś w powietrze pogroził.

– Co zechcę, to zrobię! – krzyknął nagle, zwracając się groźnie do najbliższego w karczmie sąsiada. Najbliższy sąsiad odśmiechnął się tym słowom, lecz zamiast Dziurze odpowiedzieć, uderzył następnego sąsiada po karku, objął go po pijanemu za przekrwioną szyję i zawołał do ucha:

– Co zechcemy, to zrobimy!

A objęty za szyję przytakiwał jeno rzewnie i na oślep, bo oczy miał przymknięte:

– Będzie nam się dobrze działo, będzie nam się dobrze działo...

I mówiąc to, tak rękami poruszał, jakby smykiem po skrzypce prowadził.

Dziura pięścią w stół uderzył.

– Mam słuszność, bo mi się tak podoba! – zawołał znowu i spojrzał wyzywająco.

Najbliższy sąsiad, podniecony tym zdaniem, krzyknął: „Hu-ha!" – a objęty za szyję rozpłakał się nagle i zwiesił głowę na piersi tak bezsilnie, jakby mu się raz na zawsze zwichnęła. Nie mógł usłużny towarzysz ani odchylić tej głowy, ani do dawnego miejsca na karku przystosować, jeno przytknął mu kędyś do ust nadpity przez siebie kieliszek i czekał cierpliwie, aż się ssącymi chciwie wargami pokrzepi.

Dziura odął gębę i zaczął bezmyślnie podmuchiwać w przestrzeń. Zdawało mu się, że to podmuchiwanie nie tylko jemu, ale i wszystkim naokół ulgę sprawia.

Gdy ulżył sobie dostatecznie, ujął głowę w pięście, wsparł się łokciami na stole i tak do późnej nocy potrwał.

Co przemyślał i co przedumał, trudno powiedzieć. To tylko pewna, że nocą karczmę opuszczając, nie do domu się udał, jeno do lasu zboczył.

Zachciało mu się spojrzeć choć raz na to jezioro, po którym niegdyś z Majką wędrował, łąką pływającą podsnuty i w nieskończoność duszą niewprawną odlatujący.

Przyćmione w pamięci wrażenie owego odlotu odnowiło się w jego ciele i napełniło je ożywczym dreszczem zakazanej a kuszącej swobody.

Odepchnięte niegdyś poczucie bezmiaru uderzyło weń, jak łuna pożarna w szybę ciemną uderza, ślepiąc ją po wierzchu, a wnętrza poza nią nie rozwidniając.

Nie rozumiał bowiem, czemu zdąża do owego jeziora. Wiedział tylko, że z drogi nie zawróci i że mu dusza w piersi się panoszy i rozrasta niby stóg siana, widłami przysparzany.

Wódka powoli z głowy mu doszczętnie wywietrzała, ale tęsknota do jeziora tak się dopełniła, że już jej w myślach od samego jeziora ani odróżniał, ani odłączał.

Po drodze jeno na wpół wiednie, na wpół bezwiednie piołunu garstkę uzbierał i za pazuchą ukrył.

Przez las idąc, kroku coraz przynaglał i wkrótce do jeziora się zbliżył.

Majka wiernie czekała nad brzegiem.

Spojrzał w nią Dziura i znieruchomiał.

A i ona żadnym ruchem nie zakłócała tej ciszy, której noc udzielała chętnie jej smukłej postaci. Księżyc dojrzewał w niebiosach. Ubrana była dotąd tak, jak ją Dziura był ubrał. Nie chciała widocznie pozbywać się drogiego dla niej, bo przezeń wybranego stroju.

Miała na sobie tę samą kacabejkę watowaną i ten sam letniczek fiołkowy. Na jednej dłoni lśnił się pierścionek z granatem, a w drugiej trzymała trzewiki skórkowe i pończochy białe, jako pamiątkę kosztowną, choć bezużyteczną. Na szyi jej połyskiwały dętki swym szkliwem nieważkim, które nabyło od księżyca barw odmiennych, pokrewnych rzeczywistym, a jednocześnie niezgodnych z nimi i niebywałych.

Dziura obrzucił ją wzrokiem i w miejscu należytym ujrzał ogon rybi, na murawie leśnej poległy zwiniętą w muszlę kończyną.

Na widok ogona opamiętał się i odzyskał dawny rozsądek.

„Lepszà moja baba, bo jej nóg nie brak i ogonem mi oczu nie kala" – pomyślał z zadowoleniem.

Majka dłoń z pierścionkiem nieśmiało wyciągnęła ku niemu na odległość, którą Dziura wzrokiem zmierzył natychmiast.

– Czekałam – szepnęła.

Dziura nic nie odpowiedział, jeno spojrzał na jej warkocz złocisty, aby zbadać, czy jest i czy na miejscu się znajduje właściwym.

Warkocz złocił się i puszystymi zwojami opadał, jak zazwyczaj, z ramion ku stopom.

Widok warkocza poruszył w Dziurze niechęć zatwardziałą.

Nie mógł nań patrzeć inaczej, jak właśnie na dusiołka, który go dręczył po nocach.

– Czemuś nie przychodził? – ozwała się znowu Majka.

– Niesporo mi było – odrzekł Dziura i znowu pomyślał:

„Wolę ja warkocz mojej baby, bo choć od ogona świńskiego nie większy, aleć za to po nocach nie straszy i samopas po kątach się nie włóczy".

– Płakałam – rzekła tymczasem Majka rozszerzając oczy, jakby chciała mu w całej pełni pokazać źródła tego płaczu. – Nie miałam kogo posłać do ciebie z wiadomością o łzach nieustannych, więc posłałam warkocz własny, aleś go odepchnął.

– Na głowie nieźle on wygląda – zauważył Dziura w odpowiedzi – ale gdy w chacie na podłodze się zazłoci, trudno się doń nawet bezżennemu człekowi przyzwyczaić.

Majka westchnęła.

– Chcesz na jezioro moimi oczyma popatrzeć? – spytała nagle z natężoną bacznością.

– Któż by tam, mając własne ślepie, cudzymi chciał zerkać bez potrzeby? – odparł Dziura wymijająco.

Majka opuściła bezsilnie dłoń, dotąd wciąż jeszcze wyciągniętą.

– Masz piołun w zanadrzu? – szepnęła cicho, że Dziura ledwo dosłyszał.

– Mam – odpowiedział, dotykając piersi gospodarnym ruchem robotnej dłoni.

Majka uśmiechnęła się gorzko.

– Doszły mię tu pod wodą słychy-niedosłychy, żeś kobietę ziemską poślubił – rzekła nie patrząc mu w oczy i jakby wstydząc się spodziewanej odpowiedzi.

– A jakże – potwierdził Dziura z dumą.

– Nie przykrzy ci się z nią sam na sam w chałupie? – spytała Majka i podniosła spuszczone przed chwilą oczy.

– A komuż by się sam na sam z babą przykrzyło? – rzekł Dziura głosem niepewnym i natychmiast dorzucił: – A jeśli mi się i przykrzy, ma baba na mnie trzy sposoby, aby ze mnie owo przykrzenie się wytrzebić.

Uśmiechnęła się Majka i pyta:

– Jakież to sposoby?

Ujął się Dziura pod boki i nadrabiając miną, powiada zuchowato:

– Pierwszy sposób – bicie pałką po głowie, drugi sposób – bicie kijem po skroni, a trzeci – bicie drągiem po łbie.

– Któryż z tych sposobów najbardziej ci do serca przypada? – zaciekawiła się Majka i usta rozwarła w oczekiwaniu odpowiedzi.

Zamyślił się Dziura, zakłopotał się nie na żarty i po głębokim namyśle rzecze:

– Do serca – żaden, a do głowy – wszystkie trzy.

Majka zaśmiała się srebrnym, ku wszelkim dalom i oddalom rozdzwonionym śmiechem i tak, jak stała na brzegu, w kacabejce watowanej, w letniczku fiołkowym, z trzewikami i z pończochami w ręku – skoczyła do jeziora i zniknęła pod falą.

Wszakże śmiech jej trwał wciąż jeszcze w powietrzu i obijał się nieustannie o niechętnie chłonące go uszy Dziury.

Urażony nieco tym śmiechem, odwrócił się i zmiarkował, że czas już do chałupy zdążyć, tym bardziej że go ta długa nieobecność w domu niepokoić zaczęła ze względu na babę i na własną skórę.

Wybrnął co żywo z lasu i pośpiesznym krokiem dłużącą się drogę przebył.

Gdy do chałupy się zbliżył, baba z drągiem w progu już czekała. Dziura chrząknął i zbladł.

– Gdzieś bywał? – spytała, jakby to pytanie nie tylko na końcu języka, lecz i na końcu drąga miała.

Zawahał się Dziura z odpowiedzią, bo wahanie ze względu na przewłokę lubił, a odpowiedzi natychmiastowych dla ich braku w głowie nie znosił.

– Gdzieś bywał? – powtórzyła baba głośniej i nieodparciej, tak że nie mógł już Dziura pytania milczeniem pominąć.

Poskrobał się w głowę i westchnął.

– Albo ja wiem? – rzekł naresczie takim głosem, jakby naprawdę wszystko inne wiedział prócz tego właśnie, gdzie bywał...

– A któż ma o tym wiedzieć, jak nie ty? – zawołała baba. – Czy kto inny za ciebie tę noc poza domem spędzał?

– Pewno, że nikt inny jej za mnie nie spędzał, jeno ja sam, we własnej osobie – zgodził się Dziura i uczuł, że ta zgodność napełniła go nagle rodzajem nieuzasadnionej zresztą i zgoła niepochwytnej otuchy.

– Mów mi zaraz, gdzieś bywał! – krzyknęła baba głosem aż do krztuszenia się zniecierpliwionym i drągiem potrząsnęła umiejętnie.

A Dziura, jak to Dziura, uśmiechnął się przebiegle i – niby rad ze swego odkrycia – powiada:

– Nie głupim! Gdybym ci wyznał, gdziem bywał, pewno byś mi tym drągiem głowę rozpaloną wystudziła.

Jak nie porwie się baba do drąga, jak nie zacznie go właśnie okładać! Zdawało się Dziurze, że mu duszę z ciała, jak ziarno dojrzałe z byle jakiej plewy, na wiatr wymłóci! Zdołał w czas pochwycić chwilę wolną pomiędzy jednym ciosem a drugim i gębę łokciem na chybił-trafił osłaniając, zawołał co prędzej:

— Poniechaj, babo, a wyznam wszystko!

I wyznał.

Stanisław Wasylewski

KSIĄŻĘ Z RACIBORZA
ZWYCIĘZCĄ LICZYRZEPY

Taki malutki, ślicznie upierzony ptaszek, zaiste kolibr naszych jezior i łąk, ale cóż, trudno go okiem ogarnąć. Nawet ludzie, żyjący za pan brat z przyrodą, rzadko widują rybaczka albo zimorodka, gdy w nadbrzeżu zagajnika rzecznego śmignie nagle lotem jaskółki, bo jest tak niepochwytny oku w cienistych zaroślach, jak niepochwytny ręce rybaka jest piskorz w wodzie.

Trudna sprawa z tymi kombinatorami w świecie przyrody, ale to drobiazg wobec pewnego nadprzyrodzonego kombinatora ze świata baśni, który nazywa się Liczyrzepa, a gnieździ się od lat pół tysiąca w Karkonoszach.

Rzadko można dojrzeć Liczyrzepę, już łatwiej usłyszeć go z daleka. Ale to bardzo niepochwytne słuchy. Rozlegnie się w nocy w lesie ryk wołu – to na pewno Liczyrzepa, echo złośliwe, przedrzeźniające samo siebie – i to też Liczyrzepa. Uderzy grom z jasnego nieba przy słonecznej pogodzie – to nie był żaden grom, lecz na postrach ludziom zagrzmiał Liczyrzepa.

Tak opowiadali sobie od kilkuset lat u podnóża Karkonoszy. Niemcy szczególnie pielęgnowali to podanie u siebie, od nich wyszło i u nich się dotychczas w baśni ludowej starannie przechowuje. Wiadomo, Rübezahl[1].

A jak wygląda? Tacy sami mądrzy będziemy z opisu wyglądu, jak powyżej z podsłuchów. Jedni mówią: jest to stwora z głową sępa, straszliwymi szponami i trójzębnym ogonem; drudzy: nie sępia, ale orła głowa, z rogami jelenia i cielskiem lwa, a inni jeszcze: demon, diabeł, po co go opisywać, nie daj Bóg, by się przyśnił. Wszyscy natomiast zgadzają się, że to demon bardzo zawistny, prześladujący z lubością wszelkie napotkane istnienia ludzkie. Gdzie może, sypie im już nie piaskiem, ale pieprzem w oczy. Choćby przybrał postać uśmiechniętą, życzliwą, na przykład bezinteresownego krasnoludka, nie ufajcie pozorom, bo ten gnom złośliwy knuje jakąś zdradę i zarzuca sieci.

---

[1] R ü b e z a h l (niem.) – Liczyrzepa.

Włóczył się raz potępieniec, nie mający stałego imienia nawet, na podgórzu Karkonoszy, wściekły, że ta ziemia, którą dotąd niepodzielnie władał, wespół z turami i niedźwiedziami, stroi się w piękne chaty ze słomianą strzechą, ma tyle bydła, koni i owiec, nie przynoszących jemu żadnego pożytku. Zabrnąwszy w myśli i w las, spostrzegł orszak jakiś świetny. A to księżniczka Ofka, jedynaczka księcia Piasta na Świdnicy, wyjechała ze swym fraucymerem na majówkę do lasu. Dworki rozbiegły się po murawie za rydzami, za grzybami. Ofka zasię poszła na leśne maliny na zrębie, które tata lubił pasjami. Dojrzał ją gnom i oszalał z zachwytu. Zmienia się tedy w urodziwego gładysza i stroi koperczaki do ślicznoty. Ofka rozmawiała z nim chwilę uprzejmie i obiecała na jego nalegania, że może znowu kiedyś wybierze się do lasu. Tak sobie rzekła, z grzeczności.

I naturalnie – zapomniała o tym. Aż tu upały przyszły tak wielkie, że ludziom wprost tchu brakło.

– Wiecie, co? – mówi Częstobronka, pierwsza panna dworu księżniczki Ofki. – Jedźmy do naszego dzikiego uroczyska. Wykąpiemy się i ochłodzimy nareszcie!

Pojechały, patrzą i oczom nie wierzą. Uroczysko z ruczajem i dziką plażą na murawie jakby się zapadło pod ziemię. Ze wzgórza jakaś huczna kaskada spada w dół tarasami, w strzyżonym gaju pachną upojne jaśminy, całe krzaki aksamitnych, kremowych róż zachwycają wzrok i powonienie. Na miejscu strumyka, w którym się Ofka lubiła taplać, wspaniały basen z marmurów zaprasza do orzeźwiającej kąpieli. Zachęcona przez Częstobronkę, wchodzi bez namysłu do basenu. Wchodzi, aby nie wyjść z tej kąpieli. Ledwie dotknęła bosą nóżką srebrnego żwiru, otwarła się toń zdradliwa i wciągnęła księżniczkę świdnicką.

Jakie przerażenie, jaka rozpacz osieroconego fraucymeru! Częstobronka zawodzi najgłośniej, że to namówiła do wszystkiego uwielbianą księżniczkę. Daremne poszukiwania, na nic łzy. Musiały zameldować o nieszczęściu Księciu Jegomości. Zaraz, na znak żałoby, zdjął z głowy złotą koronę, okrył twarz zbolałą płaszczem karmazynowym i gorzko zapłakał. Potem wyjechał na miejsce wypadku. I patrzcie! Już tam żadnych gajów ani marmurów nie znaleźli. Kamienistym wądołem pluskał jak przedtem ruczaj, leżały zwalone wykroty drzew, ale po Ofce nie było ni śladu.

Chwycona przez toń zdradliwą księżniczka dostała się od razu do czar-pałacu gnoma, o wiele wspanialszego niż rezydencja jej ojca. Gdy powróciło życie i przytomność, widzi się na wysokim mięciutkim posłaniu wpośród przepysznych mebli i zwierciadeł. U stóp posłania klęczy młodzian o przyjemnym wejrzeniu i czyni gorące wyznania miłości. Oprowadza ją potem po rozkosznych komnatach swej siedziby podwodnej i po ogrodzie, kędy tysiączne chóry słowików kląskały pieśń miłosną, na drzewach zaś czerwieniły się najprzedniejsze jabłka, soczyste gruszki i przerozkoszne, od ananasu lepsze, brzoskwinie. Ale wszystkie te cudeńka nie rozchmurzyły ani jednej zmarszczki na czole księżniczki świdnickiej. I daremnie złośliwy gizd [1] pokrywał swą twarz coraz przymilniejszymi uśmiechami. Nic nie wskórał. Postanowił tedy działać inaczej. Poszedł na powierzchnię ziemi, na pole jakiegoś biednego siedlaka i nakradł mu rzepy, ile mógł zmieścić w plecionym koszyczku. Może było tych rzepek ze dwanaście.

– O, najpiękniejsza ze wszystkich cór ziemi – wołał klęcząc przed Ofką – nie jestem w stanie patrzeć na twój smutek i utrapienie. Oto rzepek dwanaście, oto różdżka czarodziejska. Dotknij jeno, a rzepki zmienią się w takie postacie, które lubisz i pragnęłabyś mieć przy sobie!

Gdy tylko odszedł, Ofka wyjęła skwapliwie jedną rzepkę z koszyka i dotknęła jej różdżką, wołając:

– Częstosiu! Częstosiu! – bo tak nazywała swoją Częstobronkę – pokaż się...

I oto Częstosia leżała wkrótce u kolan swojej pani, oblewając je łzami radości, i rozmawiała tak czule, jak to zwykła czynić na ziemi.

Złuda była tak całkowita, że Ofka nie wiedziała już nawet, czy to prawdziwa Częstosia, czy tylko omam i mąt czarnoksięski. Oprowadzała swoją powiernicę po czar-pałacu i cud-ogrodzie; zaszły do gotowalni, gdzie przymierzały obie z zachwytem najkosztowniejsze sukienki, przybiory, futra, etole [2] i butony [3]. Przeglądały się w lustrach; zdawało im się, że o wszystkim zapomniały i są szczęśliwe.

Gnom, który je śledził nieustannie, był zachwycony i zarazem dumny z siebie. Jak doskonale umiał wejść w psychologię śmiertelnej kobiety! Księżniczka, ucieszona z powiernicy, wydała mu się jeszcze ponętniejsza niżli dotąd. A ona tymczasem wyczarowała sobie z rzepek cały swój fraucymer, że zaś dwie jeszcze zostały, kazała im przybrać postać kota bengalskiego i bonońskiego pieska. Przez kilka tygodni było dużo uciechy, zabaw i śpiewów; tańczyły, grywały na lutni, stroiły się w łaszki jedwabne, w ciężkie złociste brokaty.

---

[1] G i z d – brzydal, poczwara.
[2] E t o l a – długi i szeroki szal futrzany.
[3] B u t o n – kolczyk z dużym brylantem.

Pewnego razu spostrzegła Ofka z niepokojem, że jej uśmiechnięty dwór blednie na twarzach. Przejrzała się w lustrze. Nic podobnego! Ona kwitnąca, hoża jak pąk róży, Częstosia za to niknie w oczach. Fałdy, zmarszczki na świeżej dotychczas twarzyczce. Jak gdyby więdła. I tamte wszystkie tak samo. I co dzień więcej! Chociaż każda zapewnia, że czuje się doskonale, apetyt ma, ochotę do tańca, strojów, śpiewu też. Ba, nawet kotek bengalski, Mruczek, i ten szpic z włoskich krain, Bufcio, cherlają. Co to wszystko ma znaczyć?

W wyśmienitym humorze, bo łuna zdrowia ją krasi, budzi się rano, ale dziwno Ofce, że nie słychać śpiewu chóralnego, którym dworki budziły ją ze snu. Hymn poranny zaczynał się od słów:

> Zawitaj, pani umiłowana,
> Ozdobo księstwa Świdnicy!

Wybiegła do komnaty przyjęć. Cóż za widok okropny przeraził oczy panienki. Jej ukochane, żwawe zawsze i rozśpiewane dworki ruszyć się z miejsca nie mogły.

Wsparte na laskach i kulach, jak kaleki, pokurczone, drżące skarżyły się szeptem, wymachując coś rękami. Mruczek, zwinięty w kłębek, nie zdołał się rozkurczyć; Bufcio leżał półmartwy. Umiłowana Częstobronka, nie mogąc się już wyprostować, siedzi sparaliżowana w klubowym fotelu i tak okropnie kaszle, że księżniczka, zasłoniwszy uszy, uciekła. I wprost do dręczyciela!

– Ty oszkliwcze! Ty potworze z piekła rodem!

– O, najpiękniejsza z cór ziemi, co ci dolega?

– Zniszczyłeś jedyną mą radość życia w tej kaźni ohydnej, te nikłe cienie moich dawnych przyjaciółek i powiernic! Zwróć im natychmiast młodość i rumieńce, bo inaczej...

– O, najpiękniejsza z cór ziemi, oddałem ci wszystko, co leży w mej mocy. Nie żądaj jednak niemożliwości. Siły przyrody służą nam, to prawda. Ale zmieniać praw odwiecznych nie umiemy. Dopóki rzepki były świeże i soczyste, laska czarnoksięska mogła przeinaczyć ich byt roślinny w byt ludzki, wedle twego kaprysu, Ślicznoto! Ale nie martw się, przyniosę ci świeży koszyczek. A ty zwróć matce-przyrodzie to, co do niej należy. Dotknąć je różdżką wystarczy!

Usłuchała, dotknęła. Za chwilę nie było ani Częstosi, ani Mruczka, ani Bufcia. W kącie komnaty przyjęć sterczała kupka rzepek przywiędłych...

W te pędy pognał gnom na ziemię. Patrzy, a tam zima, żadnych rzepek świeżych nie ma. Już wszystkie schowane w piwnicach. Choćby nawet i ukradł, mały z nich pożytek. Wystraszony melduje się u Ofki.

– Nie ma rady. Musisz zaczekać, o Najpiękniejsza. A kiedy trzy razy księżyc obróci się złoty...

Nie dokończył, bo Ofka, obróciwszy się doń plecami bez słowa, trzasnęła drzwiami i wyszła z komnaty. Przebrał się tedy za handlarza, kupił osła na jarmarku, obciążył go workiem z nasieniem, którego starczyło na obsianie całej morgi ziemi. Rozkazał potem służkom swym piekielnym, do których po germańsku szwandrosił, aby rozniecili ogień pod ziemią, niechaj ziarno kiełkuje i wschodzi.

Żniwa zapowiadały się dobrze. Księżniczka zachodziła co dzień na swoje pólko. Najmilej jej było siadywać w zagaju brzozowym, nad brzegiem strumienia i ciskać na wodę wianki, niechaj spływają do Odry... Urodziwemu gnomowi dała tam czasami jaką jałmużnę uśmiechu. Zacierał łapska, wyobrażając sobie, że wszystko dobrze. A tymczasem było jak najgorzej. Roił głupstwa, że zdobędzie jej miłość.

A jej serce nie było wolne od dawna. Królował w nim mocarny książę, Mieszko z Raciborza. Już miał się odbyć ślub szczęśliwej pary, gdy Ofka przepadła w kąpieli. Zrozpaczony Mieszko odbiegł księstwa swego, zaniechał rządów nad krajem, uszedłszy w lasy, gdzie zaroślom i kamieniom wyznawał swoją udrękę.

Ażeby zyskać więcej swobody, księżniczka zmieniła taktykę. Postanowiła przechytrzyć amanta. Uśmiechała się nieraz łaskawiej, cedząc słówko jedno i drugie, aby tylko uśpić podejrzliwość potwora.

Gdy wiosna rozbłysła, dając życie urodziwszym niż kiedykolwiek rzepkom, Ofka już nie wskrzesza swego dworu. Dotknąwszy pierwszej z brzegu rzepy, rozkazuje jej zmienić się w pszczołę.

– Leć, pszczółko miła, leć daleko, aż do Raciborza, będziesz pocztylionem miłości. Zabrzęczysz w uchu mojemu Mieszkowi, że nieustannie myślę o nim, ale cierpię w niewoli u podstępnego gnoma, który mieszka w Karkonoszach. I przynieś mi odpowiedź.

– Naj-chęt-niej! Naj-chęt-niej! – zabrzęczała pszczółka i poleciała. Ale, o rozpaczy! – prawie w oczach księżniczki przyfrunęła jaskółka i nieświadoma tej misji dyplomatycznej połyka pszczółkę w okamgnieniu. Wyczarowała tedy świerszcza. Chociaż spory był, markocił. Że daleka droga do tego Raciborza, że nie wiadomo, czy sił mu starczy, ale i on poleciał, poskakał raczej, dając ciągle koncerty po łąkach. Ale przyszedł bocian z długim dziobem i zjadł muzykanta.

Do trzech razy sztuka, księżniczka zmienia trzecią rzepkę w srokę gadatliwą. Z tą pójdzie najłatwiej, nikt jej nie zje, a da się wyuczyć tekstu depeszy.

Ciężka była praca, bo sroczka, choć z czarów zrodzona, okazała się dosyć tępa.

– Będziesz polatać z drzewa na drzewo tak długo, póki nie napotkasz mego ulubieńca. Rozumiesz? Powiesz mu wszystko, rozumiesz? I żeby od dziś za tydzień czekał mnie z zastępem zbrojnych u podnóża gór. Rozumiesz? Sroczka zapewniała, że doskonale. Potem nauczyła się kilku wyrazów ludzkiej mowy i poleciała.

Zbolały Mieszko błąkał się dalej z dala od ludzi w ustroniu. Uroki wiosny wlały nieco ukojenia w duszę książęcą. Usiadł pod dębem i wzdycha głośno:

– Ofka, gdzie moja Ofka?.

Nagle wstał. Co to? Echo, czy ktoś mu się podrzeźnia? A to sroczka skrzeczy w gałęziach:

– Mieszko! Miesz-ko!

– Kto cię wyuczył, ptaszku bezmyślny, imienia, które dźwiga człowiek najnieszczęśliwszy pod słońcem?

Już chciał srokę odpędzić kamieniem, gdy słyszy, że ona skrzeczy inaczej:

– Off-ka! Off-ka! Miesz-ko! Off-ka! Miesz-ko!

Ale daremnie usiłował coś więcej wydobyć z ptaka, siedzącego tuż blisko na gałęzi. Głupia sroka zapomniała, co jej księżniczka tak mozolnie kładła w głowę, i tylko mechanicznie powtarzała dwa słowa na przemiany. Spotkanie to podniosło Mieszka na duchu, pośpieszył do obozu, zebrał drużynę, siedli na koń i ruszyli.

Ofka tymczasem szykowała się do drogi. Jakby na pożegnanie przystroiła się zbytkownie w rozmaite łachy kosztowne, stroiki brylantowe. W słońcu błyszczała od brokatów i klejnotów. A dojrzawszy w ogrodzie, że zakochany gnom zbliża się, okryła twarz gęstą woalką.

– O, niebiańskie dziewczę! Czemuż skąpisz mi widoku twarzuchny swojej? Czyni on mnie szczęśliwszym od wszystkich, którym kiedykolwiek słońce poranku przyświecało.

Księżniczka uśmiechnęła się spoza gęstej woalki tak obiecująco, że ciarki przeszły potwora.

– Wybacz mi władco mego serca – rzekła – twoja stałość odniosła zwycięstwo. Możesz być pewny. Ale woalki nie zdejmę, nie chcę, byś widział łzy moje.

– Łzy?! Ach! – ryknął gnom boleśnie. – Każda łza twoja parzy mnie jak skała rozpalona. Żądam miłości za miłość, nie chcę ofiary!

– Tak, lecz ja kobietą jestem, i boję się, czy dochowasz mi wierności. Czy się nie zmienisz i zostaniesz zawsze takim małżonkiem, jak byłeś zalotnikiem czułym?...

– Żądaj dowodu wierności i posłuszeństwa! Możesz wystawić mnie na próbę, jaką zechcesz, a osądzisz, jak mocną, jak nieodwracalną jest moja miłość!

– A więc dobrze, najmilszy, poproszę o dowód. Niezadługo odbędzie się nasze wesele, pragnę, by mój dwór dawny wystąpił w komplecie. Idź więc zaraz na pole, policz rzepki wszystkie, bym wiedziała, jak wielki będzie orszak ślubny. Ale nie pomyl się, kochanie. Policz wszystkie dokładnie, co do jednej.

Skrzywił się gnom niechętnie. W takiej chwili rozkosznej zabierać się do liczenia. Ale skoro Ślicznota napiera się tak gwałtownie, musi. Poszedł, porachował wszystkie rzepki na łanie. Aby jednak upewnić się całkowicie, zrobił próbę. Psiakość! Nie zgadza się. Liczy drugi raz. Znowu źle. Cóż, u licha! Liczy trzeci raz. A czas bieży...

Ofka wiedziała, że musi się śpieszyć. Miała już wpierw przygotowaną rzepkę, soczystą, wypielęgnowaną, dorodniejszą nad inne. I zamieniła ją w siarczystego, osiodłanego rumaka. Wskoczyła na siodło i – hajda w świat szeroki. Przez góry, doliny i wały. Do ciebie, Mieszku, do ciebie! Naszym będzie świat cały...

Spotkali się, ucieszyli, padli sobie w objęcia. Niebawem odbyło się na zamku w Raciborzu weselisko. Już tam nie zwidy miałkie, czarami gnoma stworzone, ale żywi, mocarni, stalą okuci rycerze piastowscy śpiewali chórem, aż się trzęsły fale Odry:

> Zawitaj, pani umiłowana,
> Ozdobo księstwa Świdnicy,
> Zawitaj dziś w Raciborzu,
> Ile krop w polskim morzu,
> Tyle Wam szczęścia życzą weselnicy.

Wraca gnom do domu dumny, doliczył się nareszcie. Zmiarkował zaraz, co się stało. Skrzyknął wszystkie pogodne chmury na nieboskłonie, niech strzelają piorunami w tych łajdaków. Strzelały, ile grzmotu starczyło, ale Ofka i Mieszko już przedostali się poza granice czarów złośliwego gnoma. Z rozpaczy tupnął potępieniec trzy razy w ziemię: czar-pałac z cud-ogrodem przestały istnieć.

Od tego czasu Niemcy, oburzeni, że ich ulubiony bohater narodowy tak się dał wywieść w pole przemyślnej Polce, przezywają go z pogardą: Rübezahl! Liczyrzepa!

SKARBEK,
CO SIĘ W GÓRACH POKAZUJE

Za dawnych czasów w kopalni miedzi w Tarnowskich Górach otrzymał pewien młody górnik trudne zlecenie od sztygara. Długo dumał, jak dać sobie radę z jakimś trudnym blokiem kruszcu, przy czym uczuł głód.

– Może mi po śniadaniu lepsza myśl przyjdzie – i zaczął się posilać. Wtedy widzi małą myszkę, która przystanęła i świdruje go oczkami. Rzucił jej kąsek. Zjadła chętnie i nie odchodzi. Więc dał jej znowu.

– No, a teraz koniec, więcej nie mam, ale przyjdź, myszko, jutro.

Nagle myszka zniknęła, a przed górnikiem stanął malutki krasnoludek, życzliwie uśmiechnięty.

– Ty mi pomogłeś, teraz ja ci pomogę – i poradził mu, jak wywiercić otwory w złożu rudy miedzianej, aby wybuch był skuteczny.

– Przy samym wybuchu już ci pomóc nie mogę, pamiętaj jeno, aby robota była dziś skończona. Szczęść Boże!

Wziął się górnik z towarzyszami na pazury do roboty. I dobrze się stało, bo ledwie skończyli, zawaliła się z hukiem cała obudowa, a oni uniknęli niechybnej śmierci.

– Jest wprawdzie u was, śmiertelnych, przysłowie: „Mówiły jaskółki, niedobre spółki", ale spróbuję. Będziesz się odtąd dzielił ze mną na pół swym zarobkiem – powiedział nazajutrz krasnoludek-skarbnik do młodego górnika.

Było się czym dzielić, bo urobek miał wspaniały. Sztygarzy wydziwić się nie mogli jego szczęściu, sprytowi i żwawej robocie. Sumiennie dotrzymywał umowy, składając połowę zarobku na umówionym miejscu. Razu pewnego, licząc, pomylił się o piętaka. Oddaje go tedy Skarbnikowi przy najbliższym widzeniu, a ten:

– No wiesz, pierwszy raz zdarza mi się spotkać człowieka, który sumiennie dotrzymuje swych zobowiązań. Wobec tego wynagrodzę cię...

Skinął Skarbnik ręką i bryła węgla zmieniła się w sztaby złota.

– To twoje, a pamiętaj używać pieniędzy tylko na rzeczy godziwe; choćby grosz, poświęcony krzywdzie ludzkiej, pozbawi cię natychmiast bogactwa. Szczęść Boże!

Górnik dotrzymał słowa i żył długo w dobrobycie.

TRZY IGŁY,
TRZY KŁOSY I CUDOWNA PISZCZAŁKA

Był sobie raz owczarek, chłopak dowcipny i sprytny. Pojął dobrze każdą naukę ojcowską. A kiedy wychodził w świat na wędrówkę, dali mu ojciec na drogę psa do posługi, miecz na obronę i słoik maści gojącej. Szmat drogi odwaliwszy, zaszedł do głównego miasta, czyli takiego, co w nim król przemieszkuje.

– Gwoli czemu królewski pałac czarnym suknem obity?

– Temu gwoli, że smok ognisty weźmie jutro nową ofiarę. Każdorocznie musi mu główne miasto nasze dać na pożarcie dziewczynę, która los wyciągnie, inaczej podkopałby miasto i zatopił. A w tym roku los wybrał jedyną córkę królewską...

– A nie szłoby to zabić smoka onego?

Wyśmiali się zeń mieszczanie.

– Głuptasie! Wielcy rycerze, chcąc to uczynić, nie doszli do skutku i życie postradali... Choć nasz król obębnić kazał, że kto mu zratuje pociechę jedyną, dostanie ją za żonę i pół królestwa w posagu.

Owczarek już był wiedział od ojca, że to jest taka taryfa obowiązująca w każdej bajce, więc im rzecze:

– Powiedźcie mnie przed królewskie oblicze!

A miał miecz na obronę i psa do posługi. Król ucieszył się bardzo, że jest śmiałek gotów zabić smoka. Przenocował owczarka, który spał smaczno, bo go zakołysał kos wielce uczony, wciąż gwiżdżąc na bolesną nutę:

> Jut-ro! Jut-ro! Jut-ro!
> Smok - smok - smok
> Zje! - Zje! - Zje!

Owczarek nie był takim pesymistą, jak ten ptak uczony. Wierzył, że mu się uda znaleźć sposób na potwornego gada.

WOJEWODZINA ŚCIBOROWA MIAŁA TAK LICZNY DWÓR, IŻ NAWET CESARZOWA NIEMIECKA NIE NIE MOGŁA SIE PODOBNYM POCHWALIĆ·DWIEŚCIE PANIEN WYSTĘPOWAŁO W JEJ ORSZAKU, A KAŻDA TAK DOBRANEJ URODY I WDZIĘKU, IŻ KTO JE RAZ WIDZIAŁ, NIE MÓGŁ NIGDY ZAPOMNIEC·***

PANNY NIE BYŁY ZBYT TWARDE, LECZ WOJEWEWODZINA TRZYMAŁA JE ZELAZNĄ REKĄ ALBOWIEM ZAGARNIAŁA SOBIE WSZYSTKICH MĘŻCZYZN MAJĄC FRAUCYMER NIBY PRZYNETĘ NA SZCZUPAKI *

Gdy na zegarach piasecznych [1] przesypała się godzina ósma z rana, wielkie tłumy ludu odprowadziły w milczeniu grobowym ukochaną królewnę do stóp przeklętej góry, z wnętrza której wyfrunęło z szumem diabelskim straszydło o dwóch skrzydliskach, dziewięciu głowach i dziewięciu ogonach.

Gdy ludzie modlili się na kolanach, główska dziewięciorakie pałały ogniem smrodliwym, a dziewięciorakie języry wywijały szatańskie hołubce.

Smok postanowił najsampierw załatwić się z owczarkiem, który tam pierwszy z mieczem na obronę i z psem do posługi. Ale śpikol [2] go uprzedził. Ciach! ciach! ciach! mieczem dziewięć razy. Odpadły głowy, języry i skrzydła. Potwór legł martwy. Bardzo gorąco podziękowała mu panna, rada oddać rękę zwycięzcy. Choćby zaraz.

– Teraz nie! – odpowiada owczarek, ocierając miecz z posoki smoczej – dopiero za rok, bo ja jeszcze w świat muszę! Chyba gdybym nie wrócił za rok i sześć niedziel, jesteś wolna i możesz brać innego za męża.

Niezbyt rada królewna skinęła główką, że ostatecznie zaczeka, i na znak zmówin podarowała mu sygnet złocisty, z zielonym szmaragdem.

Gdy tak rozmawiają, przyszedł zazdrosny sługus królewski, dobył chyłkiem miecza, przeszył na śmierć zadowolonego owczarka i wepchnął trupa do smoczej dziury. Potem kazał zaprzysiąc królewnie, że go poślubi, a przed ojcem powie, że nie owczarek, ale on zgładził bestię. Inaczej – znajdzie się w dziurze razem z ukochanym!

Przeraziła się bardzo groźbami niegodziwca obiecującego, że śmiercią zginie i ona jak owczarek, nastraszył ją męką i torturami. I postawił na swoim.

Cóż miała czynić nieszczęsna, od jednej śmierci uratowana, drugą zagrożona. Przysięgła głosem, lecz w sercu zapisała zemstę niewiernemu słudze. Nie schodziły jej z myśli słowa biednego owczarka, żeby nie wierzyć w jego śmierć, a czekać rok i sześć niedziel...

Tymczasem zbrodzień chełpi się a puszy przed tłumem, przed królem, wiodąc księżniczkę pod ramię.

– Chwycił właśnie smoczysko nieboraczkę w dziewięć pysków swoich i pożerał, gdy ja nadbiegłem i jednym ciosem zbyłem go żywota!

Odprawiono zmówiny, ale księżniczka siedziała najsmutniejsza, a kos

---

[1] Z e g a r   p i a s e c z n y – używany w dawnych wiekach przyrząd do mierzenia czasu. Była to bańka szklana, przewężona w środku, zawierająca w górnej części piasek, który w określonym czasie przesypywał się do części dolnej.

[2] Ś p i k o l – smarkacz.

uczony, gdy go wniesiono na salę, wcale dzioba nie otworzył. Tymczasem do smoczej dziury wlazł wierny pies owczarka, wyszperał w torbie słoik z maścią gojącą, posmarował zwłoki swego pana dokładnie, owczarek ożył od razu, skoczył do smoczego trupska, uciął w każdej paszczy sam koniec języka, poobrzynał dolne rzęsy w ślepiach. I powędrował z psem do posługi i z mieczem na obronę w świat.

– Czemu czarne chorągwie powiewają na wieżach waszych? – zapytał, przechodząc przez pierwszą krainę.

– O my nieszczęśliwi! – lamentowali mieszkańcy – Smok...

– Co mi pleciecie? Jaki smok? Przecie go zabiłem.

– To inny. Herszt wszystkich smoków na świecie. Przelatywał koło okna, którym wyglądała następczyni naszego tronu, czesząc złotym grzebieniem swoje długie, krucze włosy. Porwał ją i zniknął w przestworzu. Już rok blisko płaczemy jej straty. I nikt nie wie, gdzie ona, choć król przyobiecał rzetelnie...

Zrozpaczone królisko obiecywało wybawcy córkę jedynaczkę za żonę i pół królestwa w posagu, i furgony złota pełne w dodatku.

Nie słuchał owczarek dalej, bo mu się spieszyło. Inne nieszczęście grasowało w drugiej krainie. Wyschły tam do gruntu rzeki i studnie. O dziewięć i dziesięć mil jeździli ludzie za wodą. Temu, który poradzi, jak napoić spragnionych, obiecywał król miejscowy to samo, co i tamte króle sąsiednie. W trzeciej krainie chleba brakło dla odmiany. Dur głodowy porwał tysiące ofiar z ludności, żywiącej się korą i lebiodą. Znudzony tym ustawicznym brakiem pomyślności, drałował owczarek byle dalej i uszy zatykał od skarg nieustających, którym nic zaradzić nie umiał. Aż znalazł się w pustaci nieznośnej, wśród piachów kamieniska, pozbawionej wszelkiej roślinności. Tu matka przyroda sama była smoczyskiem potwornym dla swych dzieci.

Po trzech dniach mitręgi błysnęło mu nocą w ciemnej dali światełko, jakby świetliste okienko w izbie, ale siły odmówiły już posłuszeństwa. Dopiero nazajutrz doczołgał się po uciążliwej wspinaczce do świetlistego miejsca. Była to chałupka z marmurowego kamienia. Zapukał i wchodzi. Urodziwe dziewczątko wita go słodkim uśmiechem:

– Ta jakeś ty tu wszedł, młodzieniaszku? Człowiek jesteś czy anioł? Coś podobnego! Jeszczem takiego nie oglądała, choć siedzę tu drugi rok. Jeśli śmiertelny, to gorzka dola twa. Hersz ta smoków tylko co nie widać. Porwał mnie, gdym siedziała w oknie, a ciebie na drobne zdziebka roztarga! Ta joj...

I zapłakała boleśnie.

– Kiedy ten smok tu bywa? – pyta owczarek, lubiący dokładne wiadomości.

– Powraca co dzień przed dziewiątą wieczorem i kładzie się spać, muszę być na jego usługi. A mówić doń należy: Wielmożny Panie Smoku! – Spojrzała w oczy owczarka, zarumieniła się i westchnęła bardzo głęboko.

– To ja ci coś poradzę, miła panienko. Gdy twój wielmożny pan smok spać się położy i ty niby uśniesz, udawaj, jakbyś się nagle przebudziła z jakiegoś snu przykrego. On na pewno zapyta, co ci się śniło. Odpowiesz: „Wielmożny Panie Smoku, śniło mi się, że w jednym kraju ludzie wody nie mają i mrą z pragnienia". Niech ci odpowie, dlaczego. Za jakiś czas powtórz to samo drugi raz, przychlebiaj mu, ile zdołasz, i spytaj, czemu w drugiej krainie brak chleba. A trzecim razem domagaj się sposobu, jakim mogłabyś się wyratować z tej niewoli. Ja przyjdę jutro o piątej po południu i dowiem się, coś wskórała. I kto wie, może uda mi się wyrwać cię z tej chałupki.

Gdy wieczorem wielmożny pan smok zaczął chrapać, dziewczątko, wedle rady owczarka, krzyknęło jakby ze snu bardzo przykrego.

– Co ci tam? – zacharczało smoczysko.

– Och! śniło mi się, Wielmożny Panie Smoku, że w jednej krainie ludzie wody nie mają.

– To nie sen, lecz prawda. Ja to sprawiłem!

– A dlaczego?

– Bo mnie obrazili. Leciałem tamtędy na niskim pułapie i wyszedł jakiś ksiądz, machnął kropidłem i poparzył mnie wodą święconą. Jeszcze dotychczas mnie piecze. Tak mnie zezłościła ta zuchwałość, że odebrałem im za karę źródła wód.

– To coś tyż! Za jednego księdza wszyscy cierpieć mają? I nie ma rady na to?

– Cha, cha! cha! – zaryczało straszydło – jest rada. Jakby kto wrzucił do studzień królewskich trzy igły, ale te igły, cha, cha, cha! leżą u mnie w szufladzie i nie dam ich nikomu...

Obrócił się na drugi bok i chrapał dalej. I znów dziewczątko udało strach ze snu.

– Co ci tam znowu?

– Ach! Wielmożny Panie Smoku, widziałam dużo grobów we śnie, a w nich ludzie, co z głodu pomarli.

– Cha, cha, cha! I to moja sprawka. Odebrałem żywność ich polom, bo ich król podarł obrazek, na którym byłem wymalowany ja, król smoków.

– I zawsze ci biedacy będą głodować?

– I dla nich nie ma ratunku, bo trzeba by zetrzeć na proch trzy kłosy i cisnąć je na cztery wiatry, ale trzy kłosy, od których urodzaj zależy, leżą u mnie obok trzech igieł w szufladzie. Cha, cha, cha!

– Może mi powiesz, Wielmożny Panie Smoku – pytała dziewczyna za trzecim razem – jakbym stąd uciec mogła? Ja nie pragnę tego bynajmniej, bo mi dobrze u ciebie, tylko tak sobie pytam, z ciekawości.

– Masz rację. Nie było i nie będzie takiego śmiałka, który by cię zdołał stąd wydostać. Obok trzech igieł i trzech kłosów leży w mojej szufladzie cudowna piszczałka. Kto w nią dmuchnie trzy razy pod rząd, to choćbyś o trzysta mil była, polecisz migiem tam, skąd dmuchano.

Wedle obietnicy stawił się owczarek o piątej. Niewolnica Wielmożnego Pana Smoka powtórzyła mu całą rozmowę, wręczając trzy igły, trzy kłosy i cudowną piszczałkę, którą zabrała z szuflady. Potem rzuciła się owczarkowi na szyję wołając, że go kocha nad życie i chętnie by...

– Na nic, kochanie, bo ja już jestem zaręczony. Ale jeśli masz ładną sukienkę, to możesz być drużką na mym weselisku. Nie martw się, jeśli sukienka nie przerobiona wedle ostatniej mody, czasu jest dość, bo mam jeszcze parę spraw do załatwienia.

W drodze powrotnej zajrzał najprzód do krainy pozbawionej chleba. Dał głodnemu królowi trzy kłosy, które po starciu na proch i puszczeniu na cztery wiatry wróciły żyzność jałowej glebie. W oczach wyrastało zboże i kłosiło się. Najstarsi ludzie nie pamiętali podobnego urodzaju. Owczarek wymówił się grzecznie, gdy król dawał mu córkę z połową królestwa, poprosił tylko o furmankę, bo nogi bolą, pies też umęczony – i zajechali do krainy posuchy. Po wrzuceniu trzech igieł do studni woda wytrysła na trzy metry w górę, a gońcy ze wszech stron meldowali, że źródła biją wszędzie.

Widząc, że machnął ręką na pół królestwa z rączką królewny, wyładował mu monarcha brykę złotem i klejnotami, dodał pułk jazdy na asystę i pożegnał z żalem. Owczarek poganiał, bo rok i sześć niedziel dobiegało kresu...

I wkrótce przeobrażony w świetnego kawalera w aksamitach wjechał w mury miasta. A tam chorągwie czerwone i wieńce zielone na każdym domu!

– A bo to nasza królewna – opowiada mu karczmarz w gospodzie – została uratowana od smoka, rok i sześć niedziel temu akuratnie. Zgłosił się był do króla jakiś nietutejszy owczarek obiecując ją uratować. Ale go smok zjadł i dopiero sługa królewski dał radę potworowi. Dziś nas martwią trzy przyczyny. Pierwsza przyczyna: jak ze smoka skórę ściągali, aby go wypchać, nie znaleziono śladu żadnych ciosów. Druga przyczyna: królewna nie uśmiechnęła się od tego czasu, płacze bez ustanku. I trzecia przyczyna: uczony kos, który dawniej gwizdał tak pięknie, od roku i sześciu niedziel ani dzioba nie otworzył.

Młodzieniec zażądał od karczmarza pióra i papieru. Napisał list do księżniczki, przyłożył pieczęć gorącą zaręczynowym sygnetem i polecił wiernemu psu odnieść do rąk własnych księżniczce. Śmiała się liberia[1] w pałacu, widząc pojętnego psa z listem w pysku. Przepuścili go.

Ujrzawszy odcisk sygnetu swego na gorącej pieczęci, królewna przeczytała list i zemdlała z wielkiej uciechy. A uczony kos otworzył dziób i zaczął gwizdać:

Zdrajca, precz! Precz!

Słysząc, że córa zemdlała, przybiega król-ojciec stroskany. Wtedy otwarła oczy i tak odpowiada:

– Jużem zwolniona od przysięgi, mój ojcze. I mogę wyznać prawdę. Uratował mnie owczarek, a ten twój sługus niegodny uśmiercił go znienacka z zazdrości. I mnie też chciał zabić, tatusiu! Mękami groził mi, torturami straszył i ciemnicą na wieki. Więc musiałam się zgodzić, tatusiu!

Staje łotr do oczu krolowi-tatusiowi blady, na wpół żywy ze strachu, słowa nie wykrztusi na swą obronę.

– Śmiercią umrzesz, niech cię sąd zasądzi!

Potem przywitał łaskawie młodzieńca, a królewna zachwycała się, że tak pięknie przystrojony. On zasię zwrócił się do sługi zdradliwego:

– Jeśliś smoka zarąbał, jako powiadasz, powiedz mi, czego brak w jego cielsku?

– Niczego! – zapewnił gromko plugawiec.

– Tedy zobaczysz zaraz. Patrz!

Wyjął z torby dziewięć zeschłych już smoczych końców języka i dziewięć dolnych rzęsów z jego ślepiów. I przymierzył. Pasowały. Oddano łotra w żelaza.

Poniósł zbrodniarz karę zasłużoną, nie mógł już więcej dybać na uciśnioną cnotę i niewinność.

Zbiegli się goście weselni, których powitał nową pieśnią uczony kos gwizdając na pomyślność młodej pary. Dwór był pełen uciechy, od przysieni do powały.

---

[1] Liberia – pałacowa służba w mundurach.

Zebrani goście nie mogli się dość nadziwić mądrości uczonego ptaka, który kując dzióbkiem, radośnie powtarzał:

W sam raz! W sam raz! Zuch! Zuch! Zuch!

Wtedy owczarek, pan młody, stanął przy oknie i dmuchnął raz, drugi i trzeci w cudowną piszczałkę. W tej chwili usłyszano wielki szum w powietrzu.

I pojawiła się przy stole śliczna drużka, dziewczyna ta, co była w niewoli u herszta wszystkich smoków. I jej ojciec też.

I wszyscy byli szczęśliwi. Owczarek przywiesił ojcowy miecz nad łóżkiem, a psa do posług dał dobrze karmić, by mu się mógł przydać jeszcze nieraz.

Skończyła się bajka, w garnuszku dwa jajka. Kto prędzej wstanie, ten je dostanie!

O MŁODZIEŃCU W KŁODĘ ZAKLĘTYM

Pewien wdowiec, mieszkając w małym dworku z trzema córkami, zachorował bardzo ciężko. Zmartwione dziewczęta daremnie zasięgały porady lekarskiej. Wtedy skrzat domowy, taki życzliwy im krasnoludek, oświadczył, że uratować może ich ojca woda z zarośniętej krynicy leśnej. Choremu nie była ta myśl obca. Opowiadano nieraz o leczniczych właściwościach zarośniętej studzienki, ale z niej nie korzystano, bo każdego, kto się zbliżył, odpędzały jakieś straszydła. Więc i trzy córki obawiały się również. Gdy jednak z ojcem było coraz gorzej i wciąż powtarzał, że ta woda przyniosłaby ulgę na pewno, najstarsza córka zdecydowała się.

– Tatusiu, ja jutro idę po tę cudowną wodę, niech się dzieje, co chce.

I wybrała się, nachmurzona, strachliwa, do lasu. Przedarłszy się przez zarośla próbuje zaczerpnąć trochę wody z zarośniętej studzienki. Wtem, nie widząc nikogo, słyszy tajemniczy, nieprzyjemny głos:

– Nie dam ci ani kropli, jeśli nie obiecasz, że będziesz moją...

Najstarsza siostra wybuchnęła śmiechem na tę propozycję, odeszła bez słowa, ojcu w domu powiedziała, że studzienka jest istotnie tak zarośnięta, że nie ma mowy o naczerpaniu wody.

– Wobec tego ja spróbuję szczęścia... – powiada średnia córka.

Spotkało ją to samo co najstarszą. Odmówiła żądaniu straszydła i wróciła bez wody uzdrawiającej do domu. Kolej wypadła na najmłodszą i najurodziwszą Marzenkę. Podchodzi wesoło uśmiechnięta dziewczyna do brzegu studzienki zarośniętej, zaczyna czerpać i słyszy jakiś sympatyczny, budzący zaufanie głos, choć słowa te same co do starszych sióstr:

– Jeśli mi obiecasz, że będziesz moją – możesz czerpać, ile chcesz!

Ujęta tonem przemowy, Marzenka odpowiada bez namysłu:

– Owszem! Zgadzam się, będę twoją...

Po wypiciu cudownej wody chory ojciec uczuł znaczną ulgę w cierpieniach.

Następnego dnia wieczorem puka coś do drzwi dworku i mówi:

> Turu, turu, turu, iła
> Otwórzże mi, moja miła,
> Boś mi wczoraj ślubowała,
> Kiedyś wodę w studni brała...

Marzenka drgnęła poznawszy ten sam przyjemny głos i otwiera bez lęku. Do izby wtacza się ośliziła kłoda drzewa. Marzenka spojrzała na nią życzliwie, ze współczuciem, prosi i pomaga wejść do pokoju. A gdy kłodę dotknęła, opadła pod wpływem promiennego wzroku dziewczyny na podłogę mokra kora i włókna drzewne. Ujawnił się urodziwy, blaskooki młodzieniec, który zaklęty w drzewo odbywał pokutę w studzience zarośniętej.

Zakochali się w sobie od pierwszego wejrzenia i co dzień wieczorem przychodził młodzieniec i do godziny dwunastej wolno im było cieszyć się sobą. Z uderzeniem północy nadziewał oślizgłe ubranie drzewne i wracał na ciężką mękę w zarośniętej studzience. Prosił jeno Marzenkę o sekret, boć już niedługo skończy się jego niedola. Daremnie przyobiecała nie rzec nikomu ni słowa. Złe i zawistne siostry odkryły od razu tajemnicę. Zaglądając przez dziurkę od klucza, nie mogły dość nazachwycać się urodą młodzieńca i co dzień bardziej zazdrościły szczęścia Marzence.

Podpatrzywszy, że narzeczony przed wejściem do pokoju kładzie na ławce swą korę, zawistne siostry porwały ją pewnego razu i spaliły w piecu piekarskim. Z uderzeniem dwunastej krzyk i lament Marzenki ogarnął cały dom.

– Kto śmiał wziąć ubranie mego narzeczonego?

Młodzian, widząc rozpacz dziewczyny, westchnął głęboko i rzekł rozdzierającym głosem:

– Już tylko siedem dni brakowało mi do wyzwolenia, a teraz czeka mnie nowych siedem lat udręczeń w tej drewnianej postaci... Żegnaj, Marzenko, bądź zdrowa!

Łkając zniknął w ciemnościach nocy.

Gdy długo żadnej wieści nie było, rzecze Marzenka:

– Muszę pójść szukać miłego mego.

• Dała sobie najsampierw podbić trzewiki żelaznymi podeszwami.

– Tak długo będę chodzić na nich, póki na ślad miłego nie trafię.

Dała sobie potem utoczyć laskę żelazną.

– Tak długo będę się nią podpierać, póki mnie do miłego nie doprowadzi.

I dała miednikowi utoczyć kociołek miedziany.

– I tak długo będę łzy lała, póki się po brzegi nie wypełni. W trzewikach o żelaznej podeszwie, podpierając się laską żelazną, z kotlikiem na łzy w ręku – ruszyła w świat daleki.

Mijały godziny, dni i miesiące, Marzenka parła wciąż naprzód bez wytchnienia. Spotkawszy domek ustronny w puszczy głębokiej puka do drzwi i prosi o nocleg.

– Moje dziecko – mówi staruszka w drzwiach – ja cię przenocować nie mogę. To jest mieszkanie Księżyca. Ja jestem stróżką u niego. Gdy on powróci z pracy, to wyświeci wszystko, każdy kątek.

– Kto tam śpi pod piecem? – spytał miesiączek, gdy wrócił, aby się przespać po całonocnej pracy.

– Jest to jedna dziewczynka, która idzie w świat na żelaznych podeszwach szukać swego miłego. A może ty, Miesiączku, dojrzałeś go gdzieś?

– Nie, nigdzie takiego nie dostrzegłem, ale niechże ta dziewczynka, skoro ma żelazne podeszwy, idzie dalej. O sto mil stąd mieszka mój starszy brat, Słoneczko. Może on będzie coś więcej wiedział...

Napłakawszy niemało łez do miedzianego kotlika, powędrowała Marzenka do Słoneczka. Puka do jego świetlistej chałupki w głębi borów.

– Kto tam?

– To ja, Marzenka, idę szukać miłego mego. Możecie mnie przenocować?

Złapała się za głowę staruszka, stróżka Słońca.

– Jakeś ty tu zaszła, dziewczyno? Tu ani ptaszek nie doleci, ani Miesiączek nie doświeci, ani wietrzyk nie dodmuchnie...

Na to Marzenka:

– Jużem żelazną laskę wyszczerbiła, podeszwy żelazne schodziła i kotliczek łez wypłakuję...

Zaszło Słonko i wraca do domu.

– Powiadaj zaraz, stróżko, kogo tu nocujesz?

– Mam tu jedną Marzenkę, która daremnie szuka po świecie miłego swego. Czy Słoneczko go gdzie nie widziało?

– Nie. Chybaby mój brat stryjeczny wiedział coś o nim. Jest to srogi wiatr północny, Boreasz. Mieszka o sto mil dalej. Może on wywieje gdzie miłego tej Marzenki?

Srogi Boreasz puścił w ruch swoje mroźne miechy i zaczął dąć okrutnie. Od Bałtyku do Karpat zerwała się porywista wichura, ogarnęła góry, lasy, rzeki; zajrzała w spokojne głębie Odry, wzburzyła obie Nysy, Kłodzką i Łużycką, przeszukała port w Szczecinie, zajrzała w każdy kątek, ale nigdzie nie było ni śladu miłego Marzenki.

– Ale wiesz co? – mówi Boreasz, gdy wrócił zmachany do swojej stróżki – niech ta twoja Marzenka pójdzie jeszcze sto mil dalej, do mego młodszego brata. Niech się nie obawia. On się zawsze uśmiecha, wieje bardzo łagodnie, nazywa się Fąwoni. Jak był mały, wołaliśmy go Zefirek.

Już żelazne podeszwy lecą w strzępy, już nawet laska żelazna gnie się z umęczenia, Marzenka idzie dalej i uderza w prośby błagalne do Fawoniego.

Wziął się wiatr południowy do roboty. Przeleciał, przewiał na wylot całą Afrykę, przeszukał pustynie Arabii, dotarł tam, gdzie tylko złe sępy koczują, a szkielety ludzi, wyschniętych od żaru słonecznego, znaczą drogę karawanom. Od morza Czerwonego poprzez Tybet i pustynię Gobi aż po Przylądek Dobrej Nadziei, ale nic się nie dowiedział. Wziął więc sobie do pomocy kuzyna bardzo sprytnego, który umiał każdemu przeciwnikowi piaskiem oczy zasypać. Nazywa się Sirocco.

Ten suchy, świszczący, bardzo nieprzyjemny wiatr Sirocco był specjalistą od okolic, których inni jego koledzy nie odwiedzali, a nawet unikali z obawy przed okropnościami pustyni. Jedynie Sirocco zaglądał często w niedostępne, ludziom zgoła nie znane połacie Czarnego Lądu w środkowej Afryce.

Długo szukali wespół obydwaj, aż znaleźli w lasach środkowej Afryki, w niedostępnej dżungli jaskinię, gdzie jeszcze nigdy dotąd nie dotarł promień Słonka ni Księżyca. Bardzo duszno w niej było, żadne wiatry tam nie zaglądały. I tam zamknięty w złotej skrzynce siedział miły Marzenny.

Czarujący młodzieniec, który już tyle przecierpiał w zarośniętej krynicy, mógł teraz wskutek złoczynu niecnych sióstr Marzenny łatwo postradać życie siedząc w złotej, pozbawionej powietrza, skrzynce.

Fawoni i Sirocco chcieli zaraz roznieść tę skrzynkę na cztery wiatry. Ale nie dali rady, zawezwali tedy Marzennę. Ledwie się dowlokła, bo żelazne podeszwy już opadły z nóg, żelazna laska nie chciała stukać, tak była osłabiona.

Tylko kotlikowi miedzianemu brakło jeszcze kilkunastu łez, aby był pełen po brzegi.

W tej chwili zrozumiała, że nie wolno jej ustać i opaść z sił, gdy jest prawie u celu. Zebrała więc wszystkie siły i mocnym głosem zawołała:

> Tum, tum, tum iła
> Otwórz mi się, skrzynko miła,
> Bom ja jeszcze ślubowała,
> Kiedym wodę w studni brała.

Gdy Marzenka opuściła ostatnie łzy z ócz, otwarła się złota kadź sama. Wyszedł z niej miły i poślubił Marzenkę. I żyli odtąd szczęśliwi. I żyją jeszcze. I żyć będą dalej: dni, godziny, lata, do końca i po końcu świata!...

FIK Z OKNA

Pod Bierdzanami, niedaleko głównego miasta Opola, wznosił się za dawnego czasu pod wioską zajazd w takim właśnie miejscu, gdzie ustałe koniska musiały już popasać. Razu jednego tyle bryk ładownych zjechało do Bierdzan, że zajęli wszystkie miejsca w zajeździe i musiała karczmarka ostatniemu kupcowi z pacholikiem posłać na noc w swojej izbie.

Gdy się już spać pokładli i światła pogasły, karczmarka, zaczekawszy nieco, zaglądała ze świeczką, czy dobrze już śpią. Pachołek Walek czuwał, ale udawał, że śpi, ciekaw, co też ona uczyni.

Karczmarka podeszła do almarii[1], wyjęła jakąś maść z pudełka i odwinąwszy koszulę, wysmarowała mocno żyły na karku i pod pachami. Kręciła się znów, zaglądając, czy mocno śpią. Jakiś kwadrans godziny przesypał się na piasecznicy. Wtenczas otworzyła okno, wyjęła ożóg z zapiecka, siadła okrakiem, wymawiając takie zaklęcia, które Waluś spamiętał dokładnie:

> Fik z okna,
> Niczego się nie dotkna!
> Nad polem, po lesie
> Niech on mnie niesie!

Ożóg usłuchał rozkazu. Jednym susem cichutko smyrgnął wraz z babą w ciemną noc. Okrutna ciekawość zdjęła Walusia, gdzie też ją poniosło? Zakrę-

---

[1] A l m a r i a – skrzynia.

ciwszy się po izbie – bo kupiec chrapał jak najęty – wynalazł jakąś żerdkę, wysmarował się tak samo na karku, pod pachami, siadł okrakiem na żerdce i rozkazał:

Fik z okna,
Niczego się nie dotknę!

Tak powiedział, bo po śląsku nie umiał przybywając z innych stron Polski. Żerdka posłusznie wyfrunęła, to prawda, ale Waluś zapłacił za złą wymowę, bo dotknął się kilka razy, najpierw uszaka okna, zawadził potem nogą o wierzchołek drzewa. Nabił sobie kilka guzów porządnych, ale to głupstwo, bo niezadługo oczy wyłaziły mu na wierzch z podziwienia.

Ujrzał się w przedsionku wielkiej sali, gdzie gromada kobiet i mężczyzn tańcowała przy dźwiękach okrutnie pięknej muzyki. Przystanął u wejścia i gapił się z daleka. Karczmarka dojrzała go zaraz. Narobiła gwałtu, przerwała tańce i wraz z innymi starszymi kumami do niego. Naradzali się, mamrali coś do siebie, każą mu przysięgać, że słówka nie piśnie o tym, co już widział i co jeszcze zobaczy. Za czym puścili go na zabawę.

Nawet sobie potem wspomnieć nie zdołał dokładnie, ile się napatrzył, ile ogarnęło go dziwów niesłychanych. Gromada kobiet i mężczyzn, tańcząc, zaśmiewała się bez pamięci. Jeszcze! I jeszcze! Do zupełnego umęczenia!

Gdy muzykantom już tchu zabrakło, ustali wreszcie. Pachoł w czerwonej liberii jeden, drugi i trzeci nieśli na tacach wino szumiące w złocistych kielichach. Pili wszyscy. I Waluś też. Ba, przypijali nawet do nowego gościa, żeby zdrów żył i szczęśliwy, o ile nikomu o tym, co już widział, a zwłaszcza, co jeszcze zobaczy, przenigdy słówka nie piśnie.

Wypiwszy ustawili się w dwa rzędy. Kobiety osobno, mężczyźni osobno. Jakiś starszy nad nimi przyniósł w fartuchu pełno czapek, takich beretów, podobnych do beretu księdza proboszcza. A to były czapki-lotki, do lotu niewidzialnego na dalszą uroczystość na Łysej Górze, gdzie miał się odbyć zjazd walny czarownic i diasków z całego Śląska. Spodziewano się gości z innych dzielnic. Zapowiedziały przyjazd cioty z Poznania i wiedźmy z Sandomierza, i Baby-Jagi z różnych stron. Diabeł Boruta obiecał przyjechać w szlacheckim kontuszu[1], przy karabeli[2], pan Twardowski nie był pewny, czy dostanie urlop od księżyca, na którym odprawia pokutę.

---

[1] K o n t u s z – długa wierzchnia szata z rozciętymi rękawami, narodowy strój szlachty polskiej.
[2] K a r a b e l a – szabla bez kabłąka ochronnego przy rękojeści, broń paradna szlachty polskiej.

Każdy z uczestników czar-zabawy pod Bierdzanami nakładał po kolei czapkę-lotkę na łeb, zaraz dźwigało go wzwyż i furr! odlatywał. Już odlecieli wszyscy. Waluś został sam. Zmęczony jest, w głowie mu się kręci od tego wina szumiącego.

– Poleciałbym i ja – tak se rozważa – na tę Łysą Górę, pewnie. Ale późno już. Oj, i mój pan kupiec natrze mi uszu porządnie. Trzeba wracać, koniom obroku zadać, już świt niedaleko. Chyba jeszcze, na pociechę, łyknę tego winka szumiącego...

Tak, ale z czego? Nie widać ani tacy, ani kielichów złocistych. Usiadł na stołku, przymknął na chwilę oczy ze znużenia...

Nagle, jakby tknięty czymś, zrywa się, patrzy, a tu światło zgasło, wszystko przepadło, a on nie na stołku w komnacie, ale na rososze starej lipy siedzi. Tam, gdzie piękna podłoga w komnacie była, rozlewało się bagnisko, na miejscu pozłocistych kielichów sterczą końskie kopyta. Przesiedział drżąc ze strachu na tym bagnisku do zupełnego świtu, potem brnąc po kolana wydostał się na suche, trochę błąkał się, aż znalazł drogę bitą do miasta. Dalej w dyrdy z uciechą i nadzieją, że może na czas zdąży. A to był zupełnie obcy kraj! Obstąpiła go ciżba ludzi, z brodami w dziwne kłaki ukręconymi, gadali doń niepojęcie, jakby gęsi, dopiero jeden zaczął po ludzku. Więc mu Waluś rozpowiada o tych cudeńkach nocnych. Kudłacz wierzył, ale nie bardzo. Na dowód prawdy dobywa czapkę-lotkę z zanadrza. Pokazując, jak to czynili, wkłada ją na głowę, mówi kudłaczom:

– Adiu, Fruziu![1]

I tyle go widzieli.

Tymczasem kupiec w karczmie sypał diabłami bez liczby, zanim się doczekał powrotu Walka.

– Gdzieś był, nicponiu? Gadaj zara!

Ale karczmarka mrugała, więc milczał. Dopiero gdy wyjechali w drogę, wyjawił kupcowi wszystko.

---

[1] A d i u, F r u z i u! – bądź zdrowa, już po wszystkim.

Stanisław Dzikowski

DIABLI-TANECZNICY

żenił się wdowiec z wdową – on miał swoją córkę, a ona swoją.
I była ta kobieta bardzo dobrą matką, ale złą macochą. Swojemu dziecku nie
kazała nic robić, same jej puchy podścielała, długo leżeć w łóżku pozwalała,
na pięknych półmiskach najlepsze przysmaki pod nos podtykała i włosy w
strusie pióra stroiła. A tamta, nieboże, na twardej ławce spać musiała, byle co
jadła i od świtu do późnej nocy pracowała. Zła macocha zaś nieraz jej skórę
bez żadnej przyczyny wyłomotała. Najwięcej ją gniewało, że pasierbica coraz
była ładniejsza i wszyscy parobcy za nią wodzili oczyma, a na córkę jej nikt
nawet nie spojrzał. Wciąż tylko medytowała, jakby się jej pozbyć, cały
majątek dla swojej córki zagarnąć i tym sposobem przyciągnąć zalotników.
Aż i wymedytowała.

Daleko od ich zagrody stała tuż za wsią nad samą rzeką pusta chałupa, w
której nikt nie mieszkał. Podobno się w niej przed laty ktoś obwiesił i od tego
czasu nawet najmarniejszemu żebrakowi nie stało odwagi szukać tam przy-
tuliska, choćby w najgorszą zawieruchę. Mało wydeptana ścieżka spoza
młyna prowadziła tam pomiędzy kolącymi ostami i pokrzywami. Wiadomo
było we wsi, że w tej chałupie straszy. Nieraz z daleka ktoś widział, że się tam
jakieś światła zapalą, to znowu zgasną, a nawet byli tacy, którzy mówili, że
coś tam o północy puka, burzy, szumi i jakby jakaś brzęczy muzyka. Widać
diabli mieli w tym miejscu swoje osiedlenie.

Jednego wieczoru zawołała macocha pasierbicę, kazała jej iść do pustej
chaty, dała jej kądziel, motowidło i powiedziała, żeby jej tyle i tyle uprzędła.
Myślała, że jak jej tam zły głowę urwie, to się pozbędzie na zawsze dziewczyny.

Płakała bardzo biedna sierotka, ale nie śmiała sprzeciwić się macosze. W
noc ciemną poszła do strasznego miejsca, a serce biło tak mocno, jakby
chciało z piersi wyskoczyć. Okropnie szumiały drzewa i woda w rzece. Drzwi
skrzypnęły przeraźliwie. Weszła i rozdygotanymi rękoma skrzesała światło –

nie było nikogo. Zaraz zmówiła pacierz, zabrała się do roboty i czekała, co będzie dalej. Dopiero około północy dał się słyszeć huk straszny, potem wicher zajęczał i znowu rozległ się jakby turkot zajeżdżającej karety. Dziewczyna przytuliła się do ściany i nie wiedziała, co robić: uciekać czy zostać, ale uciekać bała się, żeby jej coś nie porwało. Naraz przez szparę w drzwiach wpadło do izby dwóch paniczów. Ubrani byli z niemiecka. Czarne mieli kaszkiety, kuse fraczki i kolorowe pluderki [1], a oczy im się paliły jak dwa żarzące węgle. Zaraz jakaś muzyka zagrała diabelskiego młyńca, a oni wzięli się za ręce, zaczęli tańczyć ze sobą i zaśpiewali:

> Jedna portka czerwona,
> Druga portka zielona,
> Tańcujmy se, szwagrowie!

A kiedy przetańczyli raz w koło, podeszli do niej i śpiewają znowuż:

> Jedna portka zielona,
> Druga portka czerwona,
> Kosmyk dzieweczka,
> Pójdźże do taneczka!

A ona powiada:
– Ej, lepiej byście nie kosmali, ale pomogli mnie! Jakże mam z wami tańcować, kiedy macocha tyle mi wyznaczyła roboty do rana.
Oni dawajże prząść z nią razem, aż uprzędli wszystko.
– Teraz trzeba motać!
Wzięli zmotali i znowuż swoje:

> Kosmyk dzieweczka,
> Pójdźże do taneczka!

– Tańcowałabym z wami – odpowiedziała dziewczyna – ale nie mam w czym, bo mnie pani matka nijako z domu wyprawiła.
– A co ci potrzeba?
– Nie widzisz, to boso będę z wami tańcowała. Przynieście mi buciki, czerwone buciki do tańca!
Polecieli i zaraz przynieśli, a ona ich znowu posłała po pończochy, potem po haftowaną koszulę, potem po pięć spódnic, po każdą osobno, potem po zapaskę jedną i drugą, potem po paciorki na szyję, potem po rękawiczki, potem po jedwabną chusteczkę, po wstążki do warkoczy, po wachlarz, zno-

---

[1] **Pluderki** – spodenki.

wuż po zwierciadełko, żeby się przejrzała – po wszystko, co było potrzeba. Na ostatku kazała sobie przynieść pieniędzy, bo powiada:
– Cóż to, darmo będę z wami tańcowała?
Zaraz polecieli i wywlekli cały kocioł złotych dukatów. Co tchu się uwijali, wszystko, co chciała, przynosili i tylko powtarzali:

Jedna portka zielona,
Druga portka czerwona,
Kosmyk dzieweczka,
Pójdźże do taneczka!

A ona wciąż coś nowego wynajdywała.
Wreszcie diabli mieli dość tej lataniny i mówią:
– Teraz już będzie koniec, teraz pójdziesz tańczyć!
I dalejże ją pod boki.
– Przecież taka brudna nie będę tańcować, muszę się umyć, przynieście mi jeszcze wody!
Dała im stare rzeszoto i powiada:
– W tym będziecie nosić!
Jak zaczęli wodę nosić, dziewięćdziesiąt dziewięć razy obrócili, a jeszcze nie miała się w czym umyć. Co zaczerpnęli, to im się wszystko powylewało. Tak latali, tak się śpieszyli, a przecież tak im niesporo szło, że aż kogut zapiał. Skończyła się ich godzina, do piekła musieli wracać szwagrowie, a nie o tańcu myśleć. Zezłościli się na ostatku, cisnęli tymi rzeszotami o ziemię i tak jej powiedzieli:
– Czekaj, ty chytra pałko, tylko ty tu przyjdź jeszcze raz!
Obaj rozlali się w maź śmierdzącą.
Ona, biedaczka, nareszcie odetchnęła. Tyle się strachu najadła, tak się zmęczyła, że zaraz położyła się spać i zasnęła mocno jak kamień.
Tymczasem nad ranem macocha, bardzo zadowolona, że się jej pewno pozbyła, poszła do chałupy po swoją kądziel i po motowidło. Przyszła, spojrzała i zobaczyła, że ona taka wystrojona, jeszcze ładniejsza niż wczoraj. Koło niej było tyle bogactwa wszelkiego, a jej samej nic się złego nie wydarzyło. Kiedy dziewczyna się obudziła, wzięła ją macocha na spytki i nie mogła się nadziwić, kiedy dowiedziała się o wszystkim. Była bardzo zazdrosna, że to nie jej córka takie piękne rzeczy dostała, więc kiedy wróciła do domu, opowiedziała jej wszystko i tak mówi:
– Dziś wieczorem ty pójdziesz do pustej chałupy, to także będziesz wystrojona i bogata.

Ale nie dała jej tyle kądzieli, co tamtej, żeby się mniej napracowała.

Poszła córka w to samo miejsce i wszystko się podobnie stało. Przylecieli diabli w zielonych i czerwonych portkach, muzyka im zagrała, obrócili się raz w koło i nuże ją zapraszać:

Kosmyk dzieweczka,
Pójdźże do taneczka!

Ale ona głupia była, bo tak jej Pan Bóg dał, więc kazała im przynieść trzewiki, pończochy, koszulę, spódnicę, paciorki, chusteczki, wstążki, wachlarz, zwierciadło, no i pieniądze – wszystko na jeden raz.

Potem powiedziała:

– Przynieście mi wody do mycia!

Dała im skopki dziurawe, ale diabli dziury palcami pozatykali, prędko wody nanieśli i mówią:

– Ej, kosmyk dzieweczka, umyj się zaraz i ubierz, bo nie mamy czasu!

Ona umyła się, wystroiła, przejrzała w zwierciadełku i dalejże z nimi tańcować.

Jakże ją pochwycili w diabelskie pazury, to z nią do siódmego potu wywijali. Raz, drugi, trzeci dokoła. Powykręcali jej ręce i nogi, tak ją zmordowali, że zaczęła wołać:

– Dosyć już, dosyć! dajcie tchu złapać!

Ale diabli już jej nie puścili, coraz mocniej przyciskali, coraz bardziej hulali, wykręcali. A kiedy się już skończyła ich godzina, kiedy kur zapiał, wykręcił się jeden, urwał dziewczynie głowę i zatknął nią okno, a drugi kadłub do potoku wyrzucił. Wszystkie dary zabrali, duszę porwali i z wielką uciechą lecieli do piekła, aż bory i lasy trzeszczały.

Skoro świt wstała macocha i poszła zobaczyć swoją córeczkę, która na pewno ma dwa razy tyle strojów i pieniędzy co tamta. Już z daleka ujrzała w oknie jej głowę z wyszczerzonymi zębami.

– O moja córusiu kochana – zawołała ucieszona – już na mnie wyglądasz okieneczkiem, paciorki masz na szyi i tak ładnie się śmiejesz!

Ale ptaszek, który siedział koło chałupy na drzewie, tak jej zaśpiewał:

Głowinka w oknie,
A tułowiczek w potoku moknie!

Dopiero wtedy zrozumiała, co się stało! Chciała się pozbyć pasierbicy, a tymczasem sama swoje dziecko na zatratę posłała.

Taki był koniec macoszynej zawiści.

DIABELSKA GRA

Był raz jeden parobek, który bardzo lubił grać w karty, a na imię było mu Kuba. Kiedy jechał wozem na pole, to sobie lejce na szyję zarzucił i na deskach grał sam ze sobą. Taki to był z niego zawzięty kartołupa.

Zdarzyło się raz, że kiedy jechał do roboty, spotkał jakiegoś pana, który zastąpił mu drogę i tak się do niego odezwał:

– Wiem, że bardzo chętnie grasz w karty, więc myślę, że moglibyśmy zarżnąć ze sobą choć jedną partyjkę.

– A dobrze! – rzekł na to parobek. – Możemy grać, ale powiedz mi, co ty postawisz?

– Ja postawię jedną duszę – odrzekł nieznajomy pan – a ty musisz swoją duszę postawić.

Bo ten pan nie był wcale człowiekiem, tylko diabłem z piekła, którego nazywają Rokitą.

Ale parobkowi, skoro tylko mógł grać, było wszystko jedno. Zgodził się więc, aby gra poszła o tak wysoką stawkę.

Diabeł Rokita poleciał do piekła po jedną duszę, a kiedy z nią wrócił, posadził ją na gałęzi i zaczęli grać.

Grali, grali, aż nareszcie Kuba wygrał. Rokita musiał wypuścić duszę na wolność.

Ale to mu nie wystarczyło, więc rzekł:

– Grajmy dalej, muszę od ciebie tę duszę odegrać.

– Dobrze – odparł parobek – ale musisz znowu jedną duszę postawić, bo ja na gębę grać nie będę.

I diabeł poleciał do piekła po drugą duszę. Nie trwało dłużej jak zmówienie pacierza, a już wrócił. Gra rozpoczęła się na nowo.

Grali, grali, Rokita spocił się jak ruda mysz, wreszcie Kuba wziął górę i wygrał duszę od diabła. Strasznie się zagniewał i zawziął się jeszcze bardziej.

– Musisz jeszcze raz zagrać ze mną, inaczej nie zostawię ciebie w spokoju ani we dnie, ani w nocy.

A Kuba mówi:

– Możesz grać, ile chcesz, bylebyś miał co stawiać.

– Postawię jeszcze jedną duszę, a jeżeli ją przegram, to już więcej grać z tobą nie będę.

I poleciał znowu do piekła tak prędko, że aż się zakurzyło za nim.

Ale tym razem bardzo długo nie wracał, bo mu już w piekle żadnej duszy dać nie chcieli, a najstarszy diabeł okropnie na niego krzyczał:

– Ty, głupi Rokito, co ty robisz najlepszego, po co ty grasz w karty z Kubą? Przecież to jest gracz nad gracze, on wygra od ciebie całe piekło.

Rokita, jak mógł, tak się im tłumaczył, wreszcie powiada:

– Nie martwcie się! Jeżeli przegram te trzy dusze, przyniosę wam za nie trzy inne.

Kiedy wrócił do Kuby na pole, gra się znowu rozpoczęła, ale Kuba tak umiał grać, że Rokita i tę trzecią duszę przegrał.

I znowu musiał ją wypuścić na wolność.

Teraz już Rokita nie chciał grać więcej, bo wiedział, że nie da rady Kubie. Pomyślał i mówi do niego:

– Ano trudno, przegrało się. Nie wiedziałem co prawda, żeś ty taki chwat. Nawet samego czarta ograć potrafisz. Ale abyś nie mówił, żem nic wart, to cię jeszcze za to ożenię z piękną dziewczyną! Chciałbyś?

– Czemu nie? – odrzekł Kuba. – Jeżeli tylko masz dla mnie narzeczoną piękną i bogatą, dawaj ją, chętnie się zaraz ożenię.

– Tak prędko to się nie da zrobić – odrzekł czart – ja ciebie ożenię, ale przedtem nie możesz przez siedem miesięcy ani strzyc się, ani czesać, ani golić, ani myć, paznokci obcinać. Wtedy dopiero przyjadę do ciebie i pojedziemy do narzeczonej.

Kiedy Kuba zgodził się, Rokita dał mu dużo pieniędzy i kazał iść do karczmy, gdzie miał zamieszkiwać w osobnym pokoiku. Wolno mu było dobrze jeść i pić, i zabawiać się, ale ani golić się, ani strzyc, ani czesać, ani myć się, ani obcinać paznokci – i czekać, aż diabeł po niego przyjdzie. Kuba zrobił tak, jak mu Rokita przykazał. Po kilku miesiącach wyglądał jak nieboskie stworzenie. Łeb nastroszony niby u jeża, gęba czarna, zarośnięta, pazury do szponów diabelskich podobne, a brud to aż kapał z niego. Gdzie tylko się ruszył, wszyscy przed nim uciekali i każdy wołał:

– Diabeł idzie!

Więc prawie ze swojej izby nie wychodził i nie mógł się już doczekać, kiedy prawdziwy diabeł się zjawi. Ukazał się nareszcie po siedmiu miesiącach w bogatego pana postaci. Zajechał przed karczmę pozłocistą karetą, zaprzężoną w cztery czarne konie, i woła do Kuby:

– Teraz już czas, zbieraj się, pojedziemy w zaloty.

Wsiedli i pojechali daleko do jednego pięknego miasta, które było stolicą wielkiego królestwa. W tym mieście panował król, który miał z drugim królem wojnę prowadzić, więc były mu bardzo potrzebne pieniądze. Na każdym rogu ulicy ogłoszono, że kto by temu królowi dał trzy cetnary złota, to – choćby to był ostatni dziad albo Żyd – odda mu swoją córkę i połowę królestwa.

Zaraz pojechali na zamek królewski i diabeł oznajmił, że są tacy, którzy przywieźli trzy cetnary złota. Król bardzo się ucieszył, kazał wartom przepuścić ich i zaprowadzić do najgłówniejszej sali. Ugodzili się z Rokitą i pacholicy królewscy zaczęli znosić to złoto z diabelskiej karety. Kiedy wszystko znieśli, przeważyli i do skarbca oddali, mówi diabeł:

– A teraz musisz, królu, oddać jedną ze swoich córek temu to!

I pokazał Kubę, który dotychczas chował się ciągle ze wstydu.

Król spojrzał na niego i bardzo się zasmucił, że musi wydać jedną ze swoich córek za takiego brudnego, zarośniętego łapserdaka, ale powiada:

– Trudno, słowo się dało, kobyłka u płotu.

Zaraz też kazał zawołać wszystkie swoje cztery córki i okazało się, że jedna była piękniejsza od drugiej. Król pokazał im Kubę i tak do nich mówi:

– Teraz powiedzcie mi, która z was będzie chciała tego człowieka, bo jedna z was musi wyjść za niego za mąż! Inaczej, musiałbym oddać z powrotem trzy cetnary złota i nie miałbym za co prowadzić wojny.

Pierwsza rzekła:

– Nie, ja takiego nie chcę. Gdybym miała takiego brać, to wolałabym się powiesić!

A druga mówi:

– Wolę się utopić, niż mieć takiego męża!

Trzecia zaś powiedziała:

– Lepiej się przebić, niż z takim dzikim chłopem iść do ślubu!

A była jeszcze czwarta córka, najmłodsza i najpiękniejsza. Tej zrobiło się żal ojca i rzekła:

– Pójdę za niego, bo łatwiej mnie jednej zginąć, niż zginąć ojcu z żołnierzami.

A kiedy tak powiedziała, zaraz wyprawili zrękowiny.

Kuba pojechał potem do domu, tam się ogolił, umył, uczesał, poobcinał paznokcie – i zrobił się z niego znowu ładny, udany chłopak. Rokita przyjechał po niego w sześć koni i z wielką paradą jechali do narzeczonej. Kiedy trzy starsze córki zobaczyły, że Kuba jest taki piękny młodzieniec, zrobiło im się bardzo żal, że go ta najmłodsza dostała. Z wielkiej zazdrości jedna powiesiła się, druga utopiła, a trzecia nożem się przebiła.

Rokita porwał ich dusze i kiedy leciał już do piekła, tak powiedział Kubie:

– Ty masz jedną pannę, a ja trzy, a te trzy dusze mam, którem do ciebie w karty przegrał! Kwita, panie Kuba!

ANIOŁ I KSIĄDZ

Był jeden proboszcz bardzo pobożny, któremu się zawsze zdawało, że nie ma dla niego żadnych tajemnic ani na ziemi, ani w niebiosach. Całymi dniami modlił się i rozmyślał nad różnymi sprawami, które rozsądzał wedle swojego sumienia i rozumu.

Pewnego razu porzucił u niego służbę parobek, więc ksiądz chciał znaleźć kogoś na jego miejsce. Chodził właśnie koło plebanii i czytał brewiarz, kiedy na drodze ukazał się jakiś nieznany wędrowiec. Był tak pięknego oblicza i powabnej postaci, że proboszcz mimo woli zagadnął go:

– Czegoż szukasz w naszych stronach, młody człowieku?

– Służby szukam – odpowiedział tamten. – Głodny jestem i utrudzony.

'Ksiądz zaprosił go do kuchni i kazał nakarmić, a potem ugodzili się między sobą.

Nowy parobek okazał się bardzo pracowity. Jeszcze świtać nie zaczęło, on już wstawał i sypał koniom obrok. Aż do wieczora pełne miał ręce roboty. Uwijał się to na podwórku, to w polu, to przy koniach, które nigdy tak dobrze nie wyglądały.

Jednego dnia ksiądz zawołał nowego parobka i powiedział mu, że ma z nim razem jechać na odpust do miasta. Nie upłynęło nawet pięć minut, a już stała przed plebanią bryczka zaprzężona we dwa konie. Wsiedli, jechali tak szybko i dobrze, że aż zdziwił się proboszcz i przerwawszy pacierze, przyglądał się swojemu parobkowi.

Jechali coraz dalej i oto na drodze zaczęły się dziać dziwne rzeczy.

Była tam niedaleko stara figura, przed którą ksiądz uchylił czapki i przeżegnał się pobożnie, a parobek nawet palcem nie ruszył. Potem wypadło im jechać przez wieś koło karczmy, na którą proboszcz żadnej nie zwrócił uwagi, a natomiast parobek odkrył głowę i znak krzyża na piersi położył.

Bliżej miasta spotkali pogrzeb wspaniały. Prowadził go ksiądz i wielka ćma ludzi pobożnie śpiewała. Proboszcz zdjął czapkę, a parobek znowu wcale się nie poruszył.

Jadą dalej, a tu stara baba ciągnie w półwoziu trumnę na cmentarz. Ksiądz nie zwrócił na ten pochód nędzny żadnej uwagi, a parobek zdjął czapkę i począł się modlić żarliwie.

Proboszcz zdziwił się bardzo, ale nie przemówił ani słowa, tylko dziwnym tknięty przeczuciem czekał, co będzie dalej.

Ujechali kawałek drogi, aż tu na pagórku ukazała się im szubienica. Przerażający był to widok. Człowiek na śmierć wydany dyndał na powrozie i obracał się za każdym uderzeniem wiatru, który jakby zawodził nad nim żałośnie.

Parobek, nic nie mówiąc, zatrzymał nagle konie, wyskoczył z bryki i poszedł się modlić pod szubienicę.

Ksiądz odwrócił głowę w drugą stronę i nie chciał nawet patrzeć na to.

Zajechali wreszcie do miasta. Ksiądz poszedł do kościoła mszę odprawiać, a parobek po pewnym czasie począł rzucać kamieniami w drzwi kościelne.

Wtedy proboszcz rozgniewał się bardzo i pomyślał, że przyjął na służbę jakiegoś bardzo przewrotnego człowieka.

Kiedy wrócili do domu, ksiądz, który po mszy wypił w mieście kilka kielichów wina, nabrał odwagi i kazał zawołać parobka na plebanię.

– Czemużeś – zapytał – nie zdjął czapki przed świętą figurą, a pokłoniłeś się i żegnałeś się, kiedyśmy przejeżdżali koło karczmy pełnej pijaków?

– Na tej figurze – odpowiedział parobek – diabeł siedział, a w tej karczmie było dwóch braci, którzy spotkali się po wielu latach, pili wprawdzie wódkę, ale cieszyli się sobą, jako że bardzo dawno jeden nie widział drugiego. Pan Bóg był w ich sercach, więc Panu Bogu się ukłoniłem.

– A czemu na jeden pogrzeb nie zwróciłeś uwagi, a czapkowałeś przed drugim, gdzie nie było ani księdza, ani krzyża?

– Proboszczu, ten pogrzeb wspaniały to był pogrzeb za pieniądze. Kmieć bogaty zapłacił, więc z wielką paradą wieźli grzeszne ciało do kościoła, choć duszę jego dawno już czart porwał. A z tym biednym pogrzebem i z tą starą babą szli święci, co śpiewali piękne pieśni, bo tam nieboszczyk dosyć się na świecie nacierpiał, żył w biedzie i niedostatku, ale został zbawiony.

– Modliłeś się pod szubienicą – zaczął znowu ksiądz – nie przeszkadzałem ci, ale nie rozumiem twojego postępku.

– Księże, chcesz wiedzieć prawdę, więc poznaj ją. Modliłem się pod szubienicą, bo wisi na niej człowiek niewinny..

– Źle mówisz – zawołał ksiądz – bo przecież go osądzili i protokoły z niego ściągali!

– Tak, księże – odparł młodzieniec, uśmiechając się smutnie – sądzili go, przesłuchiwali, ale także łamali mu kości, szarpali i męczyli, a potem powiedzieli: „Przyznaj się, to cię puścimy wolno". On im uwierzył i przyznał się do tego, czego nie popełnił, a oni go za to powiesili.

Ksiądz nic na to nie odpowiedział, bo jako mądra osoba wiedział, że parobek prawdę mówi, ale korciła go jeszcze ostatnia sprawa i po chwili zapytał:

– A dlaczego rzucałeś kamieniami na dom boski?

– Proboszczu – odpowiedział parobek – ludzie pijani i nietrzeźwi drzemali podczas twojego kazania, więc uderzyłem we drzwi, aby się obudzili i słuchali słowa bożego.

Ksiądz zadumał się, coraz dziwaczniejszym wydawało mu się to, co usłyszał. Ogarnął go lęk i niepewność.

– Ktoś ty jest – zapytał nieśmiało – że wiesz o takich sprawach?

Wtem szaty zgrzebne parobka poczęły błyszczeć jak srebro i złoto, po czym stanął cały w bieli z wielkimi skrzydłami i jasność buchnęła na niego.

– Jam jest anioł – zawołał – posłany z nieba na ziemię...

Zniknął nagle, a ksiądz umarł z wielkiego przerażenia.

LENIWA DZIEWCZYNA

Miała matka córkę Kasię. Ładna była i zdrowa, ale straszne próżniaczysko. Do dwudziestu lat siedziała na piecu i nic robić nie chciała, tylko albo spała, albo jadła. Nie umyła się nigdy, nie uczesała, łeb miała zawsze rozkudłany, rozczochrany, więc ją wszyscy leniwą Kudłą nazywali. Matka musiała całe gospodarstwo sama obrządzać, bo gdyby na Kudłę czekała, to by garnki były zawsze okopciałe i brudne, izba nie zamieciona, krowa nie wydojona. Nieraz ją do roboty naganiała i tak jej mówiła:

– Ej, Kudła, naucz ty się robić, bo ciebie żaden wojewodzic nie pojmie za żonę, tylko kmiecy syn na roli. Każe ci się dobrze nauwijać i nie będzie chciał słuchać, jak ty mu powiesz, że cię rączki bolą.

Ale Kudła nic nie odpowiedziała, tylko przewracała się na drugi bok i spała dalej.

Wszystkie dziewuchy w równych z nią latach dawno już za mąż powychodziły, ale na Kudłę nikt spojrzeć się chciał, bo cóż komu po takiej kobiecie, która ani wyprać, ani ugotować nie umie. Tymczasem jej się uwidział bardzo młody leśny, który mieszkał niedaleko od ich chałupy i czasem do matki Kudły przychodził.

Jednej nocy wstała po cichu, ubrała się w prześcieradło, zrobiła się podobna do śmierci, poszła tam, gdzie mieszkał leśny, stanęła koło okna i woła do niego:

– Śpisz ty?

– Nie.

– Kazał Pan Jezus i święta Anna, żebyś se pojął Kudłę za żonę. Ażebyś pojął, ażebyś pojął!

I zaraz się straciła.

Chłop do rana nie mógł zmrużyć oka ze strachu. O świcie wstał i poszedł do mieszkania Kudły, a tu ona leży na piecu umyta, liczka ma gładkie, nic nie mówi, tylko patrzy na niego, jakby go chciała przewiercić oczyma. Spodobała mu się jakoś, ale nic nie powiedział, tylko poszedł dalej.

Na drugą noc o tej samej godzinie pokazała się biała, wysoka kobieta i woła:

– Śpisz ty?

– Nie.

– Kazał Pan Jezus i święta Anna, żebyś se pojął Kudłę za żonę. Ażebyś pojął, ażebyś pojął, bo inaczej, to ci łeb urwę!

Leśny jeszcze się więcej przestraszył i pomyślał sobie, że chyba trzeba się ożenić z tym wałkoniem, co cały dzień na piecu leży. Poszedł do ich chałupy na śródwieczerz, aż tu widzi Kudłę na piecu jeszcze lepiej umytą i pięknie uczesaną. Podobała mu się jeszcze bardziej, ale że tam zeszło się gości huk, nie miał sposobności z nią gadać i poszedł dalej.

Na trzecią noc znów biała kobieta kołacze do okna i mówi:

– Śpisz ty?

– Nie.

– Kazał Pan Jezus i święta Anna, żebyś se pojął Kudłę za żonę. Ażebyś pojął, ażebyś pojął, bo ostatni raz mówię, inaczej łeb ci urwę!

Chłop zerwał się z pościeli, wyleciał przed chałupę – ale tu już nikogusieńko nie było. Tak się zestraszył, że z samego rana poleciał do sąsiadów i cóż widzi; w progu spotyka Kudłę, pięknie ubraną. Ledwie ją poznał, tak wyładniała. Już się więcej nie namyślał, tylko uderzył do matki o córkę. Matczysko się z chęcią zgodziło, prosiła tylko, żeby nigdy Kudły nie bił. Leśny przyrzekł i tak najpierw były zwiady, a potem wesele.

Zaczęło się gospodarstwo we dwoje. A musiał on chodzić z samego rana do lasu i dopiero potem wracał na śniadanie. Kiedy pierwszego dnia wstał, żona jeszcze spała, a tu dwie krowy ryczały w oborze, bo nie miały nic do żarcia. Leśny obrządził bydło i poszedł do swojej roboty, a skoro wrócił, nie było śniadania, ani porządku w chałupie. Patrzy, a Kudła znowu się rozkudłała, wlazła na piec i śpi.

Z początku nic nie mówił, tylko biedował, jak mógł. Sam sobie garnki mył, sam prał, sam gotował, aż mu się to uprzykrzyło. Wystarał się więc o służbę w innym miejscu, z pięć mil od tej wsi, i wziął Kudłę ze sobą. Ona zaś na nowym miejscu po staremu nic nie robiła, tylko wylegiwała się na piecu. Ale leśny wziął się na sposób.

Miał on starą torbę strzelecką, która wisiała nad łóżkiem. Jednego dnia, kiedy szedł do lasu, zaczął do tej torby gadać, że ma ugotować śniadanie, potem posprzątać i zrobić wszystko, co potrzeba.

– Bo inaczej – powiada – jak z lasu wrócę, to cię okropnie skatuję.

Kudła słucha, nic nie mówi, tylko spod oka ciągle zerka, rychło torba zejdzie z kołka i weźmie się do roboty. Ale torba jak wisiała, tak wisi, a Kudła śmieje się i mówi do niej:

– Czekaj no, będziesz ty się miała, jak on wróci z lasu.

Leśny wrócił do domu i widzi, że torba nic nie zrobiła, więc zaczyna jej wygrażać:

– Popamiętasz ty sobie teraz! Zaraz my sąd zrobimy! Tu dębowy świadek będzie!

I mówi do Kudły:

– Weź no torbę i potrzymaj na swoich plecach, a ja ją dobrze wyłomocę, to ona mnie na drugi raz usłucha.

Kudła się śmieje i myśli, co z tego będzie. Tymczasem leśny przyniósł tęgą pałę i nuże bić torbę na Kudlinych plecach. Kudła w gwałt, a leśny bije i bije. Zbił, ale nie Kudłę, tylko torbę.

Na drugi dzień idzie do lasu i znowu mówi do torby:

– Żebyś mi ugotowała, żeby wszystko w chałupie obrobiła, bo inaczej, to bym ci znowu nasypał!

Ledwie tylko wyszedł z chałupy, Kudła wyskoczyła z wyrka i dalejże do roboty. Kiedy leśny przyszedł do domu, zobaczył, że wszystko jest w porządku, więc pyta:

– Dziś chyba nie będziemy uczyć torby rozumu?

A Kudła odpowiada:

– O, dziś nie trzeba!

– Tak rób – mówi leśny znowu do torby – to nigdy nie dostaniesz lania.

I tak już dalej było. Kudła codziennie rano wstawała, a kiedy leśny przychodził do domu, wszystko było oporządzone, jak się należy. O torbie nawet zapomnieli i o tym także, że na gospodynię kiedyś leniwa Kudła wołali. Kasia, Kasieńka – było teraz jej imię.

Po długim czasie matka chciała zobaczyć, jak się jej córce powodzi, więc pojechała do niej w gościnę.

Jakże się zdziwiła, kiedy zobaczyła u niej takie porządki w izbie i w oborze. Aż się jej serce zaśmiało, że z leniwej Kudły zrobiła się taka dobra gospodyni. I pyta jej:

– Jakże to być może, że u ciebie tak czysto, chędogo, żeś tak pracowita, kiedy w domu nic robić nie chciałaś. On cię pewnie bił bardzo, nim cię pracy nauczył?

– Ach, nie – odpowiedziała córka – tylko raz wybiliśmy torbę, ale potem już nie było trzeba.

Matka cieszyła się bardzo, a Kasia jakoś na nią patrzy dziwnie raz i drugi, trochę zakłopotana, trochę zmieszana – naresznie powiada:

– Wiecie, matusiu co, idźcie na podwórze i przynieście choć kilka drewek, bo w domu darmo jeść nie dają...

TRZY RADY

Staremu człowiekowi śmierć już w oczy zaglądała. Z pościeli wstawać nie mógł, całymi dniami trwał w zapamiętaniu, jakby dusza zeń uchodziła. Nic go na świecie nie ciekawiło i nawet nie wypytywał jedynego syna o sprawy gospodarskie.

Dopiero pewnego dnia jakby z powrotem przytomność odzyskał, zawołał jedynaka i tak do niego przemówił:

– Słuchaj, synaczku, niedługo już śmierć mi oczy zamknie, a więc idź i zawołaj dwóch sąsiadów, bo chcę moją ostatnią wolę wypowiedzieć, abyś wiedział, jak masz się rządzić w dalszym twoim życiu.

Te słowa zdziwiły bardzo syna.

– Jakież, ojcze – spytał – chcesz czynić rozporządzenia? Przecież tylko mnie jednego masz na świecie. Majątek, który posiadasz, mnie przypaść musi, więc po cóż wzywać świadków.

Ale ojciec obstawał przy swoim:

– Żądam dwóch świadków, a ty się mojej woli nie sprzeciwiaj!

Młodzieniec, zdjęty ciekawością, przyprowadził czym rychlej dwóch sąsiadów, których starzec uprzejmie powitał i kazał im usiąść przy sobie. Po chwilowej pogwarce zaczął mówić z wolna, jakby po długim namyśle:

– Majątek, który mi Pan Bóg zebrać dozwolił, po śmierci mojej do ciebie należy. Teraz udzielam ci tylko ostatniego napomnienia, do którego masz się rzetelnie stosować. Zapamiętaj sobie dobrze: po pierwsze, przyjaciół często nie odwiedzaj, po drugie, żywizny nikomu nie pożyczaj, po trzecie, żony w cudzej wsi nie szukaj. I to jest wszystko, co ci mam do powiedzenia na śmiertelnym łożu.

W kilka dni potem, kiedy koło południa mgła gęsto świat przesłoniła, a wieczorem sowa wołać zaczęła, zmarło się starcowi. Syn wyprawił mu pogrzeb okazały, bo pieniędzy i majątku zostało co niemiara.

Ostatnie słowa ojca utkwiły mocno w pamięci młodego gospodarza i ciągle nad tym rozmyślał, czy prawdą jest to, co stary gadał.

Niebawem zdarzyło się, że sąsiad najbliższy poprosił go o pożyczenie kobyły, aby mógł sobie zaorać kawałek pola. A kobyła ta była źrebna. Wyszedłszy w pole, zobaczył, że sąsiad przy orce okładał kobyłę niemiłosiernie batem. Podszedł bliżej za krzakami i ujrzał w końcu, że kobyła, zmordowana nad miarę, padła na ziemię i oźrebiła się. Sąsiad schwycił źrebię i rzucił je w ciernie, a kobyle kazał dalej pług ciągnąć.

„Ojciec dobrze mi radził" – pomyślał gospodarz i wrócił do domu.

Na drugi dzień wybrał się do przyjaciół, których miał zamiar po raz trzeci odwiedzić. Dotychczas byli mu zawsze radzi, tym razem jednak nie zastał ich w domu. Przyjaciele poszli do kościoła, a w izbie bawiły się małe dzieci, które zobaczywszy go, poczęły się chwalić, że matka przygotowała dużo dobrych rzeczy: kołacze, kluski, kiełbasę i dzban piwa. Na razie jednak wszystko schowane jest na piecu i pod ławą. Kiedy przyjaciele wrócili do domu, zaczęli się skarżyć, że w ostatnich czasach bardzo zbiednieli, tak zbiednieli, że nie mogli sobie nawet nic na święta przygotować.

I znowu przypomniała mu się przestroga ojca, aby przyjaciół za często nie odwiedzać. Pożegnał się z nimi, ale przedtem zaprosił ich na wesele, które miało się odbyć już za kilka dni.

Wbrew przestrogom ojca znalazł sobie żonę w drugiej wsi. Na dzień przed ślubem postanowił zajść do niej jeszcze raz, żeby zobaczyć, czy wszystko zostało należycie przygotowane. U narzeczonej zastał młodego parobka, Piotra, który miał być pierwszym drużbą. Zabawili się długo, a że droga do domu była daleka, spytał narzeczoną, czy nie mógłby u niej zostać na noc. Bez wielkiej ochoty pościeliła mu na ławie, a sama poszła spać do komory. Parobek gdzieś się stracił, ale kiedy już głucha noc nastała, skrzypnęły drzwi i dało się słyszeć ostrożne człapanie bosych nóg.

Młody gospodarz, który oka jeszcze nie zmrużył, domyślił się od razu, co w trawie piszczy.

Po chwili dał się słyszeć namiętny głos dziewczyny:

– Dziś, Piotrze, weselmy się za wszystkie czasy, bo to nasza ostatnia noc...

Kiedy zmęczeni usnęli, gospodarz wstał, podszedł cicho i wyciął kawałek sukna na skos z parobczanych spodni, a potem poszedł do domu.

Na drugi dzień zebrało się u niego dużo zaproszonych gości. Był i sąsiad, któremu pożyczył kobyłę, byli i jego przyjaciele, był i parobek Piotr. Mieli niebawem wszyscy wyruszyć do kościoła, a muzykanci gotowali się już, aby zagrać weselnego marsza.

Ale pan młody zatrzymał rozochoconą gromadę, skoro miał im jeszcze coś bardzo ważnego do powiedzenia. Wszyscy mocno rozciekawieni słuchali z wielką uwagą słów jego.

– Stary mój ojciec – mówił – zostawił mi na łożu śmiertelnym trzy rady. Po pierwsze, abym żywizny w cudze nie oddawał ręce. Tyś, miły sąsiedzie, pożyczył ode mnie źrebną kobyłę i biłeś ją przy orce tak mocno, że się oźrebiła na polu, a źrebię rzuciłeś w ciernie. W ten sposób wypełniła się pierwsza przestroga. Potem radził ojciec, abym za często nie odwiedzał przyjaciół. Kiedym przyszedł do was, mili przyjaciele, schowaliście przede mną kiełbasę, kołacze i piwo, a sami udaliście wielkich biedaków. Po raz drugi prawdę powiedział ojciec. Wreszcie przestrzegał mnie, abym żony w cudzej wsi nie szukał. I oto, skorom wczoraj u ciebie, miła panno, nocował, leżałaś w łóżku z drużbą i chyba nie może być inaczej, tylko z nim musisz pójść do ołtarza.

A kiedy dziewczyna gorąco przeczyć zaczęła, młody gospodarz pokazał kawałek sukna wyciętego w nocy z parobczańskich portek. Przystawały tak doskonale, że trudno było nie wierzyć.

– Jeżeli macie ochotę – rzekł jeszcze – to proszę, pijcie i jedzcie, a potem idźcie sobie stąd i zostawcie mnie samego, bo wesele się nie odbędzie.

Nikt jednak nie miał ochoty ani na zabawę, ani na poczęstunek. Wymykali się chyłkiem jedni za drugimi. W pustej chacie został sam jeden, młody i tak już doświadczony gospodarz...

WYKAZ ŹRÓDEŁ TEKSTÓW

Kazimierz Władysław Wójcicki: Wszystkie baśnie ze zbioru *Klechdy, starożytne podania i powieści ludu polskiego...* Warszawa 1837, II wydanie Warszawa 1851.

Józef Lompa: Wszystkie baśnie z pierwodruku w „Przyjacielu Ludu" z lat 1843-1846. W latach tych ukazało się w „Przyjacielu Ludu" 17 baśni pod wspólnym tytułem *Klechdy ludu polskiego w Szląsku*. (Anonimowy przedruk baśni Lompy ukazał się w Warszawie w r. 1900 pt. *Klechdy czyli baśnie ludu polskiego na Śląsku).*

Ryszard Berwiński: *Mądry Maciuś* – tekst według pierwodruku w „Przyjacielu Ludu" z r. 1837.

Roman Zmorski: Wszystkie baśnie ze zbioru *Podania i baśnie w Mazowszu,* Wrocław 1852.

Lucjan Siemieński: *Królowa Bałtyku* i *Diabeł w Krakowie* – ze zbioru *Wieczornice,* Wilno 1854.

Antoni Józef Gliński: Wszystkie baśnie ze zbioru *Bajarz Polski,* Wilno 1857.

Józef Ignacy Kraszewski: Wszystkie baśnie według przedruku zbiorku *Bajki,* Warszawa bd.

Sadok Barącz: *Śmiech* – tekst według zbioru *Bajki, podania i przysłowia na Rusi,* Lwów 1886.

Adolf Dygasiński: *O zajączku sprawiedliwym* – fragment książki *Zając,* Warszawa 1900; *Król Huk-Puk* i *Syn boginki* – ze zbioru *Cudowne bajki,* Warszawa 1896.

Eliza Orzeszkowa: *Baśń* i *O rycerzu miłującym* – tekst według *Pism,* t. LII, Warszawa 1952, *Czego po świecie szukał Smutek* – według pierwodruku w „Kurierze Codziennym" 1897 nr 1.

Bolesław Prus: *O uśpionej pannie na dnie potoku* – fragment powieści pt. *Lalka.*

Henryk Sienkiewicz: Wszystkie bajki według zbiorowego wydania *Dzieł* pod redakcją J. Krzyżanowskiego, t. V, Warszawa 1949.

Jan Krzeptowski-Sabała: *O stworzeniu Ewy* – tekst według antologii Stanisława Pigonia *Wybór pisarzy ludowych,* część II, *Poeci i gawędziarze,* Wrocław 1948.

Jędrzej Tylka-Suleja: *Sabałów sen* – jak wyżej.

Jan Kasprowicz: *O śpiących rycerzach w Tatrach* i *O królu wężów...* – przedruk według *Dzieł* pod redakcją Stefana Kołaczkowskiego t. XVII, Kraków 1930.

Kazimierz Przerwa-Tetmajer: *O Zwyrtale Muzykancie* – według *Na skalnym Podhalu,* Kraków 1914.

Władysław St. Reymont: *O narowistym koniu* – fragment powieści *Chłopi.*

Wacław Sieroszewski: *Inwalidzi* – tekst ze zbioru *Bajki,* Kraków 1910.

Ignacy Matuszewski: *O leniwym parobku Legacie* – tekst według zbioru *Bajdy i baśnie (dla młodych i starych),* Warszawa 1892.

Artur Oppman (Or-Ot): *O chciwym Macieju, kusym Niemczyku i zaklętych skarbach na zaklętej górze*, Warszawa 1908.

Włodzimierz Perzyński: Wszystkie baśnie ze zbioru *Opowieści niezwykłe*, Warszawa 1925.

Kornel Makuszyński: Obie bajki ze zbiorku *Bardzo dziwne bajki*, Kijów 1916.

Zuzanna Rabska: *Helskie dzwony* – według zbioru *Baśnie kaszubskie*, Warszawa 1925.

Witold Bunikiewicz: Wszystkie baśnie ze zbioru *Żywoty diabłów polskich*, Warszawa 1930 – przedruk: Poznań 1960.

Bolesław Leśmian: *Majka* – ze zbioru *Klechdy polskie*, Warszawa 1959.

Stanisław Wasylewski: Wszystkie baśnie ze zbioru *Legendy i baśnie śląskie*, Katowice 1947.

Stanisław Dzikowski: Wszystkie baśnie ze zbioru *Klechdy polskie*, Warszawa 1948.

SPIS TREŚCI